SOFT SKILLS

ジョン・ソンメズ 著
まつもとゆきひろ 解説
長尾高弘 翻訳

SOFT SKILLS: THE SOFTWARE DEVELOPER'S LIFE MANUAL 2nd Edition By John Sonmez

ソフトウェア開発者の人生マニュアル 第2版

日経BP

目次 Contents

序文

2014年12月5日金曜日（私の62歳の誕生日）の夜遅く、私は本書の著者、ジョン・ソンメズからのメールを受け取った。彼は、月曜の12月8日までに序文を書いてくれと言ってきた。ジョンのメールには、数十個のWordファイルを入れたZIPファイルが添付されていた。原稿をこのように示されても不便で煩わしいと思った。そして、私には本全体のPDFファイルを作る時間はなかった。

そんなリクエストは迷惑な話だった。妻は両膝の置換手術を受けたばかりで、リハビリをしていた。土曜の午前は飛行訓練で、そのあとは妻と過ごすつもりだった。そして、土曜の夜にロンドン行きの飛行機に乗り、月曜から金曜までは講座で教えることになっていた。だから、序文を書く時間などない。月曜までなんてとても無理だった。私には十分な時間が与えられていない。ジョンにはそのように言った。

車で空港に出かける直前に、ジョンからチーズとハムのクリスマスパッケージが届いた。箱のなかにはカードが含まれており、私が序文を書くことを検討したことについての感謝の言葉が書かれていた。ジョンからは別にメールが届き、出版社と掛け合ってもう1日時間を確保したので、火曜まででいいと書かれていた。ほかにも彼は序文執筆を懇願するメールを送ってきたが、私は合理的な可能性はない、私の序文を期待しないでくれと返事をした。

空港に着いて飛行機に搭乗すると、フライトの間はぐっすり眠り、タクシーでロンドンの定宿に向かった。私は旅に疲れ、ぼんやりしながら寝るまでマインクラフトで遊んでいた。月曜は1日授業で、それからはクリーンコードビデオシリーズ（http://cleancoders.com）の第30回のためにSMCコンパイラーの仕事をしなければならなかった。

そして今日は12月9日火曜日である。今日は私の授業の2日目で、学生たちは2時間かかる試験を始めたところだ。メールをチェックすると、ジョンから本全体をまとめたPDFファイルが添付されたメールが届いていた。これでずいぶん楽になる。ファイルを開いてスクロールアップ、ダウンするだけだ。すばらしい。

読者は、私が言っていることにぜひ、注目していただきたい。ジョンは必要なことをしたのである。彼は私が必要とし、ほしいと思っているものは何かを考えたのだ。彼は最初のリクエストのあと、その気になるように私に働きかけ、私のために役立つ援助をしてきたのである。彼は私の序文執筆を実現させるかすかな望みのために、明らかにかなりの時間と労力を割いて、私の仕事を楽にするための作業をしたのである。私が辞退し、ほとんど不可能だと返事しても、私をその気にさせ、私を手助けするための方法を探し続けた。彼は諦めなかった。彼は手を引かなかった。チャンスがある限り、方法を探し続けたのである。

これこそ、まさにこの本に書かれていることだ。本書は、成功を手にするための本である。成功に近づくために使える習慣と戦略、手順とマインドセット、テクニックと小技について書かれた本だ。最初のリクエスト以降の彼の私に対するアクションは、彼がこの本に書いたことのいい例であり、彼自身がいい手本になっている。

そこで、学生たちが試験を受けている2時間を潰すために、私はPDFファイルを開いて読み始めてみた。驚いた。テーマを見てみよう。身体の健康の話がある。オプション取引の話がある[※1]。不動産の話がある。心のバランスの話がある。会社の辞め方、コンサルタント業の始め方、スタートアップへの参加のしかた、製品の作り方、企業の出世街道の上り方、セルフマーケティング……、こういったテーマがまだいくつも続くのである。

2時間で全部読めないことはわかっていたし、いずれにしても序文を書くつもりはなかったが、私は拾い読みを始めた。あっちを読み、こっちを読みしているうちに、ジョンにはあるメッセージがあり、それはとてもいいものだと思い始めた。それは大きなメッセージであり、すべてのソフトウェア開発者（この点に関しては、ソフトウェア開発者以外のすべての人にも当てはまるが）が耳を傾けるべきものだ。

あなたは履歴書の書き方を知っているか。あなたは給与交渉のやり方を知っているか。独立コンサルタントとしての料金設定の方法を知っているか。定職を捨てて契約プログラマーになるリスクの測り方を知っているか。起業するための資金集めの方法を理解できているか。テレビを見ることのコストがわかっているか（この部分、文字通りのことが書かれている）。

この本が話題にして読者に教えようとしているのは、こういったことだ。

これらはあなたがぜひ知らなければならないことである。私はまだ全部を読み終えていないが、かなりの部分を拾い読みした。結局、私がこのように序文を書いているのだからそれで十分だろう。私の結論は、あなたがこの複雑な産業で活路を開こうとしている若いソフトウェア開発者なら、今手にしているこの本は、多くの知恵と優れたアドバイスを与えてくれるはずだということだ。

ジョンは、私にこの序文を書かせるための方法を切り開いた。不可能なスケジュール、様々な悪条件を乗り越えたのである。彼はこの本に書いた原則を応用し、またも成功をつかんだのだ。

ロバート・C・マーティン（アンクル・ボブ）
アンクルボブコンサルティングLLC

※1　オプション取引の章はこの第2版では削除されている。

イントロダクション

ここでこの本を書くに至った不思議な物語について話すことができればどんなにいいだろう。砂漠で瞑想にふけっていると、空から鷹が私の肩にふわりと舞い降りてきて囁いた。「お前はソフトウェア開発者のためのソフトスキルの本を書かなければならない」

この本は、夢のなかで閃いたものだと言えたらどんなにいいだろう。真夜中に目覚めると、この本のアウトラインが見えていて、その見えていたものを逃さずにつかみ取るために、一心不乱に章を書き始めたと。

しかし、本当は、書かなければならないと思ったからこの本を書いたのである。

ソフトウェア開発者としての生活全体を通じて、私は様々な旅をしてきた。正しいいくつかの道、間違ったいくつかの道、今でもどっちなのかわからないいくつかの道を歩いてきた。その過程で、私には十分な援助や指導はなかった。近道を教えてくれる人はいなかったし、もっとも大きく成功した（単に書いたコードの問題だけではなく、人生全般において）ソフトウェア開発者になるための方法を教えてくれる人もいなかった。

もちろん、私の人生に影響を及ぼした人はたくさんいたし、ソフトウェア開発やそれ以外のことについて様々なことを教えてくれた人もたくさんいた。私が人生のなかで達成できたことには、それらの人々のおかげという側面がある。しかし、このような情報をすべてひとつに圧縮してくれる人や本は見つからなかった。たとえば、次のようなことだ。

- キャリアのマネジメントのしかただけでなく、キャリアについて正しい選択をする方法。
- より良く、より効率的に学ぶ方法、できる限り生産性を上げる方法、やる気を失ったり元気がなくなったときにすべきことは何か。
- 資産形成の基礎、肉体的、精神的な健康、これらがソフトウェア開発者としての私、この惑星に住む人間としての私にどのような影響を与えるか。

私がこの本を書いたのは、そのようなガイドを作りたかったからである。少なくとも、私の個人的な経験や、会ったりやり取りしたりすることのできたほかの成功しているソフトウェア開発者や資産形成のエキスパート、フィットネスの指導者、モチベーションの講演者といった人々の経験から私が学んだことをできる限りいい形で届けたいと思ったのだ。私がこの本を書いたのは、私が学んだことや経験したことをシェアしなければ、もったいないと思ったからである。

私がこの本を書いたのは、あなたの旅が少し楽になるように、より良い自分になりやすくなるように、そして何よりも、ソフトウェア開発者としての人生を通じて、孤独だと感じなくて済むようにするためだ。

ここまでの部分を読んでやる気が出てきただろうか。

すばらしい、それでは旅に出かけよう。

第２版のイントロダクション

約５年前の2014年にベストセラーになったこの本の初版を書いてから、私の人生とマインドセットは大きく変わった。だから、本書は最初から最後まで全部書き直してもよいところだった。

しかし、『SOFT SKILLS』第２版はそういうものにはなっていない。本書初版を読み直してみて、一部のテーマについてはもっと言いたいことがあると感じたし、話しておけばよかったと思う新しいテーマもたくさんあったが、ほとんどの部分は今でも意味を失っていないとも感じた。

実際、第２版についてさらに考えるうちに、『SOFT SKILLS』がこれだけ支持された大きな理由のひとつは、とっつきやすさにあったのだと思った。第２版でもその特徴を失いたくない。哲学や高度なマーケティングテクニックを知らない人でも、この本を手に取れば中身がすっと入ってくるようにしたかったのだ。

しかし、そうは言っても、大幅な書き換えや更新はしている。もう自分の意見が変わっているとか時代遅れになっていると思う部分は訂正しているし、この５年間で新たに知った哲学、フィットネス、資産形成の話題を追加している。

取り除いた部分から始めよう。付録は全部削除した。初版には金融の仕組み、株式市場の仕組み、食事と栄誉の基礎、健康的な食品についての４つの付録が含まれていた。興味のある読者にとっては面白い付録だったが、本書の本来の目的からはかなりかけ離れており、取り除いていいと思った。

その延長線上でオプション取引の章も取り除いた。これも面白いテーマだが、私自身はあまりお勧めするつもりがない上に、読者を間違った方向に引きずり込む危険がある。ほかの部でも、悪くはないが部のなかの章にするよりも独立したエッセイとして読んでいただく方が適していると思った章を取り除いた。

論理的に意味を持ち流れがよくなるように並び替えた章もある。もっとも、この本の各章は、今もあなたが読みたい順序で読んでかまわないし、それで意味が通じるようになっている。初版のときからそういう考え方で書かれている。

しかし、この第２版はただ内容を減らしただけではない。熟慮の上で一部の章を削除したのは、あなたに言いたいこと、シェアしたいことがほかにできたからでもある。それらを入れるスペースが必要だったのだ。多くの章には、新しいアイデアを追加し、古い内容を刷新するという第2版の標準的な作業を施した。しかし、みなさんにとってもっとも気になるのは、新しく追加された章のことだろう。

マーケティングの部には、セルフマーケティングの強力なオプションのひとつとなったYouTubeを使ったブランド構築の章を追加した。資産形成の部には、本物の豊かさを手に入れるための章も追加した。ここでは、私が若いうちに引退するだけでなく、数百万ドルの資産を築くために複数の分野にまたがって活用した資産形成の考え方を紹介する（この章は我ながらとても気に入っている）。断食と一日1食という現在の私の食習慣についての章も追加した（この方法の効果は驚異的だ。人生で今以上にスタイルがよくなったことはない）。そして最後に、ここ数年の私の方向性を決定づけているストア派という哲学的なテーマについての章を追加した（この章はぜひ読んでいただきたい。実際、まずこの章を読んでからほかの章を読んでいただきたいぐらいの気持ちでいる）。

そして、章の内容を直接的に明確に示すようにすべての章のタイトルも変えた。初版の「ハッシュテーブル型腹筋のつけ方」のようなひねったタイトルは面白いと言えば面白いが、二度目に読んだときにはちょっと……ださい感じがしたのである。年齢を重ねると、ユーモアのセンスも少し変わるようだ。

私としては、全体的に初版よりもこの第2版の方がずっと満足度が高い。今回の改訂によって、『SOFT SKILLS』は、多くの人々に支持していただいた初版の精神とトーンを維持した上で、ピントが明確になり、本書初版と（言いたくないがあえて言うと）当時の私自身の人生にはなかった生きるための価値の高い知恵が加わっていると思う。本書を楽しみ、掘り下げ、あなたの人生を変えるために行動を起こしていただきたい。

2020年カリフォルニア州サンディエゴにて

ジョン・ソンメズ

本書について

本書を手に取ってくれて私はうれしいが、あなたは一体何の本なのだろうと不審に思われているのではないだろうか。「ソフトウェア開発者の人生マニュアル」とは一体何なのか。すばらしい質問だ。ここで簡単に答えておこう。

次のように考えていただきたい。より良いコードの書き方や新技術について教えてくれる良書はたくさんある（本書の第70章でも紹介している）。チーム作業やソフトウェアプロジェクトの運営についての本もある。キャリアおよびその伸ばし方を教えてくれる本や、面接の切り抜け方を説明する本さえある。しかし、すでにソフトウェア開発者になっているあなたのために、より良い開発者になる方法をまとめて教えてくれる本に出会ったことはあるだろうか。

もっといい職を手に入れたりお金を儲けたりする方法だけでなく、そのお金をどうするか、あるいは最終的にその仕事を辞めて起業家になるためにはどうすればいいかまでを教えてくれる本に出会ったことはあるだろうか。

ソフトウェア開発業界で評価を築くための手順と同時に、肉体的、知的、精神的により強く健康になるための方法を教えてくれる本に出会ったことはあるだろうか。

私はない。そこで、それらすべてについて、さらにそれ以上のことも含む本を、自分で書くことにしたのである。

あなたが誰であれ、この本はあなたのために書かれている。これは軽い気持ちで言っているのではない。この本には、面接をうまく切り抜け、最高の履歴書を書くための方法から、大成功を収めるブログの作り方、個人ブランドの確立のしかた、さらには学習能力や生産性を大幅に引き上げるとともに燃え尽き症候群に対処する方法、そして不動産投資のやり方や体重の減らし方まで、ありとあらゆることをテーマとする章が含まれている。

また、私がオンライントレーニングのプルーラルサイトのために2年足らずで55のオンライン講座を作るときに使った速習のための特別なテクニックを紹介する部もある。

あなたが誰であれ、ソフトウェア開発のキャリアがどれぐらいのものであれ、この本にはあなたのために役立つ部分が何かしら含まれている。特別な人との出会いのための章さえある。どういう意味かはもちろんおわかりだろう。

この本にどのような内容が含まれているか、この本がどのように構成されているかは、第１章でもっと詳しく説明しよう。

・本文中の※は訳注を示します。

・著者が挙げた文献に邦訳がある場合はその旨を補記しましたが、本書で用いた訳文はすべて訳者による私訳です。

・アイコンの意味は以下のとおりです。

ヒント

メモ

注意！

第 1 章

あなたが読んだことのあるどの本ともこの本が違う理由

「ソフトウェア開発」について書かれた本のほとんどは、もちろんソフトウェア開発について書かれている。しかし、この本は違う。いいコードの書き方や様々なテクノロジーの使い方を説明した本は世の中にたくさんあるが、いいソフトウェア開発者になるための方法を教えてくれる本を見つけようとすると、とても苦労する。

私が言う「いいソフトウェア開発者」とは、コードの書き方、問題の解き方、ユニットテストの作り方がうまい人のことではない。そうではなくて、キャリアのマネジメント、目標の達成、人生の楽しみ方の面で、いいソフトウェア開発者ということだ。確かに、今言ったようなスキルはどれも重要だろう。しかし、ソフトウェア開発者には、C++ での優れたソートアルゴリズムの書き方とか、隣のメンテナンスプログラマーがあなたを車でひき殺してやりたいと思ったりしないコードの書き方といったこと以外にも、することはあるはずだと言いたいのである。

この本は、「あなたに何ができるか」についての本ではない。この本は、「あなた」についての本だ。そう、あなたのキャリア、あなたの生活、あなたの心と身体、そして、もしそういうものがあるとすれば、あなたの魂についての本である。と言っても、私のことをちょっとおかしなやつだとは思わないでいただきたい。私は、床に座り、ペヨーテの葉を吸って瞑想しながら、あなたの意識をより高い次元に引き上げてあげようなどとほざく超越論的な僧侶などではない。本書を読み進めればその反対、つまり「ソフトウェア開発者であるということは、コードを書くことよりもはるかに大きなことだ」ということに気づいた地に足の着いた人間であることをわかっていただけるだろう。

私はソフトウェア開発に対する総合的なアプローチを支持している。つまり、より良いソフトウェア開発者になりたいなら、人生におけるひとつ、ふたつの領域だけでなく、ひとりの人間として全体を捉える必要があると考えているのだ。

本書を書こうと思った理由と本書が向かっている目標は以上である。とはいえ、この本だけで人生について取り上げるべきことをすべて扱うことはとてもできない。それに、私にそんな大それたテーマを述べるほどの経験や知恵があるわけでもない。そこで、私にいくらかの経験と専門知識のあるソフトウェア開発者の生活の主要領域に話を絞ろう。おそらくその方が、読者のためになるはずだ。

この本のページを開くと、一見無関係なテーマが複雑に絡み合っているように感じるかもしれない。でも、この混乱のなかにも秩序はある。本書は、ソフトウェア開発者の生活の様々な側面にひとつずつ注目していくために全7部で構成されている。具体的には、キャリア、セルフマーケティング、学習、生産性、資産形成、フィットネス、マインドセットである。

まず、あなたの「キャリア」の話から始める。キャリアはほとんどのソフトウェア開発者にとって、じっくり取り上げるべき最重要領域のひとつだからだ。しかし、自分のキャリアを積極的にマネジメントするために頭を使っている開発者はほとんどいないらしい。第1部「キャリア」では、(1) 会社の出世街道を行く、(2) 独立してコンサルタントとして生計を立てる、さらには (3) アントレプレナー（起業家）になって自分の製品を作るなど、あなたが求めている結果に合わせて、キャリアを積極的にマネジメントするにはどうすればいいかについて知恵を伝授し、この問題（少なくとも読者が抱えている問題）の解決に一役買いたいと思っている。私はこれら3つをすべてやってきた。そして、同じように生きてきた無数のソフトウェア開発者たちにインタビューをしている。私たちの集合痴（私たちの失敗全体）から学べば、私たちがキャリアの過程で味わってきた惨めさを避けられるはずだ。ここでは、見栄えのいい履歴書の作り方、面接の克服方法、リモートワークの方法、さらには、今話題になっている古きよき人々の様々なスキルなど、目標とするキャリアの違いによらない重要なスキルについても取り上げる。

第2部「セルフマーケティング」では、私自身がとても大切に思っているセルフマーケティング、つまり自分の売り込み方を取り上げる。マーケティングという言葉を聞いてどんな感想を持つだろうか。私がこの言葉を持ち出したときに、ほとんどのソフトウェア開発者たちは落ち着かない気分になり、おそらく少し吐き気まで催しただろう。しかし、この章の最後まで読み終わる頃には、この単語に対してまったく新しい価値を見いだし、なぜそれが重要なのかを理解するはずだ。すべての人はセールスパーソンだが、ソフトウェア開発者のなかには売り込み方がうまくない人がいる。

第2部では、もっといいセールスパーソンになる方法を学び、自分が売っているものが何かを正確に知ろう。セールスパーソンになるといっても、卑屈な戦術を弄したり、一攫千金の儲け話を書いたスパムメールを送ったりするわけではない。パーソナルブランドを築く方法、ブログを成功させる方法、講演、指導、執筆などを通じて名前を売る方法、そして、あなたがおそらく今まで考えたことないだろうと思われるその他の方法について、実践的なアドバイスを送るつもりだ。

これらのスキルを身に付ければ、第1部で学んだことと掛け合わせることによってさらに大きな成果が得られるはずである。

キャリアの問題が片付いたら、知識の領域に入ろう。第3部は「学習」である。学習は、あらゆるソフトウェア開発者にとって生活の重要な部分だ。ソフトウェア開発者やITプロフェッショナルがもっともよくしていることのひとつが学習であることは、いちいち言うまでもないことだろう。独学のスキルが身に付いているということは、想像できることなら何でもできるようになるスキルがあるということだ。だから学び方を知っている、独学の方法がわかっているというスキルは、身に付けられるスキルのなかでももっとも価値のあるもののひとつである。しかし、私たちが大人になる過程で強制的に受けてきたほとんどの教育のシステムには欠陥がある。学ぶためには教師が必要であり、学習は一方通行だという誤った前提に立っているのだ。私は教師やメンターが大切ではないと言うつもりはない。しかし、この第3部では、自分自身の能力と常識にほんの少しの勇気と好奇心をミックスしたものを頼りにして、退屈な講義を聞きながらせわしなくノートを書くよりもずっと大きな成果が得られる方法を示したい。

ここでは、私が自分のキャリアを通じて開発した「10ステップの独学プロセス」を紹介する。これは、オンライン教育サービス会社のプルーラルサイトのために50種類ものオンライン開発者教育講座をわずか2年ほどで製作するために、記録的なスピードで学ばなければならなかった私自身が使った手法である。第3部ではまた、優れたメンターの見つけ方、メンターになることの意味、成功するために伝統的な教育や学位が必要かどうかといったテーマについても触れる。

引き続き、頭脳に関する領域を取り上げる第4部「生産性」では、あなたの予想通り、ひたすら生産性を上げる方法を見ていく。ここは、あなたを後ろから蹴り上げて気合を入れるつもりで書かれている。多くのソフトウェア開発者にとって、生産性は非常に大きな課題であり、本当なら勝ち取れるはずの成功を取り逃がしてしまう最大の要因である。人生のほかのあらゆることにはきちんと準備できていても、先延ばし、無秩序、ただの怠け癖というハードルを乗り越える方法を知らなければ、歯車が噛み合わずに苦労することになるだろう。

そう言っている私もそれ相応に苦労したものの、ついに「トップスピードでハイウェイを突っ走れるシステム」を編み出した。第4部ではそのシステムを紹介する。また、燃え尽き症候群、テレビの見過ぎ、掘り下げるためのモチベーションの見つけ方、昔ながらのハードワークのやり方といった難しいテーマにも取り組もう。

第5部「資産形成」でも、もうひとつ、頭脳を駆使するテーマを取り上げる。それは、資産形成という完全に無視されがちなテーマである。ソフトウェア開発者として世界一の成功を収めることができても、稼いだお金を上手に管理できなければ、いずれ「コードを書くから食べ物をくれ」というサインボードを持って街角に立つようなことになりかねない。第5部では、経済の世界と資産形成、投資について駆け足で説明した上で、投資上の判断を下し、将来のための資産運用を立案するために知っておかなければならない基礎を身に付けていただこう。

私は金融プランナーやプロの株式トレーダーではないが、18歳のときから、ソフトウェア開発者として仕事をする傍ら、プロとして不動産投資をしており、正味数百万ドルも蓄えている。だから、自分が何を言っているのかはわかっているつもりだ。お金については、本にして何冊分にもなる深遠な世界なので、あまり深入りするつもりはない。それでも、収入を管理する方法の基礎、不動産投資のやり方、借金の防ぎ方、そして何よりも大切なことだが、本物の豊かさを築く方法をお教えしよう。おまけとして、私が第5部で説明した原則に従って、スタートアップを高く売り抜けたわけでもないのに33歳で引退できた実体験をお話しするつもりだ（この体験はそれほど大変ではなく、誰でもできることである)。

続く第6部は楽しい部分だ。体を動かそう。ブートキャンプに入って体を鍛える準備はできているだろうか。体を絞ると、水着を着たときにかっこいいというだけでなく、精神や認知能力にもいい影響を与える。第6部「フィットネス」では、脂肪を落として筋肉をつけ、丈夫になるために必要な事柄をすべて取り上げる。私が知っているほとんどのソフトウェア開発者は、太り過ぎで不健康、何をするにも体力が足りないようだ。しかし、体に関する知識も力の一部である。ボディビル大会に出場し、無数のハーフマラソンと4度のフルマラソンを完走したソフトウェア開発者として、生活をコントロールするために必要な知識を伝授しよう。

第6部では、食事と栄養の基礎、食事が身体に及ぼす影響について説明する。体重を落とし、筋肉をつけ、あるいはその両方を手に入れるためのフィットネスプランとダイエットへの取り組み方も示そう。さらに、立ち机やギークのためのフィットネスギアといった、開発者向けのテーマも取り上げる。

最後の第7部「マインドセット」では、物質的な世界を離れ、「マシンのなかの魂」を探す。タイトルにマインドセットが入っているからといって勘違いしないでいただきたいが、ここでは、精神状態や生きる姿勢に影響を与えるトピックについて現実的で実践的なアドバイスを送る。第7部は、この本の自助セクションと呼ぶことができるだろう(私としては自助という言葉はあまり好きではないのだが)。第7部では、主として成功をつかむために必要なポジティブな姿勢を作り出すための頭の切り替え方を取り上げる。技術的に優れている多くの人々が苦手としている愛や人間関係についても簡単に触れる。

また、個人的に気に入っている「成功をつかむためのブックリスト」も紹介しよう。これは、私が会ったことのある著名人や成功者に頼んで「すべての人々に薦められる1冊」を教えてもらったもので、年季が入っている。

準備はできただろうか。それではリラックスして、これまでのソフトウェア開発本とはまったく異質なソフトウェア開発の世界に飛び込もう。

第 1 部

キャリア

自分が働いているのは他人のためだと信じて疑わないのは、
あらゆる過ちのなかでも最大の過ちだ。
そんなことを考えていたら、ポストが危うい。
キャリア構築の原動力は、
本人のためということでなければならない。
ポストは会社のものかもしれないが、
キャリアはあなたのものだ。

—アール・ナイチンゲール

自分のキャリアを積極的にマネジメントしているソフトウェア開発者はほとんどいない。しかし、成功する開発者の大半は、偶然成功にたどり着くわけではない。彼らは頭のなかに目標を思い描き、その目標を達成するために考え抜かれたしっかりとしたプランを持っている。ソフトウェア開発という競争の激しい世界で本当に成功したいのなら、単に履歴書を磨いてたまたま手に入れた仕事をする以上のことをしなければならない。物事をよく考え、どのような行動をとるべきか、その行動を起こすべきはいつか、その行動を通じてどのように前進すべきかを判断する必要がある。

第 1 部では、ソフトウェア開発のキャリアから何を望むべきか、どのようにしてそれを手に入れるかを決めるプロセスをお見せしよう。

第 2 章

自分のキャリアをビジネスとして扱え

真夏の花火大会を見に来たとしよう。打ち上げ花火が赤、青、黄、紫に破裂して、“ドン！”と鳴ると、まわりの誰もがわーっと声を上げる。ところが、ある花火だけは空高く上っていったのに……何も起きない。破裂せず、ドン！とも鳴らず、シュルシュルシュルと消えていく。

あなたは、自らのソフトウェア開発のキャリアを、どちらの花火のようにしたいだろうか。空高く大きな音を立てて爆発する花火だろうか、それとも、高いところまでは達するものの静かに地面に落ちていく花火だろうか。

ビジネスというマインドセット

キャリアの出発点に立ったソフトウェア開発者の大半は、いくつかの大きな誤りを犯している。そのなかで群を抜いて大きい最大の誤りは、ソフトウェア開発のキャリアをビジネス（事業）として扱っていないことだ。騙されてはいけない。生計を立てるためにコードを書くという世界に踏み出したときのあなたは、中世の街で店を準備している鍛冶屋と同じだ。時代は変わり、ほとんどのソフトウェア開発者は会社に属しているものの、私たちのスキルや商品価値は私たちのものであり、私たちはいつでもどこか別の場所に店を出せるのだ。

このようなマインドセットは、キャリアマネジメントのためにきわめて重要だ。自分をビジネスだと考えるようになると、自分というビジネスのために優れた判断を下せるようになる。自分自身の業績とはあまり関係のない「いつもの給料」をもらうことに慣れてしまうと、自分は会社の従業員に過ぎないというマインドセットに簡単に染まってしまう。一時的なキャリアとして、あなたが特定の会社の従業員であることに間違いはないかもしれないが、そのときの肩書が自分や自分のキャリアを表していると考えないことが大切だ。

それよりも、ソフトウェア開発というあなたのビジネスの顧客として、雇用主を考えた方がいい。確かに、あなたの顧客は1件しかなく、あなたの収益はすべてその1件の顧客によるものかもしれない。しかし、あなたと会社の関係をこのように捉えると、あなたは会社に依存する力のない存在から自律的で自由な存在に変わる（実際、「本物の」会社でも、巨大なクライアントを抱えていて、収益の大半をそこに依存しているところは多い）。

会社との関係を捉え直すこと。これがキャリアの最初にすべきことだ。マインドセットを、雇用契約で縛られた奴隷から、自分自身のビジネスを経営しているビジネスパーソンに切り替えるのである。キャリアの最初の時点でこのマインドセットを持っているだけで、自分のキャリアについての考え方が変わり、キャリアを積極的にマネジメントするという意識が持てるようになる。

ビジネス的なものの考え方

単に自分自身を「ビジネス」だと考えただけでは、大した意味はない。何か利益を引き出したいなら、そのように考えることの意味を理解する必要がある。どうすれば自分をビジネスと考えられるか、それにどのような意味があるのかについて話そう。

まず、ビジネスを構成するものは何かについて考えるところから始めよう。ほとんどのビジネスは、成功するためにこれから説明する「多くのもの」を必要とする。第1に、製品あるいはサービスが必要だ。売るものがないビジネスは成り立たない。では、あなたは売るべきものとして何を持っているのか。あなたの製品なりサービスなりは何なのか。

あなたがソフトウェア開発者として実際のデジタル製品に関与している場合もあるだろう。それについては第16章で話す。しかし、ほとんどのソフトウェア開発者は、ソフトウェアを開発するというサービスを売っている。ソフトウェア開発は、様々な活動や各種サービスを包み込む広い意味の言葉だが、一般にソフトウェア開発者は、アイデアを受け取ってそれをデジタル化された現実に変身させる能力を売っている。

あなたが提供しているサービスは、ソフトウェアを作れる能力だ。

ビジネスとして提供しているものについてこのように考えるだけで、自分のキャリアに対する見方に深い影響が及ぶ。経営者は、絶えず自分の製品を改訂、改良している。あなたもそうでなければならない。あなたがソフトウェア開発者として提供するサービスには、はっきりとした価値がある。そして、あなたは、その価値がどのようなものかということだけでなく、ゴマンといるそこらのソフトウェア開発者とあなたの価値がどのように違うのかということも伝えられなければならない。

ここまでくると、マーケティングの領域に入ってくるがそれは第２部で詳しく説明しよう。大切なのは、少なくとも製品やサービスを持っているだけでは不十分だということを認識していることである。お金を稼ぎたいなら、顧客になる可能性のある人々に、その製品やサービスの価値を伝えられなければならない。だからこそ、世界中の企業はマーケティングのために多くの資金と労力を費やしているのだ。サービスを提供しているソフトウェア開発者として、あなたもマーケティングを意識する必要がある。提供しているサービスのマーケティングがうまければうまいほど、そのサービスの料金を高くすることができ、多くの顧客を惹きつけられるようになる。

駆け出しのソフトウェア開発者の大半が自分のキャリアをこのように考えていないことは十分に想像できるだろう。最初から華々しく登場するのではなく、入ってきたのかどうかわからないような感じで舞台に上がってしまうのである。彼らと同じではダメだ。

では、同じにならないために、何をやったらよいのか。

- 自分が提供するサービスに全力を集中し、そのサービスの売り方を考える。
- 提供するサービスを向上させる方法を考える。
- 特定のタイプのクライアントや産業のニーズに応えられるようにサービスを専門化する方法を考える。
- かなり特別なタイプのクライアントを対象に専門的なサービスを提供するスペシャリストになることに力を注ぐ（いい仕事を探すソフトウェア開発者は、１クライアントを確保するだけでいいことを忘れないように）。

また、あなたのサービスが広く評判になり、顧客が見つかるようになる方法についても考えよう。ほとんどのソフトウェア開発者は、履歴書を作って会社やリクルーターにばらまいているが、自分のキャリアをビジネスとして考えるなら、それがクライアントになるかもしれない会社を探す唯一最良の方法だと本気で思えるだろうか。成功を収めているほとんどの企業は、自分の製品やサービスを顧客に買いに来てもらうようにする方法を知っている。顧客を１件ずつ追いかけたりはしない。

第２部で説明する様々なテクニックを使い、もっと高く売れるソフトウェア開発者になれれば、顧客の方から来てもらえる。しかし、テクニックの詳細に踏み込まなくても、ポイントは明らかだろう。自分が置かれた環境を外から客観的に見て、事業主のように考えることである。

顧客を惹きつけるためにもっともいい方法は何か。自分が提供できるサービスについて顧客にどのような話をすることができるか。このふたつの単純な問いに答えられるなら、あなたは華々しくキャリアのスタートを切ることができる。

やってみよう

- 提供する製品やサービスを持っている会社について考えよう。そのような会社は、製品、サービスをどのように差異化し、宣伝しているだろうか。
- 自分が提供できるサービスを雇用主やクライアントに一文で説明しなければならない場合、その文はどのようになるだろうか。
- キャリアをビジネスのように扱うと、次の事柄にどのような影響を及ぼすだろうか。
  - 仕事
  - 資産運用
  - 新しい会社、すなわち新しいクライアントの探し方

第 3 章

適切なキャリア目標の立て方

自分のソフトウェア開発のキャリアをビジネスとして考えるようになったら、今度はそのビジネスの目標をはっきりさせる番だ。

全員が同じようにはならないだろう。あなたのキャリアの目標は、私のものとは大きく異なるかもしれない。しかし、それらの目標のどれかひとつでも達成しようとするのなら、それが何なのかをはっきりさせなければならない。もちろん、これは言うは易く行うは難しだ。ソフトウェア開発者を含む多くの人々は、自らの目標が何か、人生で何を達成しようと思っているのかを具体的にイメージせずに、ただずるずると流されているようだ。ほとんどの人は自然にそうなるのだろう。私たちは、何に力を注ぐべきかを十分に考えず、その結果、目的や方向がはっきりしないまま動いてしまう傾向があるようだ。

帆船で大海原を横断するときのことを考えてみよう。船に乗って帆を上げることなら、ほとんど誰でもできる。しかし、目的地を明確に定めた上でその方向に進む手順を踏まなければ、ただ漫然と海に滑り出すことになる。おそらく、どこかの島か大陸に偶然たどり着くだろうが、どこに行きたいのかを決めなければ、前進したとは言えないだろう。しかし、ひとたび目的地を明確に決めたら、手持ちのあらゆる道具を駆使して目的意識的に船を動かせるようになる。そうすれば、きっと目的地に着けるだろう。

そんなことは当たり前のように感じられるが。キャリア目標を立てているソフトウェア開発者はほとんどいない。なぜだろう。推測することしかできないが、ほとんどのソフトウェア開発者は、キャリアの長期的なビジョンに踏み込むことを恐れているのではないだろうか。どれかひとつの道を選んでその道をずんずん進むのが恐いため、あらゆるオプションを残しておきたいのだ。選んだ道が間違っていたらどうしよう。行った先が気に入らなかったらどうしよう。実際、これは恐ろしい問いではある。

そういったことをまったく考えたことのない開発者もいる。放っておけば、人は自分の前に敷かれた道をただ歩いていってしまう。自分で道を切り開いていくのははるかに困難を伴うので、そんなことはしないのだ。代わりに与えられた最初のポストに飛びつき、もっといいチャンスが転がり込んでくるかクビになるまで、そのポストにしがみつくのである。

キャリア目標を立てなかった理由が何であれ、今こそ目標を立てなければならない。明日ではなく、ましてや来週ではなく、今すぐ目標を立てるのだ。はっきりとした目標を立てずに踏み出した一歩一歩は、すべて無駄足である。キャリア目標を立てずにふらふらと人生を歩んでいってはならない。

決断しないことも決断だということを忘れてはならない。それは何もしないという決断であり、通常は最悪の決断だ。多くの人々が歩む行きあたりばったりの道をデフォルトで受け入れるよりも、次善の決定を下し、次善の人生行路を描く方がたいていの場合はましである。

目標の立て方

そろそろみなさんも、自分の目標を設定する必要があると思うようになってきたのではないだろうか。それでは、どうやって目標を設定したらいいのだろうか。

もっとも簡単なのは、まず心のなかに大きな目標を描き、その大きな目標に到達するために役立つ小さな目標を途中に設けていく方法だ。ずっと遠くにあるかもしれないものを明確に定義するのは難しいので、大きな目標は細かいところまで決まらないことが多い。それでいい。遠くにある大きな目標を決めるときには、細かいところまではっきりさせる必要はない。ただ、どちらに向かっていけばよいかがはっきりすればいいのである。船のたとえに戻ると、たとえば中国に行きたい場合、目的となる港の正確な緯度、経度を今すぐ知っている必要はない。船に乗り、中国の方向に向かって進めばいい。そして、中国に近づいたら、もっと細かく決める。船出するときに知らなければならないことは、中国に近づいているか遠ざかっているかだ。

大きな目標は細かく決まっていなくてもいいが、そちらに向かっているのか遠ざかっているのかは明確にわかっている必要がある。自分のキャリアで最終的に何がしたいのかを考えよう。会社の管理職や重役になりたいのか。いずれ社外に飛び出し、自分のソフトウェア開発会社を立ち上げたいのか。それとも、自社製品を作って市場に送り込むアントレプレナー（起業家）になりたいのか。私の場合、目標はいつも、いずれは自らの力で社外に出て、自分のために仕事をすることだった。

大きな目標が何かを決めるのは、ひとえに本人の問題だ。自分のキャリアから何を手に入れたいのか。5年後、10年後の自分をどうしたいのか。少し時間をかけて、そのことについて考えてみよう。これは非常に大切なことだ。

遠くにある自分の大きな目標が何かがはっきりしたら、次のステップは、途中に小さな目標を作りながら、そこに達するまでの道筋を描いてみることである。大きな目標の方から現在の状況までを逆にたどってみるといい場合もある。何かしら大きな目標を達成したことがあるなら、その過程のマイルストーンはどうだったかを思い起こしてみよう。大きな目標から現況を逆にたどると、どのような道筋が想像できるだろうか。

目標設定のステップ

私は以前、体重を100ポンド（約45kg）落とすことを大きな目標にしていた。体型が崩れるまま放置していたので、まともな状態に戻したいと思ったのである。私は、2週間ごとに5ポンド（約2.3kg）ずつ落とすという小さな目標を設定した。その小さな目標を2週間ごとに達成し続けられたおかげで、私は大きな目標に向かって突き進むことができた。

大きな目標に向かって少しずつ前進できるような小さな目標を適切に設定できれば、あなたはいずれ最終目的地に到達できるだろう。大きな目標に自分を導いてくれるような様々な大きさの目標を用意しておくことは大切だ。たとえば、12冊の技術書を読むとか、新しいプログラミング言語を身に付けるといった年間目標があったとする。その年間目標は、上級レベルの開発者になるというもっと大きい目標に向かって進むための小さな目標かもしれない。しかし、その年間目標も、毎月1冊の本を読むとか、毎日何かしら決めた分だけ本を読むといったさらに小さな目標に分割できる。

小さな目標があると、あなたはモチベーションを維持し、大きな目標に向かって脱線せずに進むことができる。大きな目標の実現のために前進し始めても、途中に小さな目標を設けていなければ、横道にそれてしまったときに軌道修正する時間がなくなってしまうだろう。小さな目標があると、頻繁に達成感が得られるので、モチベーションの維持にも役立つ。毎日、毎週、小さな勝利があると、自分は前進して目標を達成しつつあるという気持ちになる。こうした前向きな気持ちは、前進し続けるために効果がある。また、小さな目標には、大きな目標のような威圧感はない。

この本を書くということについて考えてみよう。今の私は毎日そして毎週のかなりの部分を本書の執筆に充てるという目標を立てている。日々小さな目標に目を向けるようにし、1冊の本を書き上げるという大きな目標を直接は意識していない。それは、毎日すべきことをしていれば、最終的には1冊の本を書き上げるという大きな目標に到達できることがわかっているからだ。

まだ自分の未来について考える時間があまりなく、明確な目標がないのなら、この本をひとまず閉じて、自分の目標を決めよう。簡単なことではないが、あとで目標を決めておいてよかったと思うだろう。目的もなく大海原に向けて船を漕ぎ出してはいけない。出航する前に航路を書いておこう。

目標の検証

目標は定期的に検証、更新し、必要に応じて修正しよう。誤りに気づくまでに何 km もコースから外れてしまうようなことは避けたいし、間違っていることがわかっている道を遠くまで進んでしまうようなことも避けたいものだ。

目標を見直す間隔は決めておくことをお勧めする。定期的に見直せば、必要に応じて修正でき、自信を持ってその道を進むことができる。週末、翌週のプランを練る前に、その週の目標が達成できたかどうかを評価するようにしよう。各月、各四半期、各年にも同じことが当てはまる。

短期と長期のそれぞれで達成できたことを振り返れば、正しく前進できているか、それとも何らかの修正が必要かを明らかにするために役立つ。

やってみよう

- 机の前に座り、自分のキャリアの大きな目標を少なくともひとつ書き出そう。
- その大きな目標を次の期間似対応する小さな目標に分割しよう。
  - ・月
  - ・週
  - ・日
- 見えるところに大きな目標を書いて貼り出し、自分が何を目指してがんばっているのかを毎日思い出そう。

第4章

社交スキルを鍛える

この本は、ある程度までは、社交術、言い換えれば「ソフトスキル」について書かれたものだとも言えるだろう。本書を読んでいるぐらいなので、あなたは自分の人生とキャリアにおける社交術の重要性をいくらかは意識しているはずだ。この章では、少し深いところまで踏み込んで、社交術が重要な理由と社交術を身に付けるためにできることをお話ししよう。

放っといてくれ、私はただコードが書きたいだけなんだ！

以前の私は、ソフトウェア開発者の仕事は、ただコードを書くことだと思っていた。そのような考え方をしてしまっている人は私だけではないだろう。

しかし、実際には、ソフトウェア開発者の時間の大部分は、コンピューターではなく、人を相手にするために使われている。私たちが書いているコードでさえ、第一義的には人に使ってもらうために書くのであり、コンピューターに理解させることには二義的な意味しかない。もしそうでなければ、私たちは1と0のマシン語でコードを直接書いていただろう。優れたソフトウェア開発者になりたければ、人とうまく接することを学ばなければならない（仕事のなかでもっとも楽しい部分がコーディングだとしても）。

職場での時間のうち、どれだけの部分を他人とのやり取りのために使っているかを考えれば、人との接し方に上達することの大切さはすぐに理解できるだろう。朝、仕事をするために自分の席に座るとき、最初にすることは何だろうか。その通り、メールチェックである。そして、あなたにメールを送ってくるのは誰だろう。コンピューターだろうか。あなたのコードが、自分を完成させてくれとか、もっとよくしてくれというメールを送ってくるだろうか。違う。メールを送ってくるのは人間だ。

一日の間には会議に出ることもあるだろう。自分が抱えている問題やその問題を解決するための戦略について同僚と話すこともあるだろう。そして、ようやくコードを書くために席に着いたら、何をコーディングするのだろうか。コードの要件はどこからやってくるのだろうか。

自分の仕事はコードを書くことだと思っているなら、考え直すべきだ。ソフトウェア開発者としてのあなたの仕事は、ほかのあらゆる職種と同様、人と接することである。

人との接し方を学ぼう

人との接し方というテーマでは、多くの優れた本が書かれている。私がもっとも優れていると思う本のリストは第7部でお見せするつもりだ。だから、この短い章では、人との接し方について知るべきすべての事柄を取り上げるつもりはない。おそらくもっとも大きな効果が得られる基本概念の一部だけを紹介しておきたい。なお、このテーマに関しては、私がずっと愛読しているデール・カーネギーの『人を動かす[※1]』から多くのヒントを得ている。

誰もが「大切にされている」と感じたがっている

おそらく、人と接するときに意識すべきもっとも重要なことは、どんな人でも、その根っこの部分では、大切だと思われたがっているということだ。これは、人類のもっとも深く、もっとも切実な望みのひとつであり、社会や人生で達成された優れた業績の大半を生み出した主要な動機である。

ほかの人と接するときには、いつもこのもっとも基本的な欲求を意識し、自分がそれにどのような影響を及ぼしているかを意識しなければならない。何らかの形で相手やその人が達成した業績を見くびっていると思われると、まるで酸素の供給を止められたかのように相手は捨て鉢で凶暴な反応を返してくることを肝に銘じておこう。

人は、同僚のアイデアをはねつけ、自分のアイデアを押し出すという過ちを簡単に犯してしまう。この残念な判断ミスを犯すと、同僚はあなたのアイデアを無視するようになりがちだ。あなたが彼らを軽視したと思わせたからである。人に自分のアイデアを認めさせ、価値があると思わせたいなら、先に相手にその礼を尽くさなければならない。彼らのプライドを傷つけないようにしなければ、人の心をつかむことは決してできない。

※1　Dale Carnegie, *How to Win Friends and Influence People*, 1936. 邦訳『人を動かす』（創元社、1999年）

決して批判しない

最初に述べたことから考えれば、批判が目的の結果を生み出す助けにはならないことはすぐに理解できるだろう。以前の私は、批判が多いことで目立った存在だった。褒めるよりも罰することの方がはるかに効果的にモチベーションを生み出せると思っていた。私は完全に間違っていたのである。

いい行動を褒めることの方が悪い行動を懲らしめることよりもはるかに効果的だということは、数々の研究が繰り返し示していることだ。あなたが経営のリーダーという立場にあるのなら、これは特に守るべき重要な原則である。人を刺激してベストの力を出してもらいたいとか変化を引き起こしたいと思うなら、余計なことを言わずに励ましの言葉だけを口にすることを学ばなければならない。

おそらくあなたは、この原則を理解しない上司のもとで働いた経験があるだろう。ミスが起きるとすぐに激しい叱責を返すような上司に、あなたはどう感じただろうか。もっといい仕事をしようという意欲を感じただろうか。あなたとは大きく異なる反応を他人が返すと思ってはいけない。モチベーションを与え、やる気を出してもらいたいなら、批判せずに褒めることだ。

人が何を望んでいるかを考えよう

人とうまく接するためのポイントは、自分の立場から考えるのを止めて、相手にとって大切なこと、その人が望んでいることという観点から考えるようにすることである。マインドセットをこのように切り替えると、相手に軽んじられていると感じさせたり、相手を批判しそうになったりすることを減らせるだろう。そして、相手があなたに好意的になり、あなたのアイデアを尊重する可能性が高くなる。

同僚や上司と初めて対話するときには、話題の中心を自分ではなく相手に持っていくようにしよう。相手の視点から物事を考えるように努めるのである。この対話から相手が得ようと思っていることは何だろうか。彼らにとって大切なことは何だろうか。相手が言うことを熱心に聞き、自分が話す番になったら、相手の思いに触れるような話し方をしよう（それだけではなく、このシナリオをあらかじめリハーサルしておくべきだ。対話がどのように進むか、事前に準備しておくのである）。

自分がある機能をある特定の方法で実装したいと思っている理由を上司に言ってもいいことはない。自分が提案する方法でその機能を実装すると、上司にとってどう有用なのかを提案をする方がはるかにいい。この方法ならソフトウェアが安定したり、期限内に出荷できる可能性が高くなったりするというような具合である。

なんとしても議論を避ける

ソフトウェア開発者である私たちは、すべての人が論理的な視点から物事を考えると思ってしまいがちだ。そのため、しっかりとした論理があれば、他人はあなたの考え方を否応なく受け入れるという間違った思考に陥りやすい。

しかし、いかに自分の知的能力に誇りを持っていたとしても、人は非常に感情的な生き物である。スーツとネクタイで歩き回って大人になったつもりでいる小さな子供と同じだ。冷たくされたり傷つけられたりすると、泣き出したりかんしゃくをぶつけたりしたくなるが、自分をコントロールしてそのような感情を外に出さないようにすることを覚えているだけである。

そういうわけで、議論はなんとしても避けなければならない。泣き叫ぶ幼児に、寝に行けば翌日のためにしっかりと休息が取れて自分のためになるという論理と純粋理性が響かないのと同じように、あなたに冷たくされた同僚はあなたのやり方がベストだとは思わないものだ。

> 私は、議論に打ち勝つことのできる方法はこの世界にたったひとつしかないという結論に達した。それは議論を避けることだ。ガラガラヘビや地震を避けるのと同じように、議論は避けよ。
>
> —デール・カーネギー『人を動かす』

何かのやり方について賛成できないとき、たいていの場合はまずそれが命を賭けるに値するほどのものかどうかを判断することだ。特に、他人が関わっているときはそれが大切である。自分にとっては大した意味がなくても他人にとっては大きな意味を持つ小さな問題で自分の誤りを認め、自分の意見を諦める機会を設ければ、あなたは相手を計り知れないほど尊重したという実績を作れる。それを蓄積していけば、立場が逆転したときに相手が考えてくれるかもしれない。

社交術のために時間を使ったことがなければ、今すぐ始めた方がいい。他人と気持よく接する方法を学んだら、自分の人生がずっと楽しくなる。社交術を学ぶことから得た利益は、一生ものであり、値段を付けられないほどの価値がある。

枠組みの支配

人と接するときに役立つとても重要な概念のなかに、枠組みというものがある。説明に入る前に言っておくが、この概念を使うときには注意が必要だ。この概念が役に立つのは、何らかの形であなたに対立し、あなたを陥れようとしている人々を相手にするときで、同僚をいびったり他人の意見を無視したりするときではない。この概念を知ることが大切なのは、人とのやり取り、特に誰かが枠組みを支配してあなたを窮地に陥れ、黙らせようとしているときに、何が起きているのかを理解できるようにするためだ。

他人と会話をすると、あなたの枠組みと相手の枠組みが衝突し合い、どちらかが勝利を収める。あなたの枠組みとは、あなたの世界観、あなたが考える現実の姿のことであり、相手の枠組みは、相手にとっての同じものである。

ほとんどの場合、双方の枠組みは対立し合い、優勢な方の枠組みが会話を支配する。

たとえば、あなたが車を運転しているときに、警官に車を止めろと指示されたとする。最初のうちこそ、あなたには、自分は何もしておらず、止められたのはおかしいという主張の枠組みがあるかもしれない。しかし、警官があなたの車に近づいてくると、拳銃のホルスターがついたベルトがあなたの目に入る。そして、サングラスを触りながら「なぜ止められたかわかってるだろうな」と言ったときには、もうあなたの枠組みは壊れ、警官の枠組みがやり取りを支配している可能性が高い。

人とやり取りするときには、会話には枠組みというものがあって、自分の枠組みが支配権を握れば、自分の現実を相手に飲ませられるということを頭に入れておくことが大切だ。支配権を握るためには、たとえば自分の枠組みと矛盾することを認めなければよい。そんなことは枝葉末節でつまらないことだと相手に思わせるのだ。

チームリーダーや講師として威厳を保とうとしているときには、枠組みを意識することが特に効果的だ。このような状況に置かれたときに人が犯しがちな大きなミスは、他人に割り込まれ、話を横取りされてしまうことだ。学生時代、話の枠組みを支配することがうまくてクラスをひとつにまとめられる教師とそうでない教師がいたことを思い出すのではないだろうか。

するとあなたは、「あれ、ジョン、これは議論のことじゃないのか？ 君は何がなんでも議論は避けろと言ったばかりじゃないのか？」などと思うかもしれない。そうではない。枠組みの支配は議論とは無関係だ。実際、枠組みの支配の最高の形は、議論の必要はないと思わせることだ。当たり前の事実について誰が議論するだろうか。

毒のある人の扱い方

ときどきどんなにがんばってもうまくやっていけない人と出会うことがある。他人を蹴落とすチャンスだけを狙っていて、人生のすべてに対して悪い見方しかできない人はいるものだ。私は、この手の人々を「毒人間」と呼んでおり、こうした人々との接触は避けるに限る。

このような毒人間と出くわしたときには、相手の人間性を変えよう、うまく付き合っていこう、などとは思わないことだ。できる限り彼らがいる場所を避け、接触を防ぐようにしよう。通ったあとにできる廃墟を見れば、こういう人の気配はわかるものだ。いつも何かのドラマに出ているかのように悪いことを引き寄せる人もいる。こういう人々は、わざわざ自分が犠牲者になるように持っていっているのだ。このパターンを見かけたら、できる限り早く逃げるに越したことはない。

しかし、このような人がいつも接しなければならない上司や同僚だったらどうすればいいのだろうか。大したことではない。こういう連中のご機嫌を取らなければならなくなるか、新しい部門、あるいは新しい会社に移ることを考えるかだ。どちらにしても、彼らの罠に落ちないようにだけは気を付けよう。どうしても接しなければならない場合には、最小限の範囲で感情的にならないように付き合うことである。

やってみよう

- 仕事の日に、出会った人を記録してみよう。一日が終わったら、その日に接触した人数を計算する。メールや電話を受けた人も数に入れること。
- デール・カーネギーの『人を動かす』を入手しよう。この本は原語ではパブリックドメインなので、非常に安く入手できる[※2]。そして何回も読もう。
- 次に論争に巻き込まれたとき、議論をひっくり返す方法について考えてみよう。また、議論から下りてみるのも、面白いテストになる。ただ下りるだけではなく、相手方に強い賛同を送ってみよう。そのときの結果にはきっと驚くだろう。

※2　日本語訳も文庫であり、比較的安い。

第 5 章

よい履歴書の作り方

休暇で旅行に行ったときに、地域の名所を網羅したカラー印刷のパンフレットが何十種類も集めてあるラックを見たことがあるだろう。そのなかの1冊でも手に取って見てみたことはあるだろうか。ほとんどはフルカラーで3ページ、きれいにデザインされた芸術作品だ。冗談を言っているわけではない。あなたが100ドル使ってパラセーリングをしたりジェットスキーを借りたりするように、このパンフレットのデザインには相当の力が入っている。それは見ればわかる。

では、それと開発者の平均的な履歴書を比べてみよう。履歴書のフォントは1種類、2行分のスペースに1行が書かれた5ページの醜い文書で、文法の誤りや入力ミスが多く、「陣頭指揮」とか「結果重視」といった言葉が詰まった貧しい構造の文章で書かれている。

誤解のないように言っておくと、どちらも宣伝目的で作られており、最終的には誰かに何らかのお金を使わせようと目論むものである。片方は休暇の

普通の履歴書は宣伝パンフレットとは比べ物にならない

旅行中に100ドルを使わせようというもの、もう片方はソフトウェア開発者の1年分の使用料として、6万ドル、8万ドル、あるいはそれ以上の額を採用部長に払わせようというものだ。

100ドルのものを売りたい人が広告のためにこれだけの労力をかけているのに、6万ドル以上のものを売ろうとしている人が標準以下の文書で済ませているのは、私にはちょっとおかしなことだと思われる。悪く思わないでいただきたい。私はあなたの履歴書をゴミだと言っているわけではない。しかし、あなたがほとんどのソフトウェア開発者と同じことをしているなら、おそらくもう少しやりようがあるはずだ。

あなたはプロの履歴書ライターではない

あなたの履歴書がお粗末なことには理由がある。実際、ごく単純なことだ。あなたはプロの履歴書ライターではない。つまり、履歴書書きで生計を立てているわけではない。しかし、客にジェットスキーを借りる気になってもらうために美しいパンフレットを作った男の子だか女の子だかは、間違いなく生活のためにそのパンフレットとかほかの宣材だとかを作っている。

多くのキャリア指導書や講習がより良い履歴書の書き方を教えているが、本書ではそんなことはしない。なぜなら、あなたはプロの履歴書ライターであってはならないからだ。それはあなたの時間と才能の無駄遣いというものである。履歴書の作成は、あなたのキャリアのなかでほんの数えるほどしか使わないスキルである。あなたができるといいなと思う水準よりもいいものを書けるプロがすでに数千人もいるので、この分野で過度に投資をしてもまったく意味がない。

こう考えればいい。あなたが働くことになる会社のCEOは、おそらくソフトウェアを書かない。確かにCEOは、その気になればコンピューターの前に座ってIDE（統合開発環境）を立ち上げ、会社を経営していくために必要なソフトウェアの書き方を学べる。しかし、その代わりに、あなたを雇ってソフトウェアを書いてもらう方がはるかにいい。だとすると、プロの履歴書ライターを雇わないで、プロの履歴書ライターのスキルを学ぶために自分の時間を浪費する理由がどこにあるだろう。

履歴書ライターを雇う

読者もすでに、自分の履歴書を書いてくれるプロを雇う必要があると思っているだろう。しかし、どうすれば雇えるのだろうか。

世の中には、プロの履歴書ライターがたくさんいる。インターネットでサーチすると、たくさんの履歴書ライターが表示される。しかし、誰に書いてもらうかを選ぶときには慎重になろう。ほかの多くの職業人と比べて、ソフトウェア開発者の履歴書を書くのはかなり難しい。それは、ソフトウェア開発の仕事には、業界用語と技術用語がふんだんに盛り込まれているからだ。

プロの履歴書ライターには何を求めたらよいのだろうか。

- 技術産業の知識（プロの履歴書ライターだとしても、あなたの開発スキルの売り方がわからなければ話にならない）。
- あなたに見せるサンプルの履歴書があるかどうか（どのような仕事が手に入るかをもっともよく知るには、履歴書ライターの今までの仕事を見るに限る）。

少なくともいい仕事をしてくれる場合、履歴書ライターのお値段は決して安くないということは言っておかなければならないだろう。しかし、よくできた履歴書があれば、給料の高い仕事にいち早くありつくために役立つので、それだけのお金を払う意味はある。さすがプロという高品質の履歴書を書いてもらうためには、300 ドルから 500 ドルほどのお金が必要だ。繰り返すが、なかなか高い。しかし、2、3% 高い給料が得られる職が手に入れば、1 年目で元が取れてお釣りがくるだろう。

また、プロの履歴書ライターを頼む前に、その人にいい仕事をしてもらうために必要な情報を揃えておこう。ゴミを入れてもゴミしか出てこない。自分の手抜きで以前の勤務先にいた正しい日付を調べていないとか、自分のスキルと職責について正確に説明していないといった理由で、プロに不正確な情報が書かれた履歴書を仕上げてもらってお金を払うのは避けたいことだ。プロの履歴書ライターを雇うときには、基本的に次のふたつのことをしてもらうためである。

- 自分が提供できるサービスを宣伝する魅力的な「コピー」を書いてもらい、

できる限り最高のスポットライトを自分に当ててもらう。

- それを魅力的なビジュアルで仕上げてもらう。

履歴書ライターを頼むのは、調査の助手になってもらったり、情報の事実確認をしてもらったりするためではない。あなたは、彼らにできる限り多くの情報を提供する必要がある。彼らは、その情報を煮詰めて、あなたが提供できるサービスをアピールする非常に洗練された書類を作ってくれるのである。

自分の履歴書を書いてもらうために人を頼むのはするい気がする

人を雇って履歴書を書いてもらおうとアドバイスするときに、もっとも多く返ってくる反論がこれだ。自分の履歴書を書いてもらうために人を雇うのは、「不正」で詐欺まがいだと考える人が多い。彼らは自分の履歴書は自分で書かなければならないと思っているのである。そう思う気持ちはわからないではない。どうぞ自分で履歴書を書いてください。しかし、ウェブサイトのデザインや家の装飾のために誰かを雇うのと、履歴書を書いてもらうために誰かを雇うのとで、どう違うのだろう。それどころか、多くのセレブは、自分の名前で出す本を書いてもらうためにゴーストライターを雇っている。言いたいのは、あなたが思うほど、人に履歴書を書いてもらうのはひどいことではないということだ。開発者は必ず自分で履歴書を書かなければならないと思っていたからといって、それが正しいとは限らない。プロの履歴書ライターに履歴書を書いてもらったことを広く公開する必要はない。そして、もし居心地が悪く感じるなら、自分で履歴書を書いてから、誰かを雇って「改良」してもらえばいい。

さらに先へ

この章のタイトルには、今までの履歴書ではダメだという含みがあり、それは事実である。履歴書はいい働き口を手に入れたいソフトウェア開発者にとって重要だが、雇ってもらうことになるかもしれない会社に情報を提供する方法は履歴書だけではない。

履歴書の内容をオンラインに出すことは可能だし、すべきである。LinkedInのプロフィールに履歴書と同じ内容を載せて「履歴書のオンライン版」を作り、然るべき人にそれへのリンクを送れるようにすべきだ。オンライン版の履歴書を持たずにウェブ開発者の求人に応募するのは、自分の大工道具を持っていない大工さんのようなものだ。

履歴書の形式さえ見直しの対象になる。履歴書のなかでユニークなことを試し、読み手の気持ちをしっかりつかめるようにしよう。履歴書作成サービスにユニークなものを作ってくれと頼むか、履歴書作成サービスに作ってもらった履歴書をグラフィックデザイナーに渡して「ポップ」にしてもらえばいい。

以前、ゲームプログラマーの履歴書のオンライン版で、実際にゲームがプレーできるものを見たことがある（http://www.rleonardi.com/interactive-resume/）。彼が職探しに困ることはまずないだろう。なお、https://www.hongkiat.com/blog/beautiful-resume-design/ には、ヒントになりそうなきれいでクリエーティブな履歴書がまとめてある。

もっとも目を引く履歴書を用意する必要はないが、ソフトウェアのプロとしては、プロらしく見える履歴書を出すことが大切だ。10年前に書いたタイプミスだらけ、かつ、おかしな構文だらけのワード文書の履歴書でうまくいくと思っているなら、考え直した方がいい。新しい仕事を探しているなら、プロらしく見える履歴書は、もっともいい投資先のひとつである。

プロを雇いたくないときにはどうする？

それでもまだ自分で履歴書を作りたい人がいるのも理解できる。おそらく、お金をかけたくないとか、自分でやるべきものだという考えからだろう。

どうしても自分で履歴書を書く場合には、次のアドバイスが役に立つだろう。

- 履歴書をオンラインに載せる。募集をする企業があなたの履歴書にアクセスしやすくなる。また、ウェブ開発者に応募するつもりなら、オンラインに履歴書があることが大切である。
- ユニークな履歴書を作る。ありきたりの履歴書のなかで目立つので、流し読みしている採用担当の注意を引くことができる。
- 行為 - 結果という形で書く。あなたの履歴書はあなたがしたこととその結果を示すものになる。採用担当者に、あなたが何をできるかだけではなく、どのような成果を上げることができていたか、あなたを雇うとどのような利益が得られるのかも知らせられる。

- 推敲する。プロの履歴書ライターを雇ったとしても、履歴書は完璧に推敲しておくこと。入力ミスやスペルミスが入っていると、不注意な人に見えてしまう。

やってみよう

- 勤め口を探しているかどうかにかかわらず、数名のリクルーターに自分の現在の履歴書を送り、意見を聞いてみよう。リクルーターたちは膨大な数の履歴書を見てきており、履歴書に手を加えるべきかどうかを教えることではもっとも適している。
- プロの履歴書作成サービスを調査し、彼らが持っているサンプルを見てみよう。その履歴書とあなたの履歴書を見比べて違いを見つけよう。

第 6 章

面接をハックする

履歴書の作成はほかの人に任せられるスキルだが、面接はあなただけしかできないものであり、マスターすることがきわめて大切なスキルだ。面接は、新しいポストを探しているときにもっとも威圧感を受けるできごとのひとつでもある。面接は予測不能だ。どんな質問が飛んでくるかを事前に知ることはできないし、その場でコードを書いてくれと言われる場合もある。これは、多くの開発者にとって恐ろしい状況だ。しかし、面接を「ハック」する方法があり、そのコツさえつかめば、面接は基本的に型通りのものとして扱えるとしたらどうだろうか。

読者は、私がこの章で技術面接に合格するための戦略を深く掘り下げることを期待しているかもしれない。しかし、私はそれよりももっと大切なことに話題を絞りたい。それは、面接以前に好きなカードを引けるような優位な立場をつかむために役立つことである。ウソだろうって？ まあ、読んでみていただきたい。

面接に最速で「合格」するための方法

想像してみよう。あなたは面接会場に入っていって、面接官と握手する。面接官はわずかに間をおいてあなたが誰だかわかり、顔をほころばせる。「ああ、あなたのことは知ってますよ。ブログで写真を見てますからね。あなたのブログポストはずいぶん読んでますよ」

面接中にそういうことが起きたら、合格の可能性はどうだろう。あなたは今、次のように考えているはずだ。「そりゃあ、そうなればいいけど、私は人気ブログをやっていないし、面接官が私の名前を知っているなんてありえないよ」。ポイントは、一般に考えられていることとは裏腹に、ほとんどの面接官は、技術以外のあらゆる要素に基づいて人を採用するということである（有名ブログを持つための具体的な方法については、セルフマーケティングを取り上げる第 2 部で説明する。しかしここで言いたいのはそういうことではない)。

私は、技術的にはもっとも優秀なものの傲慢で親しみにくい人が、スキルはかなり劣っていても好感の持てる人に負けて、不合格になるところを見てきている。

誤解しないでいただきたいが、単に有名だったり親しみやすかったりするからといって、スキルのない人が雇われるわけではない。言いたいのは、ひとりだけの募集に対し、技術的に優秀な開発者が多数応募しているなかで、合格者の決め手となる要因は技術的能力ではないということである。

単純に言えば、面接に合格するためのもっとも手っ取り早い方法は、面接官に気に入ってもらうことだ。そのための方法はたくさんあり、その大半は、面接が始まる前にできることである。

私が最後の職を得たいきさつ

独立する前に就いていた仕事は、事前にここで働きたいと思っていた会社の仕事だった。そう思ったのは、とてもよさそうな会社に見えたのと、開発者は在宅勤務できたことによる。私は少し時間を割いてこの会社のことを調べ、数人の開発者がブログを書いていることを知った。私はその会社で働いている開発者のすべてのブログをフォローし、多くのブログポストによく考えて意味のあるコメントを残していった。

時間とともに、その会社で働く開発者の多くは、彼らのブログのコメントから私の名前を覚え、私がどのような人間かを知るようになった。何人かは、私のブログを読み始めるようにさえなった。

その会社が次に開発者を採用することになったとき、私は応募した。採用を勝ち取るのがどれだけ大変だっただろうか。面接は残っていたものの、そこで大失敗をしない限り、合格するのは間違いないと私は確信していた(しかも、こういう方法を使わずに応募していたときよりもずっと好条件で採用された)。

常識に囚われずに親密な関係を築く

面接を「ハック」するコツは、面接が始まる前に面接のための戦略について考えておくことだ。確かに、面接でとてつもなく魅力的に振る舞って、面接官の心を奪うことも可能だが、私たちの大半は、そのような魅力を持ち合わせていないという前提で話を進める。あなたにそのような魅力があるなら、この章を読む必要はまったくない。

採用の大多数は、個人推薦を受けた人に決まる。募集に応募するときには、必ず推薦をもらって応募するようにしたいところだ。推薦を受けて面接に向かうと、推薦してくれた人の社会的信用を借りることになるので、面接官は自動的にあなたのことを高く評価する。面接官が推薦者に対して持っている評価や親密さが、面接を受けるあなたにも部分的に及ぶのだ。面接官が好感を持ち、信頼している人の推薦を受けているので、面接官があなたに対して好意的なバイアスを持っている状態で面接を受けることになる。

しかし、応募しようとしている会社に知人がいなければどうすればいいのだろうか。どうすれば推薦を受けられるのだろうか。私の場合、その会社ですでに働いている開発者のブログを見つけ、そこで彼らと関係を築いた。そのため、募集が始まると、個人推薦をもらうのは簡単なことだった。

必要なのは、常識に囚われない考え方を持ち、社内の接点となるべき人との間に関係を築く

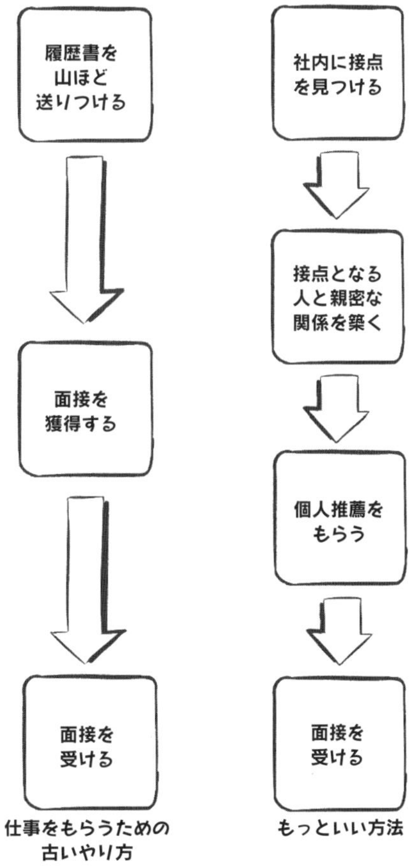

昔ながらの求職の方法とそれよりもいい方法

方法を作り出すことだ。私が知っているある開発者は、求職のために採用部長のことを調べ、その部長が毎週会合を開く地元クラブに所属していることを知った。そこで、この開発者は抜け目なくそのクラブに参加し、採用部長と友だちになった。その会社の職を提示されたとき、彼は正式な面接さえ受けていなかったのではないだろうか。

「それはちょっといい感じがしないな」と思ったりしていないだろうか。でも、間違ったことはしていないのだ。人を利用したりストーキングしたりしろと言っているわけではない。互いに利益になるような人間関係を意図的に築くとよいと言っているのである。この場合、採用部長は事前に人となりを知り、信頼できる優れた採用候補者を知ることができている。そして開発者の方は、働きたいと思っている会社の職を手に入れている。卑劣なところや不真面目なところがあるだろうか。ただ抜け目なく賢いというだけのことだ。

ソーシャルメディアとインターネットが登場して以来、会社についての情報を調べ、すでにその会社で働いている社員と関係を築くのは簡単になっている。事前に多少の汗をかく気になればいいだけだ。

一度にたくさんの知り合いを作りたいなら、地元のユーザーグループに参加しよう。毎週、あるいは毎月会合を開いている開発者向けのユーザーグループは多数ある。常連の参加者になり、特に何度か発表などをすれば、地元の多くの会社の開発者や採用担当者とすぐに知り合いになれる。

LinkedInのようなサイトで直接相手とコンタクトを取り、コーヒーに誘ってみるという方法もある。もちろん、あなたが代金を持つのである。自分のポッドキャスト、YouTubeチャンネル、ブログポストなどのためにインタビューに行くのも、目指す人とコンタクトを取り、つながりを作るいい方法だ。あなたと相手の両方を知っている人を探すのも良いだろう。会いたい相手を直接知っていなくても、その人を知っている誰かを知っていることはあるはずだ。

このような形でつながりを作るときには、自分が相手にどう見えるかに注意しよう。誰でも何かのために利用されていると感じるのは嫌なものだ。接触を持ちたいと思う相手とは本物の人間関係を築くことだ。他人のブログにコメントを残すときには、話の流れにとってプラスになり、ブログとコメントを読むほかの読者にとって価値のあることを書こう。

人と接触するときには、どうすれば相手にとって得になることを提供できるかを考え、相手に純粋に関心を持つようにしよう。真摯な気持ちで接していないことは相手にはわかるものだ。仕事や仕事に関連した話題から話を始め、脇道にそれたり、ちょっと個人的なことに触れたりしても気にしないという感じで話すのがよい。ただの「コネ」ではなく、友だちを作ろうとする態度を示すことだ。

今すぐ職が必要なときにはどうすればいいのか？

あなたはおそらく、私が言っていることはもっともだけれど、ひとつだけ問題があると思っている。それでは遅い。ちょうどレイオフされてしまったばかりで、新しい仕事を探さなければならないのだ。オンラインで人脈や評価を築いたり、雇ってくれそうな人を追いかけ回したりしている暇はない。そのような場合はどうすればいいのだろうか。

可能ならあらかじめ面接官に連絡を取り、そのあともできる限りフォローアップをしてみることだ。実際の面接で話をする前に、会社についてお話したいとか、いくつか質問させていただきたいことがあるなどと言って、プレ面接を手に入れられたらどうだろうか。連絡を取るための電話で５分間割いてくださいと頼むのである。採用の決定に影響を及ぼす多くの人々に、あらかじめできる限り、自分のことを売り込もう。

ちょっとそれはやり過ぎなんじゃないかと思われることはわかっている。確かに時間をかけられたら、その方がいいに決まっている。しかし、ピンチのときにはこれが役に立つ。私の親友でヘルスヒーローというスタートアップ企業を経営している人物は、まさにこの方法を使って、３つの異なるスタートアップアクセラレータープログラムで自分の会社を受け付けてもらうことに成功した。スタートアップアクセラレーターは、採用されるのが難しいことで知られたプログラムだ。彼は主要な意思決定者全員とプレ面接を設定した。そして、本物の面接に出かける頃には、面接官全員が彼のことを知っていて好感を持っていたのである。

本物の面接ではどうすればいいのか？

面接会場に入る前に面接官がすでにあなたの人となりを知っているようにしておくにしても、面接の場でどう振る舞えばいいのかは知っておく必要がある。言うまでもなく、技術面接で合格するためには、技術的に優れていなければならない。しかし、採用されても不思議ではないだけのスキルを持っているとすれば、次に注意すべきは、「求められていることへの理解」と「それを実行できることに対する自信」を示すことだ。

雇い主の立場で考えてみよう。従業員を雇うのは投資である。従業員を雇うためには、時間とお金がかかる。投資するからには、大きな見返りを手にしたい。いちいち命令しなくても、やるべきことをやる自律的な従業員は、会社の業績に貢献できる従業員だ。しかも、彼らは雇い主が持っている管理のためのリソースをほとんど必要としないため、そうでない従業員よりも頭痛の種になることが少ない。

私なら、スキルは非常に高くても、いつも手をかけてやらないと生産的になれない開発者より、知っていることはいくらか少なくても、何をすべきか、それをどのようにしてすればいいかを突き止める方法がわかっている開発者を雇うだろう。面接を受けるときには、自分が保証できる範囲内で、頼まれなくても仕事を終わらせられるタイプの開発者だということを具体的に示すことに力を注ごう。

実際に技術的に優れていることも示さなければならないが、障害をものともせず、何でも進んで実行する人間だと思ってもらえれば、面接官はあなたを気に入るだけでなく、採用する可能性が高くなるだろう。

私が指導している開発者によく教える言い方は、「私は、自分で何をすべきか、どうすればそれができるかを突き止め、最後までやり遂げるタイプの人間です」というものだ。これは、開発者を採用しようとしている採用担当者なら誰もがいいと思う魔法の言葉である。なぜなら、彼らはその人物を管理しなくてよく、その人物なら独力でしなければならないことをしてくれると信頼できるからだ。この言葉を一字一句正確に言う必要はない。面接の過程で自分がそういう人間だということを示せばよい（そして当然ながら、あなたは本当にそういうタイプの人間でなければならない）。

今すぐできることは何か？

今まさに積極的に職探しをしているのであれ、選択肢を広げておこうと思っているだけであれ、次の面接の準備は今すぐ始めた方がよい。

最初にしなければならないのは、技術的なスキルを磨いておくことだ。世界中のどんな面接テクニックを集めてきても、合格するだけの力がなければ何の役にも立たない。技術書やブログ記事を読み、スキル開発のために時間を費やすようにしよう。

必要になる前に、人脈づくりにも着手しておこう。様々な地元企業の社員との間に接点を作り、あとで力になる人脈を築くのである。ブログを読んでコメントを書き、地域のほかの開発者、さらにはリクルーターと知り合いになっておこう。知人の輪を広げる方法を見つけよう。

そして、練習を忘れてはならない。今すぐ新しい職を手に入れたいわけではなくても、面接の練習のために面接を受けておくといい。練習の回数が増えれば増えるほど、重要な面接で落ち着いて振る舞えるようになる。

自分の売り込みに力を注ぐことからは大きなメリットが得られるが、それについては次の第2部で取り上げる。

やってみよう

- 今すぐ職を積極的に探すのではなくても、働いてみたいと思う会社とその会社にいる知り合いのリストを作ろう。
- 働いてみたいと思う会社のリストのなかに、知り合いのいない会社がある場合、少なくともそのなかのひとつで働いている誰かと会う計画を立て、その人との間に人間関係を作ろう。
- 少なくともひとつの地域のユーザーグループを見つけて会合に出席しよう。そして、できる限り多くの人々に自己紹介をしよう。

第 7 章

ソフトウェア開発者の3種類のキャリアパス

他人がしていることを同じようにやって、目の前に敷かれたレールに乗ってしまう罠には簡単にはまってしまうものだ。ほとんどのソフトウェア開発者がキャリアの大半を会社の従業員として働くのは事実だが、それだけがあなたの選択肢ではない。あなたのプログラミングスキルを活用して利益を生み出す方法はたくさんある。

就職という伝統的な方法以外の選択肢があることに気づいてさえいない開発者が多いのではないか。実は、私がそうだった。この章では、選択肢をきちんと示して、あなたが将来どのような方向を目指すかについてより良い判断を下せるようにしたい。第1部の後半では、選択肢を一つひとつ取り上げ、それぞれの道で成功するために必要なことを学んでいこう。

オプション1：会社の従業員

これは、ソフトウェア開発者の多数派が選んでいるデフォルトで自明の選択肢である。私自身、ソフトウェア開発者としてのキャリアの大半を従業員として過ごした。それは、ほかの選択肢を知らなかったからであり、ほかの方法よりも簡単に進めるルートだったからでもある。たぶん、会社員であるということはどういうことかを定義する必要はないだろう。しかし、この選択肢を選ぶことの利害得失については見ておく意味がある。

会社員でいることの突出した最大の利点は、安定していることだ。ここで安定といっているのは、特定のポスト、特定の会社のことではない。生活を立てるための確立された方法という意味である。会社員としてポストがある限り、給料がもらえる。将来にそのポストを失い、新しい仕事を探さなければいけないかもしれないが、少なくとも一定期間に渡って毎月決まった水準の収入を当てにできるという相対的な安定は確保できる。

会社員という道は責任が限られ、道筋がはっきりしているため、ほかの選択肢より選びやすいのも事実である。仕事を見つけて応募すればよく、採用されれば収入を得るためにしなければならないことを自分で考える必要はない。

会社員になると、有給休暇があり、少なくともアメリカの場合は、医療保険で有利になる[※1]。

会社員という選択肢のマイナス面は、主として自由の有無だ。会社員になると、時間の大半を雇用主のための労働に費やさなければならない。自分がどのような仕事をするかについても選べず、楽しめるタイプの仕事が与えられるとは限らない。また、一週間あたりの労働時間数や出勤する必要のある日などを決める何らかのスケジュールに従わなければならないのが普通だ。

また、会社員になるということは、収入があらかじめ決まっているということであり、一定水準で「頭打ち」になるということでもある。会社員でいるかぎり、いずれ収入の面でも昇進昇格の機会でも「ガラスの天井」にぶち当たる。どこかでキャリアパスを切り替えない限り、大きく収入を上げられず、地位を上げられないという地点に到達するということだ。

利点：

- 安定
- ほかのルートよりも簡単
- 有給休暇
- 医療保険補助の可能性[※1]

欠点：

- 自由がない
- 収入が頭打ちになる

オプション２：独立系コンサルタント

独立系コンサルタントになって生計を立てているソフトウェア開発者も多い。独立系コンサルタントとは、特定の雇用主のためではなく、１件以上のクライアントのために仕事をしているソフトウェア開発者のことである。副業としてどこかのクライアントのために時給や仕事全体の固定料金でプログ

※１　日本の場合、社会保険（健康保険、年金保険）で有利になり、労働保険（雇用保険、労災保険）に加入できる。

ラミングの仕事をしたことがある人なら、コンサルタントがどのようなものかよくご存知だろう。

私は、独立系コンサルタントとは、この種の仕事をして収入の多くを稼いでいる人々のことだと思っている。これは、ひとつのクライアントのために働き、時間給しか払われない契約プログラマーとは大きく異なる。契約プログラマーは、会社員に近い。独立系コンサルタントは、通常自分の会社を持っており、この会社とクライアントとで仕事の契約を結ぶが、特定のクライアントに縛られたりはしない。

私は、キャリアのなかの数年を独立系コンサルタントとして過ごしており、今でも多少はその仕事をしている。私はずっと独立して自分のために働くことを夢見ていたのだが、独立系コンサルタントになればその夢がかなえられると思ったのである。誰かほかの人のために働くのではなく、自分が自分の上司になれたらどんなにいいだろうと思ったのだが、まさか独立系コンサルタントになっても上司がひとりからたくさんになるだけだとは思いもしなかった。

だからといって、独立系コンサルタントになって悪いことばかりではない。服従しなければならない唯一絶対の雇い主を持たなくていいというはっきりとした特典がある。独立系コンサルタントになれば、自分の時間の使い方をほとんど自由に決められるし、どの仕事をするかを選択する自由もある（それを選べるほど仕事があればの話だが）。いつでも好きなように仕事を始めたり止めたりすることができ、柔軟に日程を組める。しかし、クライアントはあなたと連絡を取れるようにしておくことを望むだろうし、適切なタイミングで仕事が終わることを望むだろう。

もっとも大きな利点は、おそらく高い収入が得られる可能性があることだ。独立系コンサルタントになると、誰かほかの人のために働くときと比べて、ずっと高い時給を得られる可能性がある。現在の私は、クライアントのために1時間仕事をするごとに300ドルを請求しているが、私が知っているだけでも、もっと高い料金を取っている独立系コンサルタントがいる。

しかし、独立系コンサルタントになっただけでは必ずしもひと財産作れるわけではない。最初から1時間あたり300ドルを請求するわけにはいかないだろう（第2部で時間給を上げるための実践的な方法を伝授するが）。また、毎週40時間分の仕事を必ず確保できるわけでもないだろう。独立系コンサルタントになれば、ばかばかしくなるほどの額の収入が得られるような感じがするかもしれないが、時間のかなりの部分はクライアント探しや事業経営のためのその他の雑用などに費やされる。独立系コンサルタントになると、あなたは文字通り会社の経営者になる（マインドセットだけでなく）。納税、法律顧問の確保、営業、健康維持といった事業経営に関連するあらゆることを自分でしなければならない。

利点：

- 自由度が増える（自分で時間を決められる）
- コンスタントに新しいプロジェクトに取り組める
- 収入が増える可能性がある

欠点：

- 自分で仕事を探さなければならない
- 事業運用のための雑用をこなさなければならない
- 上司がひとりから多数になるだけかもしれない

オプション３：アントレプレナー

アントレプレナーは、ソフトウェア開発者が選べるキャリアとしては、おそらくもっとも難しく、もっとも不定形で、もっとも高い収入が得られる可能性があるルートである。形容詞がずいぶん多い感じがするかもしれないが、それには理由がある。私は、アントレプレナーになるということは、プロのギャンブラーになるのと同じことだと思っている。アントレプレナーに安定はほとんどないが、大当たりを引けば、「とてつもなく」大きな当たりになることがある。

では、アントレプレナーになるというのは、本当のところ、どういうことなのだろうか。これはもっともな疑問だ。アントレプレナーの定義は非常に曖昧模糊としており、多くの異なる意味を持ち得る。しかし、ソフトウェア開発者のアントレプレナーは、ほとんどの場合、ソフトウェアのスキルを活用して独自の事業を立ち上げるか製品を開発する人だといっていいのではないか。会社員や独立系コンサルタントは時間とお金を交換するが、アントレプレナーは時間と将来の莫大な払い戻しのチャンスを交換している。そのため、最初のうちは無償で働いているわけだ。

私の今の状態はアントレプレナーの部類に入るのではないかと思っている。

教材や製品の開発に時間の大半を使って生計を立てているからだ。作ったものは直接売ったり、パートナーを介して売ったりする。今でもコードを書いてはいるものの、特定のクライアントのために書くことはほとんどない。自分が作っている製品やサービスのためにコードを書いているか、自分が知っていることを他人に教えるための教材を作っているかだ。

この本はまさにアントレプレナーとしての仕事の例である。本書を書くために膨大な時間を費やしているのは、私にとって大きな賭けだ。出版社からは少額のアドバンスをもらうものの、本書を書くために使った膨大な時間を考えると、それではとても割に合わない。十分な部数が売れて労力に見合っただけの印税が入ってくるか、私の仕事のほかの分野で顧客を引き付けるための宣材として役立ってくれるか、いずれかを期待している。この本が失敗して、まったくの労力の無駄になる可能性も十分にある（あなたが今本書を読んでいることを考えれば、そうなる可能性は若干下がるかもしれないが）。

ほかのソフトウェア開発者出身のアントレプレナーたちは、私とはまったく異なる形で営業している。スタートアップ企業を作り、大規模な出資をしてくれるVC、すなわちベンチャー資本と呼ばれる外部の投資家を探している人々もいるし、SaaS（Software as a Service）会社を作って、サービスに対する契約を販売して収益を上げている人々もいる。たとえば、人気の高いオンライン教育サービス会社のプルーラルサイトの創設者たちは、教室での授業からスタートしている。しかし、その後、完全オンラインサービス化にはるかに大きなチャンスを見いだし、さらにサブスクリプション（定期購読契約）に基づくサービスを始めてSaaSモデルに移った。

すでにおわかりのように、アントレプレナーの2大利点は、完全な自由と、完全に天井なしの収入の可能性である。アントレプレナーに自分以外の上司はいない。もっとも、あなた自身が誰よりも厳しい上司になる場合もある。仕事をするかどうかは好きなように決められ、あなたの未来も完全にあなた次第である。大成功を収める製品やサービスを作れば、数百万ドル以上の収入が得られるかもしれない。時間を使った分、製品の収益が指数的に増える場合だってある。

しかし、アントレプレナーになればリムジンとパーティーが待っているというわけではない。おそらく、ソフトウェア開発者が選べるなかでも、もっとも厳しく、もっともリスキーなキャリアである。収入の保証はまったくなく、すばらしいアイデアを追い求めた結果、借金で首が回らなくなる場合もある。アントレプレナーの生活は、ジェットコースターのようなものだ。製品を買ってくれる顧客がいるときには、世界の頂点に君臨するかもしれないが、翌日にプロジェクトが失敗すれば、家賃をどうやって払ったらいいかわからなくなる可能性がある。

また、アントレプレナーになるためには、所属企業やクライアントのために仕事をするソフトウェア開発者なら考えなくてもいいようなスキルを手に入れるために、かなりの投資をする必要がある。アントレプレナーは、営業やマーケティング、金融など、ビジネス全般について多くのことを学ばなければならない。成功するためには、それらがきわめて重要なのである（これらのテーマの一部は、本書でも取り上げる。第2部では、セルフマーケティングを取り上げる。これは製品のマーケティングとよく似ている。第5部では、金融を取り上げる。これはアントレプレナーになるつもりがなくても役立つだろう）。

利点：

- 完全な自由
- 大儲けの可能性
- やりたい仕事ができる
- 上司がいない

欠点：

- とてもリスキー
- 完全に自己責任
- ソフトウェア開発以外に非常に多くのスキルが必要
- 超長時間労働になる場合がある

どれを選ぶべきか

ほとんどのソフトウェア開発者、特に初めて仕事をする場合は、会社の従業員になることには十分意味がある。この選択肢はリスクがもっとも低く、多くの専門能力を備えている必要もない。会社員になるのは徒弟になることと似ていると考えることもできる。自力で成功をつかみたいと思っている場合でも、技術を身に付け、スキルを磨くために、会社員になるのはいい出発点になる。

とは言え、駆け出しながら独立系コンサルタントやアントレプレナーになるチャンスがあり、そのためのリスクに耐えられるというなら、早い段階で経験する失敗やミスは、その後にすばらしいキャリアを築くための肥やしになるだろう。

私が話をしたことがある独立系コンサルタントの多くは、その選択を後悔しているということは言っておくべきだろう。私の親友のひとりは、正社員として大きなIT企業で働いていたが、独立系コンサルタントになるという夢を追求するために会社を辞めた。最初はよかった。しかし、自分である程度のことを決められるようになり、仕事をする場所をある程度選べるようになったものの、新しくしなければならないことが増え、上司がひとりではなく数人になるということをあとから知った。彼は最終的にアントレプレナーに転身したが、今の知識から考えれば、キャリアの独立系コンサルタントの部分は無駄だったと認めている。

どれを選ぶかはひとえにあなた次第だ。また、いつでも路線を切り替えることはできる。第11章では、会社員が独立するための方法を説明する。それは簡単なことではないが、やってできないことではない。

やってみよう

- 本章で述べた3つの分類に当てはまる知人、または名前を聞いたことがあるソフトウェア開発者のリストを作ってみよう。
- 独立系コンサルタントやアントレプレナーになりたいと思う場合、すでにそのキャリアパスに乗っている知人に会って話を聞く機会を作ろう（自分がどのような世界に入ろうとしているのかを知らずに仕事を選んでしまう開発者があまりにも多い）。

第 8 章

専門特化の必要性

あなたは今までに弁護士が必要になったことがあるだろうか。そのとき、最初に何をしただろうか。逆に、弁護士を使ったことがない場合、あなたなら最初に何をするだろうか。

正解は「弁護士の専門を調べなければならないんじゃないか」である。弁護士なら誰でもいいから呼んでこようというものではない。係争案件の分野を扱っている弁護士に依頼すべきだ。弁護士は専門分野を持っており、最初からその専門分野が何なのかをわかるようにしている。刑事弁護士、交通事故弁護士、不動産弁護士などだ。

税や不動産の問題で、離婚弁護士を代理人にするのは避けたい。専門が重要なのだ。弁護士はロースクールを出たときに、単なる「弁護士」になろうとは思っていない。しかし、ほとんどのソフトウェア開発者は、自分の職業でそれと等しいことをしている。

専門はとても大事

専門を持たないソフトウェア開発者は、山ほどいる。ほとんどのソフトウェア開発者は、どのプログラミング言語を使うかによって、それぞれの専門分野を定義している。「ぼくはC# プログラマーです」とか「私は Java プログラマーです」というセリフをよく耳にするだろう。これでは、専門の表し方としては広すぎて、どんなタイプのソフトウェア開発ができるかを十分に表現できていない。プログラミング言語の種類では、あなたがどんなタイプの開発者で実際に何をしているのかはわからない。あなたが仕事をするときに使う道具のひとつが何かがわかるだけだ。

特定分野を専門にすると、その専門に押し込められて多くの就職口やチャンスから排除されてしまうのではないかという考えから、専門を持つことを怖がる気持ちがあるかもしれない。確かに、専門を持つとチャンスの一部は閉ざされるが、逆に、もっと多くのチャンスが目の前に開かれるはずだ。

もう１度、弁護士の場合について考えてみよう。弁護士になっても専門を持たなければ、弁護士を必要とするあらゆる人がクライアントになる可能性がある。しかし問題は、ほとんどの人がそのようなジェネラリストの弁護士を雇いたいとは思わないことだ。ほとんどの潜在顧客はスペシャリストを雇おうとするだろう。

ジェネラリストになれば潜在顧客の範囲が広がるように見えるかもしれないが、実際には、スペシャリストが必要だということを知らないぐらい事情にうとい人しか顧客にならないのである。

スペシャリストになると、勤務先やクライアントになる可能性のある会社や人々の枠が狭まるが、あなたはそれらの人々にとってはるかに魅力的な開発者になる。専門分野が十分大きな市場を持っていて人口過多になっていない限り、単なるソフトウェア開発者だと名乗るよりも専門分野を持つ方がはるかに簡単に就職口や顧客を獲得できる。

専門分野を狭めて具体的にする

C# プログラマーとか Java プログラマーと名乗っても専門性が足りないのなら、どこまで専門を狭めたらいいのだろうか。この問いには簡単に答えられない。というのも、本当の答えは「場合による」からだ。何をしたいのか、その分野の市場がどれぐらい大きいかによって、答えは変わる。

具体例で考えてみよう。以前、私はプリンターおよびプリンター言語を専門とするソフトウェア開発者と自称していたことがある。これはかなり狭い専門領域だ。職探しの対象になる大手企業はほんのひと握りしかなかった。しかし、プリンターメーカーにとって、プリンターとプリンター言語を専門とするソフトウェア開発者を見つけるのがいかに大変かが想像できるだろうか。

私は、専門領域をとても狭くしたおかげで、ごく少数の就職先候補にとってはきわめて価値の高い人間になった。ほとんどの町にそういう会社はないが、市場を世界全体に広げれば、いやアメリカだけに絞ったとしても、私の専門分野が重宝がられる市場はかなり大きい。しかし、今住んでいるところから離れたくなければ、私の専門分野の市場は小さすぎる（地元企業のなかでプリンターを専門とするソフトウェア開発者を必要とする会社がどれぐらいあるだろうか）。幸い、当時の私はアメリカ国内ならどこで仕事をしてもよかったので、私にとってこの専門分野は役に立った。

専門特化の法則：専門性が高ければ高いほど潜在チャンスの数は減る反面、チャンスを獲得する可能性は高くなる。

あなたの状況に話を戻そう。地元で仕事を探していて、あなたはJavaプログラマーだとする。ほとんどの大都市圏では、Javaプログラマーには大きな需要があり、手に入れられる可能性のある就職口は無数にある。しかし、それらすべての就職口が必要なわけではない。ひとつあれば十分だ。

たとえば、その時点であなたの地元地域に500件のJavaプログラマーの求人があったとする。そして、専門性に基づいて市場を狭め、500件の就職口のどれかを実際に獲得できる可能性を上げようと考えたとしよう。あなたは、自分をJavaができるウェブ開発者と言うことにする。おそらく、これによって250の就職口は候補から消えるだろうが、獲得できる可能性のある就職口はまだ250も残っている。まだ多いのではないだろうか。就職口はひとつあればいいということを忘れてはならない。

そこで、専門をさらに狭める。Javaのウェブ開発スタックの詳細には立

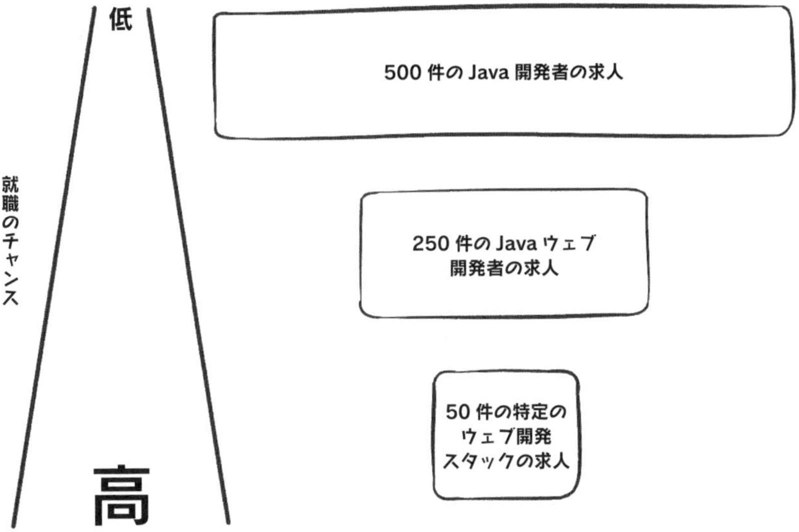

専門性を上げると、可能性のある就職口は狭まるが、雇ってもらえる可能性は高くなる

ち入らないが、専門はJavaウェブ開発スタックのなかの何々だと言ってみよう。おそらく、これで就職口の規模は50件に絞られるはずだ。これでもまだ選択肢はたくさんあるものの、スキルと表現によってターゲットがより明確になっているため、50件のなかのどれかを手に入れる可能性は高くなっている。

ソフトウェア開発者の専門分野

ソフトウェア開発者の専門分野はたくさんある。言語、プラットフォームの専門に加えて、メソドロジ、特定の技術分野、業界といった専門分野もある。

しかし、最初にはっきりさせておくべきは、どんなタイプのソフトウェア開発をしたいかである。ユーザーインターフェイスの作成/プログラミングといったアプリケーションのフロントエンドの仕事をしたいのか、ビジネスルール、ビジネスロジックを実装するアプリケーションのミドルウェアの仕事をしたいのか。それとも、データベースや低水準処理を相手にするアプリケーションのバックエンドの仕事をしたいのか。これら3つをすべてカバーするフルスタックの開発者になることもできる。ただし、その場合は特定の開発スタックを専門にしなければならない（たとえば、C#とSQL Serverを使ったASP.NET MVCウェブサイトの開発を専門とするフルスタックのウェブ開発者）。

組み込みシステムの開発のような分野を専門とすることもできる。この場合、ハードウェアデバイスと近い領域の仕事をすることになり、デバイス内部のコンピューターで実行されるコードを書くことになる。組み込みシステムの開発者は、ウェブ開発者とはまったく異なる種類の問題を相手にしなければならない。

オペレーティングシステムは、これらともまた異なる専門領域になるが、ウェブ開発ではあまり重要ではない。多くの開発者は、Windows、UNIX、Macなど、特定のオペレーティングシステムで動作するアプリケーションの開発に専門分化している。

モバイルアプリケーション開発、さらには特定のモバイルオペレーティングシステムについても、専門領域になり得る。iOSあるいはAndroidプラットフォームで動作するモバイルアプリケーションの開発を専門とする開発者の需要は高い。

開発者のなかには、専門分野を非常に深く掘り下げ、ごく限定されたプラットフォームやフレームワークの専門家になっている人々もいる。このような開発者の場合、潜在顧客は非常に少ないが、専門性の高さにより、非常に高い時間給を要求できる。非常に高価なソフトウェアスイーツやフレームワークの周辺には、よく低水準の専門家がいる。ドイツの大規模なソフトウェア企業、SAP について考えてみよう。一部の非常に高給の開発者は、この高価なパッケージソフトウェア上での顧客ソリューションの開発を専門としている。

専門領域

- ウェブ開発スタック
- 組み込みシステム
- 特定のオペレーティングシステム
- モバイル開発
- フレームワーク
- パッケージソフトウェア

専門分野の選び方

私が専門の重要性を説明したほとんどのソフトウェア開発者は、私の考えに賛成してくれた上で、自分の専門をどう選んだらよいのを聞いてくる。彼らは専門分野の選択をとてつもなく大変なことのように感じているようだ。

そこで、専門分野を選択するためのヒントを少しまとめておこう。

- 現在、過去の会社で感じた大きな「ペインポイント」(苦痛に感じること)は何か。あなたは、そのペインポイントを解決することを専門とする人間になれるか。
- 誰もやりたがらない仕事やスキルのある人がいない仕事はあるか。その分野を専門とする人になれば、仕事はたくさんある。
- カンファレンスやユーザーグループでよく話題になるテーマはどのようなものか。
- 同僚相手に、あるいは「Stack Overflow」などの開発者向けサイトであなたがよく答える質問はどのようなものか。

何をするにしても、何らかの専門性のあるものを選ぶようにしよう。どこまで限定するかは市場規模によって決まるが、できる限り絞り込むようにしたい。そうすれば、限定的な市場でのあなたの需要はとても高くなる。心配することはない。必要なら、専門はあとでいつでも変えられる。私はもうプリンター用のソフトウェア開発を専門にしてはいないし、キャリアを通じて様々な専門領域を渡り歩いて大成功を収めている知り合いの開発者は何人もいる。たとえば、親友のジョン・パパは、以前はMicrosoft Silverlightを専門にしていたが、Silverlightが消えてからは、SPA（Single Page Application）を専門にしている。

多言語プログラマーはどうか

専門性の話題を持ち出すと、いつも必ずある程度の抵抗を受ける。専門分野を持つことを勧めているからといって、様々なスキルを持つべきではないなどと思っていないことははっきりさせておきたい。

このふたつは矛盾するように思えるかもしれないが、そうではない。多才で柔軟なソフトウェア開発者は偉大な存在だ。複数のテクノロジーとプログラム、多くのプログラミング言語を使えるようにしておくと、キャリアの上で役立つだけでなく、ひとつの限られたテクノロジー、ひとつのプログラミング言語しか知らない人々よりも、はるかに貴重なソフトウェア開発者になれる。ただ、自分を何でも屋として売り込むのはとても難しいというだけのことだ。

チームに何でもできる開発者がいればとてもいいのに、企業やクライアントは、そのようなタイプを探しに行こうとはまずしない。あなたがあらゆる種類のテクノロジーで優れた能力を持ち、50種類のプログラミング言語を知っていたとしても、何か専門分野を選んだ方が得になる。たとえ専門分野をたびたび取り替えていてもだ。

できる限り多くのことを学び、できる限り柔軟に対応できるようになろう。同時に、専門分野を持って自分をユニークな存在として目立たせることも大切だ。このふたつからどちらかを選ばなければならないときには、まず専門特化に取り掛かり、あとで多才になればいい。

やってみよう

- ソフトウェア開発者の専門分野として関心のあるもを思い付く限りリストアップしてみよう。範囲を狭めていき、どこまで限定的になれたかを確かめよう。
- あなたの今の専門分野は何か。そのようなものを持っていないというなら、ソフトウェア開発のどの分野なら専門にできるかを考えてみよう。
- 人気の高い職探しサイトに行き、あなたの市場であなたの専門が必要とされる就職口を探してみよう。そして、専門を狭く限定した方が自分にとって有利になるか、選択肢が少なくなりすぎてしまうかを探ってみよう。

第 9 章

就職先の企業のタイプ

ソフトウェア開発者の経験は、どのようなタイプの会社で働くかによって大きく違ってくる。起業したばかりの小さな会社で働くか、多くの予算が与えられ、多くの株主が支えている大企業で働くか、あるいは、その中間のどこかで働くかを自分で決めることが大切だ。

経験に大きな影響を与えるのは会社の規模だけではない。すべての会社にはそれぞれの文化があり、それがあなたの幸福度、今いる場所へのフィット感、帰属感の度合いに、きわめて大きな影響を与える。

就職するかどうかを決めるときには、これらを考慮に入れることが大切だ。確かに給与と福利厚生だけで就職するかどうかを評価できれば話は簡単だが、長い目で見ると、職場環境はあなたにとってはるかに重要な意味を持つだろう。

この章では、会社のタイプ（小、中、大）の長所、短所を検討し、どのタイプの企業で働くかを決める方法を示そう。製品としてソフトウェアを作っている会社とソフトウェア開発者を抱えているだけの会社の違いにも触れる。

小さな会社とスタートアップ

小さな会社の大半はスタートアップだ。そうした会社はスタートアップ独特の気質を持っている。急成長することに全力をかけ、利益を上げられる状態にするといった差し迫った目標を達成するためなら何でもしようとするのである。

このような会社でソフトウェア開発者として働く場合、様々な役割を演じなければならなくなることが多い。ただコードを書いていればいいというわけにはいかない。社員の数が少なく、職務の定義がほかのタイプの会社よりも緩やかなので、あなたはほかの環境よりも柔軟になる必要がある。デスクの前に座ってひたすらコードを書いていたいのなら、ビルドサーバーのセットアップやテストの応援などはしたくないだろう。しかし、エネルギーを発散し、テンションの高い生活を望み、いつも新しい課題に挑戦していたいタイプなら、この手の環境はとても気に入るかもしれない。

大企業にいるときと比べて、小さな会社ではあなたがすることは大きな影響を及ぼすことが多い。これは、良くも悪くも作用する。群衆に溶け込み、ただ自分の仕事だけをしたいタイプなら、小さな会社での働き方にはおそらくなじめないだろう。この環境では、気づかれずにいることはとても難しい。しかし、自分がしている仕事の影響が目に見えるとうれしくなるタイプなら、小さな会社は抜群にいい。何しろ社員が少ないので、一人ひとりの貢献が直接会社の業績に影響を与え、それがわかるのだ。そのため、偉大な達成をすれば、それが大きく見える。ただし、ヘマについても同じことが言える。

小さな会社は、一般に大企業よりも安定性では大きく劣る。しかし、長期的に見れば、高い報酬が得られる可能性がある。小さな会社は、もっと大きな会社よりも潰れたり、給料が払えなくなったり、人員削減に追い込まれたりする可能性ははるかに高い。しかし同時に、うまく波に乗って大きくなった場合には、小企業時代からの社員には非常に高い報酬が与えられることがある。大企業で出世の階段を上り詰めて役員レベルになるのは容易ではないが、小さな会社では、あとから入った社員はあなたよりも下になることが多いので、出世の可能性はかなり高くなる。

多くの開発者が、会社が株式を公開したり買収されたりしたときにストックオプションで金持ちになれるのではないかと期待しながら、安月給のスタートアップでばかばかしいぐらいの長時間労働をしている。私からすると、それはずいぶんリスキーな賭けだ。いつか宝くじに当たるかもしれないからというだけの理由で、スタートアップで働くのはお勧めしない。そういう考えでは、おそらく燃え尽きてしまって苦労した甲斐がなくなるだろう。ペースが早くテンションが上がる環境が好きで、何かを作り上げるための一員となり、それが成長するのを見てみたいという理由で、小企業やスタートアップを選ぶ方がいい。

利点：

- 様々な役割を果たせる。職務内容が柔軟。
- 仕事に強い影響を与えられる。
- 高い報酬が得られる可能性がある。

欠点：

- ただ座ってコードを書くだけではすまない。
- 気づかれずにいることができない。
- 安定していない。

中規模の企業

ほとんどの企業は、中規模の企業である。そのため、あなたの職場もそういうところになる可能性が高い。ひょっとすると、あなたが今働いているのがまさにこういう環境かもしれない。一般に、中規模の企業は安定した収益をある程度継続して上げているものの、フォーチュン500リストに駆け上がるような勢いはない。

中企業は、小さな会社よりも職務の定義がはっきりしており、安定度も高い。大企業は大規模な人員削減を行ったり、定期的に組織変更をしたりすることが多いので、中企業の方が大企業よりも安定しているとさえ言えるかもしれない。安定性を求めるなら、中企業がもっとも合っているだろう。

中企業では、小さな会社よりも変化のペースは少し遅いが、それでも多数のなかに埋没することは難しいだろう。あなたの貢献によって会社が浮き沈みすることはないかもしれないが、あなたが何をしているかは気づかれるはずだ。中企業では、落ち着いて堅実なタイプの方が、競争に勝つことが多い。スタートアップ的にせかせかと決着を迫る気質の人々は最先端テクノロジーを支持しがちだが、ほとんどの中企業はリスクを避けながら、もう少しゆっくりと進むものである。最先端の仕事をしたい場合、中企業ではリスクを負ってもいいという理由付けが難しいので、上司に評価してもらうのが難しくなるだろう。

利点：

- 安定している。
- てんてこ舞いになることが少ない。

欠点：

- 変化のペースが遅い。
- 最先端技術を扱えない場合が多い。

大企業

大企業は面白い存在だ。個々の大企業は、互いに大きく異なる。たいていの大企業には、会社のあらゆる側面に浸透している非常に深い企業文化がある。大企業の多くは株式を公開しており、おそらくあなたは永遠に接することのないCEOセレブがいる。

おそらく、大企業で働いたときにもっとも大きく感じることは、決められた手続きや手順が多いことだろう。大企業の求人に応募すると、通常は何回も面接を受け、とても形式張った手続きに従って話が進んでいく。そして、大企業で働くことになると、確立された仕事のやり方に従わなければならない。大企業では、荒くれ者と乱暴者は歓迎されない。手順や階層構造が好きなら、おそらく大企業で楽しく働けるだろう。

大企業で特にいいのは、与えられるチャンスである。私があるフォーチュン500企業に入ったときには、様々な訓練を受けるチャンスが与えられ、ほぼすべてのソフトウェア製品を好きなだけ使えた。多くの大企業は、社内での学習、成長を支援するために、キャリアガイダンスを提供している。そして、非常に優れたスタッフと仕事をするチャンスが得られることもある。中小企業には、大規模で世界を変えるようなプロジェクトにかけられる予算はないが、大企業の多くでは、技術イノベーションは日常茶飯事である。そういった大規模な取り組みで人から気づかれるようなインパクトを与えることはたぶんできないだろうが、注目すべき製品やサービスを市場に投入するチームの一員にはなれるだろう。

多くの開発者にとって、自分の貢献が大した意味を持たない感じになりがちな大企業は、不満が溜まる場所である。おそらくあなたは、大きなコードベースのなかのごく小さな部品の仕事に関わるだけになるだろう。ソフトウェアシステムのあらゆる側面に関わりたいタイプの開発者なら、大企業の仕事は面白くないだろう。

大企業では、人の視界から消えるのは非常に簡単である。私は複数の大企業で働いたが、一日じゅう何もしない開発者がいた。全社規模で大きなレイオフが行われるまで、誰も彼らの存在に気づかなかった。しかし、この種の自律性には、活用方法がある。ものを作らなければならないというプレッシャーのないところで重要だとか面白いと思っているプロジェクトに携われることがあるのはいい点だ。

大企業については、最後にひとこと触れておかなければならないことがある。政治だ。大企業には、大きな政府に匹敵するほどの複雑な政治システムがあることが多い。大企業のソフトウェア開発者として、政治を避けようとすることはできる。しかし、あなたがそうしたとしても、ほかの人々の政治的操作の影響は何らかの形で必ずあなたに降りかかってくるだろう。そして、次の章で述べるように、大企業の出世階段を上るには、会社のなかの複雑な政治的環境を泳ぎ渡る方法を学ばなければならないはずだ。政治的な動きが苦手で避けたいと思っているなら、フラットな管理構造を持つ小企業を探すといい。

利点

- 確立された手順と手続きがある。
- 教育訓練のチャンスがある。
- 大規模で世界に影響を与えるプロジェクトに携われる。

欠点

- 官僚主義的である。
- たいていはコードベースのごくわずかの部分にしか関われない。
- なかなか気づいてもらえない。

ソフトウェア開発会社かソフトウェア開発者がいる会社か

どのような会社で働くかを決めるときに考えなければならない要素には、ソフトウェア開発への関与の違いもある。具体的には、社内ソフトウェア開発や一部製品のためにソフトウェア開発者を雇っている会社と、ソフトウェア製品を開発するなど主要な事業としてソフトウェア開発を行っている会社の差異である。

ソフトウェア開発を事業の柱としているわけではなく、自社システムの整備のためにソフトウェア開発者を雇っている会社は、主要な事業がソフトウェア開発である企業とはソフトウェア開発者の扱いがかなり違う。主要事業がソフトウェアではない会社のソフトウェア開発者は、一般にあまり大切にされず、余裕が与えられない。また、ソフトウェア開発の手順、規律がしっかりしていないことが多い。

それに対し、ソフトウェア開発で食べている会社は、雇っているソフトウェア開発者に高い価値を置いていることが多い。必ずしもそのような会社の方が作業環境がいいわけではないが、通常は大きな差がある。

テクノロジーやツールという面では、ソフトウェア開発会社の方が、ソフトウェア開発者を雇っていても社業はほかにある会社よりも最先端のものを取り入れていることが多い。新しいテクノロジーを使える仕事がしたければ、直接ソフトウェア開発を行っている会社を探した方がいいだろう。

これら2種類の会社の違いは、アジャイルソフトウェア開発メソドロジーの扱いを見ると明確にわかる。アジャイルプロセスは開発チーム主導で進められるため、ソフトウェア開発を事業の柱としていない会社で取り入れるのはかなり難しい。アジャイルプロセスはトップダウンで採用することが必要なので、一部の開発者がアジャイルの考え方はいいと思っても、会社全体のやり方を変えるのは難しいことが多い。

慎重に選ぼう

以上は、ソフトウェア開発者の立場から、就職先の企業のタイプについて一般的なガイドラインを示したものであり、実際にはすべての会社に違いがある。自分に合った作業環境や居心地のいい企業文化を決めるのはあなた自身だ。採用通知を承諾する前に、その会社で働くことのリアルな感覚をつかむために、すでに会社で働いている開発者から話を聞いておくといいだろう。

やってみよう

- 時間を少し割いて、仕事をするならどのような環境がいいか考えてみよう。どのような規模の会社が理想とする作業環境に合うだろうか。
- 地域の会社や働いたことのある会社のリストを作り、それぞれがどの分類に含まれるかを考えてみよう。

第10章

出世階段の上り方

私は、ITの世界で浮かび上がることは永遠にないのではないかと思えるような人々をかなりたくさん知っている。彼らは何年もまったく同じ仕事をし、まったく同じ肩書きを名乗っている。彼らの給料が上がっているのかさえ不安になってくる。あなたの知り合いにそんな人はいないだろうか。そのような人は驚くほどたくさんいるのだ。こうしたデッドエンドにはまり込みたくなければ、そのための行動を起こさなければならない。この章では、同じ地位に縛り付けられて昇進昇格がないというような思いをしないように、企業の出世階段の上り方についてアドバイスを送る。

責任を引き受ける

どの会社でも、地位を上げるためにできるもっとも大切なことは、それまでよりも重い責任を引き受けることだ。

当然に見えるかもしれないが、キャリアのなかでは、収入が増えるのと責任が重くなるのとの間で選択を迫られることがよくある。少なくとも長期的な視野に立った場合、正しいのはほぼ必ず責任の方である。

収入はいつでも責任に追いついてくる。それまでよりも重い責任を引き受けるように求められたときには、それを受けるべきだ。

しかし、職責を重くしたいのだがと言われなかったらどうすればいいのか。自分で責任を引き寄せるためにできることはないのか。自分で外に出て行って、自分が先頭に立っていい場所、プロジェクトを引っ張っていける場所を探さなければならない場合もある。ビジネスには、誰からも無視されているものの、あなたの能力を活かせるような場所が必ずある。ただ、あちこちを探ってみて、そのような場所を見つけるだけのことだ。

探してみるといいのは、ほかの誰もが関わりたがらないようなところだ。

誰も触りたくないと思っている古いアプリケーションや、コードベースのなかでも特に汚いことで知られるモジュールなどがおそらくあるだろう。誰もほしがらず、競って手に入れる必要もないところなので、あなたの広がりつつある帝国の新たな領土にできる。このような不毛の沼地を肥沃の地に変えられれば、あなたは周囲に自分の真価を示すことができるのだ。

間接的に責任を引き受ける方法としては、チーム内のほかのメンバーのメンターになるというものもある。新人が仕事のペースについていけるようにするためのボランティアだ。支援を必要とする人には必ず声を掛けよう。自分が抱えている問題に加え、他人の問題も知って解決すると、自分がより多く学べるだけでなく、時間とともにチーム内であなたは頼れる人だという評判が生まれる。このような評判が生まれると、あなたにはチームリーダーや管理職のポストが回ってくるはずだ。

責任の重い仕事がまわってくるようにするためにできること

- ずっと無視されてきたが自分なら面倒を見られるというプロジェクトを引き受けること。
- チームの新メンバーが仕事のペースについていけるように支援すること。
- プロセスのドキュメントを書き、そのドキュメントをメンテナンスし続けていくこと。
- ほかに誰もやりたがらないものの、自分が引き受ければ楽にしたり自動化したりできるものを探すこと。

自分の存在を主張する

誰もあなたのことを知らず、あなたが達成してきたことを知らないのなら、あなたがチームでもっとも頭がよく、もっともよく働き、もっとも優れた開発者でも意味がない。上司、あるいはもっと偉い人にあなたがしていることを知らせる方法がなければ、あなたのハードワークも無駄になってしまう。

私は新しい会社に入るたびにまず、何に時間を費やし、その日に何を達成したかを日録に書くようにしていた。その内容をもとに、毎週金曜日に一週間の実績を書いて上司に送ったのである。私はこれを自分の「週報」と呼んでいた。そして、新しい職場で最初の週報を送るときには、直属の上司が何をしているのかを理解することがいかに重要かを自分はわかっていること、だからこそ上司の仕事が楽になるように、自分の一週間の仕事のまとめをメールで送っているということが伝わるような内容を書き添えていた。

このように週報を送れば、毎週必ず上司の視界に自分が入り、自慢抜きでその週に達成したことを伝えられる。これは、自分の存在をアピールするための方法として効果的だった。また、私の上司は、ほかの開発者がしている仕事についてはあまり知らないのに対し、私がしている仕事のことはすべて耳にしているので、単純に私が同僚たちよりもはるかに生産的に仕事をしているように見えるという効果もあった。

この週報は、私の存在をアピールするために役に立っただけではなく、人事考課の時期には自分自身にとっても役立つ資料になった。週報を読み返して、その年の主要な達成を拾い出せばよかったのである。自己評価を書くとき、私はその年にしたことを日付とともに正確に書けたのである。

このように頼まれてもいない週報を送ることは絶対お勧めの方法だが、組織のなかで自分の存在を主張する方法は、それ以外にもたくさんある。たとえば、何らかのテーマやチームが直面している問題について発表をしたいと申し出ることなどは特に効果的だ。説明できるテーマを選び、それをチームに説明したいと言うのである。就業時間ではなく昼休みにランチタイム学習会として、教育的なテーマの発表をしたいと言えばなおいい。知名度を上げられるし、特定の分野でいかに豊富な知識を持っているかをうまく示せる。さらに、ほかの人々の前で発表しなければならないことをただ知るだけではなく否応なく学習するチャンスを作る方法としても、これ以上のものはない。私の場合、もっともよく学べたのは、このようなプレッシャーのもとで学んだときだ。

自分の存在を主張するためにできること

- 毎日の仕事の内容の記録を残し、それをまとめた週報を上司に送る。
- 発表や訓練の講師をすると申し出る。チームにとって役立ちそうなテーマを選ぶ。
- 声を上げる。会議など、チャンスがあるときには必ず声を上げよう。
- 見てもらう。上司との定期的なミーティングを設定する。頻繁に見られるように心がける。

勉強する

スキルと知識を磨き続けるのも昇進昇格のために効果的な方法である。教育レベルを絶えず上げている人が同じ地位に停滞してしまうことはまずない。勉強を続ければ、以前よりも価値のある人間になっていることがはっきりとわかるので、昇給や昇格の理由が簡単に作れる。

もちろん、伝統的な高等教育を受けるのもいいが（特に会社が学位取得のための費用を出してくれる場合）、将来元が取れるような勉強の方法は、ほかにもたくさんある。いつも、何らかの方法で新しいものや自分のスキルを上げられるようなものを学ぶようにすべきだ。訓練講座に参加したり、資格取得にチャレンジしたりして、自分を向上させるために絶えず行動していることを示そう。

私の場合、キャリアの初期にどうも出世のペースが遅れていると感じたので、マイクロソフトの資格認定試験を受けることにした。一所懸命勉強して、トップレベルのマイクロソフト認定資格のひとつを手に入れるために必要なすべての試験をクリアした。簡単なことではなかったが、自分のキャリアのために役立っていることはすぐにわかった。このような努力により、上司は私がキャリア向上のために真剣になっていることを認め、すぐに様々なチャンスが開けるようになった。

第３部では、すばやくものを身に付ける学習方法を取り上げる。これはぜひともマスターすべきスキルだ。知識を早く引き上げられれば引き上げられるほど、より多くのことを学べ、より多くのチャンスがやってくる。

また、ソフトウェア開発のこと以外の勉強もしよう。上のレベルが視野に入り、経営陣に入る可能性が見えてきたら、時間を割いてリーダーシップや経営、マネジメントについても学ぶべきだ。

そして、学習したことをシェアすることを忘れてはならない。すでに、自分の知識をシェアするために発表することについては触れたが、自分のブログを開設したり、雑誌記事や書籍を執筆したり、コミュニティのイベントやカンファレンスで講演したりするという方法もある。社外に出て活動をすると、自分の専門分野における権威として自らの地位を確立し、所属する会社に自分の価値を高く見せるために役立つ。

問題を解決する人になろう

どの会社でも、なぜこのアイデアではうまくいかないのかとか、この問題は難しすぎると言ってくる人がたくさんいる。このような人はありふれた人であり、そのひとりになってはいけない。問題に対する答えをいつでも出せる人、その答えを実行して結果を出せる人になろう。

どの会社でも、もっとも役に立つタイプの人とは、乗り越えられない障害は決してないのではないかと思えるような人である。そのようなタイプの人間だという評価を確立できれば、確実に昇進昇格していく。政治ゲームや地位目当ての態度はやめよう。ほかの人々が解決できない問題や挑戦するのを避けようとする問題を解決することができれば、どの会社でも簡単にもっとも貴重な人間になることができる。

昇進昇格のチャンスが一切やってこない

ほとんどの会社は何らかの形で昇進昇格のチャンスを提供するものだが、この章のすべてのアドバイスに従っても、何らかの理由でいかなるチャンスも与えられない場合があるかもしれない。そのような場合はどうすればいいだろう。

辞めることだ。まず、新しい就職先を確保しておこう。しかし、自分がどん詰まりの状態に押し込まれていて、もっとチャンスに恵まれた環境に移らなければならないことにまず気づかなければならない場合もある。職場環境がぎすぎすしていて精神衛生上よくないとか、縁故が強くて昇進のチャンスがないといった場合だ。理由が何であれ、そのようなところからは脱出する必要がある。

社内政治との距離の取り方

政治にまったく触れずに昇進昇格についての章を終わらせることはできないだろう。しかし、私はキャリアアップのために考えるべきことのなかでは、政治はもっとも重要性が低いと思っている。そのため、この問題に触れるのは最後にした。私は決してうぶなわけではない。ほとんどの企業に社内政治がうごめいていることはわかっているし、あなたもそのことは意識しなければならない。しかし、政治ゲームにあまり時間をかけ過ぎるべきではないと思う。

確かに、戦術を駆使し、野心をむき出しにすれば、社内の出世階段を上ることはできるが、そのような形で昇進昇格しても、同じぐらい簡単に転げ落ちる危険がある。そんなことはないと言う人もいるだろう。しかし私は、価値のある社員に見せるのではなく、本当に価値のある社員になってしっかりとした基礎を築く方がいい結果を残せることを見てきた。

とは言え、どんな会社でも、政治的な風向きは意識しておかなければならない。政治を完全に避けることはできない。そのため、少なくとも何が起きているのか、どのような人を避けなければならないのか、誰に逆らってはならないのかは知っておく必要がある。

やってみよう

- 現在の仕事で今すぐもっと責任を負えるようにするための方法は何かを考えよう。
- 現在の上司、経営陣に自分はどれぐらい知られているか。自分の存在をもっと知ってもらうために来週から始められる具体的な行動は何か。
- あなたは勉強のために何をしているか。自分にとって勉強してもっとも価値があるものを考え、来年1年をかけてそれを学ぶためのプランを作ろう。

第11章

プロであること

私の変わらぬ愛読書のひとつである『やりとげる力[※1]』でスティーブン・プレスフィールドは、プロとアマチュアの違いを次のように説いている。

> プロになって変わるのはマインドセットだ。恐怖、自傷行為、先送り、自己不信などと戦っているときの問題は、アマチュアのような考え方をしていることにある。アマチュアは目立たない。アマチュアは休む。アマチュアは逆境に弱い。プロ考え方は違う。プロは、何があってもプレゼンスを示し、仕事をし、前進し続ける。

プロであるということは、プレゼンスを示し、自分の仕事をして、逆境に負けないことだ。プロになるためには、自分の問題点を克服し、可能な限り最高の仕事を生み出せるようでなければならない。

この章では、プロであることの意味に注目し、社員として働くかクライアントのために仕事をプロデュースするかにかかわらず、ソフトウェア開発の仕事でプロになる方法について考える。

ソフトウェア開発者として、プロフェッショナリズムは、あなたのもっとも大きな財産のひとつになる。プロらしく行動し、プロに見られる方法を学べば、もっといいポスト、もっと多くのクライアントを手に入れられるだけでなく、自分がしている仕事をもっといいものと感じ、その仕事にプライドを持てるようになる。プライドは、長期的に成功するためには絶対に欠かせない。

プロとは何か

簡単に言えば、プロとは、自分の責任を取り、キャリアを真剣に考え、自

※1　Steven Pressfield, *The War of Art*, Black Irish Books, 2002. 邦訳『やりとげる力』(筑摩書房、2008年)

分が正しいとわかっていることをするために（多くの場合は自己責任において）、難しい選択をあえてすることをいとわない人のことである。

たとえば、通常の品質標準を緩めて、何らかのコードをできる限り早く出荷してくれと頼まれたときに、あなたならどうするかを想像してみよう。あなたなら、このような場面でどのように反応するだろうか。このような形で仕事をすることを繰り返し要求されたらどうするだろうか。自分のポストを賭けるような事態になっても、踏ん張って正しいことができるだろうか。あなたはどのような原則のもとで動くのか。自分の仕事に対して個人的にどのような品質基準を設けているのか。

プロとは、私たち全員がそうなろうと思って努力すべき存在である。プロとは、仕事を完成させられ、しかもその内容が正しいということを当てにできる人だ。しかし、プロはいつも耳に快いことばかりを言うとは限らない。何かが不可能な場合や進もうとしている道が間違っている場合には、プロはそれをはっきりと言うだろう。

プロだからといってすべての答えを持っているわけではない。それでも、自分の仕事をとことん研究し、スキルを磨くことを常に心がけている。プロは、答えがわからないときには率直にそれを認めるが、答えを見つけてくれることを当てにできる存在でもある。

おそらくもっとも重要なのは、プロは首尾一貫しており、安定しているということだろう。プロは、自分の仕事に対して高品質を維持できるような基準を持っており、プロなら毎日いつでもその基準を守ってくれると当てにすることができる。プロが姿を現さないときには、必ず何か問題があるので、緊急事態だと思った方がいい。

プロ：

- 常に従う原則を持っている。
- 仕事を正しく完成させることに力を注ぐ。
- 間違っているときや知らないときにそれを認めることを恐れない。
- 首尾一貫しており、安定している。
- 責任を取る。

アマチュア：

- 頼まれたことなら何でもする。

・仕事をとにかく終らせることに力を注ぐ。
・知らなくても知ったふりをする。
・予測不能で信頼できない。
・責任を避ける。

いい習慣を身に付けてプロになる

プロを見分けるのは簡単だが、自分がプロになるにはどうすればいいのだろうか。仕事にアマチュア臭がするというのはどういうことで、その臭いはどうすれば消せるのか。

まずは習慣だ。私たちが毎日行っていることの大部分は習慣的なもので、習慣はプロになるための本質的な要素である。私たちはほとんど何も考えずに、朝起きて、仕事に行って、毎日のルーチン作業をこなす。人生を変えたければ、この習慣を変えるところから始める必要がある。もちろん、それは言うは易く行うは難しだ。悪い習慣を打ち破るのはきわめて難しいことであり、新しい習慣は簡単に身に付かない。

しかし、プロになりたければ、プロの習慣を身に付ける必要がある。以前、スクラムプロセスに従うチームで働いていたことがあった。スクラムでは、毎日朝礼を行い、自分たちが行ったこと、自分たちがやろうと計画していること、自分たちの障害になっていることを言うことになっており、自分が言う予定の内容をいつもきっちり書いて持ってくる開発者がいた。私たちの大半はミーティングの間に発言内容を準備するが、彼は毎日欠かさずスクラムミーティングが始まる前に発言内容を準備してくるのである。プロが身に付けるべき習慣とは、たとえばこういうものだ。

時間管理能力も、プロとして身に付けるべき習慣のひとつである。あなたは時間管理がどれぐらいできているだろうか。毎日仕事をする前に今日は何の仕事をするのか把握できているだろうか。ルーチン作業にどれぐらいの時間がかかるかの目安があるだろうか。あらかじめ一日のプランをしっかりと練って時間を効果的に管理する習慣を身に付けよう。プロは、毎日どのような仕事をしなければならないか、その仕事をするためにかかるおおよその時間がどれぐらいかを把握しているものだ。

今示したのは、プロのソフトウェア開発者として身に付けるべき習慣のごく一部の例に過ぎない。自分のプロフェッショナリズムの基準に達する仕事をするために、どのような習慣を身に付けるかは自分で決めなければならない。しかし、習慣は安定性を築き、安定性はあなたの信頼性につながるので、習慣はきわめて重要である（なお、チャールズ・デュヒッグの『習慣の力[※2]』は、習慣をテーマとするすばらしい本である）。

正しいことをする

ソフトウェア開発者として、あなたは技術的、倫理的に難しい様々な問題にたびたびぶつかるだろう。プロなら、どちらの場合でも、正しい選択ができなければならない。技術的な難問の方はより客観的に対処できる。技術的な問題には正しい解決方法がある。ある解決方法が別の解決方法よりも優れていることを証明するのは簡単だ。しかし、倫理的な問題の方はそれと比べてはるかに難しい。いつも明快な正解があるとは限らない。

ソフトウェア開発者が直面するもっとも大きな倫理的問題のひとつは、たとえ自分たちが辛い思いをし、生活の安定が失われたとしても、間違った決定に「ノー」と言い、クライアントの利益が最大になる正しい方向を貫けるかどうかである。

私が好きなソフトウェア開発者で著作家のボブ・マーティンは、まさにこの問題を取り上げ、「ノー」と言えという内容のすばらしい文章を書いている[※3]。そのなかで、ボブはソフトウェア開発者と医者を比較している。患者が医者に仕事のやり方を指示するとしたら本当にばかげたことだ。ボブの文章では、患者は腕が痛むので切り落としてくれと医者に言っており、医者はもちろん「ノー」と答えている。しかし、ソフトウェア開発者は、同じような状況に直面したときに、上層部の怒りを恐れて「イエス」と答え、コードを切り取ってしまうことが多い。

ボブの話はさらに続く。プロフェッショナルには、絶対に越えてはいけない一線があるので、たとえ相手が上司でも言うべきときには「ノー」と言わなければならない。それでクビになったとしても、自分をプロと呼ぶためにはそのような代償を払わなければならないことがある。短期的にはそれは苦しいことかもしれないが、自分が正しいと思っていることを貫いた方がキャ

※2　Charles Duhigg, *The Power of Habit*, Random House, 2012. 邦訳『習慣の力』（ハヤカワ・ノンフィクション文庫、2019年）

※3　https://sites.google.com/site/unclebobconsultingllc/blogs-by-robert-martin/saying-no

リア全体で見れば報われる可能性が高い。そして、夜よく眠れる。

プロは、仕事の優先順位に関して辛い選択をしなければならないことがある。プロでない開発者は、次にすべき仕事を決められないか、いつもほかの人に優先順位を決めてもらっているので、つい目先の仕事をして時間を無駄にしてしまうことが多い。プロなら、自分がしなければならない仕事を評価し、優先順位を付けて仕事に取り掛かるところだ。

「ノー」と言えないところに追い込まれていたら

私が椅子にどっかり座って、「時にはノーと言わなきゃダメだよ」などと能書きを言うのはお気楽なものだが、職をリスクに晒してもかまわないという贅沢が許されない人もいるだろう。そんなことをすれば取り返しのつかない破滅に追い込まれるので「ノー」とはとても言えないという立場があることは、私と言えども理解している。

そのような場合は、悪い状況を切り抜けるために必要なことをやり遂げた後、もう二度とそのような状況に入り込まないように注意するしかないだろう。どうしても勤め先が必要ですぐには辞められないという状況には簡単にはまってしまうものだが、そのままでいると、自分の選択肢が限られてしまい、巨大な権力に抑え込まれてしまう。

そのような状況にいるなら、できる限り早く抜け出せるように努力しよう。蓄えを作って、職を失ってもそれほど心配な状態にならないようにすべきだ。このように倫理的な判断を下さなければならないことがたびたび起きない会社、あなたの意見がもっと高く評価される会社を探した方がいい場合さえあるかもしれない。

「ノー」とは言えずに仕事をする羽目になったら、やらなければならないことをやるしかない。それでも、いずれは、仕事を命じた人の上か少なくとも同等の立場に立てるよう努めることだ。

品質の追求と自己研鑽

あなたはプロとして、自分が作るコードの品質を向上させるために絶えず努力していなければならない。いつも自分が望むような高品質のコードを作れるわけではないだろうが、時間とともに、自分の基準に達するコードを安定して作れるようになるだろう。しかし、多くのソフトウェア開発者は、品質が基準に達しないときに、自分を高めてその厳しい基準をクリアする方向に努力するのではなく、基準を引き下げるという大きな過ちを犯してしまう。

品質基準は、もっとも重要だと思われる部分だけでなく、コードの隅々のあらゆるところまで徹底させることが大切だ。本物のプロは、T・ハーブ・エッカーが『ミリオネア・マインド 大金持ちになれる人[※4]』で言うように、「何をするときも同じやり方でする」ということがわかっているので、自分の仕事のすべての部分が高品質になるようにする。ある部分で品質を下げるようなことをすれば、ほかの部分でも無意識のうちに質が下がってしまうものだ。一線を越えて妥協をすると、越える前に戻るのは難しい。

そして、自分の得意な部分を活かすことを忘れてはならない。もちろん、弱点を克服することもできるが、自分の得意な部分を一つひとつ把握してそれを活用することが大切だ。プロは、自分の能力と弱点の評価が正確、リアルで適切なものである。

プロが高い基準を満たすために行っているのは、継続的な自己研鑽である。プロになりたければ、いつも全力を挙げて自分のスキルを向上させ、自分の仕事についてより多くのことを学ばなければならない。スキルを広げるための自己訓練プランを立て、仕事の質を高めるために役立つ新しい情報を学ぶようにしよう。なかなかいいという線で満足してはならない。常にもっといい自分を求め続けよう。

やってみよう

- 今、自分のことをプロだと思っているだろうか。思うならその理由を、思わないならやはりその理由を述べよ。
- あなたの習慣を見直そう。自らの一日を観察して、できる限り多くの習慣を見つけよう。良いものと悪いものに分けてリストアップしよう。次に、身に付けたい良い習慣を考えて、それを実際に身に付けるためのプランを立てよう。
- ほかの人々はあなたのことをどう見ているだろうか。あなたのことをよく知っている2、3人の人に、あなたの良い習慣をふたつ、悪い習慣をふたつ挙げてもらおう。彼らの認識が正確かどうかはどうでもいい。大切なのは、自分がどのように見られているかを知ることであり、それを自分で評価することである。
- 最後に「ノー」と言わなければならなかったときはいつだろうか。そのような場面に遭遇したことがないなら、上司に間違っていることを指示されたときに自分がどうするかを考えてみよう。あなたはどのように反応するだろうか。

※4 T. Harv Eker, *Secrets of the Millionaire Mind*, HarperCollins Publishers, 2005. 邦訳『ミリオネア・マインド 大金持ちになれる人』(三笠書房、2005年)

第 12 章

同僚やボスとのうまい付き合い方

2020年にもなってこの章のタイトルで「管理職」ではなく「ボス」という古臭い言葉を使っているのは奇妙な感じかもしれない。しかし、これには理由がある。そして、それはこの章で話すことになることと大きく関係している。

もうご存知のように、ソフトウェア開発者の仕事のもっとも重要な部分のひとつはコードを書くことではなく、人とどのように接するかだ。このことについては、第4章「社交スキルを鍛える」でも話したが、この章では、もっとも日常的に付き合わなければならない人々、つまりボスや同僚との接し方について実践的なアドバイスを送りたい。

これら2種類の人々とうまく付き合えるかどうかは、心地よく過ごしていける（居心地のよい職場で出世階段を快調に上っていく）か、それとも職場が生き地獄になる（嫌な人々に恐怖を感じ、どん詰まりの仕事から抜け出せない）かの差を生み出す。

ボスとは誰か

たぶん、あなたは私が管理職とかマネジメントといった言葉ではなく「ボス」という言葉を使った理由をまだ考えているだろう。いつまでももやもやしていたり、斜め読みして答えを探したりしないように、ここで理由を言っておこう。

ビジネスの商業的な側面と命令系統がわからないのは、ソフトウェア開発者が職場でぶつかる大きな問題のひとつだ。実際、この問題はソフトウェア開発の世界に限らず、様々な職場で繰り返し起きている問題らしい。しかし、合意形成で動くことが一般的となっているらしいソフトウェア開発の世界では、これが特に大きな問題になっている。

ソフトウェア開発者の多くが喧嘩っ早くないタイプだからかもしれないが、理由はどうであれ、様々な考え方を持つ非常に知的な人々ばかりが集まっているところで合意を形成するのは至難の業だ。合意形成によって開発を進めようとすると、妥協の連続になりがちである。これは問題の解決方法として適切だとは言い難い。

最終的には、現場を仕切って最終決断を下す人物が必要になる。管理職とかマネジメントといった言葉は、そういう人の呼び方としてはちょっと柔らかすぎる。あなたを採用したり、クビにしたり、あれをしろこれをしろと命令したりできる人物の呼び方としては、ボスという言葉がふさわしいだろう。

このことを理解し、受け入れるだけで、あなたのソフトウェア開発者としての生活はずいぶん楽になる。そうでなければ、キャリアに響くような過ち（その時点ではわからないかもしれないが）を何度も繰り返すようになる。

要するに、あなたに高いレベルのスキルがあり、仕事の進め方はこうでなければならないという考えがあっても、あなたが仕事をしているのは会社に雇われているからであって、何をどのようにしなければならないかを最終的に決めるのは会社や会社の意思を代表する人物だということだ。

これは簡単に受け入れられることではないが、受け入れてしまえば仕事は簡単になる。会社全体の責任や負担のことで頭のなかがいっぱいになった状態から抜け出し、条件として与えられたパラメーターの範囲内で最良の仕事をすることを考えれば済むようになるのだ。

権威を受け入れることを身に付ける

なんだ、そんなことなら簡単だと感じるかもしれないが、実際には簡単ではない。職場で起きる無数の対立や衝突の直接的な原因は、自分の上には権威があることを受け入れず、戦ってしまうことにある。自分の意見を言ったらあとは最終決定に従うということを身に付けられれば、無駄なストレスやキャリアを伸ばせなくなるという不安が大幅に減る（嘘ではない。私はこの章で口にしたあらゆる過ちを犯してきている）。

では、口を閉ざし、正しくないことや倫理的に問題があることでも、言われたことは何でもすればいいというのだろうか。違う。決してそういうことではない。第 11 章「プロであること」で詳しく説明した通りだ。言いたいのは、服従するか辞めるかのどちらかを受け入れなければならないということである。あなたが正しくてもそうでなくても、ボスと権力闘争をすれば、ほぼ間違いなくあなたが負けて自分に不利な結果が降り掛かってくる。

服従は弱虫のすることではないのか

そんなことはない。自発的な服従は決してその人の弱さを示すものではない。むしろ、あなたができることのなかでは強力なことである。自分が権力を持つ地位にはないことがわかっているなら、反抗したいという本能を抑え、服従することが強さを発揮する。

これは、リーダーになるためにはよい部下が必要だということでもある。軍隊の指揮命令系統のことを考えてみよう。上官からの命令にことごとく従わず反論している階級の高い兵士が優れたリーダーになれると思えるだろうか。そういう人たちが部隊をうまく動かせると思えるだろうか。たぶん、そんなことはないだろう。弱い人は、服従するか辞めるか以外のことをしようとする。権力を持つ人に反論、対立するのは、自分の行動の結果に責任を取らずにやりたいことを押し通そうとすることだ。

要するに、服従が弱さになるのは強制されて服従するときだけだ。権威への服従を自ら選ぶときには、自分の主体性を放棄してはいない。

面倒なボスの扱い方

ソフトウェア開発者としてキャリアを積んでいく過程では、あらゆるタイプの「面倒な」ボスと付き合っていかなければならなくなるだろう。私にもそういう経験がある。

たとえば、仕事の細かいところまであれこれ口を出し、部下の自主性をまったく認めないマイクロマネージャーのボス、短気でときに暴言を吐くこともあるボス、どうして社内でこの地位を手に入れたのかわからないというぐらい無能なボスなどだ。こういうボスにうまく対処できる戦略を持つことは重要である。

これらは状況としては大きく異なるが、どのように面倒かの違いを超えて面倒なボス全般とうまく折り合いを付ける方法を挙げていきたい。

まず第1に、ボスとの関係でもっとも大切なことは、ボスがよく見えるようにすることだということを理解しなければならない。おいジョン、なんてことを言うんだ。マイクロマネージャーだろうが短気な馬鹿だろうが、よく見えるようにしろだって？ そんなの真っ平御免だ。あんな奴らは長過ぎるネクタイを踏んづけてひっくり返ればいいんだと思うかもしれない。

ちょっと敵意を感じるけどかまわない。そう思うのが普通だろう。でも、ここからは考えどころだ。テレビドラマの『ジ・オフィス[※1]』をご存知だろうか。笑えるドラマだ。ドラマのマイケル・スコットというボス役は、ちょっと馬鹿で、短気な人間だが、マイクロマネージャーではない。何しろマネジメントなど何もしていないのだから。

いずれにしても、ドラマを見て笑っていられるのは、それがドラマで自分に災難が降り掛かってこないからだ。ポイントはここだ。職場での自分をドラマのようなものだと考えることが必要なのである。変なことを言うと思われるのはわかっているが、これは、人生には自分でコントロールできることとできないことがあり、コントロールできることはごく少数の小さなことだけだが、自分の態度と考え方はいつでも自分でコントロールできるということを理解するためのステップである。

具体例を挙げよう。あなたがコメントアウトされたコードをソースコントロールから取り除こうとしたからといって、ボスが顔を真っ赤にしてあなたのデスクにやってきたとする（ちなみに、実話である）。対処方法はふたつある。ひとつはあなたの方も逆上して言い返すことだ。これはもう完全に死んだコードなので、コードベースに残しておく理由は１ミリもありません。それに、このコードが本当に必要になったら、ソースコントロールから取り出せばいいじゃないですか。そもそもソースコントロールってそういうものですよね。

もしこれを実際にすると、たぶんあなたは言い負けるだろう。たとえ上司をなんとか納得させたとしても、上司とぶつかってしまったことや、この馬鹿と仕事をしなければならないのかという思いから、その日はずっと居心地が悪く、ストレスが溜まった気分になるはずだ。

しかし、対処方法はもうひとつある。マイケル・スコットを演じていたスティーブ・カレルを相手にしているつもりになるのだ。それでも、自分の言い分は主張していいが、全体を娯楽番組を見るような目で見るのである。上司が死んだコードをコメントアウトした状態でコードベースに残しておけと命令してきたら、それを日録に書きとめ、将来ソフトウェア開発者についての漫談を語るときのために取っておけばよい。

※1　もともとはイギリスのドラマだが、アメリカのNBCがリメイク権を買って新たに制作したアメリカ版のことが話題になっている。

言いたいのは、何にでもいちいちムキになる必要はないということだ。特に、自分でコントロールできないことではそうである。あなたは他人をコントロールできない。それが我慢できず、職場も我慢ならないなら、辞めて別の職場を探せばよい。しかし、今の職に留まり続けるつもりなら、今の職を存分に楽しむことだ。小さなことにいちいちカリカリすることはない。こういったことは全部小さなことだ。

面倒な同僚のあしらい方

この章ももう半分以上過ぎているのに、頭痛の種になっているあのうっとおしい同僚のあしらい方の話がまだ全然始まっていないじゃないかと思っているみなさん、よいお知らせです。その話はもうしました。まあ、話をしたも同然ということだが。面倒な同僚のあしらい方でも、面倒なボスの扱い方と同じやり方を応用すればいい。

ここでもテレビドラマ『ジ・オフィス』を引き合いに出すが、それはこのドラマが面白くて私のお気に入りだからだ。ドワイト・シュルートの話をしよう。実生活でこういう男がまわりにいたらとてつもなく面倒ではないだろうか。ドラマで見ている分には笑っていられるが、「私はほかの誰よりもよくわかっている」、「私はいつも正しい」、「私はこのオフィスのホワイトナイトだ」のような口の利き方をするこの手のごますり男と付き合わなければならないとすればどうかを想像してみよう。

ドラマのジム・ハルパートはドワイトをどう扱っているだろうか。彼は楽しんでいる。彼はドワイトのうっとおしい行動とおべんちゃらを笑いものにしており、そのために職場に行ってドワイトが次に何をするか、ジムの次のいたずらにどう反応するかを見ることを楽しみにしている。

誤解しないでいただきたいが、同僚のホチキスをゼリーに突っ込むなどの悪ふざけを勧めているわけではない。ただ、自分の職場という小さなテレビドラマのなかのおかしなキャラクターのひとりだと思えばよいと言っているだけだ。

以前、一日じゅう仕事をせずにHPの廊下を歩き回っている人がいた。それを見て私が腹を立て、上司に密告したり彼を直接非難したりししたと思うだろうか。そんなことはしない。ただ、自分の頭のなかで彼のことを「さすらい人」と名付け、彼の長歩きを楽しんでいただけだ。

この章で今まで言ってきたことを一言でいうと「楽観視」だ。これは「思いがけない幸運」に次いで私の好きな言葉である。

「邪悪」でないボスや同僚との付き合い方

この章で今まで取り上げてきたのは主として悪い方の話だった。運良くすでに良好な関係を築いている人々とうまく付き合う方法など学ぶ必要はないが、職場で良好な人間関係を築くために努力すべきことや自分自身が面倒なボス、面倒な同僚にならないようにするための方法についても簡単に触れておこう。

すべては共感から始まる。共感とは、誰かがどう考えるかを大切に考えるだけでなく、その人が置かれた立場に自分を置くことができることだ。共感できるようになればなるほど、人を理解できるようになり、人に嫌われないように行動できるようになる。

面倒な同僚が面倒で、厄介なボスが厄介な最大の理由は、彼らに共感能力がないことだ。共感能力があれば、周囲の人々が自分の行動をどのように感じるかに気づき、注意するようになるはずであり、今しているような行動を取らないだろう。

だから、職場で好感を与える人になるためには、自分の行動がまわりの人々から見てどんな感じかを考えることが大切だ。別にほかの人々を喜ばせるために、軽く見られる人になってオフィスをちょこちょこ走り回れということではない。思いやりのある人になるということだ。

同意しないときでも感じよく不同意を示す外交官のような人になろう。同僚、ボス、その他手助けすればその人のためになるような人々に、いつでも進んで救いの手を差し出す気持ちを持つ頼りになる人になろう。いつも自分だけがよく見えるようにすることではなく、まわりの人々がよく見えるような方法を探すような人になろう。

人間力を上げて人とうまく付き合えるようにすることは、一生をかけて追求すべきことだが、そのようにして得られたスキルは職場でもっとも価値のあるスキルになるだろう。だから、人との付き合い方という特に難しいスキルを学ぶために時間を割くのは有意義なことであり、他人から見てもっと好感が持てる行動ができるように自分を鍛えていこう。そして、人間関係が深刻な状態になり、もう我慢できなくなったときには、「楽観視」という言葉を思い出そう。

やってみよう

- 今の職場であなたをクビにできるのは誰か。それは簡単にわかることか、それほど簡単にはわからないことか。組織図を見て誰がそうなのかを確認しよう。
- ボスが自分には賛成できないような判断を下したときに、どのように対処したかを思い返してみよう。ほかにどのような対処方法があっただろうか。
- 自分の職場で起きることをテレビドラマの一種だと考えてみよう。どんなキャラクターがいるか。自分はどのキャラクターに当てはまるか。職場が息苦しくなってきたときに、自分や同僚はコメディで役を演じているだけだと考えるようにしてみよう。

第13章

テクノロジーに宗教のように接するな

あなたが信仰に篤い人かどうかは私にはわからない。あなたがどちらのタイプでも、歴史上戦われたもっとも血なまぐさく醜い戦争の多くは、ある程度まで宗教を巡るものだったと見る点では、私と同じなのではないだろうか。

こんなことを言っているのは、宗教をこき下ろそうとか、何らかの形で宗教自体のことを本質的にいいとか悪いとか言おうとしているからではない。ドグマティックな信念に従うと、熱くなりすぎてしまいがちだということを強く意識するためだ。

ソフトウェア開発にも同じことが当てはまる。ソフトウェア開発とテクノロジーに対するまるで宗教のような信念は、生命の起源や神の存在についての宗教上の信念と同様に人を熱くしすぎる。一般に、ある人がAndroidよりもiOSを気に入っているからといって、その人を殺したりはしないが、その人を痛めつけてやろうとする傾向はあり、もし誰も見ていなければ一発ボディブローを食らわせるかもしれない。

しかし私は、テクノロジーに宗教のように接したり崇めたりするようなことをしなければ、キャリアをずっと先まで伸ばせるはずだと固く信じている。この章では、その理由を検証してみよう。

私たちはみなテクノロジーに宗教のように接している

これは嘘ではない。あなたも認めた方がいい。あなたは、自分が最高だと思っている何らかのテクノロジーやプログラミング言語にひいき目がある。少なくとも、ほとんどのプログラマーはそうだ。これはごく自然なことである。私たちは、自分がしていることに熱狂的になるものだ。そして、熱狂と情熱があるところでは、かなりヒートアップした意見が出てくる。プロスポーツをちょっと見ればわかる。

私たちの大半は、知っているからというだけの理由で特定のテクノロジーを崇める態度を取るようになってしまう。これは問題だ。自分が選んだものは可能な限り最高の選択だと考えたくなるのは自然の勢いであり、逆のことを言われると侮辱されたような気分になりがちなのだ。何が最高かについて、十分に情報を得た上で最高の判断を下せるほど、世に出ているすべてのテクノロジーを十分に知り尽くすことはおそらくできない。そこで、私たちは自分が知っているものを選び、それが一番いいんだと思い込む。人生は難し過ぎてそれ以外の生き方は選べないものだ。

しかし、このような行動様式は、人にもともと組み込まれている自然なものであるとともに、破壊的で限界を抱えたものでもある。自分の経験だけが根拠となっている信念に独善的にしがみつくと、同じ信念にしがみついている人々だけと結び付き、その他の人々を毛嫌いしがちだ。同じ考えが何度も繰り返し流通するコミュニティに自分を押し込めてしまうのである。私たちはそこで成長を止めてしまう。何しろ、答えはもう見つかっているのだから。

私も、オペレーティングシステムやプログラミング言語、さらにはテキストエディタなどまで宗教的に崇め祀って、キャリアのかなりの部分を過ごしてしまった。最高だと思うテクノロジーをひとつ選び、ほかのものはそれよりも劣っているなどと考える必要はないことを知ったのはだいぶ後のことだ。

すべてがいいもの

すべてのテクノロジーが偉大だというわけではないが、広く普及しているテクノロジーの大半は、少なくとも「いい」。少なくともいいと言えるものでなければ、成功して広く知られたり使われたりするようになるのは難しい。もちろん、時間とともに状況は変わっていく。しかし、少なくとも歴史上のある時点では、ほぼすべてのテクノロジーがいいものだったし、場合によっては偉大だとまで考えられていたということを認識することが大切だ。

このような視点をつかむと、多くの場合、ある問題に対してひとつの、あるいは最高のソリューションがあるわけではないことを理解できるようになる。たったひとつのベストなプログラミング言語、フレームワーク、オペレーティングシステムがあるわけではない。テキストエディタでさえ……そうだ。あなたはほかのものよりも特定のテクノロジーが気に入っているかもしれないし、ほかのプログラミング言語ではなく、ある特定のプログラミング言語を使っているときの方が仕事が進むかもしれないが、だからといってそれが最高だというわけではない。

私の転機

私は長い間、なかなかそのように考えることができなかった。WindowsがMacよりもずっと優れている理由を論じてどれだけの時間を費やしてしまっただろうか。C# などの静的型付け言語がPerl、Rubyなどの動的言語よりもはるかに優れていると何度わめきちらしただろうか。恥ずかしくて認めたくないことだが、考え方の異なる開発者を口汚く罵ってしまったことさえある。テクノロジーについて私と異なる信念を持つなんておかしいんじゃないかと思っていた。

私にとって目を開かれる経験になったのは、初めてJavaを使うプロジェクトのチームリーダーをしてくれと言われたときだ。それまでは、私は基本的にC# を専門とする.NET プログラマーだった（正確にはちょっと違う。.NET が登場するまでは、C++ を崇めていた）。Javaで仕事をすることなど、考えるのも耐えられないことだった。エレガントなC# と比べてJavaはあまりにも汚い言語だった。ラムダ式さえ使えないのに、Javaコードを楽しく書くことなどできるだろうか。

結局、私はその仕事を引き受けることにした。条件がとびきり良かったし、契約での仕事だったので、1年ぐらいなら我慢できるだろうと思ったのである。しかし、その仕事を引き受けたのは、私のキャリアのなかでも最良の判断のひとつになった。嫌っていたテクノロジーで仕事をしたおかげで、すべてのテクノロジーに対して、今までとは違う光を当てるようになったのである。Javaは決してそんなに悪いものではないことがわかった。それどころか、C# よりもJavaを好む開発者がいる理由さえ理解できるようになった。

そのJavaのプロジェクトにいた数年間で、私はそれまでのすべてのキャリアで学んだ以上のことを学んだ。それまでは少数のツールを無理しながら使っていたが、突然、あらゆる問題に立ち向かっていける豊富なツールが詰まったとても大きな道具箱を手にすることができたのだ。

それ以降は、ほかのプログラミング言語（動的言語さえ含む）にもJavaのときと同じような開かれた心で接するようになった。そして、それぞれから学んだことを使って、それらの言語すべてにおいて以前よりも力のあるプログラマーになることができた。同じ考え方をオペレーティングシステムやフレームワークにも広げ、判断する前に試してみるようにした。この経験をしていなければ、この本を書くことさえなかっただろう。代わりに、『C#

がサイコーでほかのすべての言語がクズな理由』という本でも書いていたに違いない。

選択肢を制限するな

ここで本当に言いたいことは、選択肢を制限するなということだ。自分が選んだテクノロジーが最高だと強調して、ほかのすべてのテクノロジーを無視したり過小評価したりするのは間違っている。その視点にしがみついていると、結局は自分を傷つけることになる。

逆に、すでに知っているものだけにしがみついてそれがベストだと主張しようとせず、開かれた心でテクノロジーに接するようにすれば、あなたの前にははるかに多くのチャンスが開けてくるだろう。

やってみよう

- ほかのものよりも優れていると思っている好みのテクノロジーをすべてまとめたリストを作ろう。
- そのリストの個々の項目について、なぜそのテクノロジーに惹かれるようになったのか、どのような比較によってそれをベストと判断したのかを考えてみよう。ライバルのテクノロジーを実際に使った経験はあるだろうか。
- あなたが嫌いなテクノロジーをひとつ選び、それが大好きだという人を探し出そう。そして、心を開き、率直にそのテクノロジーに夢中になっている理由を尋ねよう。さらに、自分でもそれを使ってみたら、ボーナスポイントを付けていい。

第14章

会社を辞めて自由を得るための方法

いつか昼間の仕事を辞めて独立して働くというのが私の長年の夢だった。企業社会で働くのは、囚われの身になっている感じだった。会社から出て独立すれば、ずっとよくなることはわかっていた。問題は、「どうやって」辞めるかだ。

知り合いで出世競争からの脱出に成功した人はいなかったので、何をしなければならないのかがわからなかった。わかっていたのは、他人のために働いていたら自分がどうしても幸せになれないことだけだった。

あなたは独立なんかしたくないかもしれない。会社の社員であることのメリットを享受し続けたいかもしれない。それでまったく問題はない。しかし、あなたが私と同じように、独立して自分の上司は自分だという状態になることをいつも夢見ているのなら、続きを読むといいだろう。

上手な辞め方

今の会社を辞めて独立する一番簡単な方法が知りたい？ 明日上司のオフィスに行き、辞めると言えばいい。それだけだ。しなければならないのはそれだけである。しかし、会社を辞めると完全に自己責任となるので、銀行にかなりの蓄えを用意してあった方がいいだろう。幸運を祈る。

しかし、これは自由を得るための一番賢い方法ではないかもしれない。ちょっと短気になってほかの辞め方を考えないというのはいかにもありがちなことで、あなたもそうしたいと思っているかもしれない。私もそうだったのでよくわかる。わずか数か月分の貯金があれば、しっかりしたプランがなくても、昼間の仕事を辞めてアントレプレナーや独立系コンサルタントの大海原に飛び込んでいける。しかし、リスクを抱えてまでそんなことをする意味があるだろうか。

あまり見たくない光景だ。たいていの場合、わずか数か月後には、あたりは血の海になっている。当座預金口座はマイナスで、クレジットカードは大赤字、すばらしく楽しいことに見えたものが突然きわめて凶暴になる。頭に銃が突き付けられているときに新しい事業を生み出すのは本当に難しい。いい判断が下せず、恐怖のために何もできなくなってしまう。

これはあなたを怖がらせるために言っているわけではない（もっとも、見る前に跳ぼうとしている人には怖がってほしいが）。会社を辞めてひとりで働きたいなら、現実的なプランが必要だということを理解してほしいがためである。新しい生活を実現するための準備期間中に、生活を支えられるだけの副収入を確保するための方法を編み出さなければならない。

私はしっかりとしたプランなしで会社から飛び出そうとしたことがないなどと言えば嘘になる。実際にその道をたどってボロボロになったことがある。しかし、だんだん賢くなった。たとえ大きな減給になったとしても、新生活の準備中に新しい仕事を副業として始め、十分生活を支えられるぐらいに成功させる方法を見つけなければ、会社を辞めてもやっていけるようにはならない。

会社を辞めることを考える前に、しっかりとしたプランが必要だ。まず、立ち上げたいと思っている事業を副業として始め、生活を支えられるぐらいの収入が得られるという見込みが立つまでは、会社を辞めずに仕事の比重をずらしていくようにすることを強くお勧めする。会社の仕事を辞める方法としては遅くて苦しいが、経済的な理由以外からもこうすることが重要なのである。

もう会社を辞めてしまったけど、貯金がない。どうすればいい？

それは大変だ。自宅を二番抵当に入れる前にこの章を読んでくれていることを切に祈る。すでに会社を辞めて自分の力で仕事をしなければならなくなっているなら、少し早い段階で現実に直面しなければならない。

そのような場合には、必死になって仕事をし、仕事を効率よく上げる習慣を身に付け、成功の可能性を高めることをお勧めする。また、できる限り出費を抑える必要もある。ケーブルテレビを止め、ストリーミングサービスをすべて解約することになるだろう。滑走路をできる限り長くしておきたい。

同時に、現実を直視しよう。いつまで持ちこたえられるか、その時間を引き延ばすためにできることは何かをじっくり考えよう。うまくいかなかったときにはタオルを投げ込み、会社員に戻るためのプランを用意しよう。いつでもまた独立するチャンスはある。クレジットカードの借金を大きくしたり、家を抵当に出したり、友人や家族から借金したりして、今後をめちゃめちゃにしないようにだけは注意しなければならない。

そのような思いをしているのは自分だけではないということを知るのも役に立つだろう。私の場合、独立を試みた最初の２回はうまく軌道に乗せることができず、這うような思いで会社員に戻る羽目になった。

独立して働くための準備

独立して働くのは、あなたが思うよりも大変だ。おそらく、ずっと大変である。会社を辞めてしまう前に新しい仕事を副業として始めて経済的に行き詰まらないようにすることが大切なのはすでに述べた通りだ。副業を始める理由としては、それよりも「独立して働くのはどういうことかを学んで準備する」ことの方が重要かもしれない。

毎日オフィスに通勤して、他人を金持ちにするために自分の時間を費やしているときには、自分のために働く方が時間の使い方としてはるかに簡単で楽しいのにと思えるだろう。独立して働けばやりがいはあるものの、特に始めたばかりのときには、とても多くの仕事をしなければならない。

独立することで困るのは、どれぐらいの仕事が必要になるかが実際に会社を辞めるまでわからず、辞めたときには手遅れになっていることだ。新しい仕事を副業として始め、それをフルタイムでやり始めるまでに成功させておくことを強くお勧めするのはそのためである。副業として新しい仕事をすれば、独立して仕事をするために何時間働かなければならないのか見当が付く。多くのアントレプレナー希望者は、事業を経営するのがどれぐらい難しいか、事業のなかの開発と無関係な仕事や管理業務のためにどれだけの作業量が必要になるか、まったくわかっていない。

フルタイムの社員として働いているうちに、新事業を副業として始めておくと、会社員よりも長時間働き、新しいベンチャーを経営するのがどういうことかが理解できる。また、副業の成否次第で生き残れるかどうかが決まるようなことにはならないので、ストレスによる胃潰瘍や若白髪の原因となるリスクも避けられる。

まだその気にならないようなら、このようなやり方を勧めるもっとも強力な理由を言おう。あなたの新事業、特に初めてやるものは、失敗する可能性が高い。新事業の大多数は失敗する。事業を成功させて生活を維持できるようになるまでには、何度も挑戦しなければならないことがある。何年もかけて十分な貯金を作り、一度の新事業計画にすべてを賭けてその成功を祈るか、十分な長さの滑走路を用意して生き残れる事業が見つかるまで何度も試すかだ。

実際にどれぐらい働くことになるか

ここでは本当に正直に話をしよう。私は、在籍したほとんどの会社で優秀な社員だったが、自分が本来ならできる仕事の半分ぐらいしか力を出していなかった。

自分の会社を始めて自分の時間を追跡調査してみるまで、そんなことはわからなかった。初めて独立したときには、8時間労働と比べて恐ろしく大変になるとはとても思っていなかった。毎週、会社の仕事のためには一日8〜10時間を使っていた。独立したからといって、座って8時間働くのが突然大変になったりするものだろうか。そして同じ時間に8時間分の仕事ができなくなる理由などあるだろうか。

この問いに対する答えは、自分の時間を丁寧に計測することによって明らかになった。私は仕事中の自分の時間をチェックし、記録するメカニズムを準備し、自分の時間が何に使われているのかがわかるようにした。そして、これをやってみると、実際には日中に4時間前後しか仕事ができていないことがわかった。誰かにそう言われても信じられなかっただろう。今でも嘘のような気がしてならないのだが、数は嘘をつかない。独立してからは、以前よりも一所懸命働いていたが、毎日自分が発揮できる能力の半分の仕事しかできていなかったのである。

辞める前の勤務で、一日に実際にどれだけの仕事をしていたのだろうかということはすぐに考えるようになった。典型的な出勤日のことを思い返し、時間をどのように使っていたかをはっきりさせようとした。

8時間からスタートする。次に、仕事に関連した会話、関係のない会話の分として8時間から約1時間を差し引いた。一般に、私は一日を通じて様々な対話に引っ張り込まれていた。個々の話は短くても、積み重ねていくと、平均で一日1時間は使っていた。もちろん、その一部は仕事に関連するものだったが、それが生産的な仕事の一部だとは思えない。

残されたのは7時間だ。この7時間から、メールチェックと返事を書く時間、掲示板やメモを読む時間、出る必要がない無駄な会議に出席している時間のために2時間を差し引く。

最後に、ごく普通にさぼりと表現すべきもののために1時間を取り除く。私たちはみなしょっちゅう仕事をさぼりながら、Facebookのメッセージをチェックしたり、個人的なメールに返事をしたりしている。それを否定することはできない。それを足し合わせると毎日1時間ぐらいになるだろう。

では、残された時間は何時間だろうか。4時間である。8時間の勤務時間のうち、私たちの大半は4時間ぐらいしか働いていないのだ。そして、日によってはもっと短いことは間違いない。しかし、まだ考えなければならない要素がある。その4時間にどれだけ一所懸命仕事をしているのだろうか。

私なら次のように考えたい。街をジョギングで流しているのと、人食いライオンに追いかけられて命がけで走っているのとの違いを想像してみよう。それが、他人のために仕事をしているときと、自分のために仕事をしているときの仕事の質の違いだ。独立して仕事をすると、自分が働いているときしかお金が入ってこないので、そうでないときよりもはるかに一所懸命仕事をするようになるだろう。

それを計算に入れると、会社で働いているときには、一所懸命の度合いが平均して半分程度になると推測できる。以上からわかったのは、会社員だったときの典型的な出勤日には、本気で一所懸命やった生産的な仕事で計算して2時間分のことしかしていなかったことだ。

ここで言いたいことはふたつある。まず第1に、独立して働くときには、会社のために働くときよりも、たとえ厳密に同じ時間働いたとしても、かなり一所懸命働くことになるので、そのために準備をして、重い負荷に慣れておく必要がある。独立後の仕事は、それに対する情熱のおかげでモチベーションを高く保てるかもしれないが、その情熱がいつまでも続くことを計算に入れてはならない。情熱は、時間とともに失せていくものだし、変わりやすいものでもある（このテーマについては、カル・ニューポートの『優秀になれば無視できなくなる[※1]』（未訳）を読むといい）。

第2に、独立して働くときには、勤務日に必ずしも8時間分の仕事を見込めるとは限らないと思っておくことが大切だ。私が初めて副業をフルタイムで行うために会社を辞めたときには、これで毎日8時間ずつ余分に仕事につ

※1　Cal Newport, *So Good They Can't Ignore You*, Business Plus 2012

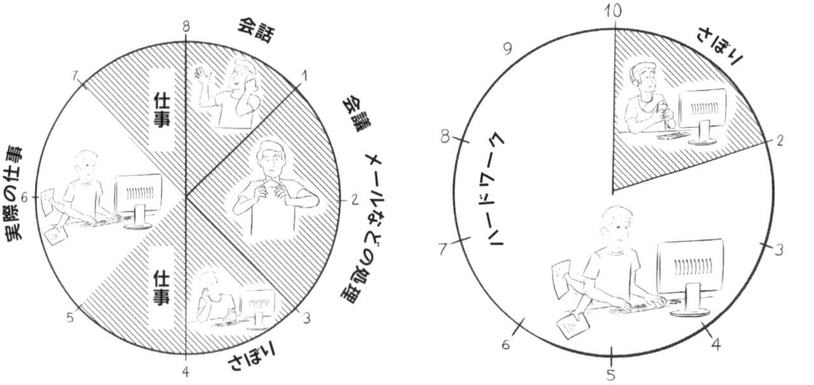

他人のための働くときと自分のために働くときの違い

ぎ込めると思った。それまでは会社で通常通り勤務した上で、副業のために毎晩3、4時間働いていた。そのため、会社を辞めたら一日8時間ずつ働いて2倍の仕事をこなせると思ったのである。しかし、それは大きな間違いで、そのために私は元気をなくして諦めてしまった。

会社を辞める前に、それまでよりもずっと大変な仕事をするようになったら、実際にどれぐらいの仕事をこなせるか、そして勉強のための時間を確保できるかについて、現実的な予測を立てておこう。現在の職場でも、就業時間中の時間の使い方を意識的に記録して、6時間分の生産的な仕事を一貫して作り出せるところまで達しているかどうかを確認するといい。また、辞める前に夜中に副業をしていれば、毎日8時間以上の時間をフルに仕事につぎ込むとどんな感じになるのかについて、心の準備をすることができる。

つながりを断つ

さあ、あなたはいよいよ決断した。あなたは独立を望んでいる。「ヤツ」のために働くのにはうんざりした。しかし、どのようにして独立するのか。あらゆる条件に当てはまる方法は出せないので、あるソフトウェア開発者が自営に移行していく過程を示した架空の例を示そう。

ジョーは、ソフトウェア開発者になってもう10年ほどになる。彼は今の会社の仕事を気に入っているが、本当はフリーになって自分で稼ぎたいと思っている。クライアントを選び、何をするか、いつにするかを決める自由と柔軟性のことを考えると、そうしたいなと思うのである。

実は、ジョーはかなり前から会社を辞めることを考えている。まず、月々の出費を減らし、現金を蓄えるところから始めた。ジョーは、自営になったときにちょっと息を抜きたいと思っているので、1年分の生活費を備えて、少なくとも最初の年は持ちこたえられるようにしてある。

ジョーは、フリーになって最初の1年で必要な生活費を半分に減らせたら、2年持ちこたえられるだけの貯金があると思っている。これは、新しい事業が軌道に乗るか乗らないかを確かめるまでの時間としては十分だ（ジョーは1年分の給料を貯金したのではなく、1年分の出費に相当する額、それも快適に生活するために必要な額ではなく、何とか生き延びるために必要な額を貯金したのである。夢を追求するためなら、それぐらいの犠牲はいとわない）。

さらに、ジョーはフルタイムの会社勤務を続けながら、毎週15時間程度のフリーの仕事も始めている。彼は、一日の最初の2時間をフリーの仕事に使っている。そして、毎週5時間を新しい事業と宣伝のために使い、10時間を報酬のある仕事のために使っている。会社を辞めたときにも、ある程度の収入が保証されるようにして、あまり強いプレッシャーを感じずに済むように、会社を辞めるつもりの時期よりも6か月前から始めたのだ。

ジョーはあらかじめ退社する正確な日付を計算し、1年以上前からカレンダーに書いておいた。その日が来ると、彼は退職届を出して夢をかなえた。金銭的にも精神的にも自営に移行するための準備は整っていた。

危険な雇用契約

この章のアドバイスによってトラブルが発生するかもしれないことを警告しておこう。雇用契約のなかには、あなたがしている仕事はすべて所属企業に属するとしている面倒なものがある[※2]。

最終的にあなたにとってのフルタイムの仕事になるはずの副業プロジェクトを始める前に、現在の地位を得たときに合意した就業規則等を必ずチェックしよう。あなたが作った成果物は会社に帰属するという文言が入っている場合は、法律の専門家に相談して正しい対処方法を知るようにすべきである。

私は法律の専門家ではないので、法律上のアドバイスにはならないが、私がこうすべきだと考えていることを紹介しておこう。まず、あなたの会社の雇用契約書に、あなたが作った成果物は勤務時間を使ったかどうかにかかわらず、すべてあなたの会社に帰属すると記述されている場合は、自分の契約からその条項を削除してもらうか[※3]、新しい勤め先を探そう。私は奴隷のごとく会社に尽くさなければならないことには反対であり、このような契約は過酷だと思う。会社の資源を使って会社の勤務時間に作ったものについて、会社が権利を主張するのは理解できるが、社員の自由時間に社員がすることを会社が制限すべきではないと思う(単に私の意見である)。

雇用契約に、会社の勤務時間に作ったもの、あるいは会社の資源を使って作ったものは会社に帰属すると書かれている場合、話がそれほど単純ではなく、問題は少しややこしくなる。この場合、私なら自分が何をしているかについて率直に説明し、副業のために使った時間、そのために使った資源について丁寧に記録を残しておくだろう。すべてを自由時間に行い、自分の資源を使って行っていることを記録してあれば、あなたはかなり有利になるだろうと思う。それでも、注意して行うことが望ましい。弁護士を関与させた方がいいだろう。

結論を言えば、会社との間で問題になると思うなら、きっと問題になるだろう。副業について厳重に秘密を守るか、逆に非常に透明にするかを選ぶことになるが、どちらにもそれぞれリスクがある。副業に使った時間とリソースについて慎重に記録を残し、帰属に関して疑問が起きないようにしておくということが、私にできる最良のアドバイスだ。

やってみよう

- 生活するために毎月稼がなければならない額を正確に計算しよう。必要な額が高くて驚くかもしれない。少しでも早く「フリー」になりたいなら、副業の収入が少なくても済むように、生活費を削減する方法を考える必要がある。
- 仕事をしている日の時間の使い方について記録を取ることを始めよう。毎日どのように自分の時間を使っているか、しっかりとしたイメージを持とう。そして、本当に生産的な仕事を実際にしている時間がそのうちのどれぐらいかを明確にしよう。結果に驚くかもしれないが。

※2　日本では、就業規則に副業禁止規定がある会社が多かったが、最近副業を認める動きが出てきている。

※3　ほぼ不可能と思われる。

第15章

フリーランサーの仕事の始め方

会社の外に出て独立し、自分の事業を始める方法のひとつとして、フリーランサー、すなわち独立系コンサルタントになる方法がある。フリーランサーは、ひとつのクライアントだけのために働くわけではなく、固定給または時間給で複数のクライアントの仕事を請け負う人々である。

ソフトウェア開発者の多くにとって、フリーランサーになるのは魅力的だが、スタートを切るのは難しい。私の場合、キャリアの大部分を会社の従業員として働いてきたが、フリーランサーになりたいと思っていた。しかし、どうやってフリーランサーになったらいいのかがわからなかったので苦労した。多くの開発者がフリーランサーとして生計を立てていることは知っていたが、彼らがどうやってクライアントを見つけ、自分のサービスについての評価を広めているのかがわからなかった。

この章では、私が最初にフリーランサーを目指したときには知らず、どうしても知りたいと思っていたことをお教えしよう。フリーランサーになるために、あるいはすでにフリーランサーになっている人がビジネスを拡大するために実行すべき実践的なプランを話すつもりだ。

スタートライン

前章の仕事の辞め方を読んだ読者はご存知のように、私は新しいビジネスをフルタイムで始めるのではなく、副業として始めることを勧めている。フリーランサーが仕事を始め、安定した仕事の流れを手に入れるのはきわめて難しいので、フリーランサーには特にこのアドバイスが当てはまる。

フリーランスの開発者が怖いと思うことのなかでも、仕事がなく収入がなくなることは特に大きな問題だ。空き時間を埋められるぐらいの仕事がないとか、今のクライアントの仕事が終わったら、次の仕事を確保するために動かなければならないことを考えると、とてもストレスが溜まる。先々まで仕事が列をなして並んでいて、一部を断らなければならないという方がはるかにいい。

このような状態になるためには、時間をかけて仕事を積み重ねていくしかない。将来の仕事をくれるところとして当てにできる付き合いの長いクライアントを確保するとともに、新しいクライアントが安定的に増えていくようにする必要がある。ある日看板を出して、この両方が起きるのを期待しただけでは、うまくいかない。時間をかけてこれらふたつが起きるよう、自ら土壌を耕さなければならないのである。

知り合いに頼む

では、初めはどうすればいいのだろうか。どうすれば最初のクライアントをつかめるのだろうか。クライアントの獲得では、知り合いに紹介してもらうのがベストの方法だ。特に最初のうちは、知り合いの方が未知の人よりもあなたを信頼してくれるだろう。会社を辞める前に、SNSにメッセージを書いて、あなたがフリーランスの仕事を新たに始めようとしており、仕事を探しているということを友人や知り合いに知らせておこう。メッセージのなかで、彼らのために何ができるか、どのような問題を解決できるかを具体的に説明するのを忘れてはならない（このような場合、専門特化が特に役に立つ。詳しくは第8章参照)。

知り合いで、あなたのサービスに関心を持ってくれそうな人のリストを作り、リストに載せた人々に個人的にメールを書こう。そのメールでは、彼らのために何ができるのか、あなたを雇ってその仕事を任せるといい理由を正確に書こう。雇ってくれそうな見込みのある人が多ければ多いほど、仕事が手に入る可能性が高くなる。仕事の獲得は、主として数字のゲームである。人々にあなたのサービスのことを思い出してもらうために、フォローアップのメールを頻繁に出すことを躊躇してはならない。時間とともに、熱心にメールを送った効果が現れてくる。

あなたの目標は、手持ちのパートタイム労働のための時間をすべてこの副業に充て、もう手いっぱいだからとたびたび断るところまで仕事を増やすことである。副業の景気がここまで上がらないと、フルタイムに移行できるほどの仕事はないということになる。一週間に10時間から20時間を仕事で埋められなければ、40時間の仕事を受けることはとてもできないだろう。

クライアントを獲得するための最良の方法

あなたのサービスを必要とする友人、知人がたくさんいてくれればよかったのにと思うかもしれない。そんな人はひとりもいない場合さえ、あるかもしれない。しかし、心配することはない。知り合いに頼る以外にも、クライアントを獲得するための方法はある。

様々な求職ボードでサービスを宣伝したり、有料で宣伝してまでクライアントを獲得しようとしているフリーランサーはたくさんいる。しかし、私がお勧めしようとしているのは、それよりも負担がずっと軽く簡単な方法である。唯一の欠点は、忍耐とちょっとしたハードワークが必要なことだ。

あなたが本当に力を入れるべき活動は、いわゆるインバウンドマーケティングである（これについては第2部で詳しく説明する）。あなたがクライアントになりそうな人のところに出て行くのではなく、そういう人にあなたのところに来てもらうのがインバウンドマーケティングだ。主な方法は、何か価値のあるものを無料で提供することである。

繰り返し言ってきたことだが、ほとんどの開発者はブログを持っているはずだ。ブログは、人々がわざわざやってきてあなたの記事を読む場なので、インバウンドマーケティングの手段としてきわめて効果的である。ブログの記事をコンスタントに読んでくれる人々は潜在顧客だ。ブログポストの末尾にコンサルティングサービスの宣伝を入れておいたり、あなたのサイトに対するリンクを埋め込んでおいたり、メールアドレスと交換に何か価値のあるものを提供したりすれば、それらの人々が本当に顧客になる場合がある。

メールマーケティングも、製品、サービスの宣伝ではもっとも効果的で優れた方法のひとつだ。あなたが提供する製品、サービスに興味を持っている人々をリストにまとめ、自分自身のことや彼らのためにできることについて時間をかけてメールを送るうちに、顧客になってくれる人が出てくる。

無料のウェビナーや本の執筆、カンファレンスでの講演、ポッドキャストへの出演、自前のポッドキャストの放送など、提供する製品、サービスに関連した価値のあるコンテンツ（主として無料）を提供するのも、インバウンドマーケティングのいい手法である。

インバウンドマーケティングで問題なのは、機能し始めるまで少し時間がかかることだけだ。パイプラインに仕事をしっかりと詰め込むためには、潜在顧客を引き付けるだけの十分なコンテンツを用意する必要がある。これも、

インバウンドマーケティングのアイデア

会社をすぐに辞めず、活動をすぐに始めるべき理由のひとつだ。長期的に見れば、インバウンドマーケティングは、ほかの方法よりもはるかに多くのビジネスを呼び込んでくる。そして、次節のテーマである料金の値上げもしやすくなる。

料金の設定

さて、あなたのサービスに興味を持つクライアントがある程度確保できたか、もうクライアントのために仕事を始めているとする。料金はどれぐらいに設定すればいいのだろうか。

これは、クライアントの獲得を除けば、フリーランサーが直面する問題のなかでももっとも難しいもののひとつである。ほとんどのフリーランサーは、クライアントに請求できる額、請求が必要な額の両方を過小評価しすぎている。

まず、請求が必要な額から考えよう。現在、会社では1時間あたり50ドル[※1]で仕事をしているとしよう。これはアメリカでは悪くない額だが、フリー

※1　1ドル110円なら約5500円。

ランサーの請求額がそれと同じでは、現在の生活水準は到底維持できない。なぜだろうか。

会社員なら、おそらく支払われている1時間50ドルに加え、福利厚生の恩恵を受けている。医療関係の福利制度や休暇期間などだ。しかも、アメリカでは、独立して仕事をしていると、自営業税[※2]を支払わなければならない。政府は、ビジネスを生み出すことに課税しているのである（実際には、これは正確な表現ではない。会社員をしているときには、所属企業があなたに代わってこの税を支払っている）。これらを勘案すると、時給50ドルは実際には時給65ドルぐらいの価値になる。

次に、事業にかかる間接費について考えてみよう。会社員であれば、電気代、コンピューター代、インターネット代などは、すべて所属企業が払ってくれる。しかし、フリーランサーは、これらすべてを自分で払わなければならない。さらに、経理係や帳簿担当などを雇わなければならなくなるだろうし、小規模事業を経営するためには法律顧問料、その他の様々な間接費がかかる。これらすべてが積み上がったものに対処するためには、もっと収入が必要だ。

最後に、契約の違いのことを考えなければならない。どこかの会社の従業員になっているときには、毎週40時間分の給与を支給される。少なくとも、アメリカではそうだ[※3]。空き時間を作らないようにしようというような心配はいらない。仕事があろうがなかろうが、デスクに向かっていれば、給与は支払われる。しかし、フリーランサーの場合はそうはいかない。フリーランサーは、毎年ある程度、「稼働していない時間」ができてしまう。毎年ではなく、毎週かもしれない。しかも、メールチェックと返信、コンピューターへのOSのインストールなど、仕事関連なのにクライアントに請求できない作業もある。

以上のことを考えると、フリーランサーが正味で会社の従業員と同等の報酬を得るためには、時給75ドルから100ドルが必要だ。しかし、多くのフリーランサーは、会社員だったときの時間給与かそれよりもわずかに高い額からスタートして、かつかつの生活をしている。そして、私が上で示したような計算をしないので、生活が苦しい理由がわからないでいる。

※2　日本では、法人化している場合は法人事業税、そうでない場合は個人事業税を支払う。

※3　日本でも正社員ならそうである。

一般的な目安として、フリーランサーになったときには、フルタイムの社員だったときの時間給与の約２倍を請求する必要がある。しかし、フリーランサーたちはそのように料金を設定していない。

・会社員の給与
50ドル／時 － 費用なし
＝ 50ドル／時

・フリーランサーの報酬
100ドル／時 － 自営業税
－ 水光熱費と事務所経費
－ 経理・帳簿係の人件費または外注費
－ 請求対象外の作業時間
＝ 50ドル／時

自分で必要だと思い、クライアントが自動的に払ってくれるような額に基づいて料金を適当に決めてしまってはならない。そうではなくて、請求できる額は市場が許容する額である。これは、私がインバウンドマーケティングを強調する理由のひとつでもある。業界でのあなたの評価が高ければ高いほど、あなたに仕事を頼もうとするクライアントは増え、あなたがサービスに対して請求できる料金も高くなるのである。

実際、友人でDouble Your Freelancingという会社を経営しているブレナン・ダンは、ほとんどのフリーランサーはほかのフリーランサーの料金をもとに自分の料金を設定しているが、本来は顧客に提供する価値に基づいて料金を設定すべきだと言っている。

それでも、生計を立てていくために必要な請求額がいくらかということは知っていなければならないが、市場に対してその数字（あるいはもっと大きな数字）を要求できるところまで達するかどうかはあなた次第だ。数字を大きくするためには、額自体ではなく、顧客にとっての自分の仕事の価値を考える必要がある。単なるコモディティなのか、クライアントの利益率を上げる重要なサービスなのかということだ。コモディティなら、市場に出て行ってほかの開発者たちと仕事を争うことになる（彼らの多くが想定している収入はずっと低い）。その場合、買い手はもっとも安い料金のフリーランサーを採用するだろう。それが市場原理というものだ。

しかし、クライアントがいくら節約できるかとかいくら儲けられるかを基準として自分のサービスを売り出すなら、あなたのサービスがクライアントにもたらす価値に基づいて料金を設定できる。専門特化が大切なのはそのためだ。

具体例を示そう。私は自動テストフレームワークの開発を専門とするコンサルティングサービスを提供している。潜在顧客にこのサービスについて話をするとき、自動テストフレームワークを作るためにどれぐらいのコストがかかるか、ミスを犯してやり直しをしなければならなくなるとどれぐらい高くつくかを説明する。私には多数の自動テストフレームワークを開発した経験があること、何をしなければならないかがわかっていることも説明する。

潜在顧客には、私を時間報酬300ドルで雇えば、自動テストフレームワークを書いたことのない普通の開発者を雇うのと比べて、どれぐらい得かを示すのである。私が1時間指導すれば、おそらく間違った方向に向かう20時間分の作業を無駄にしなくて済むことを伝えるのだ。

私は嘘をついているわけではない。私がうまく条件提示できるのは、自分の言っていることが正しいと確信しているからだ。ポイントは、私が提供するサービスの価値が高いために、クライアントは高い報酬を支払っても簡単に元が取れ、お釣りが来るということをきちんと説明することだ。だからこそ、私よりも料金は安いものの単純に自分ができることを専門的に説明しているだけの人々ではなく、私が選ばれるのだ。

どちらの提案が優れている？

「私は御社のために新しいウェブサイトをデザインできます。HTML5、CSS、ウェブデザインのスキルは非常に高く、今まで御社と同じようなタイプの会社のために多数のウェブサイトを作って成功させています」

「御社の現在のウェブサイトは最大限のトラフィックを生み出せていますか。そのトラフィックを顧客にコンバートできていますか。御社がほとんどの小企業と同じようなら、答えは『ノー』でしょうね。しかし、心配には及びません。御社のトラフィックとコンバージョン率を向上させる最高級のカスタムデザインサイトを作って、御社の力になりたいと思います。私は今まで小企業の顧客数を2倍、3倍に増やすお手伝いを数多くしてきました。御社の力にもなれます」

料金設定について最後にもうひとつアドバイスをしておこう。クライアントになりそうな人々に「ノー」とか「それは高すぎる」と言われたことがなければ、料金を引き上げよう。「ノー」という返事がくるようになるまで、料金は上げていい。クライアントがあなたのサービスに対して払うつもりになる額には驚くかもしれない。商談で自分がクライアントに提供できる価値を強調する方法とインバウンドマーケティングを使い、さらにこのテクニックを組み合わせた結果、料金を2倍以上に引き上げられたフリーランサーを私は知っている。

やってみよう

- 知人のなかであなたのサービスを使ってくれるかもしれない人、そういう人を知っているかもしれない人をまとめたリストを作ろう。
- そのリストに含まれるすべての人に送るメールのテンプレートを用意しよう（技術的な観点から何ができるかを言うだけではなく、どのような価値を提供できるかを話すことを忘れないように）。
- SNSにメッセージを送ったり、リストの一部の人々にメールを送ったりして、どのような反応が返ってくるかを見てみよう。フィードバックが得られたら、メールを書き直し、より多くの人々に再度送ってみよう。

第 16 章

製品を持つ アントレプレナーになる方法

ソフトウェア開発者であるあなたは、アントレプレナー（起業家）になれば、製品のコンセプトや新しいアイデアを頭に思い描くだけではなく、自分でソフトウェア製品を作れるというユニークな立場にいる。多くのソフトウェア開発者たちが、この理由からアントレプレナーになることを選択し、ソフトウェア製品を作ってきた。ソフトウェア開発者ではないアントレプレナーは、自分のアイデアを実現するために人を雇わなければならない。ご存知のように、カスタムソフトウェアの開発は高くつく。

ソフトウェア開発者であるあなたは、ソフトウェア製品だけでなく、本や動画などの情報教材も作れる。

この章では、最初の独自製品を作って、アントレプレナーの長く険しい道に入っていくために知らなければならないことを学ぼう。くどいようだが、あなたが出発しようとしている道は簡単な道ではない。

ターゲット層を見つける

初めてアントレプレナーの世界に飛び込むソフトウェア開発者の多くは、製品のターゲット層を見つける前に製品を作ってしまうという過ちを犯している。製品を作るところから始めるのが当然のように感じるかもしれないが、この罠には落ちないようにしたい。そうでなければ、存在しない問題に対するソリューションを作るというリスクを冒すことになる。

すべての製品（本書も含む）は、特定の問題を解決する。解決すべき問題のない製品には目的がない。そして、目的のない製品には客がつかないので、お金は入ってこない。製品のなかには、非常に限定された人々のグループの、非常に限定された問題を解決するものもある。たとえば、歯医者の患者管理を助けるソフトウェア製品とか、ソフトウェア開発者がユーザーインタフェースを作るための JavaScript ライブラリ、React の使い方を学ぶための本などがそうだ。それに対し、退屈しのぎのような一般的な問題を解決する製品もある。テレビ番組やビデオゲームなどの娯楽製品がそうだ。しかし、製品がどの問題を解決するか、またその問題を抱えているターゲット層が誰かにかかわらず、製品を作る前に問題およびその問題を抱えている人々を特定できていなければならない。

製品を作りたいなら、最初のステップは、ソリューションの販売対象にしたい具体的なターゲット層を明らかにすることだ。そのターゲット層のためにどんな問題を解決したいと思っているのかについての一般的なアイデアはあるかもしれないが、まだ解決されていない問題、あまりしっかりと解決されていない問題を見つけるためには、ちょっとした調査が必要になることが多い。

共通の問題としてどのようなものがあるのかを理解するためには、ターゲット層のところに行き、彼らが参加しているコミュニティと接触することだ。彼らが繰り返し感じている不便や不都合は何なのだろうか。

私の場合、業界内で評価を確立し、有名になるか、少なくとも気づいてもらえるようにするためにはどうすればいいかと尋ねてくるソフトウェア開発者が多いことに気づき始めた。私のブログを見に来る多くの開発者が、このテーマに関連した質問をしてくるのである。ソフトウェア開発者たちには、自分を売り込むための方法を学びたいという現実的な問題があると感じた（私の場合、ターゲット層はブログを介して私のもとにやってきて、直接問題をぶつけてきたので、問題を見つけるのは簡単だった。繰り返しになるが、これもブログを持つべき理由のひとつである）。

私はその問題を解決する製品を作ることにした。そして、「ソフトウェア開発者のセルフマーケティング」（How to Market Yourself as a Software Developer）という情報教材を作った（https://simpleprogrammer.com/products/how-to-market-yourself/）。この製品は、私のターゲット層が抱えていた非常に限定された問題を解決する。そのため、開発に時間をつぎ込む前から、この教材は成功すると思っていた（事前に製品の成功を確かめるための方法がもうひとつあるが、それについてはすぐあとで取り上げる）。

多くの開発者はこの逆、つまりターゲット層がまだない製品を作ってから、ターゲット層を探して製品を売り込もうとする。このようなやり方をしたのでは大きなリスクを抱え込むことになる。答え出してから問題を探すのは、ターゲット層を見つけてから製品を作るよりもはるかに難しい。

私が先ほどの情報教材を作ったときには、私のターゲット層は製品の製作前に私のところに来て、自分にはどのような問題があるかを話していった。このようなきっかけから製品開発を始めると、あとで製品が簡単に売れるようになる。ターゲット層を探そうとするのではなく築くのである。第2部で詳しく説明するセルフマーケティングのテクニックを駆使して名前を売り、自分とその製品を中心としてターゲット層を築けば、あなたが作る製品なら何でも買いたいと思っている顧客はすでにそこにいる。

有名なセレブの多くは、このテクニックを使って製品を作り、販売している。彼らはすでに築き上げたターゲット層を持ち、そのニーズと問題を知っているので、彼らに向けて製品を投入すれば確実に成功する。たとえば、カイリー・ジェンナーのような人について考えてみよう。彼女はわずか21歳で史上最年少の自力によるビリオネア（資産10億ドル超の億万長者）になった。これは驚くべき成果であり、彼女にはすばらしいビジネスセンスがある。しかし、彼女はコスメ製品のすばらしさのために成功したのだろうか。それともソーシャルメディアやテレビのバラエティ番組への出演を通じて彼女がすでに分厚い顧客層を築き上げていたために、彼女の会社は製品が売れまくって急成長したのだろうか。

あなたが自分の製品で同様の成功を収めたいなら（規模としてはとても同じようにはならないだろうが）、まずブログを成功させ、ポッドキャストや講演、動画などのメディアも使って、自分のまわりにファンというターゲット層を築くことだ。そうすれば、その人たちに製品を売ることができる。この本だって、すでに私のブログのフォロワーだから買ったとか、私のほかの仕事をフォローしていてこの本を知ったとか、ポッドキャストで私のことを耳にしたといった理由で買っている人がいるだろう。これが、ファン層を築いたときに得られるパワーだ。

市場テスト

あなたの製品のターゲット層と彼らが抱えている問題の解決法がわかったとしても、製品を作る前に踏んでおかなければならない手順がもうひとつ残っている。市場テストによって潜在顧客がその製品のために本当にお金を出す気があるかどうかを確認しなければ、製作には進めない。

先ほども言ったように、実際に作る前に、「ソフトウェア開発者のセルフマーケティング」の成功を確かめるために使った方法がもうひとつある。製作に取り掛かる前に、お金を払ってこの製品を買ってくれる人を獲得しておいたのだ。

どうすればそんなことができるのかって？ 簡単に言えば、買ってくださいとお願いしたのである。製品の製作についてあれこれ考えていたときに、製作のために数か月も潰して売れなかったら大変だなと思った。そこで、製作前に自分が何を作ろうとしているかを話して、その時点で先払いをしてくれた人には大幅なディスカウントをするとターゲット層に持ちかけてみたのである。これは常軌を逸しているように見えるかもしれない。実際、少しおかしな話だったと思う。しかし、製作に時間を費やす前に、これから作ろうとしているもののために本当にお金を出す気のある人がいるかどうかを知るための方法としては最高だった。リリースの３か月以上前に代金を払ってくれる開発者が確保できるなら、実際にリリースしても問題なく売れるだろうと踏んだのである。

具体的な方法を説明しよう。作ろうとしている製品とそれが解決する問題を説明する簡単なセールスページを準備する。製品に含まれる予定のものと、実際に完成させる日についても触れる。そして、製品に興味があり、リリースされたらすぐに入手したい人のために、先払いした場合の割引価格を示す。あなたが製品をリリースしない場合や、ユーザーが製品に満足しない場合には、返金してもらえるという返金保証も約束する。

先払いしてくれる人がごくわずかしかいない場合にはどうなるのだろうか。そのときには、解決しようとしている問題が正しくないということなので、製品を変更するか、製品があまり関心を引きつけられなかったことを説明して、買ってくれた少数の人々に返金、謝罪するかを決めればいい。そうなるのは面白くないことだが、製品開発のために３か月以上もの月日を費やしながら、買いたいという人が出てこないのと比べれば、はるかにましだ。

私の製品の場合、先払いディスカウントのページを掲載した初日に７本の売上があった。これで私は、前進しても時間の無駄にはならないという自信を得た。さらに、製品開発中に、改良に役立つアドバイスを頼める顧客グループさえも確保できた。

小さく始める

単純に会社を辞めてアントレプレナーの可能性を追求してはならないこと

は今まで何度も言ってきたが、ここでも繰り返しておく。小さく始めよう。最初の製品のために壮大過ぎる目標を立てて、その新しい夢を追いかけるためにその他すべてを置き去りにするアントレプレナーの卵があまりにも多すぎる。

アントレプレナーとしての最初の試みはおそらく失敗するということを覚悟し、理解しなければならない。そして、第2の製品も失敗する可能性が高く、第3の製品もおそらくそうだ。何度も失敗を経験しなければ、本物の成功はまず手に入らない。ひとつの大きな企画の成功に未来を賭けてすべてをその企画に投入すると、もう一度トライするために必要な資金、さらにはやる気さえなくしてしまう。それはだめだ。最初は小さな製品から始め、副業で作るようにしよう。

できる限り早く学習効果を得たいので、着手から結果判明までのサイクルを短くする必要がある。大規模な製品には、開発のために時間をかけ、かなりの資金と労力をつぎ込むまで、実際の結果がわからないという問題がある。

さあ、始めよう

この章に書かれていることはすべてもっともな感じがするが、どこから始めたらいいのかさっぱりわからないかもしれない。心配はいらない。私が初めて製品を作ったときもそうだった。自分にどんな製品が作れるか、どうやってそれを売ればいいのか、私にはまったくわからなかった。

そんなの簡単だよと言って嘘をつくつもりはない。学ばなければならないことはたくさんある。しかし、始めるのは簡単だ。今ではかつてのどの時代よりもオンラインで製品を売り出すのは簡単になり、そのために役立つ参考資料も山ほどある。

最初は、製品販売会社の起業を扱った本を何冊か読むとよいだろう。https://www.youtube.com/watch?v=r7oOWMyUD8M には、私が初心者のために作った完全無料の起業講座がある。また、エリック・リースの『リーンスタートアップ[※1]』も読むとよい。どんな小企業が作れるか、どう起業すればいいかについてのヒントが得られるはずだ。

※1　Eric Ries, *Lean Startup*, Crown Business, 2011. 邦訳『リーン・スタートアップ』（日経BP、2012年）

しかし、多くのことは試行錯誤から学ぶことになるだろう。ある程度までは、自分で正しいと思ったことを行い、それがうまくいかない理由を突き止め、それとは異なる方法を試してみるということをしなければならない。成功した製品を作ったアントレプレナーの大半は、まさにそれをしている。

やってみよう

- 何らかの製品を作るために調査すべきターゲット層を考えてみよう。
- それらのターゲット層のひとつを選び、そのメンバーが集まる場所（オンラインでもそうでなくてもいい）を見つけよう。彼らのコミュニティに参加し、抱えている問題を聞いてみよう。彼らの悩みを解決する製品の分野が 1、2 種類でも見つかるだろうか。
- ほかの誰かがその問題をすでに解決していないかどうかチェックしよう。競争の激しい市場に入るのは避けたいものだ。

第 17 章

スタートアップの起業のしかた

多くのソフトウェア開発者にとってもっとも魅力的な夢のひとつは、自分自身のスタートアップの起業だ。スタートアップは、巨額の収入を得る可能性がある半面、きわめてリスキーでもある。私は、スタートアップを作るために人生のうちの何年もの時間を注ぎ込みながら、最終的に失敗し、起業したときよりも悪い状態になったソフトウェア開発者をたくさん知っている。

しかし、すばらしいアイデアをつかんだら（そしてもっと重要なことだが、そのアイデアを実現するためにやる気と情熱を注いだら）、自分の会社をゼロから立ち上げるというリスクに見合った結果が得られる場合もある。

この章では、スタートアップとは何か、どうすれば起業できるか、創業者（スタートアップを作った人に与えられる称号）になるリスクと報酬はどのようなものかを掘り下げていく。

スタートアップの基礎

スタートアップとは、すばらしいビジネスモデルを見つけて規模を拡大し、最終的には利益を上げられる中規模から大規模の企業になろうと努力している新興企業のことである。今日、会社を始めれば、その会社はスタートアップだ。

厳密に言えば、新しい会社はどれでもスタートアップになるはずだが、一般にスタートアップ企業には2種類あると考えられている。ひとつは、外部の投資家から出資してもらって急成長を遂げることを意図して作られたスタートアップである。おそらくもっとも話題になるタイプのスタートアップだ。成功を収めている IT 大企業の多くはもともと成長と成功のために投資家から出資を受けたスタートアップだった。スタートアップに関連する用語や議論の大半は、この種の会社を対象にしている。

スタートアップのもうひとつのタイプは、ブートストラップスタートアップと呼ばれるものである。ブートストラップスタートアップは、創業者だけが出資している。こういうものを作るということは、出資者を募るために走り回ったり、大きくすることに興味がないということかもしれない。この種の会社は、出資者を抱えるスタートアップよりも小さな存在で終わることが多いが、通常は間接費がかなり低いので、失敗する危険性も低い。創業者は会社の大きな部分を出資者に渡していないので、事業展開の自由度も高くなる。

この本には、すでに自分の会社をブートストラップすることについての章が含まれているので、ここでは成長のために外部出資を獲得するという目標を持つスタートアップを話題にする。ここからは、スタートアップという言葉は外部出資を意図した新興企業の意味で使う。

大きくなるか潰れるか

ほとんどのスタートアップの目標は、大企業になることだ。外部から出資を募るのは、急速に成長、拡大するためである。スタートアップのほとんどの創業者は、いわゆる出口戦略を持っている。ごく普通の出口戦略は、一定の規模まで成長し、買収してもらうことである。そうすれば、創業者と出資者には莫大な収入が転がり込み、会社の未来についてのリスクが完全になくなる。

スタートアップを起業するときには、未来について考えることが非常に大切だ。あなたは長い間しがみついていられる会社を作るつもりかもしれないが、あなたのスタートアップに出資してくれる投資家たちの大半は、最終的に資産を現金化し、投資から儲けを得ようと思っていることを認識しなければならない。

ただし、大儲けの方法は、買収だけではない。もうひとつの一般的な出口戦略として、株式公開がある。株式を公開するということは、会社の純資産価値の持分を一般投資家に販売するということである。この持分の売却額は、創業者と投資家の双方にとって非常に大きなものになる可能性がある。

全体としての出口戦略が何であれ、外部からの出資を受けるスタートアップは、どこかで巨額の報酬を得ることが目標になることを理解しておくことが大切だ。この種のスタートアップを作るときは、あまり保守的な経営はしないのが普通である。通常のスタートアップは、ホームランを狙うものだ。

容易に想像できるように、このようなスタートアップは、非常に大きな収入が得られる可能性を秘めているが、その過程で非常に大きなリスクに直面するのが普通である。ほとんどのスタートアップは失敗する。一部の推計によれば、外部出資を受けたスタートアップの75%が失敗しているという。あなたがどう思うかはわからないが、私にとってはとても恐ろしい数字だ。スタートアップを起業するときには、生涯のうちの数年を捧げてとてつもない長時間労働を続けた挙句、苦労して手に入れた経験を除き、ハードワークに見合うものは何も得られずに最終的に店をたたむことになるかもしれないということを真剣に考える必要がある。

典型的なスタートアップのライフサイクル

スタートアップには独自のサブカルチャーがあり、スタートアップをどのように動かすかについて書かれた本は無数にある。スタートアップには、この短い章で扱える以上の話題があるのだ。しかし、この節では、典型的なスタートアップの仕組みをステップバイステップでできる限りうまくまとめて説明しよう。

一般に、スタートアップを作ろうとするときには、作りたい会社のアイデアがある。通常、その会社はある特別な知的財産を基礎としており、あなたの会社よりも大きな競合企業がやってきてあなたの会社がしていることをそっくり真似るようなことはしにくくしてある。特許などの方法で保護された新技術、技法などがあれば、それはスタートアップのいい候補になる。そっくり真似られないようなユニークな特徴を持たないレストラン、その他のサービスはスタートアップの候補としては適していない。いいスタートアップは、非常に大規模になる潜在力も持っている。Twitter、Dropbox、Facebookなどを思い浮かべれば、それがどういうことか、わかるだろう。

アイデアを手にした場合、自分が単独で創業者になるか、共同創設者を招くかを決める必要がある。どちらの方法にも有利な点、不利な点があるが、一般にほとんどのスタートアップは少なくともふたりの共同創設者によって作られる。スタートアップ（シード）アクセラレーターやインキュベーター（すぐあとで説明する）に採用してもらいたいなら、少なくともひとりの共同創設者を確保した方がいい。

アクセラレーター

スタートアップアクセラレータープログラムへの応募は、起業を支援してもらうためのいい方法だ。アクセラレーターは、起業を支援し、株式の一部と引き換えに少額の資金を提供するプログラムである。Y コンビネーターは有名なスタートアップアクセラレータープログラムのひとつで、Dropbox などの有名なスタートアップの起業を支援してきた。

アクセラレーターに採用してもらうためには、一般に非常に面倒な応募プロセスが必要になるが、採用されればそれだけの労力を費やしただけの価値がある。アクセラレータープログラムは、スタートアップが離陸できるように支援するもので、通常は数か月で終わる集中的なプログラムである。ほとんどのアクセラレーターは、すでに自分のスタートアップを1、2社成功させているアントレプレナーによって運営されており、動き始めたばかりのスタートアップに優れたアドバイスや指導を与えることができる。アクセラレーターは、投資家たちにアイデアをピッチ（プレゼンテーション）するための準備を支援し、プログラムのなかにスタートアップのためのデモデーを用意していることが多い。デモデーには、出資者になってくれるかもしれない人々の前でピッチするチャンスが与えられる。

私個人としては、今どきアクセラレータープログラムに採用されないようなスタートアップを起業する気にはなれない。競争はあまりにも過酷なので、アクセラレーターに採用されるメリットは非常に大きく、完全に独力で先に進むことなどとうてい考えられない。実は、私はふたつのアクセラレータープログラムに採用されたスタートアップの共同創設者になっていたが、慎重に考えた結果、その会社からは身を引いた。人生のその時期に、スタートアップの過酷なライフスタイルを経験したくはないと思ったのである。

資金獲得

アクセラレータープログラムに採用されるかどうかにかかわらず、スタートアップにとって最初の大きなマイルストーン（というか、スタートアップが実際に誕生できるかどうかを決めるイベント）は、第1ラウンドの資金調達に成功することだ。第1ラウンドの出資は一般にシード出資と呼ばれ、エンジェル投資家が初期段階のスタートアップに投資するものである。エンジェル投資家とは一般に、創設されたばかりのスタートアップに投資する個人投資家である。これは非常にリスキーな投資だが、非常に大きな儲けになることがある。ただし、エンジェル投資家は、あなたの会社に無償で投資してくれるわけではない。通常は、会社の株式の一部を取得することになる。

株式をどのように扱うべきか

新しい会社の株式を譲渡するときには、非常に慎重になった方がいい。株式は、あなたのスタートアップの生命である。株式を自分のものにしていなければ、スタートアップに捧げたハードワークへの報酬がなくなり、出資者に何も提供できなくなる危険がある。誰にどれだけの株式を譲渡するかについては、非常に慎重に検討すべきだ。

スタートアップの創業者のなかには、会社にまったく貢献しないくせに、会社の貴重な資産を食い潰して会社の足を引っ張り続けるヒモのような共同創設者に株式を与えてしまって苦しんでいる人々がたくさんいる。

株式の配分についての判断は非常に慎重に行い、会社の株式を譲渡するときには何を失うのかをしっかりと認識しなければならない。株式の譲渡は避けられないことだ。少なくとも一部の株式を譲渡しないわけにはいかない。しかし、譲渡する前に慎重にその意味を考える必要がある。

シード資金を獲得したら、スタートアップはいよいよ始動だ。実際には、それ以前に起業しているはずだが、シード資金により、従業員を雇って規模拡大をスタートできる。この状態では、ほとんどのスタートアップは利益を生み出すところまではいかない。それどころか、ビジネスモデルを構築して改良するために最初のシード資金を使っていくうちに、深い穴に落ち込んでしまう可能性がある。

シード資金を使い切ったときに、まだアイデアに可能性があるようなら、本格的な投資を受けるべきだ。シードラウンド後での最初の投資ラウンドは、一般にシリーズAと呼ばれる。このラウンドでは、ベンチャー資本（VC）が参入してくる。VCへのピッチとは、会社の成長のためにベンチャー資本家から多額の投資を受けるために会社を売り込むことだ。VCは、通常多数の株と引き換えにスタートアップに大規模な資本を投下する。シリーズAラウンドの出資後、VCの持ち分の方があなたの持ち分よりも多くなったりしても（特に共同創設者が複数いる場合）驚いてはいけない。

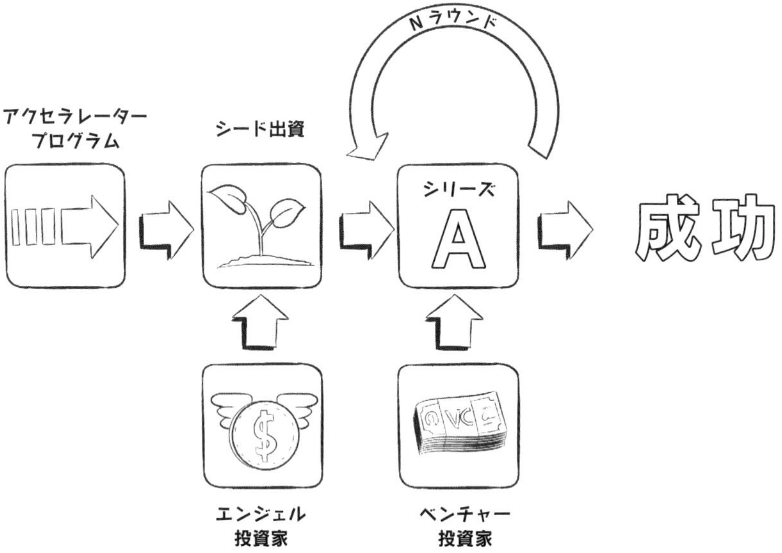

資金獲得のステージ

シリーズＡが完了すると､ほとんどのスタートアップは資金を使い尽くし、利益確保と規模拡大に苦しむたびに、次の投資ラウンドを経験する。出資を受けられなくなるか、成功して利益を生むようになるか、買収されるまで、基本的に繰り返し出資を受けるというこのサイクルが続くわけである。

もちろん、以上はプロセス全体を単純化している。それでも、この章はスタートアップ創設のプロセスの具体的なイメージを示すものになっているはずだ。

やってみよう

- 好きなスタートアップ１、２社の歴史を調べてみよう。どのようにして起業し、どのようにして資金を獲得していったかに特に注意しよう。
- その会社の創設者は、ひとりだったか、複数いたのか。
- その創設者は他の会社の創設にも成功しているか。
- その会社はいつ出資を受けたか。出資額はいくらか。
- その会社はアクセラレータープログラムを利用していたか。

第 18 章

リモートワーク

今日では、開発者に自宅からのリモートワークを認めるソフトウェア開発チームがどんどん増えている[※1]。完全にバーチャルになってオフィスを持たないチームさえある。独立系コンサルタントやアントレプレナーになる決心をした開発者は、自宅でひとりで働くことになる。

リモートワークは夢が現実になったような感じに見えるかもしれないが、「パジャマでお仕事」の現実は、想像していたほど魅力的ではない。在宅勤務の開発者が直面する葛藤や課題は多々ある。この章では、在宅勤務はどのようなものなのか、孤立、孤独感、内発的モチベーションなどの問題にどう対処したらいいかを説明する。

隠遁の身の課題

初めて在宅勤務の仕事を手に入れたとき、私はわくわくした。朝、ベッドから起き上がって、廊下を歩き、自分の座り心地のいい椅子に座る以上に、いい仕事のしかたを想像できなかった。今でも在宅勤務はすばらしいと思っているが、予想外の課題が多数あることもすぐにわかった。

課題 1：時間管理

まず、もっとも自明な問題から扱おう。時間管理だ。在宅勤務をすると、オフィス環境には存在しない、ありとあらゆる息抜きの方法が待ち受けている。一日じゅう Facebook から離れられないでいても、あなたの肩越しに覗き込んでさぼりに気づく人はいない。宅配の人が荷物を届けに来ただけで、「ちょっとおやつを食べたいな」と思ったりする。家族が入ってきて「ちょっといい？」とか言いながら、あなたの時間をかすめ取っていく。いつの間にかさしたる成果なく一日が過ぎていってしまう。

※1　原著はコロナ禍が起きる前に書かれている。

在宅勤務を初めて経験する人たちの多くは、不規則であってもできるときに仕事をすれば、この問題に対処できると思っている。昼間は楽しく過ごして、夜遅くまで仕事をすればいいというのだ。このような考えだと、間違いなく破綻する。夜がやって来れば、新しい息抜きの方法が現れるか、疲れてコンピューターの前に座れなくなるだけだ。

この問題の本当の解決方法は、綿密な時間管理である。仕事はしたい時間にしていいが、各週のスケジュールを設定し、それを厳守するのだ。スケジュールはいつも同じで決まったものであればあるほどいい。家族や友人は、在宅勤務なのに、なぜ9時5時の世間並のスケジュールで仕事をしているのかとよく笑い話にするが、この9時5時のスケジュールこそ、息を抜かずに真剣に仕事を取り組める要因なのである。集中を切らせないようにしたり時間を賢く管理したりすることについて、自分を信用することはできない。あらかじめ計画を立てておかなければ、何度でも誘惑に負け続ける。嘘ではない。私の後ろには失敗した試みの残骸が延々と続いている。

課題２：内発的モチベーション

このテーマを今取り上げるのは、さっさと片付けてしまいたいからだ。規律や自己管理で苦労しているなら、在宅勤務をすることはおそらく考え直した方がいい。内発的モチベーションは、時間管理に次いで大きな在宅勤務「キラー」だろう。内発的モチベーションは時間管理と密接な関連を持っているが、自分の時間を効果的に管理できたとしても、遅かれ早かれ仕事なんか一切したくない気分になるだろう。

オフィスでこの気分になっても、クビになるという大きな脅威のため、すぐに元に戻る。仕事すべき時間にデスクに突っ伏してぐっすり寝ていたり、スマホのゲームで遊んでいたりするところを上司に見つかれば、ダンボール箱を渡されて出て行けと言われるだろう。しかし、自宅で勤務している場合、あなたが何をしているのかを監視する目はない。自分のモチベーションに対して責任を持てるのは自分だけであり、モチベーションがすべて消えたときに働き続けるために必要な規律に関して責任を持てるのも自分だけだ（モチベーションを深く理解するには、ダニエル・ピンクの『モチベーション3.0[※2]』

※2　Daniel Pink, *Drive*, Riverhead Hardcover, 2009. 邦訳『モチベーション3.0 持続する「やる気!」をいかに引き出すか』（講談社＋α文庫、2015年）

が役立つ)。

以前も言ったように、自己規律がない人には何を言っても無駄だ。モチベーションを生むためのあらゆるトリックを教えたとしても、一日じゅうテレビを見たい、ゲームをやりたい、Facebookを見たいという欲望は抑えられないだろう。この先を読むのは、決して消えない内発的モチベーションがあるという読者だけにしていただきたい。仕事を軌道に乗せたいという気持ちがあれば、内発的モチベーションの問題には対処できる。

やる気が出ないときに頼りになるものとして、スケジュールと習慣は重要である。すでに説明したことなので細かくは言わないが、何らかのスケジュールや習慣を確立するようにしよう。仕事をする気にならないときには、どうしても仕事をしなければならない時間を決めておくと、その間に仕事を終わらせようというモチベーションを維持できる。同じことが習慣についても言える。可能なら、習慣を体に植え付けよう。習慣はモチベーションを維持するための力になる。私は疲れすぎて夜の歯磨きをする気になれないことがよくあるが、習慣になっているので否応なしに歯磨きしている。

作業環境からできる限り気晴らしや誘惑の種を取り除くのも大切だ。テレビが目の前にあれば、退屈したときにテレビをつけたいという気持ちが我慢できなくなる。自分の意志の力で誘惑を克服しようなどと思ってはならない。これは、人生の様々な場面で当てはまる教訓だ。誘惑を取り除いてしまえば、人生ははるかに楽になる(この問題については、当然ながら第6部「フィットネス」でもっと深く掘り下げる)。

そして、どうしてもまったくやる気が出ないときには、私がいつも使っている非常に簡単な解決方法を試すといい。内緒だが、今まさにそれを使っているところだ。椅子に座り、15分後に鳴るようにタイマーをセットして、仕事を始めるのである。その15分間は、何がなんでも仕事をしなければならない。絶対に集中を切らしてはいけない。今やらなければならない仕事に気持ちを集中するのだ。15分間、何にも邪魔されずに仕事に集中すると、それまでよりもずっと簡単に仕事を続けられる状態になっているはずだ。これだけの時間、何かに分断されずに注意を注ぎ続けると、そのときにしていたことに引き込まれ、それを続けようというモチベーションが生まれる。私はこれを慣性の法則と呼んでいる。

課題３：孤独感

最初は、在宅で仕事をすれば気持ちが安らぐように思うかもしれない。誰にも邪魔されない。ただ座って仕事をすることができる。実際、まったくその通りだ。初めて在宅で仕事をしたときには、オフィスではいかに無駄な会話によって時間を浪費していたかがはっきりわかった。自宅で仕事をするようになり、集中のしかたを身に付けると、以前よりも短時間ではるかに多くの仕事をこなせるようになった。

しかし、しばらくすると、その平和と静寂が少し不安なものに感じられるようになった。気が付くと、窓の外を見て何か生命の兆しを探しているようになったのである。「あ、犬の散歩をしている人がいる。外に飛び出していって、彼女と話がしたいなあ」（ズボンを履くのを忘れないようにして……いやいや、自分の経験を言っているわけではない）。たぶん、そのときの私は少し芝居がかっていたのだろう。しかし、毎週毎週日がな一日ひとりで自分のデスクに向かっていると、いずれ精神的に参ってくるはずだ。

自宅で仕事をしているほとんどのソフトウェア開発者が社会的な交渉の欠如のために孤独感を持つとは、予想したこともないだろう。この職種の人々は、全体として隠遁者的になりがちだ。しかし、この一点については、私を信じた方がいい。生活のなかに何らかの社会的な交渉を取り入れる方法を組み込まなければ、1年ぐらいたったときに、気分がおかしくなりそうになるだろう。

反抗的な受刑者を参らせる最凶の懲罰方法は何だろうか。独房に放り込むことだ。人は社交的にできている生き物なので、一日二日「穴の中」に閉じ込められるのは誰にとってももっとも辛い懲罰になる。

では、どうすればこの孤独を癒やせるだろうか。単純なことだ。外に出かければいい。一週間のスケジュールのなかに、家の外に出ざるを得ないような活動を必ず準備して、ほかの人と合う機会を確保するのである。ただし、結婚相手と子どもは数に入れない。毎週あるいは毎月会合を開いている地元のソフトウェア開発者のグループに参加してみよう。風景を変えるために喫茶店に行ってみよう。私は週に3回ジムに行っているが、このようなこともちろんお勧めだ。また、カンファレンスをはじめとする開発者向けのイベントに行くと、ギークな会話を楽しむことができる。数か月分の鬱憤がいっぺんに晴れることもある。

社会から切り離されている感じが少しでも薄れる方法を利用してみるのも

いいだろう。SkypeやGoogleハングアウトで同僚と話をするのもいい。こういったものを使えば相手の顔さえ見られる。

これら3つの課題を克服できれば、リモートワークを成功させられるだろう。しかし、克服できない場合は、在宅勤務が自分に合っているかどうかをよく考えた方がいい。こういった問題にうまく対処できないリモートワーカーのなかには、コワーキングスペース、シェアオフィスと呼ばれるものを利用している人々もいる。これは、リモートワーカーやアントレプレナーのオフィスと考えることができる。普通のオフィス環境で働くのに似ている。ただ、一緒に働いている人々が仕事の同僚ではないというだけのことだ。

リモートワークしたいがリモートワーク可の募集が見つからない

私も長い間在宅勤務できる仕事を見つけようと思いつつ、見つけられなかった。そう簡単に手に入るものではなく、激しい競争を勝ち抜かなければならない場合も多い。リモートワーク可の就職口を探しているのに見つからない場合には、次のふたつのことをお勧めする。

1. 現在の仕事でリモートワークを認めてもらえないかどうかを模索しよう。おそらく、試験的に始めることになるだろう。週に一日二日在宅勤務させてもらえないか頼んでみよう。もっと集中して多くの仕事をこなせるようになるなど説得力のある理由を言えるようにしよう。チャンスが与えられた場合は、在宅勤務で本当に仕事がはかどるようにしなければならない。
2. リモートワークを認めているとか完全な分散チームを抱えているという企業を探し、連絡しよう。少し時間がかかるかもしれないが、遠隔勤務を認めている企業だけに集中してアタックすれば、ポストを手に入れる可能性は高くなる。すでにそういった会社で働いている開発者と知り合いになり、採用担当と話をし、会社に関心があると伝えておいて、募集が始まったら応募してみよう。

やってみよう

- 正直に自己評価してみよう。時間管理、内発的モチベーション、孤独感という3つの問題を学習した上で、自分ならどう対処するのか考えをまとめてみよう。
- 在宅勤務をしている、あるいは在宅勤務を計画している場合、毎週守るつもりのスケジュールを作ってみよう。作業時間と仕事をする曜日を決めよう。

第2部

セルフマーケティング

マーケティングは、どれだけ人の注意を引けるかの競争だ。
―セス・ゴーディン

マーケティング（売り込み）は、ソフトウェア開発業界では評判が悪い。そもそも、世間一般で、マーケターは評判が悪い。手っ取り早く金を手に入れるために、信頼できるとはとても言い難いことをしているマーケターが多過ぎる。自分のもうけしか頭にない質の悪いマーケターたちが毎日新しい詐欺のやり方を広めているかのように思えてくる。

しかし、悪いのはマーケティング自体ではない。マーケティングした相手にとって得になるか損になるかは、やり方次第だ。人の注意を引き、あなたとあなたの製品のことを気づいてもらうためには、マーケティングが必要である。いいマーケティングは、必要性やほしいという気持ちと、その需要を満たす製品やサービスを結び付ける。そして、見返りを求める前に、まず価値を提供しようとする。

第1部では、自分のキャリアをビジネスとして捉えることについて話をした。そして当然ながら、あらゆるビジネスを成功させるためには、何らかの形のマーケティングが必要だ。第2部は、セルフマーケティング、つまり自分の売り込み方についての集中講座になっている。ここでは、マーケティングとは一体何なのか、人を傷付けたり、カモにしたりせず、具体的な価値を与え、もっとほしいと思った人々がまた戻ってくるようなマーケティングのやり方について説明する。

第19章

セルフマーケティングの基礎

ナイトクラブに出かけてカバーバンドの演奏を聞いていて、オリジナルのアーティストより上手とまではいかなくても、同じぐらいにうまいと思ったことはないだろうか。カバーバンドは小さなナイトクラブでこじんまりと演奏しているのに、それよりも才能があるとは思えないもう一方のバンドはワールドツアーに出かけてプラチナディスクを獲得している。この違いはなぜなのだろうと思ったことはないだろうか。

どちらのバンドにも才能があるのは確かだ。ただ、才能だけでは、人生にそれだけの差がついてしまう。偉大なミュージシャンとスーパースターの本当の違いは、マーケティングに過ぎない。マーケティングは才能を数倍にする。マーケティングがよければよいほど、才能に掛けられる数値は大きくなる。ソフトウェア開発者であるあなたが、この重要なスキルをぜひとも学ばなければならないのはそのためだ。

セルフマーケティングとはどういうことか

マーケティングを一言で説明すると、製品やサービスとそれらを必要としている誰かを結び付けることだ。だから、セルフマーケティング（自分の売り込み）とは、あなたが提供できるものを、ほしいと思っている人と結び付けることにほかならない。マーケティングは悪く言われることも多いが、正しいやり方をするなら、セルフマーケティングは決して間違ったことではない。

正しいセルフマーケティングの方法は、他者に価値を提供することだ。このことについては第23章で詳しく取り上げるが、自分をうまく売り込んで、相手があなたを気に入り、ともに働きたいと思うように仕向けるためのポイントは、彼らに価値を提供するようなマーケティングにある。スコット・ハンセルマンのような人はさすがにうまい。彼は、自分のブログや講演活動、ポッドキャストを通じて、開発者に大きな価値を提供している。では、あなたはソフトウェア開発者としてどのようにセルフマーケティングすればいいだろうか。

自分でわかっているかどうかにかかわらず、あなたは四六時中、セルフマーケティングしている。誰かに自分のアイデアに賛成してもらおうとしているときには、本質的に彼らにそのアイデアを売り込んでいるのである。そして、第4章でスキルについて話したときのように、アイデア自体よりもアイデアをどのようにパッケージングするかの方が大切な場合が多い。

社員募集に応募するとき、あなたの履歴書は、あなたのサービスを売り込む広告になっている。ソーシャルメディアやブログ（持っていればの話だが）に投稿したことでさえ、あなたとあなたが提供できるものについての一種のマーケティングメッセージである。

問題は、私たち全員がセルフマーケティングをしているのに、大半の人がそのことを意識していないことだ。すべてを偶然に任せている、つまり、ほかの人々やまわりの状況に、自分と自分のメッセージを委ねてしまっているのである。

セルフマーケティングでは、自分が送り出しているメッセージや自分が演じているイメージのコントロールのしかた、メッセージが届く範囲の広げ方を学ぶことによってすべてが決まる。セルフマーケティングするとき、あなたは自分をどのように表現したいかを意識的に選んだ上で、あなたの発言を聞きたい、あなたを雇いたい、あなたの製品やサービスを買いたいと思っている人々にその表現を積極的に広めている。マーケティングを通じて、あなたは自分のキャリアを積極的に管理しているのだ。

大ヒットを目指す新しい映画の広告キャンペーンがどのように組み立てられているかを考えてみよう。たいていの場合、あらゆるタイプの広告媒体を通じて広められる包括的なメッセージがある。予告編は具体的で明確なイメージを描くが、それがメッセージになり、様々な広告媒体で増幅されるのである。

セルフマーケティングが重要な理由

この章の冒頭では、カバーバンドでも有名ロックバンドと同じぐらい才能があるかもしれないのに、両者の成功の度合いに大きな差が生まれる大きな要因はマーケティングにあると言った。大成功を収めている有名ロックバンドは、演奏できればどこにでも出ていくカバーバンドと比べ、セルフマーケティングのしかたがうまいのである。

カバーバンドのセルフマーケティングがうまくなかったかどうかははっきりとはわからないが、才能のレベルはほぼ同じぐらいだとすると、純粋な運不運を除けば、マーケティング以外に決定的な要因はない。セルフマーケティングは成功を保証してくれるわけではないが、成功するために自分でコントロールできる重要な要素である。

別の分野でも、同じようなパターンが見つかるはずだ。プロのシェフ、料理人について考えてみよう。高水準の才能を持ち、料理がきわめて上手なシェフはたくさんいるだろうが、その大半は比較的無名である。それでも、ゴードン・ラムゼイやラケル・レイのように数百万ドルも稼ぐセレブシェフがいる。それは、必ずしも彼らの才能がより優れているからではなく、その才能をうまく活用するための正しいセルフマーケティングの方法を身に付けているからだ。

ソフトウェア開発の分野は別だと思ってはいけない。あなたは世界でもっとも有能なソフトウェア開発者かもしれないが、あなたの存在を誰も知らなければ、才能があっても大して意味を持たない。確かに職を探すのに困ることはないだろうが、持っているスキルのマーケティングの方法を学ばなければ、持てる力を完全に発揮するところまでは行かないだろう。

キャリアのどこかで、自分もトップレベルの開発者の多くに匹敵するぐらいのスキルレベルに達したと感じるときがある。ソフトウェア開発者の多くは、10年ほどのキャリアを積むうちにこのレベルに到達できる。ここに達すると、そのほかの開発者と同じグループに入ってしまうので、上に行くのは非常に難しくなる。あなたは、同様のスキルを持つほかのソフトウェア開発者たちと競争することになるので、個人としての能力はあまり重要ではなくなる。

しかし、このグループから抜け出す方法がある。セルフマーケティングの方法を身に付けて、群れのなかで目立つ存在になるのだ。そして、有名なロックスターやセレブシェフと同様、そうでないときと比べてずっと高い収入とはるかに多くのチャンスをつかむのである。

私にはエキスパートだと言える分野はなく、マーケティングすべきものがない

自分のことをエキスパートだと考えていないからといって、セルフマーケティングを始められないわけではない。むしろ、セルフマーケティングの方法を考えることによって、ソフトウェア開発の特定の分野のエキスパートになる方向に進める場合がある。

ほとんどすべての開発者は、何かしら人に提供できるものを持っている。ユニークな視点を持っているとか、ほかのソフトウェア開発者が知らない分野を知っているといったことだ。ビギナーであったり、アマチュアであったりしても、それをうまくマーケティングすれば、有利な要因にできる。自分よりもほんの数歩先を歩いているだけの人からものを学びたいと思う人はたくさんいる。そういう相手なら自分との接点を感じられるからだ。

ポイントは、エキスパートではないことをセルフマーケティングができない言い訳にしてはならないということだ。キャリアのどの段階にいても、自分のパーソナルブランドを形成、管理する努力をして、ブランドイメージを広めれば、利益が得られるのである。

セルフマーケティングのしかた

すでにあなたはセルフマーケティングが大切だと思っているだろう。しかし、実際にどうすればいいのか困っているかもしれない。どうすれば、ソフトウェア開発界のゴードン・ラムゼイになれるのだろうか。

簡単だと嘘をつくつもりはない。成功は、一夜にして成るものではない。少なくとも長続きする成功はそうだ。しかし、どの開発者でもセルフマーケティングをすることはできるし、やる気になれば簡単にさえ見えるだろう。ここでは重要なコンセプトをひと通り取り上げておく。次章以下で、それぞれについて詳しく見ていくことにしよう。

セルフマーケティングは、パーソナルブランドを作るところから始まる。パーソナルブランドとは、あなたが体現するもののことだ。あらゆる人にとってのすべてにはなれないので、自分が何になりたいか、そのイメージを世界にどのように伝えたいかを意識的に決める必要がある。また、人があなたやあなたの作品に何度か接したときに、親近感を感じられるようにしたい。ブランディングは、そのために役に立つ。

何らかのブランドを作り上げ、どのようなメッセージを送ろうとしているのかがはっきりしたら、そのメッセージを送る方法を見つけなければならない。メッセージを送り出すためのメディアは多数あるが、私がソフトウェア開発者に特に勧めたい特に効果的なメディアはブログである。ブログは、インターネットでのあなたのホームベースだ。ブログは、他人のプラットフォームやルールに振り回されず、あなたが完全にメッセージをコントロールできる唯一の場所である。

私は、非常に注目し、尊敬している友人の起業家、パット・フリンの「Be everywhere」という戦略を採用している。その基本的な考え方は、「セルフマーケティングしたい場所ならどこにでも現れる」というものだ。ターゲット層に含まれる人々があたりを見回すと、高い確率であなたが見えるようにする。そういう人々がTwitterを見ればあなたのツイートがあり、ポッドキャストを聞けばあなたが話をしており、オンライン動画を見ればあなたの顔が見える。どこを見ても、あなたのプレゼンスに触れないではいられない。

セルフマーケティングのチャネルには次のようなものがある。

- ブログポスト—自分自身のブログへのポストかほかの人のブログへのゲストポスト。
- ポッドキャスト—自分のポッドキャストを作るか、既存のポッドキャストのインタビューを受ける。
- 動画—話題になっているテーマで動画やスクリーンキャストを作ったりチュートリアルを作ったりしてYouTubeなどのサイトで流す。
- 雑誌記事—ソフトウェア開発の専門誌に記事を書く。
- 書籍—この本のような本を書いたり自分の本を自費出版したりする。
- コードキャンプ—ほとんどのコードキャンプは、誰でも講演できるようになっている。
- カンファレンス—ネットワークを築くための優れた方法であり、どれかで講演することができればなおいい。

この戦略の実行には、時間と一貫性が必要だ。しかし、時間がたつにつれて、あなたの書くあらゆるブログポスト、インタビューを受けるあらゆるポッドキャスト、執筆する本や記事がセルフマーケティングに貢献し、あなたのパーソナルブランドの認知度は上がっていく。最終的に、専門分野の権威になって、あなたの動静をフォローする人々が生まれる。その評価がより大きくより良いチャンスを生み出し、最終的にはキャリアの成功につながる。

しかし、すでに触れたように（そしてあとでもっと深く話すつもりだが）、セルフマーケティングの成否は、あなたがほかの人々に価値を与えられるかどうかによって大きく左右されることは強調しておきたい。あなたのことをフォローし、あなたの言うことに耳を傾けたいと人に思わせるための最大の秘訣は、彼らに価値をもたらすこと、すなわち彼らの問題に答えを与え、娯楽さえも与えることだ。他者に価値をもたらすことなくセルフマーケティングを繰り返してもみんなに無視されるだけで、大した効果は得られないだろう。

やってみよう

- まだブログを持っていない読者は、この機会に始めることを検討しよう。重点を置くテーマについても考えよう。
- 新しいブログに少なくとも20個の投稿を用意しよう。
- 実際にブログを開始するスケジュールを作り、そのためのコンテンツを作ろう。
- YouTubeチャンネルを持つというのはどうだろう。その気があるなら、新しいYouTubeチャンネルのために上記3項目をしてみよう。
- ソフトウェア開発者のセルフマーケティングで使えるあらゆる方法をリストにまとめよう。

第20章

パーソナルブランドの確立方法

ブランドは、私たちのまわりに溢れかえっている。どこを向いても、ペプシ、マクドナルド、スターバックス、HP、マイクロソフト、その他多数のブランドが目に入る。

ブランドは単なるイメージ以上のものだ。ほとんどの人は、ブランドとロゴを頭のなかで結び付けている。マクドナルドの有名な金のアーチのことを考えてみよう。しかし、ブランドはロゴよりもはるかに大きなものだ。ブランドは約束なのである。ブランドは、顧客が自分に送り届けられるものへの期待を呼び起こす。

この章では、ブランドを構成するものは何かについて説明してから、セルフマーケティングの一環として、自分に気づいてもらうために役立つブランドの作り方を示す。

ブランドとは何か

今あるポピュラーなブランドを頭に思い浮かべてみよう。たとえば、スターバックスは、ほとんどの人が知っているブランドである。スターバックスのブランドは一見、あのよく知られているロゴのことのように思えるかもしれないが、それは全然違う。スターバックスのロゴは、ブランドを思い出させる視覚的な手がかりであり、ブランドそのものではない。

スターバックスに入って行くと、何を見聞きすることになるだろうか。ライティングは？ 内部のレイアウトや調度品は？ 今目をつぶれば、スターバックスの店内がどんな感じかおそらく想像できるだろう。

カウンターに行ってドリンクをオーダーするときはどうだろうか。バリスタはどんな様子だろう。バリスタはあなたにどのように近づいてきて、どのように尋ねるだろうか。あなたはメニューをよく知っているだろうか。値段がどれぐらいで、飲み物の品質レベルがどれぐらいかもわかるだろうか。

このように、ブランドはロゴ以上のものである。ブランドは、製品やサービスについての一連の予想だ。ロゴは単にブランドを思い出させる視覚的な手がかりに過ぎない。ブランドの中心は視覚要素ではなく、ブランドが何を感じさせるか、ブランドと向かい合ったときに何が予想されるかだ。ブランドは約束である。あなたが予想する通りの形で予想通りの価値が届けられるという約束だ。

ブランドを構成するものは何か

ブランドには、メッセージ、ビジュアル、一貫性、反復的な露出の4つのものが必要だ。ブランドを成功させるためには、これら4つの要素はどれも不可欠である。これら4要素がどのようにしてパーソナルブランドを生み出すのかを理解するために、4つをひとつずつ見ていこう。

まず、もっとも大切なのがメッセージだ。メッセージのないブランドは、目的がない。メッセージは、ブランドに担わせようとしているものであり、ブランドから呼び起こしたい感覚である。自分のパーソナルブランドを作るときには、あなたのブランドを表現する中心的なメッセージが必要だ。あなたのブランドは何についてのものか。あなたはどういう人なのか。たとえば、私の「シンプルプログラマー」というブランドは、複雑なものを単純にするというメッセージを基礎としている。私のメッセージは、「私なら複雑なコンセプトを分解し、単純にして、誰もが理解できるようにする」というものである。

第2に、ビジュアルが必要だ。ビジュアルはブランドそのものではないが、ブランドにとって重要である。当然ながら、ブランドにはロゴが必要だ。ロゴはブランドのシンプルな視覚表現であり、優れたブランドは可能な限りあらゆるところでビジュアルを使う。ブランドを表現する色とスタイルは、ブランドを見覚えのあるものにして、ブランドが表現するメッセージを広める。

あなたのブランドが自分の名前そのものでも、そこからロゴを作ることはできる。ロゴとして自分の名前を使っている人は多い。ウェブで“パーソナルブランド　ロゴ”をサーチすると、ヒントになるいい例がたくさん見つかる。

第3は一貫性である。優れたメッセージと優れたビジュアルがあっても、一貫性がなければ、ブランドに対する予想、期待は生まれない。悪くすると、予想を絶えず裏切ることになる。マクドナルドに行ったのに、店ごとにメニ

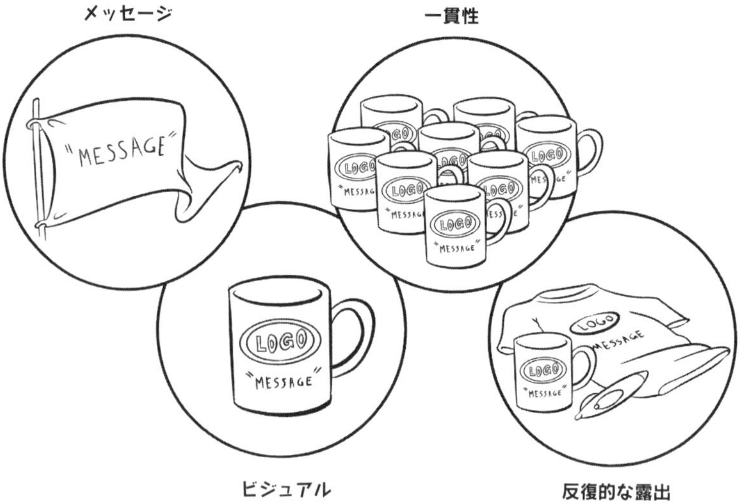

ブランドの4要素

ューも値段もまちまちだったらどう思うだろうか。マクドナルドブランドの価値の大きな部分が失われる。マクドナルドに行くときには、どういうエクスペリエンスが得られるかについてある程度の予想がある。エクスペリエンスが絶えず変化し、一貫性がなければ、ブランドは無意味になり始める。

パーソナルブランドを作ろうと思っている開発者の多くが、一貫性の欠如という誤りを犯している。表現するメッセージに一貫性がないか、そのメッセージを届ける方法やタイミングに一貫性がない。一貫性が高ければ高いほど、あなたのパーソナルブランドは、できる限り多くの人々にきちっと絞り込まれたメッセージを伝えるという点で大きな成功を収め、それらの人々に覚えてもらえる可能性が高くなるだろう。

ここから、ブランドの最後の要素である反復的な露出の重要性が明らかになる。ほかのことを正しくできたとしても、ブランドに接したのが1度だけの人にあなたは何か効果のあることをできただろうか。かっこよく印象に残るロゴを作っても、人に一度しか見られないようなものなら、どれだけの効果があるだろうか。ブランドのポイントは、一連の予想されるイメージを確立して、誰かがあなたのロゴやあなたの名前にもう1度接したときに、「あなたが誰で、何を表現しているか」をすぐに思い出してもらうことにある。

メッセージを広め、自分の名前を知ってもらうために、できる限り積極的に働きかけていく必要がある。ブログを開設し、記事を書き、講演し、動画を作り、ポッドキャストを流し、その他使える媒体なら何でも使うのはそのためだ。ブランドを強く押し出し、露出する機会を増やせば、ブランドを覚え、あなたが誰かを覚えてくれる人も増えるだろう。

自分のブランドを作ろう

自分のパーソナルブランドを作ることに決めたら、最初にしなければならないのはメッセージの確立だ。メッセージを作るためには、何を体現する存在になりたいかを決める必要がある。あらゆる人にすべてのものを提供することはできないので、ターゲット層を狭め、ニッチを生み出さなければならない。これは専門家になろうという第8章で説明したのと同じ考えだ。基本的に、ターゲットにしようと考えている小さな市場を拾い出すか、ブランドにユニークなひねりを加える必要がある。

この活動が正しくできているソフトウェア開発者として私が気に入っているのは、データグリッド・ガールこと、マーシー・ロビヤールである。マーシーは、ASP.NETのデータグリッドコントロールを自分のニッチにすることにして、データグリッド・ガールというブランドを作り上げた。これは非常に狭く絞り込まれた分野だが、彼女にとってはうまく機能している。彼女は様々な講演の機会をつかみ、.NET Rocksなどの人気の高いポッドキャストに出演した。きっと、ASP.NETデータグリッドのサーチから膨大なトラフィックが集まってきたはずだ。

何らかのニッチを選び、それを中心として自分のブランドを構築する。限定されていればされているほどいい。狭い対象に力を注ぎ込めれば、ターゲット層に直接語りかけることができ、ブランドの認知度を上げやすくなる。

ニッチの選択はいつも簡単だとは限らない。自分が力を入れていることをもとに選べばいいが、それは時間とともに変わっていく場合がある。それよりも、純粋に戦略的な視点から選んだ方がうまくはまる場合が多い。ある狭いニッチをうまく活用できればどのようなメリットが得られるか。少し時間をかけてそのことをじっくり考えてみよう。必要になったら、あとでニッチを変えることを躊躇してはならない。

ここで、自分のブランドを作るためのステップをまとめておこう。

ブランドを作るためのステップ

- メッセージを決める。
- ニッチを選ぶ。
- キャッチフレーズを作る。
- エレベーターピッチを作る。
- ビジュアルを作る。

自分のニッチがはっきりしたら、メッセージに取り掛かろう。ひとつかふたつの文で自分のブランドを表現するキャッチフレーズから始めるべきだ。たとえば、私のキャッチフレーズは「複雑なものを単純に」である。このキャッチフレーズを読んだ人は、私がどういう人間なのかすぐにわかるだろう。

次に、いわゆるエレベーターピッチを作る。エレベーターピッチとは、あなたが何をする人でどういう人かということをエレベーターに乗っている間に言い終えられるぐらいの簡潔な説明である。ディナーパーティーや本当にエレベーターに乗っているときに、誰かが「あなたは何をされているのですか」と尋ねてきたときに答える内容だと考えるといいだろう。

エレベーターピッチを作るときには、あなたが提供する価値は本当のところ何なのかをよく考えよう。ユニークな形であなたを定義するものは何か。ほかの人はあなたに何を期待できるのか。エレベーターピッチのなかでは、あなたが何をしていてどのようなユニークな価値を与えてくれるのかを明確に伝えるようにしたい。

このエレベーターピッチを先に考えておくと、ブランディングの取り組みに一貫性が生まれ、自分のブランドについて人に話すときや宣伝媒体で自分のブランドを表現するときに、同じメッセージが伝わるようになる。

ブランドのビジュアルを作るのは、ブランドの核心がはっきりしてからだ。あなたが作るビジュアルは、今まで決めてきたブランドのすべてを表現するものにしたい。メッセージを伝えるために役立ち、見ただけでブランドが体現していることが思い出されるようにするのである。

自分のブランドのためのビジュアルには、それほどお金を使う必要はない。ただし、よほどグラフィカルデザインのスキルがあるのでない限り、自分で作ろうとしない方がいい。私には、異なる製品やサービスのために作った複数のブランドがある。それらのブランドの多くでは、愛用しているFiverr（https://www.fiverr.com/）というサイトを使ってたった5ドルでロゴを作ることができた。こんな才能を安く使えるなんて驚きである。UpWork などのサービスを使ってあなたのために仕事をしてくれるフリーランサーを雇うこともできる。私は、これらの方法のおかげで、ロゴなどのデザインを安くで作れてとても満足している。

これで終わりだ。明確で一貫性があり、対象が絞り込まれたブランドを作り、よく考えられたメッセージを作っておけば、事業を始めた時点ですでに大きなリードができている。しかし、先ほども言ったように、メッセージとビジュアルがあるだけでは不十分だ。本当にインパクトのあるブランドを作りたければ、一貫性と頻繁な露出が必要である。次からの数章では、あなたのブランドに一貫性を与え、ブログ、SNS、講演などの媒体を通じてメッセージを拡散する方法について見ていこう。

やってみよう

- あなたがよく知っているポピュラーなブランドのリストを作ってみよう。そのなかからひとつかふたつを選び、深く研究しよう。ブランドのメッセージは何かを考え、ブランドがそのメッセージを伝えるために、ロゴやその他のビジュアル要素をどのように使っているかを調べてみよう。
- あなたの個人ブランドが扱うニッチのアイデアをリストにまとめてブレインストーミングしよう。少なくとも 10～15 のアイデアを考え、上位 2、3 個に絞り込もう。実際に自分の個人ブランドで使うつもりで考えるようにしよう。

第21章

成功するブログの作り方

ブログはソフトウェア開発者のセルフマーケティングで使える最良のメディアのひとつだ。実際、自分のキャリアを大事に考えるすべてのソフトウェア開発者は、ブログの作成に投資すべきだと私は強く思っている。

直接会える人の数は限られるので、自分を売り込み、ネットワークを構築するための別の方法を用意する必要がある。昨年会った業界人が何人だったか考えてみよう。ひょっとすると数百、いや千人に達するかもしれないが、ブログが成功すれば、数十万の人々に自分のことをアピールできる。

ブログは、セルフマーケティングの方法としては安くて簡単であり、しかも、自分の知名度を上げる効果はきわめて大きい。ブログを成功させれば、一日に数百、数千のビジターを引きつけられる。これだけの人が集まれば、就職やコンサルティングの仕事のオファーから製品ターゲットの開拓まで、様々なチャンスが得られる。

率直に言って、私の今までの成功の大半は、ブログのおかげである。ブログを作らず、ブログを成功させる方法を知らなければ、あなたはこの本を読んでいなかっただろう。

ブログがそこまで重要なのはなぜか

社員の採用に応募するとき、典型的な履歴書は２ページ分にしかならない。面接会場に入ると、面接官と約１時間、長ければ２時間ぐらい話をすることになる。履歴書と短時間の面接からソフトウェア開発者のスキルを評価するのは非常に難しいので、多くの雇用主は、誰かがそのポストに適任かどうかをうまく判断できない。

しかし、ソフトウェア開発者がコンスタントに更新されるブログを持っている場合はどうなるだろうか。そのブログは、コード例や、ソフトウェア開発の様々な側面についての深い技術分析など、その開発者についての情報の宝庫になっているかもしれない。私なら、ほかの方法よりもブログを読んだ方が、ソフトウェア開発者については多くのことがわかる。

ブログを作ってメンテナンスする理由がそれだけだとしても、それは十分過ぎる理由だ。しかし、ブログを書く理由はそれだけではない。ブログを持っていると、今よりもいい勤め先にありつくために役立つだけではなく、ソフトウェア開発者、コミュニケーターとして力量を上げるために役立ち、自分では考えたこともないようなあらゆるチャンスが引き寄せられてくる。

スコット・ハンセルマン、アンクル・ボブ・マーティン、ケント・ベックなどの有名な開発者について考えてみよう。彼らは全員ブログを持っている。

あなたがフリーランサーだったり、フリーランサーの仕事（第15章参照）に興味があったりする場合、ブログを成功させていれば、自分の足でクライアントを探さなくても、ブログが多くのクライアントを呼び込んでくれる。あなたのもとに直接やってくるクライアントは、そうでないクライアントよりも、高い報酬を払う気持ちがしっかりあって、話は簡単に決まるだろう。

そして、ブログに十分なトラフィックがあるなら、自分の製品を売るためのプラットフォームとして使える（第16章参照）。安定的にブログに来てくれるビジターたちの関心に沿うような製品を作れば、ブログへのトラフィックを直接顧客にコンバートできるわけだ。

ブログを成功させたときに業界内で得られる評価のことも見逃せない。多くの有名なソフトウェア開発者は、ブログの成功から直接今の名声を得ている。そのいい例が、Q＆Aサイト「スタックオーバーフロー」、「スタックエクスチェンジ」の創設者のひとりであるジェフ・アトウッドだ。彼のブログ、コーディングホラーは大成功を収め、このブログで築いたビジター層がスタックオーバーフローの成功に直接貢献している。彼がジョエル・スポルスキー（同じく、成功を収めているブロガー）とパートナーになったきっかけを作ったのもこのブログだ。

仮にブログによって得られる金銭的なメリットをかなり割り引いたとしても、コミュニケーションスキルの向上というお金で評価できない効果を見逃すわけにはいかないだろう。自分の考えをまとめて言葉に置き換えるのは、難しいけれども価値のあるスキルだ。定期的に文章を書いていると、そのスキルを磨くために役立つ。そして、コミュニケーターとしての力を付けると、人生の様々な分野で役に立つ。さらに、定期的にブログを書くことを習慣化すると、コンスタントにスキルアップすることが避けられなくなり、自分の専門領域の知識を最新状態に保つことができる。

文章の書き方を学んでいるソフトウェア開発者は、自分の意図を伝えることが得意になるので、より良いコードを書くためにも役立つ。自分のアイデアを伝えるためにも、そのアイデアが捨てがたいものに感じられるようにするためにも役立つのである。

ブログの作り方

もうブログは必要不可欠だということに異論はないだろう。次に考えるべきは、どうやってスタートさせるかだ。

今では、ブログを始めること自体はかなり簡単になっている。WordPressやBloggerといった無料サービスを使えば、5分程度でブログを作れる。しかし、これらのサービスにサインアップする前に、いくつか考えておきたいことがある。

無料サービスはブログの立ち上げ方としてもっとも安く、もっとも簡単だが、もっともいいとは限らない。たとえば、無料サービスでは、一般にブログの画面テーマやレイアウトを柔軟に変更できない。ある程度まではカスタマイズできるが、ブログに有料広告、ショッピングカート、その他のものを追加できない場合がある。開設当初は、こういったものが差し迫って必要になることはないかもしれない。しかし、しばらくたってあなたのブログが人気を集めるようになってきたときには、無料サービスから得られない機能を使いたくなる場合があり得る。

しかし、完全無料プラットフォームの代わりに比較的気軽に使えるものがある。人気のWordPress（http://ja.wordpress.org/）を使って簡単にブログを開設でき、料金が月額8～10ドルとお手軽な有料ホスティングサービスが無数にある（ところで、ブログには広く使われていて大きなエコシステムを抱えているWordPressを使うことを強くお勧めする。WordPressなら、ブログの機能を拡張するプラグインや、表示を非常に簡単にカスタマイズできる画面テーマなどが使える）。これら有料ホスティングサービスなら、ごくわずかな料金ではるかに柔軟なサービスが得られる。

無料のWordPress.comサービスでブログを始めたとしよう（WordPress.comとWordPress.orgは違うので注意しよう。前者はWordPressを使った無償のブログサービス、後者はWordPressソフトウェアのサイトである）。最初のうちは、WordPress.comでも快適に使えるかもしれないが、いずれプラグインを追加してブログをカスタマイズしたり、ブログ上で広告を表示したりしたいと思うときがくるだろう。そのためには有料ホスティングサービスに移動しなければならないが、これは結構大変な作業になる。それを考えれば、最初から安い有料ホスティングサービスで開設した方がいい。

有料ホスティングサイトの方向に進んでも、WordPress.org ソフトウェアをシングルクリックでインストールでき、数分でシステムを立ち上げられるようなサービスはたくさんある。無料ホスティングサービスよりも難しいということはなく、しかもブログを好きなようにカスタマイズするはるかに大きなパワーがある。

仮想プライベートサーバー（VPS）でブログをホスティングする方法もある。VPS は、基本的にクラウド上で完全なオペレーティングシステムを提供するもので、自分でブログをインストールできる。これは、機能のコストから考えればもっとも安いオプションだが、もっとも難しいオプションでもある。私のブログ、シンプルプログラマー（http://simpleprogrammer.com）は、現在 VPS 上に開設しているが、初めてブログを開設しようとしているところなら、この方向はあまりお勧めしない。

無料ホスティングサービスを使うことにした場合、ひとつだけ忠告しておきたいことがある。必ず、独自ドメイン名を登録しておくことだ。デフォルトでは、フリーホスティングサービスは、サービス側のドメインの一部となる形であなたのブログのアドレスを設定する。しかし、そのデフォルトのアドレスではなく、独自ドメインを登録して、そのための料金を支払った方がいい。あなたのブログが獲得するトラフィックの大部分は、おそらく Google などのサーチエンジンから導かれてくる。

Google は、ある種のウェブページやドメインに対しては、主としてそのドメインにリンクしているサイト数をもとに、ページランクと呼ばれる指標を与える。将来、有料ホスティングサービスにブログを移すときには、サーチエンジンが考える重要度であるページランクをブログとともに持っていきたい。そのためには、最初から独自のカスタムドメインを持っている必要がある（この問題をあとで回避する方法がないわけではないが、そのための面倒な作業をする価値はない。最初から正しい方法をとった方がはるかに簡単だ）。

ブログを作るためのステップをまとめると次のようになる。

ブログを作るためのステップ

- ホスティングのタイプを決める：無料 / 有料 /VPS
- ブログソフトウェアをセットアップまたはインストールする
- テーマ、カスタマイズなどの設定をする
- 執筆開始！

成功のためのポイント

ブログのセットアップは終わって、記事もいくつか書いた。では、次にどうすればいいだろうか。誰も読んでくれないブログを持っていてもあまり意味がないので、トラフィックを獲得するための方法を考えたい。そもそもこの章のタイトルは、「**成功する**ブログの作り方」だったはずだ。

あなたがブロガーとして成功するかどうかは、基本的にあるひとつのことによって大きく左右される。それがすべてといってもいい。それは、コンスタントに書き続けることだ。私は、成功を収めた多くのブロガーと話をしてきたが、彼らは全員あるひとつのことで共通していた。それは、たくさん書くことだ。もっとも大きく成功を収めているブロガーのなかには、毎日書くことを何年も続けている人がいる。

しかし、心配する必要はない。毎日ブログポストを書く必要はない（最初の1年ぐらいは、週に2、3件のポストを書いても苦にならないが）。何よりも大切なのは、規則的なスケジュールを選び、それに従うことだ。

ブログをどれぐらい早く成功させられるかは、頻度によって決まる。少なくとも週に1度の頻度でブログを書くことを強くお勧めする。その頻度だと、年に52個の投稿を追加していくことになる。これがきわめて重要だというのは、先ほども触れたように、あなたのブログへのトラフィックのかなりの部分（おそらく大部分）がGoogleなどのサーチエンジンから導かれてくるからだ。ブログへの投稿が多ければ多いほど、サーチからのトラフィックは増える（もちろん、投稿が実際にまともなもので、単なる単語の羅列でなければの話である）。

しかし、コンスタントに書き続けるだけでは、ブログの大成功にはつながらない（もっとも、数年に渡って毎日ブログを書いていれば、成功しないでいるのは難しいと思うが）。質の高いコンテンツを書くようにしなければならない。

コンテンツの質が大切だという理由はふたつある。まず、これがおそらくもっとも大切なことだが、コンテンツの質が高ければ高いほど、人々はあなたのブログにまた戻ってきたり、RSSリーダーやメールで購読を申し込んだりするものである。人々に価値のある情報を提供すれば、ビジター層の構築に成功する可能性はずっと高くなるだろう。

質の高いコンテンツがあなたに与えてくれるもうひとつの重要なものは、貴重なバックリンクである。ほとんどのサーチエンジンは、そのページにリンクしているほかのウェブページがいくつあるかに基づいてウェブページの品質を判断する。コンテンツの質が高ければ高いほど、ソーシャルメディアでシェアされたり、ほかのウェブサイトからリンクされたりする数が増える。あなたのコンテンツにリンクしているウェブサイトが多ければ多いほど、そのコンテンツに対するサーチトラフィックは増える。単純な話だ。人々が読んでシェアしたくなるような記事を実際に書くようにしたい。

質を求めてストレスで参ってしまう前に言っておこう。気にすることはない。完璧なことを書く必要はない。始めたばかりの頃は、たぶん、かなりひどいものになる。しかし、形を整えるとか、文章の構造とか、入力ミスといったことをまったく考えずに、頭に思い浮かんだことをただページにぶつけているのではなく、いいコンテンツを書こうと努力していれば、いいものが書けるようになる。毎週自分の能力の範囲で高品質のコンテンツを発表していれば、時間とともにどんどんいい記事が書けるようになる。

価値のあるコンテンツには、様々な形がある。自分の経験や面白い話をシェアするだけでも、あなたのブログを見に来た人にとって役に立ち、楽しんでもらえる場合がある。

コンスタントに書き続けることと、質の高いコンテンツを書くことのふたつをしていれば、ブログはきっと成功する。なぜそんなことがわかるのか？私はしょっちゅうソフトウェア開発者に話をしているが、自分のブログを持っていて毎週更新している人に手を上げてもらうと、100人の聴衆者がいる場合でも、片手で足りる数の挙手しかない。いいコンテンツをコンスタントに書くだけで、あなたは簡単に開発者の上位1%に入れる。少なくとも、セルフマーケティングということでは上位だ。

何について書いたらいいかわからない

多くのブロガー候補たちがとうとうブログを始めなかったり、始めてもすぐに止めてしまったりするのは、何を書いたらいいのかわからないからか、言いたいことが何もないことに気づいたからである。

この問題を克服するためには、あらかじめ様々なアイデアをブレインストーミングし、ブログのテーマとして書けることのリストを作っておいて、いつもテーマのプールがあるようにするのが一番である。

また、最高級のポストを書くことや人がどう考えるかということをあまり気にし過ぎないようにしよう。ときには、自分の最高作にはならないことがわかっていても、ブログに何かがポストされているようにするために、何かを書かなければならないことがある。自分でひどいなと思うようなポストを書いたのに、それが私のポストのなかでももっとも読者の多い方の記事になったということは何度もある。

何を書くかについて考えるときに役に立つテクニックは、テーマについて誰かと話をしたり、さらに一歩進んで本格的に議論したりすることだ。私は、誰かと詳しく話したテーマなら、よいポストを書ける。友だちに電話をかけ、ディベートを始めたら、そのテーマについて書く価値のあることを見つけられるだろう。

もちろん、ブログを成功させるために使える方法はほかにもある。次節では、それらについて話そう。

もっとトラフィックを獲得するために

ブログを始めた最初の頃は、ブログへのトラフィックを獲得するのは難しいだろう。サーチエンジンからのトラフィックは大してなく、ブログにリンクしてくれる人もいそうにない。どうすればいいだろうか。

私なら、まず他人のブログにコメントを書くことをお勧めする。自分と近いテーマについてブログを書いているほかの開発者を見つけ出し、彼らのブログに意味のあるコメントを書き、チャンスがあれば、自分のブログにリンクバックしておく（コメントを残すために登録をすると、プロフィールにブログへのリンクを書けることが多いので、直接リンクバックする必要はない場合も多い）。

この戦略を効果的なものにするためには少し手間がかかるが、この作業は、あなたのよく考えられたコメントを評価してくれるほかのブロガーとつながりを作るためにも役立つ（自分のブログにリンクするだけで、対話に付加価値を与えないような「スパム的」コメントを残してはならない）。継続的に毎日複数のブログにいくつかコメントを書くように努力しよう。そのうち、あなたがコメントを残した他人のブログに行った人々があなたのブログにもやってきて、トラフィックが増え始めるだろう。コメントの質が高ければ高いほど、あなたが自分のブログで言っていることも見てみたいと人々に思ってもらえるようになるはずだ（他人のブログポストに対する返答を自分のブログポストとして書くこともできる。特に、彼らがあなたのブログをリンクバックしてくれるときには、これはトラフィックを獲得するために効果的な方法になり得る）。

最初のトラフィックの獲得方法としては、もちろん、ソーシャルネットワークで自分のブログポストをシェアしたり、メールのシグネチャやオンラインのあらゆるプロフィールの最後にブログへのリンクを追加したりといったものもある。この方法では、あなたが期待するほどトラフィックは生まれないが、それでもやってみる価値はある。

ほかの人々が拡散してくれるように、あなたのコンテンツをシェアしやすくするのも大切である。WordPress.orgを使っている場合、コンテンツにシェアボタンを追加する様々なプラグインが見つかるはずだ。それだけでなく、WordPress.orgは一部のシェア機能を組み込みで持っている。また、コンテンツをシェアしたり、ブログを購読したりしてくれるよう、ブログポストの末尾の部分で読者に直接お願いすることもできる。

最後に、勇気があって自分のコンテンツは十分いいとか、論争の種になると思う場合は、RedditやHacker Newsなどのソーシャルニュースサイトに掲載を申し込むか、誰かに掲載を提案してもらう方法もある。ただし、ひとつ注意しなければならないことがある。こういったサイトを見ている人々のなかにはひどい連中が混ざっている。私は、ポストを書いてHacker Newsでシェアしたら、他人の攻撃だけが目的のコメンテーターたちにボロボロにされたことがある。ちょっと鈍感になって、そういういじめは受け流す必要がある。しかし、こういったサイトでブログポストのひとつが人気を集めると、一日で数万ビューが集まり、バックリンクも多くなる。要するに、ソーシャルニュースサイトを使う意味はある。

でも成功を保証することはできない

この章に書いたすべてのことをすればブログの成功は間違いなしだと言い

たいところだが、残念ながらそれはできない。私のアドバイスに従えば、ブログが成功する可能性ははるかに高くなると言えるだけだ。ブログを大成功させるためには、運とタイミングも必要である。しかし、少なくともコンスタントにいいコンテンツを書いているわけでもないのに成功しているブロガーはまずいない。

そして、ブログはいくつもあるルートのひとつだということを忘れないようにしよう。私がこのルートを勧めるのは、参入障壁が低く、セルフマーケティングのために最大の成果を上げられるチャンスがあるからだ。しかし、YouTube、ポッドキャスト、講演、書籍や雑誌記事の執筆、その他の媒体も選択肢のひとつである。次章ではYouTubeを取り上げるつもりだ。

やってみよう

- あなたが気に入っている開発者のブログはどこか。いつも読んでいるブログの一部を見て、どれぐらいの頻度で新しいポストが追加されているか、個々のポストの平均的な長さはどれぐらいかを調べてみよう。
- まだブログを持っていないなら、始めてみよう。今日サインアップして、最初のブログポストをしてみよう。また、将来のブログポストの執筆予定スケジュールを作ろう。
- 少なくとも1年はブログを続けよう。結果を出すためには手間と時間が必要だ。ほとんどの人々が勢いを感じ始めるのは、1年たってからだ。
- これから書くブログポストのテーマのリストを作ろう。新しいアイデアを思い付くたびに、それをリストに追加する。そうすれば、ポストを書かなければならないときに、様々なアイデアを見られるようになる。

第 22 章

YouTubeによるブランド構築

私がほとんどのソフトウェア開発者にセルフマーケティングの最良の手段として勧めているのはブログの開設だが、やる気があれば、目立つためにもっと効果的でもっと直接的な方法がある。

ブログを開設して自分の考えを書くことなら誰にでもできるが、知っていることを教えるチュートリアル動画などの動画を作って成功させるためには特別なスキルとブログよりも高額な投資が必要だ。

この章では、セルフマーケティングとフォロワー構築のためにYouTube，あるいは動画全般が効果的な理由を説明する。次に、どのようなチャンネルを作るべきか、どのようにして始めるかについても詳しくアドバイスする。最後に、コンテンツをスピーディに作り、カメラ写りをよくして、視聴者数の急成長と知名度アップを実現するための私の最高の秘密戦略に触れる。

YouTubeなどの動画がブランド構築のために効果的なのはなぜか

方法について話す前に、動画を選ぶ理由について話しておきたい。

ソフトウェア開発者が自分を売り込むために使える方法はかなりたくさんある。前章ではすでにブログのことを話した。そのときも言ったようにセルフマーケティングのためにぜひお勧めしたい方法はブログである。しかし、条件次第では、動画の方がさらに効果的な場合があるとも思っている。

動画を勧める最大の理由は親近感である。動画は、ほかの媒体では逆立ちしても届かないほどフォロワーに親近感を与える。動画であなたを見た人からすれば、あなたはテレビに出ているのと同じだ。彼らの頭のなかであなたはセレブになるのである。ブランド構築の上で、このスター効果は非常に強力である。

動画はあなたの能力のショーケースとしてもほかの媒体より優れており、実際、コーディング能力を直接見せることができる。しかも、ほかの媒体よりも個性がはっきりと現れる。たとえチュートリアルであっても、動画なら声のトーンや画面での見栄えなどを通じてほかの媒体とは比べものにならないほど個性を押し出せる。

最後の理由は作るのが大変だということだ。なぜそれがいい理由なのだろうか。参入障壁が高いものは、競争相手が少なくなるのですべていい。動画は作る人が少ないので、作ればほかの方法よりも目立つ。カメラの前に立つのは恐ろしいことだ。動画の制作、編集方法の習得は簡単なことではなく、時間がかかる。本気になって取り組めば、ほとんどの人があえて足を踏み入れない世界を自由に飛び回れるようになる。

どうだろうか。チャレンジする気になったら、やり方を研究しよう。

ニッチの選択

YouTubeチャンネルを作ろうと思ったら、まずどのようなニッチを取り上げるかを考えるべきだ。ソフトウェア開発について知っていることをすべてシェアする万能型のYouTubeチャンネルを作ってみたいという気持ちはわかるが、非常に限定されたニッチを選んだ方が成功する。取り上げる対象は狭ければ狭いほどよい。

YouTubeを見るときに、自分がどういうチャンネルを登録しているかを考えてみよう。私にも、公開と同時にすべての動画を必ずチェックするチャンネルがあるが、それはそのチャンネルのコンテンツが私にとって興味のあるテーマに限定されているからだ。

そのニッチでは世界でナンバーワンになるチャンスが十分あるというぐらい小さなニッチを選んで試そう。ほかの章でもテーマを絞り込めということはさんざん言っているので、これ以上うるさく言うつもりはないが、YouTubeでは、ビューにつながるアルゴリズムの仕組みから考えても、テーマの絞り込みがほかの媒体よりも重要なのである。

YouTubeのビュー数も、以前は主としてサーチによって左右されていたが、今は推奨動画として表示されたものがビュー数を伸ばしている。誰かが動画を見ると、YouTubeはその人が興味を持ちそうなほかの動画を選んで表示する。この選択アルゴリズムがよくできている。複雑な機械学習アルゴリズムでチャンネルとコンテンツを分類し、どのタイプの視聴者がどのような動画を見たがるかを判断しているのである。

そのため、YouTubeのこのアルゴリズムがあなたの動画をできる限り狭い範囲に分類できるようにして、その分野のものを見る可能性の高い人々に動画を推奨してくれるようにすることがとても大切になるのである。

作れるチャンネルのタイプ

適切なニッチを選べばスタートとしては上々だが、まだ十分ではない。動画で取り上げるテーマをはっきりさせたら、次はどういうタイプの動画を作るかを決めなければならない。

YouTubeチャンネルで作れる動画には、様々な形式のものがある。カメラの前に座って論説委員風に特定のテーマについて話すものや選んだニッチに関する最新ニュースをレポーター風に伝えるものがある。チュートリアル動画チャンネルとして、特定の言語、テクノロジーを使ったプログラミングの方法を教えたり、例を使って特定の技術問題の解決方法を示したりする動画シリーズを積み上げていくものもある。

プログラミングにまつわるユーモアを取り上げたチャンネルや、ほかの著名なソフトウェア開発者へのインタビューを集めたチャンネルもある。これらの形式を組み合わせたハイブリッド型というアプローチもあり得るだろう。

大切なのは、時間を作ってどのタイプのチャンネル、どのタイプのコンテンツを作りたいかをじっくり考え、動画制作のためのよいプランを練り上げることだ。これは、コンスタントな投稿にもつながる。

YouTubeチャンネルの開設

どのタイプの視聴者を対象とし、どのような動画を制作するかを決めたら、早速活動を始めよう。

最初に必要なのは、いいチャンネル名だ。最高のチャンネル名は、そのチャンネルが何を扱っているかがよくわかるものだ。手の込んだもの、巧妙ものではなく、単純で覚えやすく、将来の登録者にこのチャンネルに期待してよいものを正確に伝える名前がいい。

次に、一貫性を演出するために、新チャンネルのロゴとブランドイメージを用意する。チャンネルのバナー画像も必要になるし、すべての動画の冒頭に入れるイントロシーケンスもあるといいだろう。

こういった準備が整ったら、動画数本文のアイデアをひねり出し、録画を開始する。考えすぎにならないようにすることが大切だ。それよりも、現場に入ってコンテンツの制作を始めよう。私が指導したYouTubeチャンネル開設希望の開発者たちの多くは、すべてを完璧にこなせるかどうかが不安だったり、動画を作ることに気後れを感じたりしてチャンネル開設に至らなかった。それが普通だ。そこで、これからのふたつの節で動画制作を軌道に乗せるための秘密戦略を伝授したい。

コンテンツ・パイプラインの構築

チャンネルを成功させるためにもっとも大切なことのひとつは、コンテンツ・パイプラインの構築である。コンテンツ・パイプラインがあれば、ないときと比べてずっと早いペースで高品質コンテンツを量産できる。

駆け出しのユーチューバーの大半は、何をどのようにするかについてのプランを持っていない。これは大きな間違いで、そんなことでは効率が悪く、膨大な時間を無駄にしてしまう。

コンテンツ・パイプラインを構築するためにまず最初にすべきことは、手持ちのコンテンツのアイデアをすべて書き上げた長いリストを作ることだ。最初に30本ほどのテーマを用意するよう努力しよう。正確なタイトルまではいらないが、アイデアの長いリストがあれば役に立つ。動画を作るときには、そのなかからどれかを選べば、次にどんな動画を作るかを決めるために時間を無駄にせずに済む。

動画制作が最初から最後までどんなプロセスで進むかについての実際のプランを用意しておくことも大切だ。当然ながら、初めて動画を作るときにはプロセスはわからないが、何本も動画を作っていく過程で、制作プロセスを書き留めてシステマタイズしていくのである。こうすれば、重要なステップを飛ばしてしまうことが防げるし、動画制作をスピードアップして量産化につなげられる。軌道に乗れば、動画制作プロセスのうち、自分でする必要のない部分をしてくれる人を雇うことも可能になるだろう。

動画制作の基本プロセスは、次のようになる。

- テーマを選ぶ。
- 台本または簡潔な概要を書く。

- 録画する。
- 編集する。
- YouTube に動画をアップロードする。
- 動画のタイトル、説明、タグを書く。
- 動画をリリースする日時を設定する。
- ソーシャルメディアで動画リリース情報をシェアする。

実際のプロセスは、あなたの製作作業に対する考え方に合わせてもっと細かく具体的なものになるだろう。

カメラスキルを上達させるには

最後に多くのユーチューバー候補が途中で諦める最大の要因、カメラスキルについて話してこの章を締めくくろう。

ビデオカメラのスイッチを入れて自撮りするだけのことではないのかと思うかもしれないが、それは間違いだ。カメラスキルは、ほとんどの人が生まれつき持ってる才能ではない。ほとんどの人が初めて撮った動画は、はっきり言ってゴミだ。

試しに私のチャンネル（今は Bulldog Mindset という名前になっている）で最初期の動画を適当に見ていただきたい。私はやけに高い声で神経質そうにベラベラしゃべっているだけで、画面に全然出てこない。

ではどのようにしてそれよりもうまくなったかというと、答えはごく単純なことで、何度も作ったからだ。動画の撮影、編集をひたすら続けているうちに、カメラの扱いに慣れてきたのである。すべてがパーフェクトになることなど期待していなかった。大してよくなくても作ったものをとにかく公開していた。そうすれば、うまくなっていくはずだと思っていたのである。

この方法を取れば、時間とともにあなたもカメラスキルが上がっていき、動画からあなたの個性がにじみ出るようにさえなる。それから最後にもうひとつ。動画はいつでも**編集**できる。だから、撮り直しを恐れず、最初からやり直せばいいと思うことだ。流れにまかせて撮影し、まずい部分は編集作業で取り除けばいい。幸運を祈る。

その他のヒント

それでもまだ、YouTubeを始めるために必要な道具は何か、ほかに知っておかなければならないことは何かが気になるかもしれない。道具のことから説明しよう。

ぶっちゃけた話、今ならもうスマホカメラで十分だ。外部マイクさえいらない。いやいやいや、私は本気だ。私は自分のスマホのカメラで膨大な数の動画を撮影しており、見た人たちはどうすればそんなにクオリティが上がるのかと言ってくれている。確かに、私は高価なビデオカメラと照明装置、マイクを持っているが、そんなものは実際には不要だ。特に、これから始めようという人にはいらない。チュートリアルなどで画面の取り込みが必要なら、簡単なスクリーンキャストソフトがあればよい。私はCamtasiaを使っている。

知識の方はどうか。YouTubeの天然な世界では何でもありだが、勉強はするに越したことはない。私の友人のショーン・キャネルが持っているThink MediaというYouTubeチャンネルには、YouTubeの始め方を教えてくれる動画が何本か入っている。彼が書いた*YouTube Sccretes*[※1]という本も読む価値がある。しかし、本当はこの世界にまっすぐ飛び込んで始めることをお勧めしたい。何が必要かは動画制作を始めてからわかるはずであり、学習方法としてはそれがベストだ。

やってみよう

- 時間を作って、もしYouTubeチャンネルを始めるとしたらどのようなニッチを選んだらよいかについて考え、調査しよう。チャンネル名を考え、対象視聴者と取り上げるテーマ、動画タイプを決めよう。
- 自分のYouTubeチャンネルを開設して動画をアップロードしよう。これは大変なことだということはわかっている。しかし、YouTubeを始める最高の方法はまっすぐにその世界に飛び込むことだ。テーマを決めて早速動画を作ろう。

※1　Sean Cannell, *YouTube Secrets*, Lioncrest Publishing, 2018

第 23 章

他者のために価値を生み出すことが重要な理由

成功した人ではなく、
価値を生み出す人になるよう努力せよ。
—アルバート・アインシュタイン

何をすべきかの話をしたので、どういうコンテンツを作るかの話をしよう。自分の利益のためになることしかせず、他者のために本当に価値のあるものを生み出さなければ、セルフマーケティングの方法として正しいことをすべてやったとしても、成功しないだろう。ブログポストを書き、ソーシャルメディアでコンテンツをシェアし、イベントで講演し、本や記事を書くなどしてできる限りのセルフマーケティングをしても、言っていることや伝えていることがほかの人々の役に立つことでなければ、誰からも無視されてしまうに違いない。

私たちはみな、第一義的には自分に興味がある。あなたの成功のことやあなたがもっと成功するためにあなたを支援すべき理由のことなど誰も聞きたくはない。彼らが聞きたいのは、自分の成功のために、あなたがどのように役に立つかだ。セルフマーケティングで成功を収めるための一番の方法は、ほかの人々の成功を手伝うことである。

ジグ・ジグラーは「人々がほしがっているものを手に入れるために自分が十分に役に立てば、自分のほしいものが手に入る」と言ったが、この言葉はそれをもっともよく表している。

人がほしがっているものを与えよ

人がほしがっているものを与えるためには、彼らが何をほしがっているのかを知る必要がある。しかし、人がほしがっているものを探り当てるのは簡単ではない。実際に尋ねたら、彼らは嘘を言うだろう。嘘を言うつもりで、嘘を言っているわけではない。ほとんどの人は、自分が何をほしがっているのかわからないのである。ぼんやりとしたイメージは持っているが、完璧なウェディングドレスを探している花嫁と同じで、それが何なのかがわかるのは、それを見たときなのだ。

だから、彼らのために彼らがほしがっているものを探り当てるのは、あなたの仕事である。兆候を読み、物事がどちらに向かって進んでいくかを見て、そこで価値のあるものを提供する方法を見つけなければならない。すでに、自分についてくる人々を抱えていれば、話は多少簡単になる。しかし、そういう人々がいなければ、外に出ていって人々が何に興味を持っているかについての知識を仕入れなければならない。インターネット上のフォーラムでは、あなたのニッチに関連して何が話題になっているか、この業界全体として、どのようなトレンドが見えるか、そして、おそらくもっとも重要なことだが、人々がどのような恐怖を抱えていて、あなたはそれにどう対処できるかを知るのである。

あなたが生み出すコンテンツは、狙いを定めた分野において、価値をきちんと提供できなければならない。あなたがある特定のフレームワークや技術に関心を持ったとしても、コンテンツのターゲットとしている人々が興味を持っていなければ無意味である。逆に、ブログポストなど何らかのコンテンツが顧客のツボにはまったときには、すぐにわかるはずだ。自分のコンテンツで真剣なニーズや懸念に対処できる方法が見つかれば、あなたは他者に本物の価値を与えられるだろう。あなたは彼らに彼らがほしがっているものを与えるようになるのである。

自分がしていることの90%はただで分け与えよ

私が無料で開放しているコンテンツの量を見たら、たじろぐ人がいるかもしれない。私は毎週3個のブログポスト、1本のYouTube動画、2本のポッドキャスト、その他のコンテンツを作っているが、それらはすべて無料である。私は、自分が作ったコンテンツの90%は無料にすべきだと固く信じている。ハードワークに対して料金を徴収するのは決して間違っていないが、しっかりとした価値を主として無料で人々に分け与えるときに、もっとも大きな成功が得られる。

無料コンテンツは、有料コンテンツよりもはるかにシェアしやすい。あなたがブログポストを書き、動画やポッドキャストを作ってそれを無料で提供していれば、料金を徴収しているときと比べて、誰かがそのコンテンツをシェアし、拡散する可能性ははるかに高い。無料コンテンツは、リンクをツイートするかメールを送るだけでシェアできる。有料で提供しているものよりも、無料コンテンツの方が、はるかに多くの人々に届くのである。

コンテンツを無料で配布すると、人々はお金を使わずにあなたの作るコンテンツにどれだけの価値があるかを見るチャンスを獲得する。あなたは何かを売ろうなどと思っていないかもしれないが、売る計画がある場合でも、あなたが提供している無料コンテンツの品質が高いことを人々が知っていれば、ほかならぬあなたが売っているものだから買おうという気持ちになりやすくなる。彼らは無料コンテンツに感謝の気持ちまで持っているので、いずれあなたが作った製品を支援してお返しをしたいと思っている場合さえある。

タダ働きするなんて時間の無駄だと感じられるかもしれないが、自分の将来に対する投資だと考えるようにすべきだ。セルフマーケティングとして、他者のために価値を作り出し、それを基本的に無料で開放することにより、あなたはほかの人々に価値を提供する人という評価を確立し、自分の未来のためにチャンスを作っているのである。この種の評価を築くことによって得られるものには容易に値段を付けられないが、このような評価はあなたに様々な形でメリットをもたらす。それまでよりも内容も報酬もいい就職先が手に入りやすくなったり、クライアントが増えたり、製品のローンチが成功しやすくなったりするはずだ。

成功への近道

ブログポストの作成であれ、スクリーンキャストの録画であれ、何かを新たに始めようとするときには、「それらがどのようにして他者に価値をもたらすか」という視点から考えるようにすべきだ。私は、ここで座って本書を書きながら、「自分の書いている言葉が、あなたにどのようにしてメリットを生み出すか」を絶えず考えている。あなたにとって役に立つ情報をどうやって載せるのか、どうすればあなたに価値を提供できるのか。

私たちは、自分のことを話し、自分の価値を示そうという罠に陥りがちだ。しかし、他者の問題を解決し、純粋に役に立てば、あなたはもっと大きく成功する。自分がなぜ世界一の Android アプリ開発者かを説明しようとしてもうまくいかないが、自分用の Android アプリを書くことを通じてほかの誰かが抱えている問題の解決を手伝えれば、その人はあなたのことを偉大だと思うだろう。

セルフマーケティングのためにどの媒体を使う場合でも、この態度を持ち続けるようにすべきだ。今までの章ではブログと YouTube チャンネルについて話し、これからの章では様々な媒体を使ったセルフマーケティングの方法について説明していくが、自分をフォローしてくれている人々の問題を解決して彼らに価値を提供し、彼らとつながるための方法を知らなければ、どの媒体を使っても成功しないだろう。

もっと献身的に

このような利他的な動機で動くことは、成功を目指す方法としていかがなものかと思われるかもしれない。しかし、もっとも生産的な人々のなかには、もっとも献身的な人々が含まれている。なぜだろうか。それは様々な要素の組み合わせによるものだと私は思っている。ほかの人々の役に立てば立つほど、多くの問題や状況を知ることができ、多くのつながりができていく。他人の問題解決をいつも手伝っている人は、その練習によって自分の問題も解決しやすくなる。そして、自分が行き詰まってしまったときでも、心配してくれる人々が現れるのだ。

このような考え方を強く持っているのは私だけではない。もっとも生産的であると同時に献身的な人物のひとりとされているウォートンスクールの31歳の教授についての面白い記事を読んだ（https://www.nytimes.com/2013/03/31/magazine/is-giving-the-secret-to-getting-ahead.html?pagewanted=all&_r=1&）。彼は組織心理学の分野ではもっとも活動的な教授のひとりだ。彼は人を助けると、自分の仕事の成功に役立つ理由を示す研究を完成させたのである。

やってみよう

- どのようなタイプのコンテンツがもっとも役に立つと思うか。毎週ブログポストを読んでいる特定のブロガー、あるいは非常に役立つコンテンツを含んでいるので聞き逃しをしないようにしたいと思っているポッドキャストはあるか。
- フォロワーやターゲットとする分野の人々に提供できる最大の価値は何か。あなたが引きつけようとしている潜在顧客にとって、もっとも価値の高いコンテンツはどのようなタイプだと思うか。

第24章

ソーシャルメディアを使ったブランド構築

多くの人々の生活において、ソーシャルメディアの占める割合は高まっている。Facebook、Twitter、Instagram、LinkedInなどのサイトは、人と人をつなぎ、情報をシェアするために重要な役割を果たしている。セルフマーケティングする方法を意識するソフトウェア開発者は、SNSでも何らかのプレゼンスを示し、何をどのようにシェアするかを通じて自分のイメージをマネジメントする必要がある。

最近は、ソーシャルメディアの専門家たちがブランディングやマーケティングにおけるSNSの重要性を大きく強調するようになってきている。私もSNSの重要性は認めるが、一部の人々が誘導しようとしているほど効果的だとは思っていない。とはいえ、ターゲット層の前に自分の姿を最大限に示し、働きかけていこうと思うなら、SNSを使ったブランドの宣伝方法の基礎は知っておく必要がある。

この章では、あなたのソーシャルメディア戦略の立案を助けるとともに、主要なSNSを個別に取り上げて、メッセージの拡散のためにソーシャルメディアを活用するための方法をいくつか示そう。

ネットワークを広げよう

ソーシャルメディアの活用を実現するためにまず必要なのは、フォロワーを獲得すること、つまり、あなたのネットワークに人々を取り込んでいくことだ。自分のまわりに人がいないのに、メガホンを持ってメッセージを叫んでもほとんど意味はない。

ソーシャルネットワークを構築するための戦略は様々で、どの方法をとるかは一般にネットワークごとに変わる。しかし、ほとんどのソーシャルネットワークでもっとも簡単なのは、他人をフォローして、それらの人々に自分のネットワークに入ってもらうことだ。こんなことは自明のようだが、じっと座って人々が自分をフォローしたり、声をかけてくれたりするのを待っている開発者は多い。しかし、人に関心を持ってもらえるのは、あなたが彼らに関心を示しているときだということを忘れてはならない。

フォロワーは、オンラインのプロフィール、ブログポストの末尾、さらにはメールシグネチャなどにSNSのIDを書いておくという方法でも獲得できる。人があなたにつながりやすいようにしておけば、つながってきてくれるというわけだ。そして、フォローを頼むことを恐れてはならない。ブログポストの末尾にTwitterでフォローしてと書き加えることには何の問題もない。

大規模なネットワークを築き上げるためには時間がかかるので、慌ててはいけない。数日でフォロワーを増やせるという怪しげなサービスを使ってフォロワーを買いたいという誘惑が起きるかもしれないが、お金の無駄になるだけだ。こうしたサービスでフォローしてきたりあなたのネットワークに入ってきたりするのは、ほとんどの場合偽アカウントなのである。人を表しているわけではない偽アカウントは何の役にも立たない。

ソーシャルメディアの効果的な使い方

ソーシャルメディア戦略の目標は、主としてターゲット層を構築し、彼らの冷めた態度を熱くすることになる。それらの人々をフォロワーからファンに変えて、あなたのコンテンツに深く関わり、ほかの人々にシェアし、積極的にあなたを宣伝してくれるようになってもらいたい。業界内での自分の評価は、そうやって築いていくものだ。しかし、どうすればそうできるのか。

ここでも、つまるところは価値の提供である。SNSでシェアしているものを通じてコンスタントに価値を提供していれば、あなたは尊敬と信用を獲得できる。しかし、不適切で攻撃的なコンテンツや、朝食にどんな卵を食べたというような自分中心のコンテンツばかりポストしていれば、人々は離れていくだろう。

では、ほかの人々に価値を提供していくためには、SNSにどのような内容をポストすればいいのだろうか。簡単なことで、あなたが役に立つとか面白いと感じたことを書いていけばいい。あなたが価値ありと思ったことは、ほかの人もそう思う可能性がある。ただし、バーは高めに設定することだ。情報、それも特定のニッチについて情報の優れた案内人として知られるようになれば、人々はあなたのSNSでの発言にもっと注意を払うようになり、あなたのコンテンツをシェアするようになる。

毎週、私はSNSのフォロワーたちが興味を持ちそうな役に立つコンテンツを送るようにしている。通常は、ブログポスト、ニュース記事、啓発的な引用、ソフトウェア開発に関連したヒントやトリック、フォロワーへの質問といったものだ。質問は、フォロワーが私に話しかけてくるきっかけになる。

ソーシャルメディアでシェアすべきコンテンツ

- ブログポスト—人気のあるブログポストを見つけてきたり、自分のブログポストをシェアしたりする。
- ニュース記事—可能なら自分のニッチ、またはソフトウェア開発全般に関連した面白い記事をポストする。
- 引用—有名な言葉、特に啓発を受けるようなものはとても人気がある。
- ヒントとトリック—自分が持っていてほかの人が喜ぶような特別な知識。
- 冗談—ある程度は冗談を言ってもいいが、攻撃的にならないように、また本当に面白いものだけを言うように注意する。
- 会話を誘う質問—フォロワーを引き込み、フォロワーとやり取りするために優れた方法。
- 自分のものの宣伝—最小限に抑えるべきだが、ほかのものに混ぜ込むことは追求するといい。

新しいブログ記事など自らのコンテンツについてのポストは当然すべきだが、書籍などの製品を売っている場合、あるいはコンサルティングサービスの売り込みをする場合、その種の宣伝はSNSでは最小限に抑えた方がいい。作ったものの90%を一般公開するのと同じように、SNSメッセージとして送り出すものの90%は、自分の宣伝ではなく、フォロワーにとって役立つものにすべきである。

アクティブな状態を維持する

ソーシャルメディアでは、アクティブであり続けることが大きな課題となる。SNSアカウントをいつも活動的な状態に保てなければ、効果の大部分は失われる。しかし、実際の仕事をしながら、Twitter、Facebook、Instagram、LinkedInなどのアカウントに投稿するのはかなりの負担になりがちだ。

毎日ソーシャルメディアで膨大な時間を費やすつもりがないなら、すべてのSNSにアクティブに参加することはとてもできない。そこで、力を入れるSNSは、ひとつかふたつに絞り込む必要がある。

私自身は、ソーシャルメディアに膨大な時間を費やしたくない。SNSは簡単に私の一日を「飲み込んでしまう」感じがするので、できる限り避けるようにしている。しかし、それでもアクティブな状態を保つ必要がある。どうすればいいだろうか。

私は今、Bufferという SNS予約投稿サービスを使っているが、同様のサービスはほかにもたくさんある。これを使えば、各種SNSにポストするスケジュールを管理できる。やり方を説明しよう。週の初めに、各種SNSに送り出したい様々なタイプのポストのチェックリストをざっと見る。そして、それらを混ぜたコンテンツを作り、一週間かけていろいろなタイミングで公開するようスケジューリングする。シェアすれば面白そうなものを見つけたら、週の途中でコンテンツに追加することもあるが、各種SNSアカウントに毎日少なくともふたつずつコンテンツが送られるようにする。新しいブログポストやYouTube動画を投稿するたびに、自動的にそのコンテンツがすべてのSNSでシェアされるようにもしてある。

あなたも、このようなSNS管理の方法を採用して、無駄に時間を費やさなくて済むようにすることを強くお勧めする。私の場合、週に1時間以下の時間を使うだけでアクティブに活動できている。

ネットワークとアカウント

セルフマーケティングの方法を追求するソフトウェア開発者は、主要なSNSのすべてに顔を出しておくべきだ。特に、技術関連でキャリア重視のSNSは大切である。また、自分のブランドを直接表現する特別ページ、プロフィールを作っておくといい。個人アカウントと仕事のアカウントをメンテナンスしようと思うかもしれないが、それは少し負担が大きいかもしれない。

では、個々のSNSを見てみよう。まず、多くの開発者がTwitterを利用している。Twitterでなければ手の届かない人々と接点が作れるので、そのアカウントはぜひとも作った方がいい。同じ人物にメールを送っても無視されてしまうかもしれないが、ツイートへのリプライはわずか数秒でできる。

私の経験では、Twitterは、ブログポストや技術関連ニュースをシェアする場所としても優れている。メッセージサイズが短く制限されているおかげで、対話が短く的確になる。

次にお勧めしたいのは、LinkedInである。LinkedInはプロフェッショナルのためのSNSなので、あなたも当然LinkedInのプロフィールを用意してあることだろう。LinkedInではオンラインバージョンの履歴書を作ることができ、ほかのプロフェッショナルとつながることができる。ネットワークを作るためにはとても優れたサイトであり、ブログポストのようなプロフェッショナルなコンテンツが、LinkedInでは適切なターゲットに届く。また、LinkedInのグループを活用すれば、あなたがターゲットとしているニッチに関心がある人々やその分野の仕事をしている人々と知り合うことができる。

しかし、LinkedInでもっとも活用されていない機能は、つながりのある人々に推薦を求める機能だろう。これはぜひとも活用すべき優れた機能だ。LinkedInのプロフィールに書いたすべての勤務先について、必ず以前の同僚や上司に推薦をお願いしよう。そんなことを頼むのは気が引けるかもしれないが、そのプロフィールで推薦をもらっておくと、人からどのように見られるかにとても大きな違いが生まれる。推薦があると社会的な証明になり、あなたのイメージを形成する上で強力なツールになる。Amazonで最後に何かを買ったときのことを思い起こしてみよう。レビューを読んで、評価の高い製品を探したのではないだろうか。私が今オンラインショッピングするときのメインの方法はそれだ。ほかの多くの人も同じことをしている。

Facebook と Instagramは、Twitter と LinkedInほど重要ではないが、これらにも顔を出しておくことをお勧めする。どちらでも、パーソナルアカウントかページと呼ばれるものをセットアップできる。ページは、基本的にはビジネスやブランドのプロフィールである。また、Facebookにはグループもあり、それを使えばターゲット層とつながったり、特定のプログラミング言語やテクノロジーに関心を持っている人々に直接情報をシェアしたりすることができる。

やってみよう

- あなたは今、ソーシャルメディアをどのように使っているだろうか。自分のSNSのタイムラインを見て、誰かがあなたのSNSへの書き込みだけを読んだら、あなたとあなたのブランドに対してどのような印象を持つかを考えてみよう。
- ソーシャルメディアの活用プランを作ろう。各SNSでどのようなタイプのコンテンツをシェアしたいかを考え、毎週コンテンツをシェアするための戦略を練り上げよう。シェアするコンテンツのなかでもっとも人気を集めているものがどのような種類のものかに注意を払おう。

第 25 章

講演、講師、プレゼンテーション

講演を行ったり、何らかの形で人に教える立場になったりすることは、人とつながり、セルフマーケティングを展開するためにもっとも効果的な方法のひとつである。講演は、ほかの媒体のようなスケーラビリティこそないが、聴衆の前に立ち、直接語りかけることは、人ができることのなかでももっともインパクトが強いことだと言えるだろう。

少なくとも私の場合、ステージの上に立って、スピーチやプレゼンテーションを行うこと以上に爽快になれることはほかにない。聴衆と直接つながることができ、ほかの媒体では得られないようなフィードバックループでコンテンツに修正を加えていけることには、特別な魅力がある。

ステージに上ったり、カンファレンスで講演する予定がさしあたりない場合には、職場でプレゼンテーションを行うと、キャリアアップに大きく役立つ。あなたがいかに効果的に自分のアイデアを伝えることができるかを示して、同僚、さらには上司に影響を与えられるすばらしいチャンスになるのだ。

唯一の問題は、簡単に始められないことだ。経験もないのにどうすれば講演の機会が得られるのだろうか。話すことに怖気づいてしまう人もいるだろう。ステージの上に立って人々の前で話すのは容易なことではない。今までその経験がなければなおさらだ。

この章では、講演、講師のような仕事がキャリアにとって重要な理由を話してから、どのようにして始めるか、すでにやっていることを次のレベルに進めるためにどうすればいいかについて、実践的なアドバイスを送りたい。

ライブで話すことが力を持つ理由

ロックコンサートに行ったり、バンドが生演奏するのを見たりしたことはあるだろうか。なぜ見に行ったのだろうか。単にアルバムを買って家で聞いているだけでも満足できるはずだ。自分のヘッドホンを使って CD 品質のアルバムを聞けば、オーディオの品質はその方がいい。同じことが演劇とライブシアターについても言える。なぜ代わりに映画を見ないのか。

説明するのは難しいが、ライブイベントに出かけると、録音録画されたものを見聞きするときには得られない親近感が得られる。プレゼンターが生で話すのを聞くときには、内容がまったく同じでも、ほかの様々な媒体では得られないようなインパクトがある。

あなたの講演を聞いた人々は、ほかの媒体を使ったときよりもあなたのことを覚えている可能性がはるかに高く、あなたと個人的に知り合いになったような親近感を持つ。コンサートで好きなバンドを見たときのことは覚えているが、アルバムを聞いたときのことは覚えていないものだ。

講演は対話的な媒体でもある。少なくとも、対話的にすることができる。イベントで講演をすると、聴衆からの質問に直接答えたり、プレゼンに参加させたりすることができる。このような形で相互にやり取りすると、大きな信頼がすぐに構築され、あなたのメッセージを宣伝してくれるファンを作りやすくなる。偶然ながら、まさにこの章を書いているときに、私のセルフマーケティングについての講演を聞いた開発者のツイートを見た。今では、ほかの人々に私と私のブログを広めるために、できることは何でもやってくれているという。彼が私の話を直接聞いていなければ、彼の私に対する親近感はここまで強くはならなかっただろう。

おそらくあなたも名前を知っている有名なソフトウェア開発者の多くが、講演を通じてキャリアをステップアップさせてきた。私の友人、ジョン・パパがいい例だ。彼は、小規模な講演会からスタートしたが、今や様々なテクノロジーについての講演で世界中を飛び回っている。彼は講演者として有名になることにより、自ら様々なチャンスを作ってきたのである。

講演の始め方

たぶん、あなたはもう、講演は重要でする価値のあることだと思っていることだろう。しかし、どうすれば講演を始められるのだろうか。実際、そこは少し難しい。

まず断っておくと、今まで講演をしたことがなく、有名になっていなければ、大きなカンファレンスの講演を任されることはないだろう。しかし、最初からそのようなところで話す必要はない。小さなイベントから始めて、講演のスキルを上げていく方がいい。人前でうまく話せるようになるまでには時間がかかるので、練習をしておいた方がいいのだ。

練習を始める場として特に良いのは、職場でのプレゼンテーションである。ほとんどの会社は、社員が様々なテーマについて発表をすることを歓迎する。そのプレゼンテーションの内容が仕事に直結しているならなおさらだ。あなたのチームが使っている何らかのテクノロジーについてプレゼンテーションをしたい、あるいは自分のチームに役立ちそうな分野で講習会をしたいと言ってみよう。このような場では、エキスパートとしてプレゼンテーションをする必要もない。学んだことをシェアして、人の役に立ちたいと熱心に思っている人というだけでいい（というか、ほぼ必ずこのアプローチを取るべきであり、あなたも実際に経験すればそう感じるだろう。謙虚で率直な人ではなく、エキスパートのように見られたいということにこだわる人が多すぎる。欠点や弱点もある人間らしい人でいた方が、長い目で見れば聴衆からの信頼を獲得しやすく、バカっぽく見える危険性もずっと低くなるはずだ)。

講演者という目標に向かって入りやすい道としては、コードキャンプやユーザーグループもある。ほとんどの大都市圏には、ソフトウェア開発者たちを対象とした様々なユーザーグループがある。自分が出席できる近所のユーザーグループは、たいてい苦もなく見つかる。しばらくユーザーグループに出席したら、特定のテーマについて発表してもいいかを主催者に尋ねよう。ほとんどのユーザーグループは新たに発表してくれる人を探しているので、面白いテーマさえあれば、おそらく挑戦させてもらえるだろう。これは、小規模で寛容な聴衆の前で話せるすばらしいチャンスであり、地域の企業やリクルーターにセルフマーケティングできるいい方法だ。

ユーザーグループのほか、年に１度のコードキャンプも世界中で開催されている。ほとんどのコードキャンプは、経験を問わず誰でも自ら選んだ課題について話せる。このチャンスを利用して、少なくとも毎年ひとつのコードキャンプで話をするようにしてみよう。ほとんどのイベントは、料金を払って会場に入っているわけではないので、あまりプレッシャーを感じなくて済む。リラックスできるし、失敗しても大事《おおごと》にはならない。

ある程度講演の経験を積んだら、デベロッパーカンファレンスでの講演に応募してみよう。この分野はかなり競争が激しく、イベントによっては「常連」システムが幅を利かせているが、一度うまくそのなかに割って入ることができれば、毎年講演できる多数のチャンスが見つかるようになるだろう。そして、これらのイベントの大半では、旅費その他の経費を完全に払い戻してもらえる（私が知っている多くのソフトウェア開発者は、この種のイベントで講演をするために、世界中を飛び回っている。講演自体については報酬がない場合もあるが、そうでなければ行かなかっただろうと思われる様々な場所に行き、そこでファンやフォロワーを増やしている。あなたがフリーランサーなら、この種の大きなイベントは仕事を手に入れるための手段としても大きい）。

人前で話すのが怖い

全然問題ない。多くの人がそうだ。人前で話すのが怖いというのは、もっとも一般的な恐怖症のひとつである。しかし、どうすればこの恐怖症を克服できるだろうか。心地いい環境のもとで、人前で話すのが怖くなくなるように練習できるトーストマスターズ（http://www.toastmasters.org/）のような組織もある。会議で立ち上がって発言するとか、よく知っている少数の人々を相手にプレゼンテーションをするといった非常に小さなことから始めることもできる。話すのが苦痛でなくなってきたら、もっと度胸のいるイベントに進めばいい。

私たち人間は適応能力が非常に高いということを覚えておこう。十分したことには慣れていく。パラシュート部隊の人々でも、初めて飛行機から飛び降りる訓練をするときにはとても怖いものだが、何度もジャンプに成功するうちに、いずれ恐怖は消える。人前で話し続けていれば、時間とともに慣れて恐怖は消える。

講師はどうか

生であれ、録画であれ、講師を務めるのも自分の評価を築くためにはいい方法であり、少しお金にもなる。私は、オンライン講座の製作でかなりの成功をつかんだ。成功とは、単に入ってきたお金のことだけではなく、業界のエキスパートという評価も得られたという意味である。

以前は、講師の勤め先を手に入れたり、単発の講師の仕事を依頼してもらったりするのは難しかったが、今では誰でも何らかの形でオンライントレーニングを作ることができる。もちろん、伝統的な教室での授業形式の講師をすることもできるが、講師としてキャリアを積むことに重点を置いていないほとんどの開発者にとっては、オンラインビデオトレーニングの方がずっと単純でスケーラブルだ。

最初は、YouTubeなどの無料動画サイトでシェアできる単純なスクリーンキャストを作るところから始めるといいだろう。スクリーンキャストとは、何かを教えたり、人にやり方を説明したりしながら、そのときに使った画面を録画しただけのものである。自分のスクリーンキャストでほかの開発者に何かのコンセプトを明確に教えられるなら、その分野の知識が豊富なエキスパートとしての評価を簡単に築くことができる。そのような評価は、より良い会社への転職につながることがある。あなたのような専門能力を持つフリーランサーを探しているクライアントと巡り合える場合さえある。

最初は無料でトレーニング教材を公開しても（無料トレーニングは、自分の宣伝方法として非常に優れている）、そのうち自分が作るコンテンツに料金を設定したいと思うかもしれない。ビデオトレーニングコンテンツから料金を取る方法にはいくつかの選択肢がある。

まず最初の選択肢として、プルーラルサイトなどの開発者トレーニングを専門とする会社がある。私が作ったオンラインビデオトレーニングコンテンツの大半はプルーラルサイトのために作ったものだ。コンテンツの製作に料金を支払うとともに、ロイヤリティの支払いという形で利益もシェアしてくれる会社はほかにもある（出版社の多くは、ビデオコンテンツ部門も持っている）。これは本を書くのとよく似ている。

この種の会社のためにコンテンツを製作するときには、コンテンツの製作を委託され、販促活動や営業について心配する必要はない。あなたのコンテンツも、こういった会社がもともと抱えているオーディエンスに迎えられるのである。一般に、この種のサイトには、何らかのオーディションがあるので、採用してもらえる保証はないが、試してみて損はない。

このような会社を使わない方法を目指したいなら、自分でコンテンツを作ってそれを直接売るという方法もある。私は、「ソフトウェア開発者のセルフマーケティング」（https://simpleprogrammer.com/products/how-to-market-yourself/）を自分のサイトで直接販売しており、このアプローチでも成功している。この方法の難点は、販促活動やコンテンツの流通と代金の受納を全部自分で考えてしなければならないことだ。

オンラインの教育訓練サービス、ユーデミーは、両者の中間のオプションになっている。ユーデミーでは誰でもコンテンツを発表することができ、そのコンテンツはユーデミーのプラットフォームでホスティングされる。ただし、利益の多くをユーデミーに取られてしまう。また、販促活動や顧客の獲得は、基本的に自分でしなければならない。私の知り合いのソフトウェア開発者で、このプラットフォームで成功を収めている人も何人かいる。

やってみよう

- あなたの地域のユーザーグループを調べてリストを作ろう。また、あなたが講演できそうなコードキャンプのリストも作ろう。そして、あなたにとって話しやすいテーマを選んでこれらのイベントで講演したいと申し込んでみよう。
- ウェブで流通しているソフトウェア開発者用の無料、有料のトレーニング教材を見てみよう。メモを取りながら、成功している講師がしているのはどういうことなのかを研究しよう。
- スクリーンキャストという形式で短いトレーニング動画を作り、YouTube などのサイトで公開してみよう。
- 自分が話せるテーマのリストを作ろう。

第 26 章

本や記事の執筆

　著述で成功したければ、自分の読者と気持ちが通じなければならない。あなたがここを読んでいるときに、私がしていることがまさにそうだ（といいのだが）。つまり、あなたと気持ちを通じ合わせようとしているのである。この章はもっと違った形で始めてもよかったが、あなたに直接話しかけることを通じて、もっと強い気持ちのつながりを作りたかったので、こういう形を選んだのである。

　私の仕事が間違っていなければ、あなたは、今この文章を読みながら、私から一方的に言葉を投げつけられているのではなく、私と話をしているような気分になっているだろう。言葉は単なる情報ではなく、ほかの人に自分の声を伝える強力なキャンバスだ。同じ言葉でも、私があなたにしゃべっているときよりも、あなたが私の書いたものを読んでいるときの方がリアルに感じられることがある。著者は、言葉を通じて自分の声を運べる。そしてその声が面白ければ、読者の注意を引きつけられる。その過程で読者に何らかの価値を提供できれば、読者は著者に気持ちが通じ合うものを感じ、著者は読者を魅了することができる。

本や記事が重要だという理由

　「彼はこれこれのテーマについて本を書いたんだよ」という言葉を聞いたことがあるだろうか。こうした発言からわかるように、本には特別な重みがある。本を書いたというだけで、その人にはある程度の信用が与えられる。業界内で信用できる人と見られたいなら、本を書くべきだということには一理ある。同じことがソフトウェア開発雑誌に掲載される記事にも当てはまる。ほとんどの人々は、誰かが特定のテーマについて本を書いたり記事を発表したりすると、その人はその分野の専門家なのだろうと思う。セルフマーケティングを考えるなら、専門家と見られて損はない。

　しかし、大量の綴じられた紙の背中に名前が書かれていることによる影響力だけでなく、本は目的を持ち、焦点を絞り込んだ形であなたのメッセージを届ける乗り物になる。誰かが座って本を読み始めると、あなたは彼らの集中した注意を長時間に渡って浴び続ける。1冊の本を読むためには、10時間から15時間かかる。あなたのメッセージを聞くために、それだけの時間を費やしてくれるメディアをほかに探せと言われると、非常に苦しむことになるだろう。本なら、省略のない完全なメッセージを読者に届けることができるのだ。

雑誌記事は、読者に対してそこまで多くのメッセージを届けられるわけではないが、それでもあなたのメッセージを受け取るためにかなりの時間を費やしてもらえる（一般に、ブログポストと比べるとはるかに長い時間が使われる）。そして、流通範囲はかなり広い。

書籍、雑誌は利益にはならない

ソフトウェア開発者の多くは、本や雑誌の著者たちは執筆によって多額の収入を得ているに違いないと思い込んでいるが、それでは本を書く理由を間違えてしまう。本を書くのは収入のためなどではない。自分の評価を高めるためだ。

本から多額の収入が得られるのは非常にまれなことであり、著者が受け取るのは利益のごく一部だけだ。ほとんどの雑誌は、執筆、編集に非常に長い時間がかかる記事に対してごくわずかな原稿料しか支払わない。本や雑誌記事の執筆から直接財産を作ろうなどと思ってはならない。よほど幸運に恵まれて場外ホームランのようなベストセラーにならない限り、大した収入にはならない。

しかし、直接報酬が得られないからといって、出版が得にならないわけではない。すでに述べたように、本や雑誌記事の執筆による本当のメリットは、書いたものが広く流通することと、出版されたことにより信用が得られることだ。出版業界は、品質の門番のような役割を果たしている。その門番を突破して関所の向こう側まで行ければ、出版されたことによって間接的に与えられるあらゆる富のチャンスが転がっている。

出版物を持つ著者は、カンファレンスでの講演の招待を受けやすく、特定の分野における権威としての地位も確立しやすい。そうすれば、クライアントは増え、それまでよりもいい仕事が提示される。

皮肉にも、本書は改訂して第2版を作ろうとしているぐらい大成功を収め、期待していたよりもはるかに大きな収入になっている。さらに、自費出版した *The Complete Software Developer's Career Guide*（邦訳『CAREER SKILLS：ソフトウェア開発者の完全キャリアガイド』）は、毎月1万ドルの収入をもたらしてくれている。そういうわけで、この節で私が言ったことはおおむね正しいが、読者がたくさんいて、著書の正しい売り込み方がわかっていれば、本の執筆が大きな利益を生むことはある。これは、読者になってくれるフォロワーやファン層の構築のために投資すべき理由のひとつでもある。

出版されるということ

この本は、私にとって従来型のルートで出版された初めての本だということを認めなければならない。しかし、本、特に初めての本を出版してもらうのが容易でないことは、著書を持つほかの多くの人々からも聞いて知っている。まったく無名の著者を使うというリスクを取ろうとする出版社はそうたくさんあるものではない。そして、著者が本を完成させられないかもしれないという大きなリスクがある。実際、本を書くのは簡単な仕事ではない。

本を出版してもらうチャンスをつかむためには、市場があることがわかっていて、その分野の専門家として自分の知識を披露できるような明確なテーマを用意するのが一番だ。自分のブランドのためのニッチを作ってあれば、テーマを用意することはかなり有利になる。競争が激しくない小さな専門領域を切り出してくればいいのだ。テーマが狭く絞り込まれていればいるほど、その分野での専門的能力を証明しやすくなる。ただし、読者になりそうな人々も少なくなる。そのため、出版社にアピールするためには、両方のバランスが取れたところを見つける必要がある。

市場で地位を確立するまでは、汗をかくことも必要だ。まずブログを書き、小さな雑誌に記事を載せてもらうところから始めることをお勧めする。実績を積み、その専門領域でのあなたの評価が上がっていくと、より大きな出版社で仕事できるようになっていく。すでにかなりの読者層を持っている著者なら、その本を確実に買う客も引き連れて来ているはずなので、出版社はその人の本を出版したがるものだ。読者がたくさんいることを示せば、出版社にとってあなたは魅力的になる。

最後に、きちんと書かれた企画書（雑誌記事の場合は、記事の内容を簡潔にまとめたアブストラクト）が必要だ。その企画書は、本の目的、ターゲット層、本が成功すると考える理由、その本を書く最良の著者が自分だということを示す証拠などをはっきりと示していなければならない。そこでの説明がしっかりできていればいるほど、企画が受け入れられる可能性は高くなる。

作文が苦手だ

私だって苦手だが、この本を書いている。学生時代を通じて、私のもっとも苦手な教科は英語だった。数学、理科はもちろん、歴史でも上級クラスだったが、英語に関しては平均か平均を若干下回るぐらいの成績だった。今しているように、自分のキャリアの大きな部分を執筆に費やすようになるとは夢にも思わなかった。

何が起きたのだろうか。ともかく、私は毎日書くようになった。最初は主としてブログポストから始まった。当時のブログポストはひどいものだったが、今ではだいぶましになった。まだ決してヘミングウェイ級ではないが、書き言葉で自分の考えやアイデアを効果的に伝えられるようになった。少なくともほとんどの場合でそうだ。

何が言いたいかというと、作文が苦手でも気にするなということだ。今現在、うまいかどうかは大きな問題ではない。大切なのは、執筆を始め、コンスタントに書くことだ。時間とともにあなたのスキルは上がる。

自費出版

選択肢は従来型の出版だけではない。自費出版で成功を収めている著者がどんどん増えている。特に、すでに読者を持っている著者は、成功しやすい。私も最初の数冊は自費出版し、自力でまずまずの売上を得ることができた。私には大手出版社のようなリソースや流通網はないが、大手出版社のようなオーバーヘッドもない。私は、本から得られた利益をほぼすべて自分のものにすることができた。

自費出版は、完全に自分だけですることができ、簡単なので、最初の方法として優れている。出版社と契約関係に入る前に、本を書くために必要なものが自分にあるかを実際に知るという点でも役立つ。出版社の仕事には、果たさなければならない締め切りがあるのだ。

本の自費出版を支援するサービスはたくさんある。プログラマーの間で人気のあるサービスのひとつがLeanpubだ。このサービスは、Markdownというマークアップ言語を使ったテキストをきれいにレイアウトして本にして販売してくれるものである。料金は、本の売上全体のごく一部で済む。

Kindleダイレクトパブリッシングを使えば自らの本を簡単にAmazonで売れるようになる。また、複数のマーケットプレイスで本を流通させてくれるSmashwordsやBookbabyのようなサービスもある。これらのサービスは、本から電子ブック形式への変換も支援してくれる。

私の親友ふたりがどちらも自費出版をしており、自らの本の売上で毎年1万ドルから2万ドルの収入を得ている。これは、副収入としてはかなりいい額であると同時に、名前を売り出して信用を築く手段にもなる（ただし、これらの点では従来型の出版の方が、効果がある）。

やってみよう

- Amazonのソフトウェア開発関連書籍のベストセラーリストを見て、どのようなタイプの本がもっとも売れているかをチェックしよう。
- 長い本を書いてしまう前に、雑誌記事を書くなどの小さな仕事を手に入れるように努力してみよう。部数が少ないソフトウェア開発雑誌を探し、記事のアブストラクトを送ろう（こういう雑誌は本屋に行って雑誌の棚を見るか、オンラインでサーチすれば見つかる）。

第 3 部

学習

教育とは、学校で学んだことを忘れたあとで、
まだ残っているもののことである。

―アルバート・アインシュタイン

ソフトウェア開発の世界は常に変化している。毎日新しいテクノロジーが生まれ、昨日学んだことが今日はもう無意味になっているような感じだ。

このように激しく変化する世界では、学習能力がきわめて重要になる。現状維持を選び、スキルを習得しないソフトウェア開発者は、早晩置いていかれ、未来のチャンスをつかみ損ない、過去の陳腐化したシステムの仕事に追いやられる。そのような運命から逃れたいなら、学び方を学ぶ必要がある。

第 3 部の目的は、独学の方法を教えることだ。ここでは、新しいテクノロジーをスピーディに身に付けるために私が開発した 10 ステッププロセスを紹介する。これは、私が 1 年未満で 30 本を越える本格的なソフトウェア開発者トレーニングコースを作るために使ったプロセスだ。さらに、メンターの見つけ方、ほかの人に対するメンタリングの方法、情報をスポンジのように吸収する自分のなかのポテンシャルの引き出し方についてアドバイスする。

第27章

学び方を学ぶ

学校に行っていい教育を受けることは決して間違っていない。しかし、最終学歴の卒業とともに教育が終わってしまった人は、それからの人生ではっきりと不利な状況に追い込まれるだろう。実際、他人から教わるという方法に頼り切って、独学のスキルを身に付けていない人は、スキルと知識を伸ばすチャンスを大きく逃している。

ソフトウェア開発者が身に付けられるスキルのなかでもっとも重要なもののひとつは、独学のスキルだ。毎日のように新しいテクノロジーが登場し、初心者レベルのウェブ開発者の応募資格が少なくとも3つのプログラミング言語を知っていることだというような世界では、自学自習はぜひとも必要なスキルである。

自分の可能性を最大限に広げ、優秀なソフトウェア開発者になりたいなら、独学の方法を学ぶ必要がある。残念ながら、独学は学校で教えてくれるスキルではない。個人ではなく、グループを相手にするために設計された学校システムではまったく逆のことを教えられていると言ってもいいぐらいだ。学び方は、根本的に独学で習得しなければならないスキルなのである。

学習プロセスの解剖

今までに自分がどのように学習しているのか、また何かを学ぶとは正確なところどういうことなのかについて深く考えたことがあるだろうか。私たちは、興味を持ったものについては、ほとんど無意識のうちに学んでいる。誰かがとても面白い話をしてくれたときには、ノートを取ったり起きたことを正確に記憶しようと意識したりしないが、それでもほとんどの人は、ストーリーを聞くと、ほとんど苦労せずにそのストーリーを再現できる。

学習についても同じことが当てはまる。私があなたに何かのやり方を見せてもあなたは忘れてしまうかもしれないが、あなたが自分で実際にしたことならやり方を覚える可能性はずっと高くなる。そして、自分が学ぼうとしていることを他人に教えると、それを覚えるだけでなく、もっと深く理解するようになる。人にはそれぞれ異なる学習スタイルがあるという考え方は間違っているということが明らかになっている。私たちはみな、実際にやってみて、さらに他人に教えるとよく学べるように作られているのである。能動的な学習は、ほかのどの学習方法よりもはるかに効果的だ。

> 教育の大きな目的は、知識ではなく行動である。
>
> —ハーバート・スペンサー

これは次のように考えることができるだろう。その気になれば、あなたは自転車の正しい乗り方について書かれたあらゆる本を読めるし、人が自転車に乗っているところを写した動画さえ見られる。私が正しい自転車乗りのメカニズムを講義してもいい。しかし、自転車に乗ったことがない人が初めて自転車に乗ったときには、すぐに転ぶだろう。自転車について多くのことを知っているかもしれないし、自転車乗りはどのようなメカニズムなのか、どのようなタイプの自転車がもっともいいかも知っているかもしれないが、学んだことを実践に移せるようになるまでは、本当の意味で自転車の乗り方を学んだとは言えない。

それなのに、プログラミング言語やフレームワークについて書かれた技術書を引っぱり出して最初から最後まできれいに読めば、書かれているすべての情報を吸収できると思うソフトウェア開発者が多すぎる。こんなやり方では、テーマについてのあらゆる情報を蓄積したとしても、実際にそのテーマを学んだとは言えない状態に留まるだろう。

独学の方法

何かを学びたいならどうすればいいのだろうか。結論を言えば、自分の手を動かしたときにもっともよく学べる。そして、学んだことを誰かほかの人に教えると、知識が補強され、理解が深まる。独学するときに重点を置くべきことは、できる限り早く実際に試せるポイントに到達して、手を動かすことだ。

私は、自分が何をしているのかさえわからないうちに手を動かすことが、何かを学ぶための方法としてはもっともいいのではないかと感じている。あるテーマについて遊べるぐらいの知識が身に付いたら、あなたの頭のなかの創造的で好奇心旺盛な強い部分を活用できる。私たちは、実際に能動的に遊んでいるときこそ、そうでないときよりも多くの知識を吸収し、意味のある疑問が湧いてくるものだ。

少し奇妙に感じられるかもしれないが、遊ぶことが学習のための強力なメカニズムだということは決して意外ではないはずだ。動物の王国でもこのメカニズムを観察できる。動物の赤ん坊は非常によく遊ぶ。そして、その遊びを通じて、生き残りに必要とされるとても大切なスキルを身に付けていく。赤ん坊の猫がネズミ狩りを学ぶところを見たことがあるだろうか。私たち人間も、遊ぶことによって、自分が何をしているのかよくわからない状態で積極的に動くことによって学ぶのである。

もうひとつ、例を挙げよう。若い頃、私はマジック・ザ・ギャザリングというトレーディングカードに夢中になった。とにかく面白かったので、何時間もゲームをしていた。自分の機転、運、創造性を組み合わせて、敵を倒すために必要な戦略を練ることに魅了されたのである。

一時は、ゲームのなかの数千種ものカードのほぼすべてを記憶していた。カードの名前を言われれば、そのカードが何をするもので、どのようなスタッツかということを正確に返答できた（おそらく、今でもほとんどのカードについてはその情報を言えると思う）。私が座って数千ものカードを記憶しようとしたと思うだろうか。そんな必要はなかった。私はゲームをプレーして楽しんでいた。自然な探究心と好奇心のおかげで、ほとんど何の労力もかけずにこれだけの情報を身に付けられたのだ。

このように遊ぶ能力を引き出せる力は非常に強力なツールであり、モチベーションが上がるだけではなく、学習ペースが非常に加速される。あるテーマについて、本をじっくり読む前に、ざっと流し読みしてその世界に飛び込み、すぐに遊んでみよう。何をしているのかわからなくても気にしなくていい。ただ楽しもう。そして、実験し、探りを入れているうちにどのような疑問が頭に浮かんでくるかを観察するのだ。

さんざん遊んでありとあらゆる疑問が浮かんだら、初めて本に戻って文章を読む。こうすると、本の内容をむさぼり読んで吸収したいという強い気持ちで本に向かうことになる。答えを知りたい疑問がたくさんあるのだ。何が重要なのかが見えてくるだろう。

本を読んで学んだら、その成果を遊びに活かそう。学んだ新しい道具が遊びにどのようにフィットし、問題解決に役立ったかを観察するのである。また、新しい領域を掘り下げ、解決すべき新しい疑問を生み出そう。このサイクルを繰り返し、プレーしながら見つけた問題を解決するという目的のために知識を少しずつ蓄えていこう。こうすれば、獲得した情報は、単なるページ上の言葉の連続ではなく、自分にとって意味のあるものになる。

最後に、自分が学んだことを誰かほかの人に教えて知識をセメントで固めておこう。その頃には、自分が発見したことに興奮し、知識ははち切れんばかりになっており、新しく見つけた知識を聞いてくれる人に教えたくてうずうずしているはずだ。これが遊びのパワーだ。教えるというのは、わかったことを夫や妻に話したり、ブログポストを書いたりといった簡単なことでいい。大切なのは、その情報を自分の言葉で言い直し、自分の頭の外のどこかに思考を組み立てることである。

これは、私が開発した10ステッププロセスを支えるコンセプトであり、これからの数章では、この10ステッププロセスを説明していきたい。10ステッププロセスにまとめるにあたり、少し形を整え、準備ステップを追加して、実際に始める前に学習プロセスを組み立てやすくしている。しかし、根本的な指導原理は、遊び、実験し、学んだことを他人に教えることによって学習するという考え方である。この単純なプロセスは私たち全員にとって自然なものだが、外から「教えられる」プロセスでもある。いずれにしても、これこそもっとも単純でもっとも純粋な学習方法だ。

やってみよう

- 最後に独学で覚えたのは何のやり方か。それを学ぶときにどのような方法を使ったか。
- 趣味その他の関心事について本当に楽しくてしょうがないと最後に思ったのはいつか。その趣味や関心事についてあなたはどれだけ深く知っているか。それについて学ぶためにグループ学習をしたか。それとも、遊びから自然に知識が入ってきたか。

第 28 章

私の 10 ステッププロセス

私は長年に渡ってずっと新しいテクノロジーやプログラミング言語、フレームワークなどをごく短期間で学ばなければならないというとてつもなく大きなプレッシャーのなかにいる。このプレッシャーは、難しすぎて歯が立たないものに飛び込んでしまうのが原因であり、私自身が悪いのだが、もとの原因が何であれ、私はこのプレッシャーのおかげで独学のための反復可能なシステムを開発せざるを得なくなった。

これからの数章では、あらゆるものをすばやく学習するために私が開発した「10 ステップシステム」を紹介したい。まずは、このシステムの概要と仕組みから説明していこう。

システムの背景となるアイデア

キャリアの初期の頃の私は、学びたいテーマについての本を探し、その本を最初から最後まで全部読んでから、実際に学んだことを試すという方法で学習していた。この方法を使っていると、確かに学習はできているものの、非常にペースが遅く、そのテーマに関する私の知識のなかに必ずある隙間を埋めるために、本を読み直さなければならなくなることが多かった。

私に時間がたっぷりあり、頭のなかで具体的な目標を定めずに学んでいたときには、これでよかった。最終的に学ぼうとしていたものを消化できていたし、本を最初から最後まで読むのは大変なことではなかった。ただ時間がかかっただけである。しかし、学習により切実な理由が生まれ、学習速度も上げなければならなくなると、この方法ではうまく機能しなくなることがわかった。本を全部読む時間がないことがたびたびあったのだ。しかも、本に書かれていることの多くは、実際の学習よりもリファレンスとして使うために向いていることがわかってきた。

必要に迫られて、私は短期間で必要なことを独学するためのもっといい方法を探さなければならなくなった。場合によっては、あるテーマについて、他人に教えられるぐらいの十分な情報を吸収するために、1週間以下の時間しかないことがあった。このような状況のもとで自然にやれることは、私が学ばなければならないことを明確に定義し、できる限り適切な参考資料を探して必要な情報だけをきっちりと手に入れ、目標達成には不要な情報を無視することだった。

そして、私は、テクノロジーを身に付けるために、知らなければならないことが3つあることに気づいた。

- スタートの切り方——学ぼうとしているものをある程度使えるようにするために最低限知らなければならない基礎知識は何か。
- テーマの大きさ—学ぼうとしている対象の大きさはどれぐらいで、それを使うと何ができるのか。最初から細部を子細に知っている必要はないが、自分に何ができ、この技術で何が可能かの概要がわかれば、細部はあとから知ることができる。
- 基本——ただ使えるだけの状態を卒業したあとの基本的なユースケースは何か、その技術を使うために知っていなければならないもっとも基本的なことは何か。私が学べるのは20%だが、その20%で日常の用途の80%をカバーするためには、どの20%を学べばいいのか。

この3つだけがわかっていれば、あらかじめすべてのことを知らなくてもテクノロジーを効果的に利用できる。スタートの切り方、何ができるか、基本は何かがわかっていれば、私が知らなければならないほかのことは、進みながら学べることがわかった。最初にすべてを学ぼうとしていたときには、本当に重要な部分とそうでない細かい部分が混在してしまい、時間を無駄にしていたのだ。この新しいアプローチによって、私は重要な部分だけに力を注げるようになった。あとで実際に細部の知識が必要になったときにギャップを埋めるためには、リファレンスを使えばいい。技術書を最初から最後まで読んだのに、実際に使ったのは、その本で取り上げられていたテクノロジーのごく一部だったということが、誰にでもたびたびあるはずだ。

私はこのテクニックを使ってプログラミング言語Goを非常に短期間で身に付けた。ほんの数週間である。私は、できる限り早くGoによるコードの書き方を身に付けることに力を注いだ。そして、このプログラミング言語の規模と、どのようなライブラリが使えるのかについての全体的なイメージをつかんだ。言語ができることについての全体感を知りたかったのである。最後に、私は学習を始め、基礎を身に付けた。そして、もっと深いことを知る必要ができたときに限り、基礎知識を広げた。

10 ステップシステム

実際にやってみると、先ほど挙げた3つの知識を得るのは、見かけほど簡単ではないことがわかった。テクノロジーをある程度使えるようにする方法を学ぶのは大きな挑戦であり、その80%の効果を引き出す20%の部分を見つけ出すのは難しい。しかも、テクノロジーの大きさについてのコンパクトな説明を見つけるのも大変なことが多かった。この情報は本全体にばらまかれていたり、数冊の別の本にばらまかれていたりすることがよくあるのだ。

これらの問題を解決するために、あらかじめちょっとした調査をしなければならなかった。調査によって、必要な情報を確実に見つけて、もっとも効果的に上達できるようにその情報を組織するのである。

10ステッププロセスの基本的な考え方はこうだ。まず、何を知らないかがわかる程度まで、学ぼうとしているものについての基本的な理解を得るところからスタートする。次に、理解したことに基づいて学習範囲を絞り込み、学習成功のイメージを描く。この知識をもとに、参考資料を見つけてくる。これは知りたいことを学ぶために役立つもので、本に限らない。最後に、学習対象を身に付けるまでの道筋を描いた学習プランを作り、目標達成のためにもっとも役立つものだけに教材を絞り込む。

この下準備が終わり、何を学ぼうとしているのか、どのようにして学ぶのかがわかったら、学習プランのなかのウェイポイント（進度確認のための場所）を取り出し、それに「学習 - 実践 - 学習 - 教え」（LDLT、learn-do-learn-teach）のプロセスを適用し、学習対象についての理解を深め、目標に向かって前進していく。

10ステッププロセスのうち、最初の部分は調査のためのステップで、1度だけ行えばいい。しかし、ステップ7からステップ10までは、学習プラン内に作った個々の小課題ごとに繰り返す。このテクニックが効果的になるのは、あらかじめ何のために学習するのかという目標を明確に定義しなければならないからであり、ただ読んだり講義を聞いたりするのではなく、実際にやってみて目標に向かって前進し続けるからである。

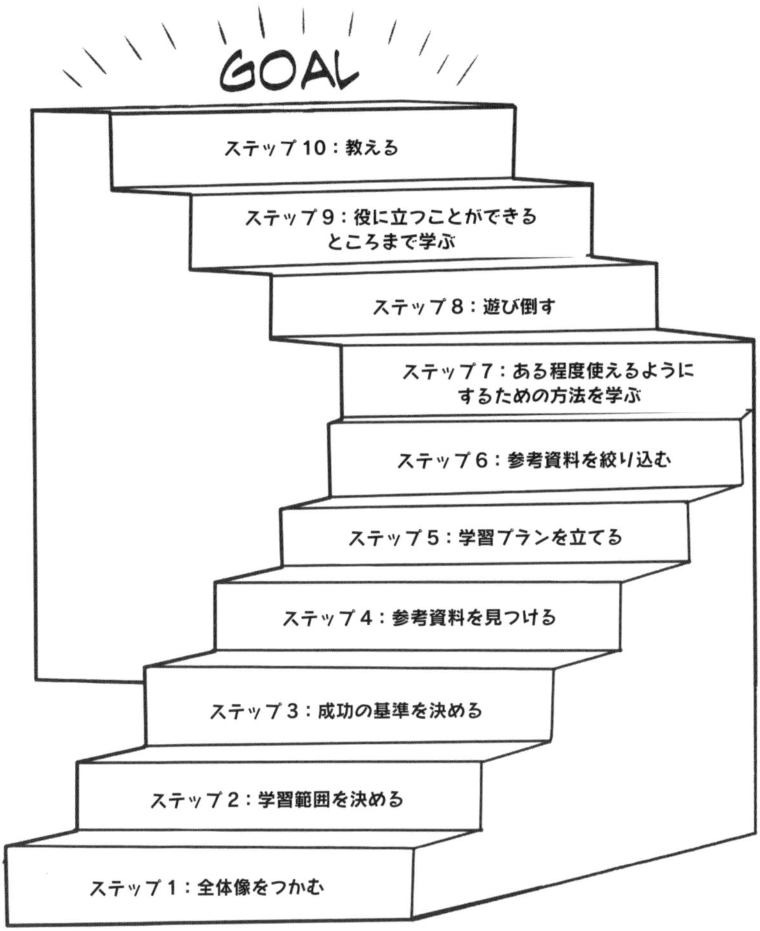

10ステップシステム

これは早く学ぶための唯一の方法なのだろうか。これは魔法のシステムなのだろうか。そんなことはない。学習内容を重要な部分だけに削減し、遊びを通じた自然な発見による確実な学習と、教えることの学習増強効果を利用して、その内容を頭にしっかりと定着させて速習するという実践的な方法である。

次のふたつの章で実際のステップを説明していくが、その中身はあなたがいいと思うように自由に変更していけばいいし、嫌いなところや効果的ではないと思うところは省略していい。あなたにとって効果的な部分だけを残そう。あなたのために機能する独学の方法は、最終的にあなた自身が見つけださなければならない。あなたの未来は、自分自身にかかっている。

やってみよう

あなたがよく知っているテクノロジーを選び、以下を定義できるかどうか試してみよう。

- どうすればある程度使えるようになるか。
- テクノロジーの規模。
- テクノロジーを使ってできることの 80% をカバーできる 20% の知識。

第29章

ステップ1～6：1度限りのステップ

10ステッププロセスの最初の6ステップでは、何を学ぼうとしているのかとどのようにして学習終了を判断するかをはっきりさせるために、予備的な調査を行う。また、目標達成のためにもっとも役立つ参考資料を選び、目標に到達するまでのプランを書き出す。

これら最初の6ステップは、学習したいテーマごとに1度しか行わない。ステップ7からステップ10までは、ステップ5で作る学習プラン内の小課題ごとに繰り返される。ステップ1からステップ6までは1度限りだといっても、学習の成否がかかっているので重要である。これら6ステップを行う間に、実際にテーマについて学習するために必要な準備作業をすべてこなす。基礎がしっかりできていればいるほど、目標達成のは簡単になる。

ステップ1：全体像をつかむ

学ぶのはいつも難しい。何かについて学び始めた最初のときには、何を学ばなければならないかを本当に理解するために必要なことすら知らないからだ。ラムズフェルド元国防長官が言った「未知の未知」、つまり何がわからないのかわからないのである。

ほとんどの開発者は、本をパカッと開いて、何がわからないのかもわからないまま、その本を読み通そうとする。彼らは、「未知の未知」を後回しにして残す。このアプローチの問題は、間違ったことを学ぶか、難しすぎて手に負えなくなってしまうことだ。学習に取り掛かる前に、学習対象について少なくともほんのわずかでも理解していることが重要である。そうすれば、何を学ぶ必要があるのかがわかり、そのための最良の方法を判断できるようになる。

このステップですべきことは、学習テーマの全体像をつかむことだ。このテーマを上空15kmから見たらどのような感じなのかを調べよう。何がわかっていないのか、このテーマの大きさはどの程度なのかを理解するために必要なことだけがわかればよい。

デジタル写真撮影を学びたいものとしよう。まず、インターネットでこのテーマについて書かれたものをすべて探し、デジタル写真撮影についてのブログポストや記事を流し読みするだろう。調査に数時間もかければ、おそらくこのテーマがどれぐらいの大きさなのか、どのようなサブテーマがあるのかがわかってくるだろう。

このステップでは、学びたいテーマについての基本的な調査を行う。おそらく、インターネット検索を使えばこの調査の大半は終わる。たまたまこのテーマについての本を持っている場合は、イントロダクションの章を読めば、全体の様子がわかる。しかし、このステップにあまり時間をかけすぎてはならない。ここでの目標は、テーマについて実際に学ぶことではなく、このテーマはどのようなものなのか、どれぐらいの大きさなのかを知ることだ。

ステップ2：学習範囲を決める

このステップに入るときには、学ぼうとしているテーマがどんなもので、どれぐらいの大きさなのかについて、少なくともある程度はわかっている。ここでは、実際に学びたいことをはっきりさせるために、対象を絞り込んでいく。どのプロジェクトでも、プロジェクトの範囲をはっきりさせることは大切だ。そうすれば、プロジェクトの規模がどれぐらいのものかがわかり、準備に取り掛かれる。学習でもこのステップに変わりはない。

デジタル写真撮影の例を引き続き使おう。このステップ2では、学習範囲の正確な大きさはどれだけか、どのようにしてこの大きなテーマを小さい学習範囲に絞り込むかをはっきりさせる。常識的な時間内でデジタル写真撮影のすべてを学習することは不可能なので、どの部分に重点を置くか、学習範囲はどれだけかを明確にしよう。たとえば、ポートレート写真の撮り方を知りたいなら、それがあなたの学習範囲になる。

大きすぎる対象にぶつかっていこうとして圧倒されてしまうのは、学習がうまくいかなくなる大きな理由のひとつだ。たとえば、「物理学」を学ぼうとするのは現実的ではない。このテーマは大きすぎて、焦点がぼけてしまう。常識的な時間内で物理学について知るべきことをすべて学ぶことはとてもできないだろう。おそらく、人生を全部かけても無理だ。だからこそ、学びたいことの範囲を決める必要がある。前のステップで得た知識を使って、小さい分野、つまり相手にしやすい範囲に焦点を絞り込もう。

大きなテーマをずっと狭い範囲に絞り込む例を見てみよう。

元のテーマと適切に絞り込んだ学習範囲

- C# の学習—単純なコンソールアプリケーションを作るために必要な C# 言語の基礎を学ぶ
- 写真撮影術の学習—デジタルカメラによるポートレート写真の撮影方法を学ぶ
- Linux の学習—Ubuntu ディストリビューションの Linux のセットアップ、インストールの方法とその基本機能の使い方を学ぶ

どの例も、C# のような大きなテーマを具体的な目標に絞り込んでいることに注意しよう。限定されていないテーマから焦点が絞れた明確な学習範囲を定義している。また、このステップでは、学習の理由を反映した形で学習範囲を絞り込んでいることにも注意しよう。たとえば、写真、それもデジタル写真の撮影を学びたいが、それはポートレート写真を撮るためだ。人は何か特定の理由のために何かを学ぼうとするものなので、その理由を示すと学習範囲を定義しやすくなる。

このステップでは、第1のステップで集めた情報に基づき、適切な学習範囲を決める。決めるに当たっては、このテーマを学びたい理由を活用するとよいということだ。

テーマのなかの別のサブテーマも学びたいので、焦点をあまり絞り込まずに、学習範囲を少し大きくしたいと思う場合もあるかもしれない。その誘惑はきっぱりと断ち切って、学習範囲はできる限り絞り込もう。1度に学べることはひとつだけだ。もとのテーマに含まれるほかのサブテーマを学びたいときには、いつでも戻ってきて学べばいい。しかし、今の段階では、ひとつの狭く絞り込んだサブテーマを選び、それだけを学ぼう。

このステップについて最後にもう一言付け加えておこう。学習範囲の決定では、使える時間を考慮すべきだ。ちょうど一週間使えるなら、その期間内で学べることを現実的に考えよう。2か月あれば、もっと大きなテーマに取り組むこともできるだろう。学びたい本当の理由に合い、使える時間に合うように、学習範囲をを適切なサイズに狭めるのである。

ステップ３：成功の基準を決める

大きな取り組みに取り掛かるときには、先に成功の基準を定義しておくことがとても大切だ。どうなれば成功なのかがわからなければ、成功を目指すのも、成功したかどうかを判断するのも難しくなってしまう。何かを学ぼうとするときには、学習に取り掛かる前に、成功すればどうなるかのイメージをはっきりと頭のなかに描いておこう。目標がはっきりわかっていれば、そこに到達するために踏まなければならないステップをはっきりさせるのも楽になる。

もう１度デジタル写真撮影の学習の例に戻ろう。デジタルカメラのすべての機能の使い方を身に付け、それがどういうものか説明できるようになり、いつどのような理由でそれぞれの機能を使うべきかが理解できるようにするというのは、いい成功の基準になる。

このステップでは、学習活動の成功を定義する明確かつ簡潔な文章表現を作ることが目標になる。何を学ぼうとしているかによって、文章の内容は大きく変わるだろう。しかし、学習目標を達成したかどうかを十分に評価するために使える具体的な成功基準はしっかりと持っておきたい。

いい成功基準は具体的で曖昧さがない。達成したいことを曖昧な形で表現せず、目標に達したらできるようになっているはずのことや具体的な成果をリストにまとめよう。

成功基準としていいものと悪いものの例を挙げておく。

悪い成功基準

- 自分のデジタルカメラでよい写真を撮れるようになっている。
- C# の基礎が身に付いている。
- HTML を使ってウェブページを組み立てる方法を知っている。

いい成功基準

- 自分のデジタルカメラのすべての機能を使うことができ、それがどういうものかを説明でき、いつ、どのような理由でそれぞれの機能を使うべきかも言えるようになる。
- C# で主要な言語機能をすべて利用している小さなアプリケーションを書けるようになる。

- HTML5を使って、インターネット上に自分の履歴書と仕事の例を表示するホームページを作れるようになる。

あなた自身の成功基準は、主として学習したことから何を手に入れたいかによって決まるだろう。どのようなものであれ、学習終了時に目標を達成できたかどうかを評価できるようなものにすることが大切だ。いい成功基準は、あなたが目指すべき目標を示して、あなたが脱線するのを防ぐ役割も果たす。

ステップ4：参考資料を見つける

学生時代、何らかのテーマについてレポートを書かなければならなかったときのことを思い出そう。1冊の参考文献だけでそこからすべての情報を引き出してレポートを書き上げたらどうなっただろうか。レポートを返されるとき、「不可」の文字が付けられていただろう。だとすれば、今何かを学ぼうとしているときに、私たちの多くがまったく同じことをしているのはどうしてだろうか。テーマについての本を1冊しか読まない、研究全体のためにひとつの参考資料しか用意しないのだ。

デジタル写真撮影というテーマなら、カメラのマニュアルからスタートするのだろうが、そこで止まるのは避けたい。おそらく、デジタル写真専門の様々なウェブサイトが見つかるだろうし、あなたが持っているブランドのカメラの専門サイトさえあるだろう。また、Amazonでデジタル写真撮影の本をサーチしたり、アドバイスを求められるエキスパートを見つけたりするのもよい。

あるテーマについての1冊の本を読むのではなく、多くの異なる参考資料を集めて学習に役立てよう。参考資料は、本だけでなく様々な形を取り得る。実際、今日では、インターネットが普及し、そこには多彩なコンテンツがあるので、学びたいと思うほぼあらゆるテーマについて多数の参考資料が見つかるだろう。

このステップ4では、選択したテーマについて学べる参考資料をできる限りたくさん見つけておきたい。この時点では、クオリティは考えなくていい。これはブレインストーミングのステップとよく似ている。あとのステップで参考資料をフィルターにかけ、最良のものを選ぶが、今はできる限り多くの参考資料を集めよう。

そのための方法として、パソコンで自分のテーマに関連したサーチをかけていくのは非常にいい。私の場合、まずAmazonでサーチして関連書籍がどれぐらいあるかを調べ、次にGoogleでサーチして、動画、ブログ記事、ポストキャストなどで役に立ちそうなコンテンツが見つかるかどうかをチェックする。古い方法に戻って図書館を調べるのもいい。大切なのは、異なる情報源をたくさん見つけることだ。ひとつだけの情報源の視点によってバイアスがかかるのは避けたい。できる限り多くの情報にアクセスできるようにしておこう。

情報源のアイデア

- 本
- ブログポスト
- オンライン動画
- 学ぼうとしているテーマについての知識をすでに持っている専門家など
- ポッドキャスト
- ソースコード
- サンプルプロジェクト
- オンラインドキュメント

ステップ5: 学習プランを立てる

ほとんどの本は章に分割され、それらの章はコンテンツを少しずつ発展させていくように並べられている。優れた技術書は、しっかりとした基礎を作ってから、その上に各章を構築していく。

あなたは参考資料をいくつか揃えたので、それらを使えば、何をどのような順序で学んでいくべきかについてのアイデアが浮かんでくるはずだ。

ここまでの間に、デジタル写真撮影で学びたいサブテーマは何かはだいたいわかっているだろう。デジタル写真についての参考資料を流し読みして、テーマを小さなサブテーマに分割する方法を見つけなければならない。

ほとんどのテーマには、自然に学習を前進させる方法がある。Aからスタートし、学んでいくうちにBに到達し、最終的にZに到達するという形である。ランダムな情報の断片を学んでも効果はほとんどない。A地点から途中の主要ポイントをすべて回ってZ地点まで最短時間で到達できる正しい道筋を見つける必要がある。

このステップでは、独自の学習経路を作る必要がある。それは、そのテーマについてあなたが書く本の粗筋だと考えればいい。実際、あなたの学習経路は、完成したときには本の目次と非常によく似たものになるはずだ。基本的に、そのときどきに学習する小課題を並べていって最終目的地に達するという道筋を作るのである。

自分の学習プランを立てるときには、あなたが学ぼうとしているテーマを他人がどのように教えているかを参考にするといい。私は、このステップでは、ステップ4で参考資料候補として選んだ複数の本の目次を見るようにしている。5人の異なる著者がそれぞれのコンテンツを同じ内容の小課題に分割して同じ順序で並べているなら、私も同じようなアプローチに従って学習プランを立てるべきだろう。

だからといって、どこかの本の目次をコピーしてそれを学習プランと呼べと言っているわけではない。多くの本は、あなたの目標達成のためにあなたが覚えなければならないことよりも多くのことを扱っている。そして、構成もよくない。集めた参考資料をすべて見ると、どのような内容を取り上げる必要があるか、それらをどのような順序で学んでいくべきかについてのより

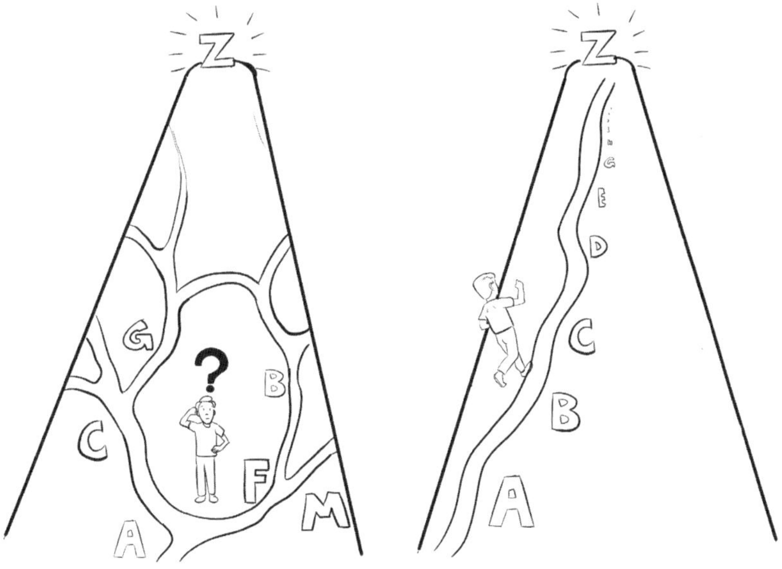

学習の正しい経路を見つける

良い全体像がつかめるはずだ。

ステップ6：参考資料を絞り込む

何を学ぼうとしているのかがわかり、それをどのような順序で学ぶべきかがわかったら、次は課題を達成するためにどの参考資料を実際に使うかを決める。ステップ4では、学ぼうとしているテーマについて見つけられるあらゆる参考資料を集めた。それらの参考資料は、ステップ5であなた専用の個人的な学習プランを考えるときに利用した。しかし、今はそれら多数の参考資料を絞り込んで、目標達成に役立つ少数のもっとも優れたものだけを残さなければならない。

この時点では、デジタル写真撮影について学べる多数の本、ブログポスト、その他の参考資料がたくさんわかっているだろう。しかし、問題はそれらすべてを使うことはできないだろうということだ。多くのデータは重複しており、すべての参考資料があなたの学習プランにフィットするわけではない。

ひとつのテーマについて10冊の本と50個のブログポストを読もうとするのは現実的ではない。仮にそうしたとしても、情報の大部分は重複している。参考資料の山を絞り込んで目標達成にもっとも役立つものだけを集めた小さなリストにすることが大切だ。

これは次のように考えることができるだろう。ステップ6は、バスケットボールチームの監督になって代表チームに入る選手を選抜するようなものだ。確かに、全員にプレーさせてあげたいところだが、単純にそれは不可能だ。そこで、手に負える範囲まで参考資料をスリム化しなければならない。

このステップでは、ステップ4で集めたすべての参考資料を対象として、あなたの学習プランの内容をもっともカバーできている内容を持つものを拾い出す。また、レビューを参考にして、どの参考資料がもっともクオリティが高いかを見極める。私の場合は、購入を検討している本のAmazonレビューを見て、もっともお買い得だと思う1、2冊を選び出している。

このステップが終わったら、学習プランの最初のモジュールに移ることができる。あとは、目標に達するまで、学習プランの個々のモジュールについてステップ7〜10を繰り返していくことになる。

やってみよう

- 自分が勉強してみたいと思うテーマを選び、ここで説明した最初の6ステップを実際にしてみよう。最初は、このプロセスに慣れるために、小さな対象から始めるといい。いずれにしても何かテーマを選ぼう。ステップの説明を読んだだけでは大した意味はない。

第30章

ステップ7〜10：繰り返すステップ

さあ、面白い部分にやってきた。これからの4ステップは、学習プランに含まれている小課題ごとに繰り返す。ステップ7〜10の目標は、「学習‐実践‐学習‐教え」（LDLT）方式を使って学習内容を身に付けていくことだ。まず、学ぶ対象をある程度使えるようにする方法を学ぶ。次に、その対象で遊んでみて、自然な発見から学習するとともに、得られた疑問を集める。そして、役に立つことができるところまで対象について学ぶ。最後に、学んできたことを人に教えて理解を深めることを通じて、学んだことのなかに含まれる隙間を埋め、学習内容を頭のなかに定着させる。

ステップ7：ある程度使えるようにするための方法を学ぶ

学習方法には、私自身を含め、ほとんどの人が犯す過ちがふたつある。行動に移すのが早すぎて、何も知らずに対象のなかに飛び込んでしまうというものと、対象のなかに飛び込む前に準備しすぎてしまうというもの（これでは行動に移るのが遅すぎる）だ。ふたつの間でうまくバランスを取り、学習対象をある程度使えるようにするために必要なだけ学び、自分で探る余地がなくなるほど学びすぎないようにしたい。もっとも効果的に学べるのは、バランスがうまく取れたときだ。

このステップの目標は、学ぼうとしているものをある程度使えるようにするために必要なだけの情報を仕入れて、次のステップで遊べるようにすることだ。プログラミング言語やフレームワークなどの場合、このステップでは基本的な「Hello, world!」プログラムの作り方、開発環境のセットアップのしかたなどを学ぶことになる。写真のようなものの場合、たとえば光源の小課題なら、様々な光源とその効果を自分で試せるところまで学ぶことになるだろう。

このステップのポイントは、あまり遠くに行きすぎないことだ。とかく、小課題のために用意したすべての参考資料を夢中になって読んだり見たりしてしまいがちだが、もっとも大きな成功が得られるのは、その誘惑を断ち切れたときである。とにかくスタートを切るために、次のステップで自ら実験するために必要な最小限のことを学ぶことに集中しよう。自分がしているのは何かがおおよそわかる程度の情報を集めるために、教材を流し読みしたり、章のまとめやイントロダクションを読んだりするのである。

新しいビデオゲームを買ってきたとき、ゲーム機にカートリッジを差し込んで遊び始める前に、マニュアルを急いで読んだことはあるだろうか。ここでやりたいのはまさにそれだ。少し遊んだあとで、次のステップではマニュアルに戻ってきてしっかり読む。しかし、差し当たりは基礎を学んですぐにゲームのプレーを始めよう。

ステップ８：遊び倒す

このステップは、面白いと同時に恐いところでもある。面白いというのは、ステップ名の通り遊び倒すからだ。しかし、このステップは終わりがないところが恐い。このステップにルールはない。してみたいことなら何でもできる。このステップをもっとも効果的に進める方法は自分で判断しなければならない。

最初は、このステップがそれほど重要だとは思えないかもしれない。では、これとは違う学び方、つまりほとんどの人たちの学び方について考えてみよう。彼らは、テーマについての本を読んだり動画を見たりする。最初にできる限り多くの情報を仕入れて、あとで行動を起こそうとするのである。

この方法の問題点は、本を読んでいるときに何が重要なのかがわかっていないことだ。誰かが読者のために引いた道をただたどっていくだけになっている。たとえばデジタル写真撮影を学んでいる場合、彼らは光源がデジタル写真撮影に与える影響を学んでいるという前提のもとで、カメラの光源レベルを操作することになる。

そうではなく、ここで私が提案しているように、すべてを読んでしまう前に、自分で遊んで実験してみたらどうだろう。実践し、探りながら学んでいく方法だ。自分が何をしているのかわからないまま、カメラの光源レベルを調節するなど、条件を変えて撮影してみるのである。

このように遊んでいると、脳は自然に疑問を生み出していく。これはどういう仕組みで動いているのだろうか。こうするとどうなるのだろうか。この問題はどうすれば解決できるのだろうか。これらの疑問によってあなたは本当に重要なことの方に導かれる。あとで参考資料に戻り、自分の疑問に対する答えを見つけたときには、そうでないときよりも達成感があるだけではなく、学んだことを忘れなくなる。というのも、あなたが学んだことはあなたにとって重要なことだからだ。

このステップでは、ステップ7で学んだことをもとに実際に始めることが大切だ。結果を気にする必要はない。単純に探っていけばいいのだ。新しいテクノロジーやプログラミング言語を学ぶ場合、このステップでは小さなプロジェクトを作ってそれを試していくことになるかもしれない。疑問に思ったけれども答えがわからないことを書き出していこう。すると、次のステップで、それらの疑問に対する答えを探す機会を作れる。

ステップ9：役に立つことができるところまで学ぶ

好奇心は、学習の不可欠な要素である。自学自習の場合はなおさらそうだ。子どもの頃には、主として好奇心に引っ張られてスピーディに様々なものを学んでいた時期がある。世界がどのような仕組みになっているのかが知りたいので、様々な疑問を尋ね、答えを探し求めて、自分たちが住んでいる世界を理解しようとした。残念ながら、大人になるうちに、世界は当たり前のものになり、そのような好奇心の大半は消え失せてしまう。その結果、私たちの学習のペースはスローダウンし、教育を魅力的なものではなく退屈なものと考えるようになる。

このステップの目標は、子どもの頃のような好奇心に引っ張られる学習を取り戻すことだ。ステップ8では、十分に遊んで、おそらく自力では答えが見つからない疑問が生まれてきただろう。今こそそのような疑問に答えるときだ。このステップでは、集めてきたすべての参考資料を動員して小課題のことを深く学ぶ。

デジタル写真撮影の例に戻ると、カメラの光源レベルについてあれこれ操作したら、このステップでは、そのときに感じたすべての疑問について、このテーマについて書かれたものを読んで答えを探す。参考資料を引っ張り出して光に関することやその他遊んでいるときに感じた疑問に関係のある個所を調べる。

文章を読み、動画を見て、対話を交わし、その他の参考資料も見聞きしながら、前のステップで浮かんだ疑問に対する答えを探そう。ここは問題を掘り下げ、できる限り多くのことを学ぶチャンスだ。

疑問に対する答えが見つかったりテーマについて新しいことを学んだときには、躊躇せずに後ろに戻ってさらに少し遊んでみよう。読んで実験、見て実践を通じてテーマの理解を完全なものにするために必要なだけ時間を使おう。

しかし、集めた参考資料を完全に読んだり見たりする必要はない。今すぐ学びたいことに関連する部分だけを読み、見ればいい。本を最初から最後まできれいに読んでも何も出ない。参考資料は自学自習の役に立つ限りで使おう。主として遊んだ結果生まれた疑問を解くことに使えばいい。

最後に、ステップ3で決めた成功基準のことを忘れてはならない。今学んでいることと最終的な目標とを結び付ける努力をしよう。マスターした個々の小課題は、何らかの形で最終的な目標に向かって前進するために役立っていなければならない。

ステップ10：教える

> 口で言われても忘れる。教えてもらえば覚える。巻き込まれれば身に付く。
>
> —ベンジャミン・フランクリン

ほとんどの人は教えることを怖がる。私もそうだった。自分が知っていること、あるいは知っていると思い込んでいることを他人に教えるのにふさわしい人間かどうかを考えると、自分に対する疑いで頭がいっぱいになってしまう。しかし、あるテーマを深く学び、本物の理解を獲得したいと思っているなら、教えなければならない。ほかの方法はない。

実際には、人に教えるためには、他人よりも1歩前にいるだけでいい。それどころか、生徒よりも何歩も何十万歩も前にいるエキスパートの方が、生徒とのつながりが見つからなくて教えるのに苦労することがある。エキスパートは、初心者でいるということがどういうことかを忘れているので、自分が簡単だと思う細部を適当に片付けてしまう。

光がデジタル写真にどのような影響を与えるかについて学んだことを人に

教えたいなら、異なる光源とそれが写真に与える影響の具体例を示す簡単なYouTube動画を作ればいい。友人、同僚などに光源がデジタル写真に及ぼす影響について説明するというようなもっと単純なことでもいい。その話を面白いと思う人はたくさんいるはずだ。

このステップでは、安全地帯から離れて学んだばかりのことを他人に教えるようにすべきだ。自分が何かを学んだということを確かに知るための方法はそれ以外にはない。そして、人に説明しようとすることは、自分が学んだことのなかに含まれている隙間を埋めるための手段として非常に優れている。それに、教えるときには、他人が理解できるような形に情報を構成しなければならない。だから、教えるということは、学んでいるテーマを頭のなかで本当に細かく分析して理解するプロセスだ。私は、教えることを始めてから、自分のキャリアと専門的能力、自分自身の理解を飛躍的に引き上げることができた。

自分が学んだことを教える方法は非常にたくさんある。ブログポストを書いてもいいし、YouTube動画を作ってもいい。自分が学んだことについて夫や妻に話し、説明するのでもいい。重要なのは、自分が学んだことを頭のなかから出して、ほかの人が理解できるように構成することだ。このプロセスを進めると、自分では理解しているつもりでいながら、そうではなかったことが見つかる。また、学んだことを圧縮し、吐き出す過程で、以前は見えなかった関係が見えてきたり、頭のなかの情報が単純化されたりする。

このステップは省略したくなるかもしれないが、何を学んだときでもこのステップを省略してはならない。情報を頭のなかに保ち、表面的な理解以上に発展させるために、このステップは必要不可欠である。

教え方

- ブログポストを書く。
- YouTube動画かチュートリアルを作る。
- プレゼンテーションを行う。
- 友人や、夫（妻）と対話する。
- オンラインフォーラム内で質問に答える。

最後にひと言

自学自習の方法を身に付けるためには、熱心に取り組んで汗を流さなければならないが、それによってあなたの人生で得られる利益はとてつもなく大きい。この10ステッププロセスは、あなたが一瞬で賢くなれる魔法の公式ではないが、私たちが生まれつき持ち合わせていて、私たちの大半を突き動かしている好奇心のメカニズムを使って、そうでない方法よりも学んだことをたくさん吸収できるようにするとともに、その作業に取り掛かる前に、学習の手順を構成する準備作業をきちんと済ませておけるようにするものである。

このプロセスにまとめたステップではうまく学習できない場合、このような公式化は不要だと思う場合は、このプロセスにこだわる必要はない。ステップ自体は重要ではない。大切なのは、この学習プロセスを支えるコンセプトである。自学自習のために使えるシステム、結果を得るためにいつでも安心して使えるシステムを作っておくことが大切なのだ。

やってみよう

- 第29章で作った学習プランの個々の小課題でステップ7～10を実行して、学習実験を完成させよう。
- 今の段階では、どのステップも省略しないようにしよう。そして、このプロセスが自分にどの程度合っているかを考え、修正を加えよう。

第31章

メンターの探し方

英雄が「通過儀礼」を経るという内容を持つ優れた映画や物語では、ほとんどすべての場合、その英雄にはメンターがいる。メンターとは、英雄が一歩先に成長するために必要な知識を英雄に授ける人であり、英雄を成長させるために英雄に試練を与える人である。

メンターがいるということは、ソフトウェア開発者としてのキャリアにおいてきわめて大きな財産になり得る。優れたメンターは、経験から得られた知恵をあなたに分け与えることができる。そのような知恵は、メンターがいなければ厳しい試練をくぐり抜けない限り得られないものだ。メンターはすでにあなたが通るべき道に印を付けている。そのような人の成功、失敗の経験からは多くのことを学べる。優れたメンターは、あなたがテクノロジーを自学自習するよりもずっと早くテクノロジーを学べるように手を差し伸べることができる。

しかし、人生はたいていそういうものだが、メンターを見つけるのは簡単ではない。X ウィングに乗ってダゴバ星系に飛んで行く必要はないが、自分でしなければならない仕事はある。この章では、メンターに何を求めるか、メンターを見つけるにはどうすればいいか、あなたには投資する意味があるとメンターを納得させ、ウィンウィンの状況に持っていくためにはどうすればいいかについて考えていく。

メンターの資質

メンターには様々なパターンがあり得る。逆説的だが、メンター自身の人生からあなたにどれだけの力を与えてくれるかを判断するのは間違っていることが多い。プロスポーツチームでもっとも成功している監督、コーチのなかには、自分自身ではそのスポーツのプレーヤーとしてはまったくダメだったという人が混ざっている。セレブトレーナーのなかには、自分ではジムに足を踏み入れたことがないような人もいる。自己啓発セミナーの名手のなかには、自分で言っているのとは反対の生き方をしてきた人々がいる。自分の教えで自分自身の生活をうまく律してきたようにはとても思えないのだ。

それなら、見つけられる限りもっとも変で、仕事がうまくいっていない負け組を探し出して弟子にしてもらうべきなのだろうか。それも違う。ただ、メンター自身が人生でどのようなことを達成してきたかとか、どのように見えるかといった理由で、メンターの適任者であるかどうかの判断を曲げてはならないということだ。もっとも優れた教師は、もっとも多くの落とし穴にはまった人であることが多いというだけのことである。

そのような人の具体例を見たければ、AA[※1]か地元の教会に行ってみるといい。そういった場のメンターの多くは、悲惨な失敗を経験し、そのトラブルを克服した上で、ほかの人々のトラブル克服を支援する方法を学んだ人々だ。

それでは、メンターに何を求めればよいのだろうか。メンターとしては、あなたがしたいことを成し遂げたした人か、あなたがしたいことを達成したほかの人を支えた人を探すべきだ。自分で成し遂げたのであればすばらしい。しかし、もっと重要な指標は、彼らが他者のために何をしたかだ。目標達成のためにいい影響を与えられた弟子が多ければ多いほど、その人があなたに同じことをしてくれる可能性は高い。

人について感じることとその人が達成した結果から言っていることは区別しなければならない。ただし、これは見かけほど簡単なことではない。ほかの誰かに助けを求めるときには、自分は何がベストかわかっていないということを前提にしなければならない。そうでなければ、助けなどいらないはずなのだ。これはつまり、自分でどんな分析をしようが間違っている可能性が高いということだ。自分が考えることは実際には間違っていると強く思い、自分の論理や理性ではなく、まだ見ぬメンターが達成した結果を見ることに気持ちを集中させるようにしなければならない。

泳ぎを習うときのことを考えてみよう。初めて泳ぎを習うときには、あなたの頭のなかは泳ぎ方や水の危険性についての誤った情報でいっぱいになっている。自分は水に浮けないとか、自分は溺れると思っているかもしれない。しかし、あなたは泳ぎ方を教えている人を信頼しなければならない。その人は、あなたよりも多くのことを知っていて、あなたの水泳についての判断が

※1　アルコホーリクス・アノニマス（Alcoholics Anonymous）の略。アルコール中毒からの回復を支援する活動を行っているグループで、日本にもある。

誤っていることも知っていると考えるのだ。

メンターを探すときには、自分の判断や理性を横に置いて、その人が残した結果を見るようにしよう。あなたがやろうとしていることを達成した人や、はしごの段をあなたよりもずっと上まで上っている人を探そう。あなたが達したいと思っているレベルにその人自身が達していなくても、他人がそのレベルに達する後押しをした人を探そう。

メンター探しのチェックリスト

- あなたがしたいことをした人か。
- あなたがしたいことを他人がしたときに、それを後押しした人か。
- その人はどのような結果を残しているか。
- その人とうまくやっていけるか。

メンターをどこで探すか

メンターとしてどのような人を探すべきかがわかったら、次の問題はその人をどこで探すかだ。メンターストアに行って借りてこられるわけではない（実際には、それに似たことはできる。https://clarity.fm/ を見てみよう。ここでは、時間料金制で様々な分野のメンターと話ができる。また、人生の様々な分野であなたにアドバイスを与えてくれるコーチを雇うこともできる）。

最良の選択肢は、あなたが個人的に知っている人か、友人や家族の友人である。少し調べて頼んで回る気があれば、あなたが達成したいことが何であれ、おそらく友人と家族のネットワークからいいメンターになりそうな人を見つけられるだろう。このような方法でメンターが見つかれば理想的だ。すでに知っている人、親しい友人や家族から紹介してもらった人なので、メンターを引き受けてもらいやすい。

しかし、個人的なネットワークがそれほど大きくなければ、どこかよその場所を探さなければならないだろう。それでも、R2-D2 のシートベルトを締める前に、地域のグループをチェックしておきたい。地域には、あらゆるタイプの趣味や娯楽のグループがあるものだ。ソフトウェア開発のメンターを探している場合には、Meetup.com のようなサイトで地域のソフトウェア開発者グループを当たってみよう。地域の様々な起業家グループも役に立つ。

こういった地域のグループの大半は、スキルレベルがまちまちの様々な人々から構成されている。しかし、こういったグループは、地域に自分のスキルを還元しようとか、自分の考えで鍛えられる新しい弟子を探そうというベテランのたまり場だ。これらのグループのどれかから優れたメンターを見つけられなくても、正しい方向を示せる人か必要とされる人々とのコネを持っている人に出会うことはできるだろう。

企業の出世階段を上っていきたい人にはもっと賢い動き方がある。社内でメンターを探せばいい。上級者、つまりあなたの上司や上司の上司などは、社内で昇進していくために知らなければならないことを教えてくれるはずであり、メンターとして優れている。それに、社内の上層部に友人がいればキャリアにとって損はない。ただし、この場合は当然注意しなければならないことがある。メンターとして教えた相手がよりよい条件の会社に転職すれば、ボスとしては困ったことになる。残念な現実として、彼らは意図的に本当のことを言わず、引き止めを図る場合さえある。

しかし、人の「ボス」であったり、自分の会社を経営するアントレプレナーであったりするあなたにはあえてこう言いたい。部下には優秀になって今の職場を卒業してもらおう。どうして？ 彼らはこちらに優秀な人々を送ってくるようになるはずだし、成功してすばらしい仕事をするはずだからだ。それに、世の中には宿業（カルマ）というものがある。けちくさい気持ちにならず、人のためになることをすればきっとよいことがあるはずだ。

仮想メンター

しかし、あらゆるオプションを駆使してもメンターが見つからなければどうすればよいだろうか。場合によっては、自分でメンターを作ることを考えた方がいいかもしれない。

初めて不動産投資に手を出したとき、私は自分がやろうとしているようなことをした人を誰も知らなかった。ほかの不動産投資家との間につながりはなく、地域の不動産投資家のグループを探すという知恵もなかったので、自分でメンターを作ることにした。それは、本のことである。

私は不動産投資について書かれた最良の数冊を見つけ、仮想メンターからできる限り多くのことを学んだ。彼らが書いたことを読みながら、彼らがどのような意思決定をしたのか、なぜそうしたのかを理解しようと努力した。

当然ながら、本物のメンターの方がいいに決まっているが、行き詰まったら、実際にメンターになってくれたらいいのにと思う人の本と向き合おう。うまくすれば、インターネットでそういった人々の一部とつながり、本当にアドバイスを受けられる場合もある。

私が気に入っている本のひとつ、ナポレオン・ヒルの『思考は現実化する[※2]』で、ヒル氏は望むメンターが見つからず、頭のなかで想像したことを書いている。彼は、自分もあのようになりたいと思った有名人の本を読み、彼らと会話を交わしているところを想像した。彼らなら自分にどのようなアドバイスをしただろうか、また自分はそれにどう返事しただろうかと想像した。それはちょっと変だろうと思われるかもしれないが、『自分を動かす[※3]』を書いたマックスウェル・マルツもまったく同じことを言っている。

メンターの獲得

自分にぴったり合うメンターを見つけられても、そのメンターがあなたを弟子にしたいと思う保証はない。実際、大成功した人々の大半は忙しく、教えるために使える時間などないかもしれない。それでは、メンター候補の人々にあなたにチャンスを与えてみようという気持ちになってもらうためにはどうすればよいだろうか。

教えてもらう代わりに何かを差し出せば、この難題はうまくクリアできる。そして、あなたが差し出せるものとして特にいいのは、学びたいという熱心な気持ちと、……無償労働である。これは本当だ。無償労働を断るのは難しい。成功のコツを教えてもらう代わりに退屈な作業を喜んで引き受けると言えば、メンターになってもらえる可能性はかなり上がる。

しかし、他人のためにタダ働きする時間や金銭的余裕は普通ないだろう。人生のごく一部の分野でちょっとしたアドバイスがほしいだけかもしれないし、メンターの方でもあなたの手伝いなどいらないかもしれない。その場合にはどうすればよいだろうか。

メンターになってもらいたい人からアドバイスをもらうために、ラン

※2　Napoleon Hill, *Think and Grow Rich*, Wilder Publications, 2007. 邦訳『思考は現実化する』（きこ書房、1999 年）

※3　Maxwell Maltz, *Psycho-Cybernetics*, Reprint, Pocket Books, 1989. 邦訳『自分を動かす（あなたを成功型人間に変える）』（知道出版、2016 年）

チやディナーをごちそうするという方法も検討するとよい。

粘り強く説得することだ。ほとんどの人は、最初の「ノー」で諦めてしまう。そんな人になってはだめだ。杖で追っ払わなければならないような人になろう。そして杖で追っ払われても諦めないようにしよう。粘り強くすればいつも報われるわけではないが、報われることが意外と多いのに驚くだろう。

ただ、礼儀正しくすることだけは忘れてはならない。不快な思いをさせたり、不遜な態度や攻撃的な態度で接したりすれば、うまくいくわけはない。

やってみよう

- メンターを探す前に、メンターに何をしてもらいたいのかを知る必要がある。腰を据えてメンターが必要なのはなぜか、メンタリング関係から何を得たいのかをじっくり考えよう。
- 知っている人のなかで、自分にとっていいメンターになりそうな人をすべてリストアップしてみよう。友人や家族に知人を挙げてもらってリストを充実させよう。人脈を活用するのである。
- メンターに教えてもらう代わりに差し出せるものについて考えてみよう。

第 32 章

メンターになる方法

メンターがいるのはすばらしいことだが、メンターになればさらにいい場合がある。ソフトウェア開発者としてのキャリアがどの程度であっても、あなたの知恵やアドバイスが役に立つ人がいる可能性はある。

コミュニティにお返しをするのは大切なことだが、その理由は正しいことだからというだけではない。あなたも大きなメリットを得られる場合があるのだ。

この章では、メンターになることのメリットを説明するとともに、どのようなメンティー（教える相手）をとればいいか、その選択方法も示す。

メンターとはどういう存在か

多くの開発者は、自分に他人のメンターになるだけのものがあるとは思っていない。あなたもおそらくそうだろう。それぞれの道を進んでいる他人に教えたり、助けの手を差し伸べたりする資格など自分にはないと思っているのではないだろうか。

私には、きっとコードを書くのが好きなのだろうということ以外、あなたのことは何もわからない。それでも、あなたは何らかの分野で誰かのメンターになれると、ほとんど 100% 保証できる。私が好んで人々に言っていることだが、人生の何らかの分野で他人を助けるためには、相手より一歩先まで進んでいればいい。人生やキャリアのどのあたりにいるかにかかわらず、何らかの分野で誰かよりも一歩先を歩んでいれば、あなたはその誰かの役に立つことができる。

あなたの方が一歩先にいると思う相手について少し考えてみよう。あなたがすでに知っていることを学ぼうとしている開発者のことを考えればいい。あなた自身がまだエキスパートとは言えない状態でも、自分の知識をシェアすれば、その人のためになるのではないだろうか。

メンターになるということは、いつでも正しい答えを知っているとか、自分は決して誤りを犯さない自信があるといったことではない。メンターになるということは、他人の問題を客観的に見て、彼らが問題に近すぎるために見えていない解決方法を示すということだ。自分の知恵や経験のために観察を軽視してしまうことがよくあるが、他人を成功に導くためには、単に部外者の視点があればいいという場合もある。

私が実際に経験したことだが、私の問題について何も知らない人が、私の言い分を丁寧に聞き、私には見えなかった自明のことが見えていたというだけのことで、適切なメンタリングをしてくれたことがある。このように、注意を払うだけでメンタリングできる場合がある。人生相談で高い報酬を得ている人々の多くは、まさにそれをしているのだ。

私たちはみな、自分の問題や状況のこととなるとどうしても近視眼的になってしまう。だから、自力では見えていないものを見えるようにしてくれる外からの助けが必要なのだ。偉大なタイガー・ウッズは、自分ほど優秀ではなくても、自分には見えていないものが見えているゴルファーにコーチングしてもらっている。辛抱強く観察できれば、メンターになれる。温かい心でメンティーの言い分を聞き、メンティーが励ましを必要とするときには励まし、モチベーションを必要とするときには、……思い切り尻を叩けばいい。

メンタリングすることのメリット

正直になろう。私たちは自分のことを利他的な人間だと思いたがるが、実際には誰もが主として自分の利益のために動いている。人間とはそういうものだ。他人に対するメンタリングはコミュニティにお返しをして他人のためにいいことをするチャンスだと言えば、あなたの公共心や慈善心に訴えることができる。それは嘘ではない。しかし、メンタリングすることが、メンティーだけでなくあなた自身の人生に与える具体的なメリットについても触れておきたい。

このことについてはあとの章でもっと詳しく触れるが、10ステッププロセスの章ですでに触れたように、教えることは、学ぶための方法としてもっとも優れているのだ。

メンターの役割を引き受けると、テーマに対する自分の考えを洗い直し、新鮮な目でテーマを見ることになるので、結局はメンティーよりも自分の方がよく学んでいることが多い。メンターの立場になると、もっとも強力な問いのひとつである「なぜ」にさらされることが多い。なぜ、これが正しいのか、なぜ、このようにしなければならないのか。こういった「なぜ」の問いを掘り下げざるを得なくなると、自分がその「なぜ」を理解していないことに気づくことがある。他人の力になろうとして相手の問題に対する自分の答えを探していると、そのテーマについてそれまでよりもはるかに深い知識が得られたり、そのテーマについての考え方が根本的に変わったりすることがある。

メンタリングには、宝くじのようなところもある。あなたが成長を助けている人々は、誰もがいずれあなたを乗り越え、立場が逆になったときにあなたのために力になってくれる可能性を秘めている。あなたのメンティーたちは、あなたが蒔いた種のようなものだ。十分な数の種を蒔けば、そのうちのひとつがいずれあなたに木陰を与えてくれるような大きな木に育つ。私が今までのキャリアでメンタリングした人々のなかには、その後私のために大きな便宜を図ってくれる立場になった人が多数いる。人は、助けが必要だったときに力になってくれた人を覚えているものだ。

最後に、あなたの慈善心に訴えかけたい。メンタリングをして、ほかの人、特にあなたに何も返せないような人の人生にプラスになれたことがわかると晴れやかな気持ちになれる。他人へのメンタリングによって、あなた自身の人生に新たな目的と意味が与えられるのである。本当の幸せは、他人を助けたときにしか経験できないものだ。

メンタリングの利点

- 「お返し」の気持ち、他人のために何かをしたという気持ちが芽生える。
- 何かを深く学ぶための最良の方法のひとつになる。
- メンタリングした相手が将来あなたの力になってくれるかもしれない。
- 成長のチャンス—他人の成長を助けると、自分自身が成長する。

教えがいのあるメンティーの選び方

時間をかけて教えるだけの価値があるメンティーを見つけることは、メンターになるときの難点のひとつだ。キャリアを伸ばして成功すると、私を教えるために時間を作っていただけないかと言ってくる人が増える。ただし、それらの人々が全員真剣だというわけではない。本気で学びたいという気持ちがない人に教えて貴重な時間が無駄になるようなことはごく普通に起きる。そのため、弟子は慎重に選ぶことが大切だ。豚に真珠を投げるようなことをしてはならない。

メンティーを決めるときには、その人に成功できる基本的な資質があるかどうかを見極めよう。正しい資質と気持ちがある人なら、知恵や知識に欠けるところがあっても、正しく指導すれば最終的に成功を収められる。そういったものがない人は、世界中の支援を受けても実を結ばない。

本当に学びたいという気持ちを持ち、そのために真面目にがんばる意志のある人を探そう。面倒だからとか、必要な労力を割くのがいやだからといった理由ではなく、成長を加速させるため、経験があれば簡単に避けられるような過ちを防ぐためにあなたに教えてもらいたいという人を選ぶようにしよう。

やってみよう

- 他人をメンタリングできるような分野は何か。あなたが熱心に取り組み、他人の力になれるぐらいの知識を持っているテーマをリストにまとめてみよう。
- さらに先に進んでメンターになろう。あなたの力を必要としている人を探そう。優れたメンティーの基準を満たす人だけを相手にしよう。

第 33 章

教えることが最高の学習方法となる理由

このテーマについては、10 ステッププロセスについての章ですでに取り上げたが、特に重要なコンセプトなので、もう少し詳しく掘り下げたいと思う。教えることは、学習方法としてもっとも効果的であり、おそらく物事を深く学ぶ唯一の方法である。

この深遠な真実は無視されてしまうことが多いが、それは他人を教えるということに多くの人々がひるんでしまい、自分は教えるのにはふさわしくないと思ってしまうからである。この章では、その恐怖心を乗り越え、教えることが持つ価値を理解し、教えることを始めて学習経験の成果をすべて収穫できるようにするための方法を探っていこう。

自分は教師ではない

教えることが必要だと開発者たちに言うと、たいてい自分は教師ではないので教え方がわからないという言い訳が返ってくる。確かに開発者は教育方法の訓練を受けているとは限らないが、教えることは誰にでもできる。本当の問題は主に、能力ではなく自信である。マスターしたことのやり方を見せてほしいと頼めば、あなたはたぶん躊躇せずにやってみせてくれるだろう。しかし、確かなことがわからないことのやり方を見せてくれと頼まれると、怖くなって二の足を踏むのではないだろうか。

自分がエキスパートになっていると思っている分野しか教えないという考え方には、教えなければエキスパートになれないことを見落としているという問題点がある。ほかの誰かに教えたことのない分野のエキスパートになるのはきわめて難しい。実際、「マスター」したけれどもほかの誰かに教えたことがないスキルがあるかどうか考えてみていただきたい。あると言われるかもしれないが、本当にマスターしたスキルの大半では、他人の学習を手伝うことを通じてマスターした部分があるはずだとあえて言いたい。私たちは、そうと気づかないうちに人に教えているのである。

教えることには形式張ったイメージがつきまとっているが、実際には、教えるとは何らかの知識をほかの誰かにシェアすることに過ぎない。そういうことは、誰でも意識せずにしょっちゅう行っている。同僚に何らかのコンセプトを説明したり、フレームワークやライブラリの使い方を実演してみせたことが何回あるだろうか。黒板を背に指し棒を持ってクラスの生徒の前に立ったことはなくても、あなたは教えていたのである。

教えるために学位や証明書は不要であり、エキスパートである必要もない。きちんと教えるために必要なのは、教わる人々よりも一歩前を歩いていることだけである。だから、自分には教師になるために必要なものが備わっていないと思ったとしても、実際には私たちはみな教師なのだ。そしてほかのスキルと同様に、教え方は学習できる。

教えると何が起きるか

何かを初めて学んだとき、私たちは自分の理解度を過大評価しがちだ。簡単に自分を欺いてそれを理解していると思い込んでしまう。思い込みに気づくのは、それを教えようとしたときだ。

誰かが自分に質問してきたときに（単純なことでいい）、自分がうまく答えられないことに気づいて愕然としたことはないだろうか。「それは明らかなことで」と口火を切ったものの、次の言葉は「えーと」になってしまう。私はしょっちゅうそんな経験をしている。この現象は、あるテーマについて理解していると思っているものの、実際には表面的な知識しか持っていないときに起きる。

教えることに意味があるという理由はここにある。教えることにより、知識のなかの他人に説明できるほど深く理解できてない部分に否応なく直面させられるのだ。人間の脳は、パターン認識には秀でている。私たちは、自分が何をしているのか、なぜそうしているのかを本当に理解していなくても、パターンを認識することができ、認識したパターンに当てはまる多くの問題を解決できることが多い。

私たちは、知識が表面的なものに留まっていても、問題を解決できて仕事を回せるので、知識が表面的なことに気づかないことが多い。しかし、何かがどのような仕組みで機能しているのか、なぜそれをするのかを説明しようとすると、理解のなかに潜む穴に気づく。

もっとも、それは悪いことではない。隙間を埋めるためには、自分の弱点がどこにあるのかを知らなければならない。誰かに何かを教えようとすると、それに関する難しい問題に否応なく直面し、単にものを覚えるだけではなく、本物の理解に達するまで対象を深く掘り下げなければならなくなる。ものを覚えるというのは一時的なものに留まりがちだが、本物の理解はいつまでも残る。掛け算の九九を覚えることは誰でもできるが、掛け算の仕組みを理解していれば、仮に覚えたことを忘れてしまったとしても、表を再現できる。

ものを教えるときには、脳内のデータの再構成も避けられない。何かを初めて学んだときには、データは断片的に頭のなかに入ってくる。教えられた素材はうまく構成されていたかもしれないが、それが頭のなかに入ると、かなり断片的なものに変わってしまう。ある概念をつかみ、それが次の概念を導き、さらにそこから前の概念に跳ね返されて初めて、以前はつかめていなかった部分を理解できる。

このような形で頭にデータを入れていくのは効率が悪く、混乱を招きがちだ。誰かから自分では答えがわかっているはずのことを質問されたときに、説明が支離滅裂になりがちなのはそのためである。自分ではわかっているはずなのに、それを説明することができないのだ。

誰かを教えようとすると、否応なく頭のなかのデータを再構成せざるを得なくなる。何かを説明するための最良の方法について考え、それを紙に書いたり、言葉やスライドにまとめたりすると、頭のなかのバラバラに切断された情報の断片がひとつにまとまり、意味を成す形に再構成される。他人に教えるためには、必然的にその前に自分自身に教え直さなければならないのである。教えることが学ぶために非常に効果的なのはそのためだ。

始めよう

ここまでのところで、教えるということは自分でもできるし、すべきことだ（特に、知っていることを深く理解したいなら）ということは納得できただろう。しかし、実際に教えるためにはどうすればいいのかというところで先に進めなくなっているかもしれない。そこから一歩踏み出して、自分がよくわかっているのかどうかはっきりしないテーマについて、権威のようにふるまうのは容易なことではない。

教えるときには、謙虚な視点から権威的なトーンで話すといいようだ。どういうことかというと、教えるときには、あなたが知識を持っているからといって教える相手よりも優れているとか賢いというようにふるまわず、しかし自信を持って、言っていることに確信があるという様子を見せて話すということである。言っていることに自信がなさそうな人からものを教わりたいと思う人はいない。しかし、教わっているときにバカにされたように感じるのも嫌なものだ。

これを正しくできるようにするためには練習がいる。とかくどちらかの方向にぶれすぎてしまうものだ。教えることの目的は他人の力になることで、自分の優位性を証明したり、承認願望を満たしたりするためではないということを認識しなければならない。

今までに出会ったなかでもっとも優れていると思う先生、つまり学ぶのが楽しいと感じさせてくれた先生や人生に影響を与えた先生について考えてみよう。彼らにはどのような資質があったのだろうか。彼らはどのようなアプローチで教えていたのだろうか。

教え方はわかったものとして、どのようなところで始めたらいいのだろうか。自分の教室を開いて、出席者を募るべきだろうか。

はじめは小規模なところで、自分の考えをシェアするという考え方に慣れるようにするとよい。私がいつも勧めているのは、ブログの開設である（第2部参照）。ブログは、あまりプレッシャーを感じずに自分が学んでいることを他人に教えられるすばらしい場だ。あるテーマについて学びながら、その内容をブログに書いていくのである。獲得した情報を単純に抽出できるかどうかを確認する。実は、私のブログ、シンプルプログラマーもまさにこのようにして始めたのだ。私の当初の目標は（今でももっとも重要な目標のひとつだが）は、複雑なものを単純にすることである。ブログを始めるときに思っていたのは、自分が学んでいることを取り上げて単純化し、ほかの人たちが理解しやすくなるようにしたいということだった。

しかし、ブログで留まる必要はまったくない。地域のユーザーグループや職場でプレゼンテーションをするのもすばらしいステップになる。謙虚だが自信に満ちた様子（傲岸ではなく）を保つことを忘れないようにしよう。最高のプレゼンターになれなくても、きちんとこなせるはずだ。

動画、特にチュートリアル用のスクリーンキャストも、教えるための手段として優れており、簡単に始められる。Camtasia や ScreenFlow のような画面録画ソフトを使って画面を記録し、説明する音声を重ねればいい。このような形で教える場合、音声、ビジュアルと実際のデモが含まれているので作業は非常に難しくなり、情報の最高のプレゼンテーション方法について否応なく考えさせられることになる。

やってみよう

- 教えられるテーマを探して実際に教えてみよう。ブログポストを書く、プレゼンテーションを行う、スクリーンキャストを記録するなどの方法から選んでいい。ただし、今週中に実践すること。
- あるテーマについて教えるための準備をしているとき、そのプレゼンテーションによってテーマに対する理解がどれぐらい深くなったかに注意を払おう。教えようと思わなければ気が付かなかった知識のなかの隙間に特に注意しよう。

第 34 章

学位は必要か

大学の学位に価値があるかどうかは、古くからソフトウェア開発者たちが激論を戦わせてきたテーマだ。学位がなくてもソフトウェア開発者はキャリア、人生で成功できるか、それとも仕事を探しても永遠に見つからず地べたをさまようようになってしまうのか。

この章では、高等教育を追求することのメリットとデメリットを探っていく。また、人生の様々な事情からアカデミズムに縁がなくても成功を収めるためのヒントも示す。

成功するために学位は必要か

ご存知のように、この問いは誰に聞くかによって大きく答えが変わる。学位を持っている人に尋ねれば、「イエス」と答える可能性が高いだろう。学位を持っていない人に尋ねれば、やはり「ノー」という答えが返ってくる場合が多いだろう（ただし、その時点で彼らが失業していなければの話だが）。それでは、本当はどうなのだろうか。学位は必要なのか、そうではないか。

実は、私はたまたまコンピューター科学の学位を持っているが、キャリアの最初の時点では学位がなかった。だから、私は両方の側を経験している。だからといって、私の答えが絶対正しいというわけではないが、両方の立場で求職、昇進を目指した視点というものを持ってはいる。

私の経験では、成功するために学位は不要だが、求人の口が少なくなる要因になることは間違いなく、昇進にもある程度影響する。特に大企業ではそうだ。学位を持っていないと、履歴書をきちんと見てもらえないまま対象外にされてしまう場合もある。多くの企業、特に大企業は、教育レベルで応募者をふるい分けする。実際、ソフトウェア開発者は学士号を持っていなければならないという採用方針を持っている企業もある。繰り返しになるが、だからといってそういう会社ではポストが得られないというわけではない。例外は必ずある。しかし、そういう会社に入り込むのは確かに難しい。

私は、ここで学位の重要性を過度に強調したくないが、学位がなければ選択肢が狭まることだけは理解していただきたい。しかし、そう断った上で、実際に成功するためには学位など必要ではないときっぱり言いたい。

私は、学位を持ったことがないのに大きな成功を収めたソフトウェア開発者をたくさん知っている。ビル・ゲイツはその偉大な例だ。彼は大学を中退したが、今の彼を見ればすごいものだ。私も、ソフトウェア開発者としてのキャリアのかなりの部分を学位なしで過ごしたが、問題なくやってこれた。ソフトウェア開発の分野でもっとも重要なのは能力である。優れたコードを書けて問題を解決でき、その能力を実証できれば、「学歴あり」と書かれた紙切れ一枚を持っているよりもずっと大きな意味がある。

ソフトウェア開発をほかの産業と比べたときに大きく違うのは、絶えず変化していることだ。新しいフレームワークやテクノロジーが毎日導入される。教育機関でソフトウェア開発者が実際の職場環境に適合できるように万全の準備をさせることはほぼ不可能だ。教科書が出版され、学科のカリキュラムが決まる頃には、多くのことが変わっている。

とは言え、ソフトウェア開発に変化しないコアの領域がないと言っているわけではない。多くのコンピューター科学科の授業には、アルゴリズム、オペレーティングシステム、リレーショナルデータベース理論など時間によって左右されないテーマがいくつか含まれている。しかし、職場のデスクの前に座ってコードを書くときには、学校で教わったスキルに後退することはまずない。それが単純な真実である。私たちが開発者として行うほとんどの仕事は、新しいテクノロジーを使い、それをどのようにして操作するかを学ぶことが含まれたものになる。コンピューター科学の原点に戻らなければならなくなることはまずない。

繰り返しになるが、だからといってコンピューター科学の基礎教育は無価値だというわけではない。問題を深く掘り下げられ、表面的なレベル以上に理解できることは、非常に意味のあることだ。ただ、ほとんどの開発者にとって、仕事における成功のもっと重要な指標は、しっかりとした経験を積んでいるかどうかだというだけである。

学位を持っていることの利点

学位を持っていることの利点の一部についてはすでに触れているが、もう少し深くこのテーマについて考えてみよう。

まず、学位を取りに行けば、ソフトウェア開発についてバランスの取れた内容豊富な教育が確実に受けられる。コンピューター科学などのソフトウェア開発関連の学位を取れば、優れたソフトウェア開発者になるために必要なすべての教育が与えられるというわけではないが、ほとんどの関連学科の教育を受ければ、少なくともしっかりとした基礎と基本が身に付く。

もちろん、こういったものは独学でも身に付けられる。しかし、独学で学んだ場合、教育のなかに隙間がどうしても残り、それが将来あなたのキャリアを傷付ける危険がある。コンピューター科学や関連する学位を取ると、ハイレベルな数学、プログラミング言語やオペレーティングシステム、アルゴリズムの理解など、日常の仕事では必ずしも知らなくてもかまわないものの自分の仕事とシステムの仕組みについての深い理解やしっかりとした基礎を提供する重要なテーマが学べる。

学位があると、経験がなくても仕事を始めやすいというメリットもある。ソフトウェア開発の分野に入るのは、特に経験がなければ非常に難しい。しかし、学位を持っていればそこのところで大きな違いがある。仕事としてコードを書いたことがなく、公式的な教育を受けていなければ、コードを書けると言っても信じてもらうのは非常に難しい。

学位があれば、選択肢も増える。特に大企業では、学位がなければ絶対に就けない地位がある。そして、学位がなければ、重役の地位に上がるのは非常に難しい。進路を切り替え、管理職で昇進を狙うつもりなら、MBA を取得したいところだが、そのためには学士の学位がまず必要だ。

学位のメリット

- ソフトウェア開発についてのバランスの取れた教育が受けられる。
- 経験がなくても業界に入りやすい。
- 選択肢が増える。幹部、経営陣への転進がしやすい。

学位のデメリット

- 稼げるときに勉強のために時間を費やしてしまう。
- ひとつの考え方に囚われてしまい、なかなか抜け出せない。

学位がなければどうすればいいか

当たり前と言えば当たり前だが、学位を持っているからといってあなたが傷付くことはないし、あなたを後押しできることもある。しかし、学位を持っていない場合はどうすればいいのだろうか。

学位を持っていない場合には、学位がある場合よりも、経験と能力があるという証拠が重要になる。学位があれば、採用側は少なくとも応募者がソフトウェア開発に関して何かしら知っていると信じることができるが、学位がないなら、あなたは自分で自分の能力を証明できなければならない。

能力を証明するための最良の方法は、それまでの経験である。学位がなくても、過去5年間ソフトウェア開発者だったなら、コードを書けるだろうと考えられる。しかし、この業界に入ろうとしているところなら、職を確保するのは少し大変になる。あなたができると言っていることを本当にできることを証明しなければならなくなるだろう。その証明のための最高の方法のひとつがポートフォリオだ。

学位や経験を持っているかどうかにかかわらず、仕事のポートフォリオを持つことを強くお勧めする。学位も経験もない場合は、自分が書いたコードを見せられるといい。今日、コードを見せるための最良の方法は、GitHubなどのサイトにホスティングされたオープンソースプロジェクトにコントリビュートすることだ（プロジェクトを作ってもよい）。GitHubは、多くのオープンソースプロジェクトをホスティングしているサービスである。あなたのGitHubアカウントやあなたがプロジェクトに提供したコードは、他人が見られるようになっている。

作ったウェブサイトやアプリケーションをまとめ、面接にソースコードを持っていくというのもひとつの方法だ。私がいつも開発者、特に仕事を始めて間がない人たちに勧めているのは、Android、iOSなどのモバイルアプリを作ることである。これは、アプリケーション全体を構築し、デプロイするために必要な能力を持っていることを採用側の人々に示す良い方法だ。

ここで少し時間を割いて、あなたが作れるアプリはどんなものか、面接に持っていくポートフォリオをどのように作るかを考えてみよう。すでに使えるようなコードやプロジェクトを持っているだろうか。

もうひとつ、現時点で学位を持っていない場合、将来学位を取るつもりがあるかどうかも考えておきたい。私の場合、この業界の仕事を始めたときには、学位を持っていなかった。そのため、私は最初のいくつかの職を得るためにかなり苦労したが、ある時点を過ぎると、十分な経験を積んでいるので学位はそれほど重要な意味を持たないようになった。それでも、数年働いたあとで学位を取ることにした。単純に紙切れを手に入れるためだ。このような形で学位を取ることになったので、私はまだ働くことができた。結局、私は同僚たちよりも4年分多く経験を積むことができ、しかも学位も手にすることができた。悪い点はただひとつ、何年間か勉強のために夜が潰れたことだ。学費はそれほど大きな問題にはならなかった。通信制や夜間制の学校は一般に昼間の大学よりも安い。さらに、すでに仕事を持っている場合には、そうでない場合よりも学費は安く感じられるので、借金に走る必要はない。それだけでなく、企業のなかには、学位取得のための費用の一部または全部を支払ってくれるところもある。

あなたが今現在学位を持っていない場合、私と同じようなルートを取ることもできる。現在の仕事を続けながら、パートタイムで授業に出て学位を取るのである。これは、将来あなたのためになるいい予備プランになる。

もうひとつ考えると良いのは、プロとしての認定証である。学位ほどの力はないが、かかるコストが比較的安く、ある分野におけるあなたの能力を証明するために役立つ。マイクロソフトやJavaのプロとしての認定証、Scrumなどのメソドロジーの認定証がある。これらの認定証を得るためには、一般に独学で準備を進める。そして、ごく値段の安いテストを受ければ認定証が得られる。

やってみよう

- あなたが学位を持っていない場合、受講できそうなオンラインやパートタイムの講座を調べてみよう。学費がいくらぐらいかかるか、卒業するまでに何年ぐらいかかるかに注目しよう。
- 学位を取るのを完全に諦める場合、業績を示すポートフォリオの内容を充実させよう。少し時間を割いて、あなたが自分の仕事をよく知っていることを証明する優れた自作コードの例を集めておこう。

第35章

知識のなかの隙間を見つける

得意分野に力を注ぐのはまったく悪いことではないが、弱点をそのまま放置しておくと、キャリア、あるいは人生全般でそれが制約要因になる場合がある。私たちはみな、弱点を抱えている。私たちはみな、知識のなかに隙間を抱えており、そのために最大限の効率が得られないでいる。そういった隙間をたくさん見つければ見つけるほど（そして潰せば潰すほど）、長期的にはよくなる。

この章では、あなたが最大限の力を発揮するのを妨げている知識のなかの隙間の問題をあらゆる角度から考える。知らないことによって限界にぶつからないようにするために、なぜそのような隙間が生まれるのか、どのようにして見つけるか、そしてどのようにしてそのような隙間を埋めるかを検討していく。

なぜ隙間が残るのか

私は非常に長い間、C# のラムダ式の仕組みがわからなかった。ラムダ式とは、基本的に C# でデリゲートを作るために使える無名関数のことである。ラムダ式は、無名関数を宣言するための近道として使える。

私は、自分が相手にしている C# のコードでラムダ式にたびたびぶつかったおかげで、何が起きているのかまではわかったが、本当の意味で理解することはできていなかった。ラムダ式の仕組みを理解し、ラムダ式の本質は何なのかを理解するために時間を割けば、自分の仕事をもっとうまく進められることがわかっていたが、その時間がなかったのだ。

しかし、最終的に私の知識には非常に深刻な隙間があることは隠しようがなくなった。ラムダ式の仕組みを完全に理解するために時間を作らないことにより、私は膨大な時間を無駄にしていた。そこでやっと、ラムダ式の完全な理解のために時間を割くことを決意した。この概念が腑に落ちるまで本を読んで実験するためにかかった時間はわずかなものだった。

私が仕事をしているところを監視する観察者がいれば、ただちに私の弱点に気づき、それによって私の仕事がどれぐらい遅れているかがわかっていただろう。しかし、今となってみれば明らかなことだが、当時の私にはそれがわからなかったのである。

知識のなかの隙間で困るのはここだ。私たちはとかく隙間を軽く見がちであり、とかく忙しすぎるために立ち止まってその隙間を埋めるために時間を割くことができない。その結果、自分がしていることを本当の意味で理解できなかったり、弱点や気持ち悪さが残る部分を避けるために効率の悪い方法で仕事をしてしまったりする。

最終的に隙間が何かがはっきりわかり、その隙間によってどのような苦痛を強いられているかが理解できても、ついついそれを放置してしまいがちだ。対策が必要だということがわかっていてもである。これは、歯が痛くても歯医者に行きたがらないのとよく似ている。痛み自体はもちろん、痛いところがどれだけひどい状態なのか、その治療がどれだけ大変になるかといったことを考えたくないのである。

隙間の見つけ方

知識の隙間というものは、すべて簡単にわかるわけではない。それどころか、ほとんどのものは、仮にわかっていたとしてもぼんやりとしかわかっていないものだ。自分がわかっていないものに気づくのは難しいことが多く、隙間は簡単に無視されてしまう。

自分の足を引っ張っている知識の隙間を見つけるためには、作業にもっとも時間がかかっているところはどこか、繰り返し行っていることは何かを意識するとよい。仕事に異常に時間がかかっている場合、それは知識に隙間があるためだとわかることがよくある。そのようなところでは、何かの理解が完全でないために、それが出てくるところでぐずぐず悩んでいる可能性がある。私にとってのラムダ式はまさにそういうものだった。ラムダ式が含まれているコードのデバッグ、その他の操作に非常に長い時間がかかっていたのだ。ラムダ式を理解するためにちょっと時間を割けばよかったのに、それをしなかったのである。

同じことが作業の反復にも言える。繰り返し行っていることがあるなら、知っていれば作業効率が上がるのに知らないことがないか徹底的に調べてみるべきだ。ショートカットキーについて考えてみよう。同じアプリケーションを繰り返し使っているのに、マウスを握ってぐずぐずポインタを動かし、メニューやコントロールをクリックしているので、作業効率が上がらない。これは、ショートカットキーの知識に隙間があるからかもしれない。毎日何時間も使っているアプリケーション（たとえばIDE）のショートカットキーを覚えるために少し時間を割いてみよう。毎週数時間分も無駄がなくなるはずだ。

自分がわかっていないこと、はっきりしないことに気づくよういつも注意するのも、知識の隙間を見つけるためのテクニックのひとつだ。調べなければならない事項やはっきりわからない事項のリストを作り、同じテーマが何回出てくるかをチェックする。リストがどんどん大きくなるのに驚くだろう。しかし、自分に正直にならなければならない。わからないものが出てきたとき、すぐにその勉強に取り組む必要はないが、少なくとも知識に隙間があるのをはっきりさせられるようにリストにその事項を追加する必要はある。

このテクニックは、採用面接の準備をしていて、勉強が必要なものを知る必要があるときに役立つ。面接で尋ねられそうな質問をできる限りたくさん見つけておこう。たとえばJava開発者の求人に応募する場合には、Javaの採用面接での質問リストを見つけてくるはずだ。すべての質問を読み、わからない概念や確信を持って答えられない問いをリストに追加していこう。この作業が終わったら、勉強すべきテーマをまとめたすばらしい、そして長いリストができあがっている。このように言うと単純で当たり前のことのように感じられるかもしれないが、採用面接の準備をしている多くのソフトウェア開発者は、何を勉強すべきか、どうやってそういった課題を見つけてくるかがまったくわからないでいる。

簡単にできることではないかもしれないが、知識の隙間を見つけるための最後の方法として、あなたの仕事をよく知る同僚、おそらくコードレビューをしている誰かということになるだろうが、そういう人に、積極的な対策が必要なぐらいひどい知識の隙間が自分にあることを感じないか尋ねてみよう。相手は上司でもよい。ただし、注意が必要だ。他人にこういう質問をしたとき、相手はあなたが真実に耐えられないだろうと思って本当のことを言わないものである。自分ですでに気づいている隙間とそのためにしていることに触れれば、あなたが本気だということが伝わって役に立つかもしれない。また、ちょっとリスキーだが、相手が抱えている知識の隙間に触れれば（怒らせないような形で)、相手も遠慮会釈なくあなたの問題点を指摘するだろう。この方法を使うときには細心の注意が必要である。

知識の隙間をチェックする方法

- もっとも時間を使っているのはどこかを考える。
- 改善できるはずの反復作業は何かを考える。
- 完全に理解しているとは言えないことのリストを作る。
- 面接の質問のうち答えられないものはどれかを明らかにする。

隙間の埋め方

知識の隙間をすべて見つけてきたとしても、その隙間を埋める方法がなければ意味はない。幸い、歯医者に行くのと同じように、見つけた隙間を埋めるための実際の作業は、想像するほど大変なものではない。

実際、隙間を埋めるためのポイントは、隙間を確認することだ。知識の隙間が何で、それがどのように自分の足を引っ張っているかがわかったら、その隙間を埋める方法は簡単にわかるのが普通だ。たとえば、C# のラムダ式が理解できていないために仕事がはかどらないことがわかったとき、私はた

隙間を見つけて埋める

だデスクの前に座り、数時間かけて学習のための様々な作業をするだけで隙間を埋められた。

大切なのは、何を学ばなければならないのかを正確に把握し、狭い範囲に焦点を絞り込むことだけだ。あなたの弱点が物理学だとすれば、その隙間を埋めるのは容易ではない。しかし、苦手意識の本当の原因が、バネの仕組みがわからないことだとわかれば、少し時間をかけてフックの法則（https://ja.wikipedia.org/wiki/フックの法則）を学べば、前進できるようになる。

進んで質問をする気持ちがあれば、知識の隙間は非常に早く埋められる。何かを知らないということを認めなければならないのはちょっと気恥ずかしいかもしれないが、その気恥ずかしさを克服し、何かがわからないときに質問することができれば、大した労力をかけずに自分の様々な知識の隙間を埋めていける。会話や議論をしていて完全にわかっているとは言えないことにぶつかったら、ごまかさずに確かな知識を得るために質問するようにしよう。

やってみよう

- これから数日間、身近にメモ帳を置いて、なにかわからないことにぶつかるたびにそれを書き出そう。
- 会話のなかでわからないものが出てきたら、気恥ずかしい思いがするかもしれないが、意識的に質問をする努力をしよう。
- 日常の作業のなかで「ペインポイント」（苦痛に感じること）を見つけ、知識の隙間を埋めてそのペインポイントを取り除こう。

第 4 部

生産性

アマチュアたちはじっと座って
インスピレーションがくるのを待つ。
アマチュアではない我々は、立ち上がって仕事をしに行く。
―スティーブン・キング『書くことについて』

第４部全体をひとつのアドバイスにまとめるなら、「仕事をしろ」だ。しかし、問題は、仕事をするのは見かけほど簡単でないということである。するべきだとわかっていることを実際にやれば、もっと多くのことができることは誰でもわかっている。しかし、怠け心、モチベーションの欠如、Facebook、猫の面白い動画といった様々な理由で、私たちの目論見は外れる。じっと座って、するべきことをするには、どうすればいいのだろうか。面白猫動画中毒を克服し、先延ばしの罠に落ちないようにするには、どうすればいいのだろうか。

第４部はまさにそのためにある。私自身、完璧ではない（私は、無駄に時間を潰しすぎて、このオープニングを書くのが遅れてしまった)。しかし、私は仕事を大きくはかどらせるためのテクニックをいくつも見つけている。第４部では、それを紹介しよう。一部のテクニックは、当たり前じゃないかと思うようなものである（私たちはみな、優しく思い出させてくれるきっかけを必要としている)。しかし、それほど当たり前とは思えないようなテクニックも含まれているはずである。

なんだかんだ言っても、私はあなたをパフォーマンスと品質の高い「めちゃくちゃ生産的な機械」にすることはできない。それでも、気が散る要因と戦い、注意力を磨き、猫動画を再生しているブラウザーウィンドウの上隅にある×をクリックする（どんなに面白い動画であっても）ための効果的なツールを提供することはできる。

第 36 章

すべては集中から始まる

生産性に大きな秘密などはない。もっと仕事をはかどらせたければ、今よりも早く多くの仕事を済ませる必要がある。ちなみに、生産性が高いからといって、有能だとは限らない。たくさん作れば生産性が高いことになるが、正しい仕事をしてこそ有能になれる。しかし、差し当たりは生産性を上げることに焦点を絞ろう。安定して多くの仕事を仕上げられるようになれば、あなたは何から始めるべきかという問題には正しく答えられると考えてよいはずだ。

さて、もっと多くの仕事を早く済ませるにはどうすればいいのだろうか。すべては集中することから始まる。どんな仕事でも、終わらせるためには集中がきわめて重要だ。私は今この章を書くという仕事に集中している。私はヘッドホンを付け、メールを無視し、画面を見て入力している。それは、この章を書くには、まる一日かかるかもしれないし、数時間で終わるかもしれないからだ。すべては集中次第である。

この章では、集中とは何か、なぜ集中がそれほど重要なのか、そしてもっとも大切なことである「いかにして集中するか」を取り上げる。ページを先に進めたいという誘惑に抵抗し、スマホの音声を切って、さあ始めよう。

集中とは何か

単純に言えば、集中は散漫の逆である。問題は、私たちの住む世界が注意を逸らすものに満ちていて、本物の集中とはどんなものかを知らない人が多いということだ。一日じゅう働いても集中できなかったということは簡単に起きる。メール、電話、テキストメッセージ、邪魔、中断といったものが絶えず襲ってきて、集中力を奪い、ついには集中とはどういうものかすらわからなくなってしまう。最後に集中したときのことを思い出すのに苦労している読者のために、ここでちょっと時間をお借りして、本物の集中とはどんなものかを思い出していただくことにする。

一番直近で本当に難しい問題に取り組んでいたときのことを思い出そう。たぶん、何かのバグを解決しようとしていたか、自分のコードが動かない理由を調べていたときだったはずだ。そのときは仕事に必死で立ち向かっていて、寝食を忘れ、時間は飛ぶように過ぎていっただろう。あなたの気持ちをあえて逸らそうとした人々はあなたに怒鳴られたかもしれない。あなたは注意をすべてひとつの仕事に注ぎ込んでいたのである。

これが集中だ。私たちはときどきこのような状態を感じている。しかし、問題は、ほとんどの時間では集中していないことだ。ほとんどの時間、私たちはまったく集中とは逆のモードで仕事に向かっている。簡単に気が散って、しなければいけないことがわかっている仕事に入り込めない状態になる。

集中は、人生の多くのことと同じように、勢いの問題だ。一度集中した状態に達してしまえば、集中し続けることは、集中した状態になることよりも簡単である。

集中の不思議

私は普段、魔法の薬など信じないが、集中が生産性向上に効く魔法の薬だということは認める。集中が買えるなら、クレジットカードの上限を使い切ってもかまわない。投資の元が取れることは、保証されたも同然だからだ。集中はそれぐらい大切である。

問題は、集中を欠くと、仕事に非常に時間がかかってしまうことである。私たちの集中を破る（あるいは集中に達するのを邪魔する）誘惑は、実際にそれのためにかかった時間よりも、多くのコストを奪っていく。複数の仕事を並行して行うマルチタスキングを取り上げる第 41 章で詳しく説明するように、私たちが行う仕事の多くには、コンテキストスイッチのコストがかかる。仕事の切り替えでは、失った土地を奪い返すようなコストをかけなければ、新しい仕事は始められない。

集中が大切なのは、仕事に取り組むための基礎を繰り返し作らなくても済むようにしてくれるからだ。必要なことをすべて頭に入れて、実際に仕事ができる状態にするためには時間がかかる。集中は、車を高速走行状態にするようなものだと考えるとよい。車が高速走行を維持するためには、何度かシフトチェンジをしなければならない。絶えず停止、発車を繰り返さなければならないなら、全体を通じて大幅に遅いスピードで進まざるを得なくなる。

5速にシフトアップして再び高速走行状態に達するには、ある程度時間がかかる。しかし、1度達してしまえば、ほとんど苦労せずにクルージング走行ができる。

仕事にとても集中できたのに、それほど苦労しなかったように感じた経験はあなたにもあるだろう。集中した状態に達するまでには多少の時間がかかるものの、ひとたび集中状態に達してしまえば、短時間のうちに多くの仕事をこなせるのだ（捕まえどころのないバグと追いかけっこをしている場合は話が別だが）。

集中している時間を増やす

集中がいかに大切かをこれ以上説明する必要はないだろう。しかし、どうすれば集中している時間を増やせるのか悩んでいるのではないだろうか（申し訳ないが、薬で集中を手に入れる方法はまだ私にもわかっていない。もしわかったら、きっとお知らせしよう）。実際、集中した状態に持っていく方法を身に付けることはきわめて重要だ。集中状態になれなければ、第4部のここからの章はほとんど役に立たないだろう。私はあなたに世界じゅうに存在する生産性向上策を教えられるが、あなたが座って仕事に集中することができなければ、それらのテクニックはほとんど無力だ。

集中する方法を実際に試すなら、今が絶好のときだ。今すぐ15～30分ほどかかる仕事を用意しよう。この本には栞《しおり》を挟んでおいて、今すぐそれをやっていただきたい。ただし、完全に集中してその仕事に全力を注がなければならない。ほかのことは一切考えずに、仕事に向かおう。そのときに、どんな感じがするだろうか。

先ほども触れたように、集中には独特の勢いがある。集中モードに入りたいのなら、パチンと瞬間的に入るスイッチはないことを身体で理解する必要がある。瞬間的に集中モードに入れるなら、あなたはちょっとした変人だ。あなたがどんよりとした目でコンピューターの前に座るやいなや、一心不乱にタイピングを始めたら、人々はあなたを怖がるだろう。

集中モードに入るためには、ひとつの仕事に向かうように頭をコントロールするという、最初の苦痛に耐え抜く必要がある。そして、その仕事があなたにとってとても楽しいものでないなら、最初のうちはかなり苦痛だ。しかし、ここからがポイントである。苦痛と不快は一時的なものに過ぎず、それほど長い間続かないことを身体で覚えなければならない。

私がこの章を書くために椅子に座った最初の時点では、私はメールを見たい、トイレで小用を足したい、コーヒーを飲みたい、という燃えるような欲望を全部同時に感じた。しかし、私はもうコーヒーさえ飲んでいない。私の脳は、私が集中するのを妨げるためにあらゆる攻撃をしかけてきた。私はそれを鎮めて、指に無理やりタイピングを始めさせなければならなかった。今の私は、何時間でもタイピングし続けられるようなゾーンに入っている（続くのは30分かもしれないが）。集中モードに入るためのポイントは、椅子に座って無理やり自分をその方向に進ませることだ。

私が生産性を上げるために使っているテクニックの大半は、集中モードに入るというこのバックボーンに支えられている。第38章では、あなたを強制的に椅子に座らせ、十分に長い間仕事に打ち込ませて、集中のゾーンに突入する勢いを作る「ポモドーロテクニック」を取り上げるつもりだ。

話に聞くほど簡単ではない

私の説明を読んだ読者は、集中モードへの突入を実際よりも少し簡単に感じてしまったかもしれない。集中モードへの突入は、キーボードの前に座ってタイピングを始めるだけで済むほど単純なものではない。シフトアップしてクルージング走行に入るまでは、降り掛かってくる様々な誘惑と必死で戦わなければならない。誘惑と戦うためには、ちょっとした準備が必要だ。

仕事を始める前に、あなたの内外からやってくる邪魔から自分を守るためにできることをすべてしておくようにしよう。スマホをサイレントモードに変え、気が散る元になるブラウザーウィンドウを閉じ、ポップアップを無効にし、ドアやキュービクルの入口に「邪魔するな」の札を吊るすことまで考えた方がいいかもしれない。札を吊るすというのは冗談だろうと思うかもしれないが、私は本気だ。同僚や上司は、最初のうちは少し抵抗するかもしれないが、あなたが一心不乱にコードを書き出したら理解してくれるはずだ。それどころか、自分たちもあなたの魔法の薬がほしくなるかもしれない。

最近、私はさらに一日分として予定した仕事が終わるまではスマホに触ったりブラウザーを開いたりしない（仕事のために必要な場合を除き）というルールを作った。これはなかなか大変だが、味方になってくれるスマホアプリがある。Offtime とか BreakFree は、スマホ中毒とスマホがらみの誘惑を断ち切ってくれるアプリだ。デスクトップでは、集中したい時間に決められた時間だけウェブサイトをブロックしたり、インターネット全般を使えなくしたりするFreedomやStayFocusedがある。

これで仕事を始める準備が整った。コンピューターの前に座ってタイピングを始めよう。視界には気が散るものはない。でも……ここで言おうとしていることを考えてはならない。大方、Facebookの「いいね！」をチェックしたくてしょうがなくなったのだろうが、そういうことは考えてもいけない。ここで仕事にしがみついていられるかどうかは、意志の力にかかっている。最初のうちは強制しなければ集中できないが、いずれ弾みがついて自然に集中できるようになる。目標は、最初の5分か10分を耐えることだ。10分間持ちこたえられれば、十分な勢いが得られる。その状態になれば、ちょっとした誘惑が襲ってきても、あなたの集中は破れないだろう。

やってみよう

- 過去の極度に集中したときのことを考えてみよう。どんな感じがしただろうか。何によってその集中モードに入ったのだろうか。最終的にその集中が破れたのは、どうしてだろうか。
- 集中を実践してみよう。30分以上かかる仕事を選び、その仕事を完成させるために必要な時間を確保して仕事に完全に集中しよう。無理やりにでもその仕事だけに気持ちを集中させよう。「ゾーン」に入ったときにどんな感じがするかを心にしっかりと刻みつけよう。

第 37 章

私の個人的な生産性メソッド

私は、世間で知られている主要な生産性向上メソッドをほとんどすべて経験している。GTD（Getting Things Done）を試し、ポモドーロテクニックをかなり使い込んだ。サインフェルドの「Don't Break the Chain」テクニックの変種も使ったことがある（このテクニックは、何らかの課題を達成した日のカレンダーに印を付けていくものだ。ポイントは、できる限り長い間印を付け続けることである）。オートフォーカス法のようなリストベースのテクニックさえ試したことがある。これらすべてを試したにもかかわらず、私にとって完璧に機能するメソッドを見つけることはできなかった。そこで、これらすべてからもっとも役に立った部分を取り出し、カンバンボードなどのアジャイルのツールと結合させて独自のメソッドを編み出した。

この章では、私が自分自身の生産性を最大限に維持するために実際に使っている生産性メソッドを紹介する。これは、本書の執筆を支えるために、私が今まさに使っているものだ。

概要

私の生産性メソッドの基本的な考え方は、2時間以内に終わる小さなタスク（課題）で一週間全体の予定を埋め尽くすというものである。週間プランは、いわゆるカンバンボードを使って作る。カンバンボードはいくつかの列で構成される単純なボードで、タスクを列の間で動かしていく。アジャイルのカンバンボードの列は、「未着手」、「進行中」、「完了」といったタスクの状態を表すものになっているが、私のカンバンボードの列は、週の各曜日である（カンバンテクニックの詳細については、マーカス・ハマーバーグとヨアキム・サンデンの『かんばんの実際』[※1]を参照のこと）。

※1　Marcus Hammarberg and Joakim Sundén, *Kanban in Action*, Manning, 2014

タスク実行時の集中を維持するため、また、そのタスクにかかる時間を予測、計測するために、ポモドーロテクニックを使っている。このテクニックについては、次章で詳しく説明する。

四半期計画

私は、1年を3か月ごとに分割した四半期ごとに計画を立てる。四半期の計画では、その期に終わらせたいひとつの大きなプロジェクトを用意するよう努力するとともに、小さな目標もいくつか用意することにしている。さらに、週、日単位で何をするかも考える。この計画はリストにして、Evernoteなどのアプリで管理する。四半期中に達成したいことについてのおおよそのアウトラインを描くのである。こうすると私の大目標が何かとそれをどのように達成するかがよくわかる。集中力の維持にも役立つ。

四半期の目標の例を挙げると、本書の執筆、開発者向けの講座「ソフトウェア開発者のセルフマーケティング」の開発などだ。大きな休みを取ることが目標になる場合もある。ソフトウェア開発者の四半期目標としては、新しいプログラミング言語やテクノロジーの学習、最初のiOSアプリの構築、認定資格の取得、新しい会社への就職などが考えられる。

月間計画

私は毎月1日に、その月のカレンダーをプリントアウトし、いつ、何をすべきかを計画していく。ここではあまり正確を期することはできないが、使える日が何日あるかと今までの実績に基づいて、その月にどれぐらいの仕事ができるかをおおよそ見積もることはできる。単純に四半期の概要から各項目を取り出してきて、カレンダーのどこに入れられるかを考えるのである。

ここでは、月単位でしたいことも計画する。たとえば、月の初めには、その月のYouTube動画をまとめて作るが、それはたいてい丸一日分の仕事になる。

週間計画

毎週月曜日の朝は、その週の計画を立てる。以前は、Trelloというツールで一週間のタスクを管理するカンバンボードを作っていたが、最近はポモドーロタイマーが組み込まれたKanbanflow（https://kanbanflow.com/）でカンバンボードを作っている。私のカンバンボードには、週の各曜日の列とその日にする予定のタスクのための「今日」の列、すでに終わったタスクのための「完了」の列がある。さらに、今週できなかったタスクや来週忘れずにしなければならないことを入れる「来週」という列も作っている。

まず、毎週しなければならないことのリストから片付けていく。Evernoteにそれらをすべてリストアップしたチェックリストが作ってある。具体的な項目は次の通りだ。

・ブログポストの執筆
・YouTube動画の製作
・動画についてのブログポストの作成
・2本のポッドキャストの録音
・ポッドキャストについてのブログポストの作成
・ポッドキャストの文字起こしと編集
・ニュースレターメールの執筆
・その週のソーシャルメディアコンテンツのスケジュール作成

これらのタスクは、TrelloかKanbanflowでカードを作ってスケジューリ

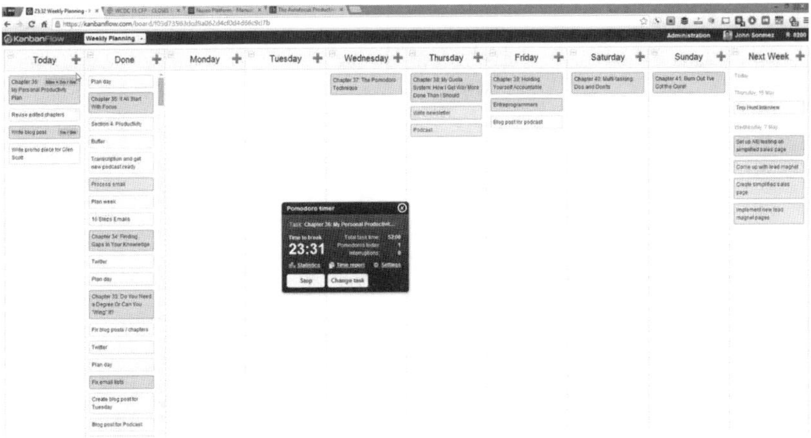

週間スケジュールのカンバンボードの例

ングする。個々のカードには、ポモドーロ（25 分の集中した作業）を単位としてどれぐらいかかるかの見積もりを書き込む。そして、毎日 10 ポモドーロぐらいの仕事ができると考えている。これらは毎週しなければならないことなので、先にカンバンボードに追加するようにしている。

各週の義務的なタスクを追加したら、カレンダーを見て、その日に時間を割く必要のある決まった約束があるかどうかをチェックする。そういう日には、約束を表すカードを作るか（仕事に関連する約束の場合）、予定しているポモドーロの数を減らす。

最後に、その週に終わらせておく予定のタスクを入れていく。その週に終わらせたい個々のタスクのカードを追加して、空いているスロットをすべて埋める。通常は、毎日 9 ポモドーロ分の仕事だけをスケジューリングして、自分のためにわずかなクッションを残しておく。

その週のうちに達成できるすばらしいアイデアが浮かぶのはこのレベルである。このレベルでの予測は非常に正確なものだ。そこで、重要で確実に終わらせたいと思っているタスクが優先されるようにカードを動かす。こうすると、毎週自分の時間をどう使うかもはっきりする。また、実際に時間を使

一週間のタスクのスケジュールを考える

ってしまってから振り返るのではなく、事前にどこで時間を使うかをコントロールできる。

毎日の計画と実行

私の一日は、仕事前にトレーニングをすることから始まる。こうしているのは、昼間に仕事の集中を破るようなものを割り込ませないためである。そして、実際に仕事を始めたとき、最初にするのはその日の計画の立案だ。

一日の計画では、対応する曜日の列から「今日」の列にカードを移し、重要度の順に並べる。私は、毎日もっとも重要なことを最初にするようにしている。また、その日のタスクでカードだけでは内容がはっきりしないものについては、少し詳しい情報を書き足すことにしている。タスクに取り掛かる前に、自分が何をしようとしているのかを正確に知り、何を基準にタスク完了を判断するかをはっきりさせておきたいのである。こうすると、仕事をぐずぐずと先延ばしししたり、はっきりと定義されていないタスクのために日中に時間を浪費したりすることを防げる。

その日行うつもりのすべてのタスクを適切な枠に入れたら、週の計画に戻り、週のそのほかの日のスケジュールに小さな変更を加える。ときどき、予想よりも多くのタスクをこなせることがあるので、カードを前に進めたり、ボードに新しいカードを追加したりしなければならなくなる。逆に、仕事が遅れた場合は調整を加え、場合によっては一部のカードを翌週に動かさなければならない。

これで仕事を始める準備が整った。一度にひとつのタスクに集中して、リストの項目をすべてやり遂げるために、基本的に一日を通じてポモドーロテクニックを使っている。ポモドーロテクニックについては、次の章で詳しく説明する。

このメソッドを効果的なものにするために注意しなければならないことがひとつある。「遅れを取り戻す」という考え方はしないことだ。つまり、1ポモドーロで終わると思った仕事に実際には4ポモドーロかかったとしても、その日に予定したほかのタスクをその日のうちに必ず終わらせようとはしないということである。週をまたいでもかまわない。私の目標は、X個のポモドーロを成し遂げることで、X個のタスクを終わらせることではない。X個のタスクをこなすことを目標にすると、to-doリストが過大なものになり、それはそれで問題が起きる。また、どうしようもない突発的な出来事によってその日に予定していたポモドーロをこなせなくなることもある。あらかじめ計画に入れられるものなら、計画通りにするだろうし、前日に多めのポモドーロを入れるだろうが、そうでなければ穴埋めをしようとはしないことにしている。いつも一定している方が散発的に例外が起きるよりもよい。それについてもう少し考えてみよう。

割り込んでくるものへの対処

日中の仕事には、様々なものが割り込んでくる。席につくと同時に電話が鳴ったり、画面にメール通知がポップアップしたり、誰かがFacebookのポストに「いいね！」をつけたりだ。おや大変、世界の終わりがまた近づいている、CNNで理由をチェックしなきゃ。割り込んでくるもののなかには避けられないものもあるが、仕事を先に進めたいと本気で思っているなら、大半のものは取り除ける。

私は日中できる限り仕事に邪魔なものが割り込んでこないように努めているが、それは割り込んでくるものこそ生産性を落とす最大の敵だということがわかっているからだ。私は自宅のホームオフィスで働いているので、キュービクルで仕事をするのと比べればまだましだが、それでも何か邪魔が入るのを防ぐのは難しい。私のスマホは鳴らないように設定されている。日中は常にサイレントだ。家族や友人たちがまわりにいても、私がポモドーロに従って仕事をしている間は私の邪魔にならないようにしてくれている。私の注意を引かなければならないときには、メールを送ってくるか、ドアから顔を覗かせる。その場合、私は休憩時間になったら彼らの前に顔を出す。もちろん、緊急時は話が別だ。

基本的に日中のメールを無視するのも、割り込まれるのを避けるためにしている大きなことのひとつだ。休憩中には、急いで対処しなければならない緊急のメールがないことを確かめるためにメールチェックをすることが多い。本当に緊急に対処する必要がない限り、メールに返事を書くのは夜の決まった時間だけである。1度にまとめて返事すれば、メール処理の効率が大幅に上がる（メールをチェックする習慣を捨ててしまえばもっと生産性は上がるが、私は人間なのでそこまではできない）。

また、チャットは絶えず気が散る原因になるので、ログアウトするか自分が出られない状態にしている。チャットプログラムは、完全な時間の無駄だと思う。集中しようとしているときに割り込まれることがなく、都合のいいときに返事できるメールの方がほとんどの場合うまく機能する。

休暇と休憩

毎日タイトなスケジュールで機械のように働いていると、長期的には持たなくなる。そこで、私はときどき休み時間を入れるほか、一部の週では「フリーワーク」と呼ぶ形で仕事をしている。それは、ポモドーロを使わず、その週全体について計画を立てないというものだ。そのような週はしたいと思う仕事だけをするが、生産性が上がらないのが普通で、本来のやり方に戻りたくてしょうがなくなる。しかし、そういう週を設ければ、生活の単調さを破れるし、生産性を上げるためにいつものメソッドがいかに大切かを再認識できる。

私はときどき休日を作って充電したり、家族と何かをしたりするようにもしている。休日を含む週は、休日中心にスケジュールを立てる。たとえば、明日はちょっと遠出するので、仕事は家に帰ってからの３ポモドーロ分だけにするつもりだ。数か月ごとに２週間とか１か月まるまるの休みも取る。その長期休暇の間は、ブログポストやポッドキャストなどを準備したり、毎週の活動を維持するために必要な最小限のことをしたりする。長期的に生産性を維持するために、一所懸命仕事をしたあとはこの種の長期休暇が必要だ（この本を書き終えたら、長期休暇を取るつもりだ）。

やってみよう

- 私の生産性メソッドをそのまま使う必要はないが、安定した結果が確実に得られるようにしたいなら、何らかのメソッドを採用すべきだ。あなたが毎週していることをメモしよう。そして、毎月、毎週、毎日という形で繰り返せるメソッドを開発できるかどうかを考えてみよう。
- 自分にとって最良のメソッドは何かを知るために、既存のメソッド（この章で紹介したものでもよい）を一気に２週間試してみよう。

第 38 章

ポモドーロテクニック

私は長年に渡って数多くの生産性メソッドを試してきており、今では、様々なテクニックの部分部分を組み合わせて使っているが、私の生産性にもっとも大きな影響を与えたのは間違いなくポモドーロテクニック（Pomodoro Technique®、https://francescocirillo.com/pages/pomodoro-technique）である。生産性を向上させるために何かひとつだけいい習慣を身に付けることを勧めるとしなら、それはポモドーロテクニックだ

しかし、いつもポモドーロテクニックを熱烈に支持してきたわけではない。初めて試してみたときには、こんなに簡単なものでは大した効果は望めないと思った。一週間使ってみてすぐに効果を感じるまでは、ポモドーロテクニックの勘所が見えていなかったのだ。

この章では、ポモドーロテクニックを紹介するとともに、なぜこの単純なテクニックにこれだけの効果があるのかを明らかにしたい。

ポモドーロテクニックとは何か

ポモドーロテクニックは、フランチェスコ・シリロが1980年代末に開発したものだが、勢いがつき始めたのは1990年代になってからである。このテクニックの核となる部分は非常に単純だ。単純すぎて、私のように最初は駄目だと思ってしまうこともある。

基本的な考え方を説明しよう。まず、その日にする仕事の予定を立てる。次に、25分で鳴るようにタイマーをセットしてから、最初のタスクに取り掛かる。一度にひとつのタスクだけを処理し、25分間はそれだけに集中する。邪魔が入ったときの対処方法は様々だが、一般にはまったく邪魔が入らないように努力する。集中を決して破らないようにするのである。

25分たったら、5分で鳴るようにタイマーをセットして休憩を取る。これを1ポモドーロとする。4ポモドーロごとにそれよりも長い休憩（通常は15分）を取る。

ポモドーロテクニックのプロセス

専門的には、タスクが早く終わってしまった場合には、残りの時間を「過学習」に充てる。つまり、タスクを続けて小さな改良を加えていくとか、何かを学習している場合なら教材を読み直すなどである。私はこの部分を無視してすぐに次のタスクに取り掛かることが多い。

基本的にこれだけである。ポモドーロテクニックはこんなに単純なものなのだ。フランチェスコはもともと、トマトの形のキッチンタイマーを使ってポモドーロを管理していた（ポモドーロは、トマトという意味のイタリア語である）。しかし、現在はポモドーロを計測、記録するためのアプリがたくさん作られている。私は、Kanbanflow アプリ（https://kanbanflow.com/）に組み込まれているポモドーロタイマーを使って自分のポモドーロを管理している（実際、今それを実行している）。

ポモドーロテクニックの効果的な使い方

私が初めてポモドーロテクニックを使ったときのやり方は正しくなかった。単純にタイマーを 25 分にセットして日中にポモドーロ数個分の仕事をしようとしたのである。私はポモドーロ何個分の仕事をしたか注意を払っておらず、特定のタスクをこなすために何ポモドーロかかるか見積もっていなかった。そのため、ポモドーロテクニックから大したものを引き出せなかった。

このテクニックは、継続的に集中するためのものだと思っていた。それはいいアイデアだと思ったが、仕事に入り込むために忘れずに10分から15分集中すること以上に様々なことをしなければならない理由がわからなかったのだ。

もう少し厳格にポモドーロテクニックを使おうと決心するまで、私にはその真価がわからなかった。しかし、友人で同じくソフトウェア開発者のジョシュ・アールがとても効果的にこのテクニックを使っていたので、もう1度試してみようと思ったのである。彼がこのテクニックを効果的に使うためにしていたのは、一日に何個のポモドーロを実行したかを記録し、何個のポモドーロを達成するか目標を設定することだった。これをきちんとするかどうかによって大きな差が出ていたのである。

ポモドーロテクニックの本当の力は、作業量を見積もり、計測するためのツールとして使ったときに現れる。一日に実行したポモドーロの数を記録し、一日に何個のポモドーロを達成するかという目標を設定する。すると突然、一日にどれぐらい一所懸命仕事をしたか、自分の本当の能力はどれだけかを正確に測れるようになる。

このような形でポモドーロテクニックを使い始めると、以前よりもかなり多くの成果が得られることがわかった。単に集中を維持するためだけでなく、毎日、毎週の作業の予定を立て、自分がどの部分にもっとも多くの時間を費やしているかを把握し、できる限り多くの仕事をこなそうというモチベーションを生むためにも、ポモドーロテクニックを活用できるようになったのである。

ポモドーロテクニックを使うようになると、一週間をポモドーロ何個分かの限りある資源として考えられるようになる。毎週どれだけの量の仕事をこなしたいのか。一週間にできるポモドーロの数を知り、それに基づいて優先順位をつける。そうすれば、完了させたポモドーロの数を数えることにより、一週間にどれだけの仕事をしたのかを正確に知ることができるので、十分に仕事ができていないように感じることはなくなる。やりたいと思ったことができていないのに、目標のポモドーロ数を確保できた場合、問題は十分に仕事ができていないことではなく、優先順位づけが正しくないことだとわかる。

このようにポモドーロテクニックを使うようになって、私は優先順位づけの本当の重要性を知ることができた。各週に割り当てられる作業単位がたくさんあるときには、貴重なポモドーロをどのように割り振るかにとても注意しなければならない。ポモドーロテクニックを使う前は、実際に可能な量よりもはるかに多くのことが一週間でできるはずだと思い込んでいた。私は自分の時間を過大評価し、タスクにかかる時間を過小評価していた。しかし、ポモドーロテクニックを使い始めると、一週間のうちに仕事に使える時間がどれだけあるかが正確にわかるようになり、タスクが必要とするポモドーロの数をしっかりとつかめるようになった。これがどれだけ意味のあることかはとても言い尽くせない。実際、私はこの本を書き終えるためにどれぐらいの時間がかかるか、かなりの精度で見通せている。この本の各章を書くために何ポモドーロが必要かはよくわかっており、各週の仕事に何ポモドーロを与えるべきかもわかっている。

ぜひ自分で試してみていただきたい。今すぐ、この本を脇に置いて、今日しなければならない何かのタスクにポモドーロテクニックを使ってみよう。試してみた上で本に戻り、この章を読み終えるとよいだろう。

メンタルゲーム

今までは、計画能力が上がるので有能になれるという側面でしかポモドーロテクニックを説明できていなかった。しかし、ポモドーロテクニックは、時間を区切ることによる心理的な影響ということでも非常に強力なのである。

私はいつも「もっと多くの仕事をできたはずなのに」という罪悪感を抱えており、それがずっと大問題だった。実際の仕事量にかかわらず罪悪感が襲ってくるので、私は決してリラックスできなかった。いつも何か仕事をしていなければならない感じがしていた。座ってビデオゲームを始めても（ゲームは私の好きな娯楽のひとつだ）、時間を浪費してないでもっと仕事をしなければならないという感じがして、ゲームを楽しめなかった。おそらく、あなたも同じような感じを持っているだろう。

この問題は、一日にどれだけの仕事を終わらせたかが正確に評価できず、どれだけの仕事を達成すべきかについての明確な目標を持てないことによって生まれている。おそらく、あなたも私と同じように、一日に終わらせたい仕事のリストを作り、この問題を解決しようとしたことがあるだろう。一日にこれぐらいはできるはずだと見積もったタスクに予想以上の時間がかかった日が来るまでは、これはいいアイデアのように見えるかもしれない。一日じゅう犬のように働いたのに、リストに書いたタスクが終わらなければ、超人的な努力を積み重ねても、敗北感が残ることになる。これでは身が持たない。

私たちは、タスクを終えるまでどれだけの時間がかかるかを必ずしもコントロールできない。私たちがコントロールできるのは、一日にタスク（または複数のタスク）にどれだけの時間を与えるかだけだ。しっかりと仕事をしたときには、自分に満足感を持てなければならない。それに対し、怠けてしまっても、タスクが予想よりも簡単だったために、リスト内のものをすべて片付けられた場合には、上出来だと喜ぶわけにはいかない。仕事のリストを作っても頑張ったかどうかは測れない。本当に重要なのは、一日にできた集中した仕事の量だ。

ポモドーロテクニックが役に立つのはまさにここだ。その日に何ポモドーロという目標を立て、その目標分の仕事をしたら（これはあなたがコントロールできる目標である）、その日すべきだった仕事をしたということであり、そのことに満足しても何ら間違ってはいない。そしてより重要なことだが、リラックスできる。

これがわかって私の職業生活は大きく改善され、自由時間を楽しみながら以前よりもはるかに多くの仕事をこなせるようになった。ポモドーロ的にその日の目標に達したら、何でも好きなことができる。そう考えると、以前よりも多くの仕事ができるようになった。落ち着いてビデオゲームをしたり、映画を観るなどの頭を使わないことで時間を潰したりしたくなっても、その日はもう一所懸命仕事をしたことがわかっているので、罪の意識を感じないで済む。

集中についてはもう取り上げたので、ここでこのテーマについてあまり長々と話をする気はないが、集中して仕事をするのと集中できない状態で仕事をするのとでは大きな違いがある。ポモドーロテクニックを使うと集中した仕事が要求される。そのため、ポモドーロテクニックで一日分の仕事をしたときには、それ以前の普通の日と比べて、はるかに多くの仕事ができている。ポモドーロテクニックの効用は、以前よりも生産性が上がることだ。問題は、それを身体が感じてしまうことである。掛け値なしで言うが、ポモドーロには慣れが必要だ。一日の大半を集中して仕事するのはつらい。おそらく、以前よりもはるかにつらい思いをするだろう。

オフィスで仕事をしているので、1度に25分も集中できない

普通のオフィスで仕事をしているからといって、ポモドーロテクニックが使えないわけではない。私はよく、「ポモドーロテクニックはすばらしいもののようだが、一日を通じてしょっちゅう邪魔が入るので自分には無理だ」という不満を聞く。同僚がキュービクルの前で立ち止まり、上司が私に話したがる。片手を挙げてタイマーが鳴る10分後まで待てとは言えない。

しかし、それは違う。待てと言えるのだ。あらかじめまわりの人々に話をして事情を教えておけばよいのである。邪魔が多すぎて集中できないなら、自分がしようとしていることと、それによって生産性がどれだけ上がるかについて上司と同僚に話をしてみよう。一度に25分以上は話しかけ禁止にはしないし、ポモドーロが終わったらすぐにどんなリクエストにも応じることを約束するのである。

これは少しムチャで誰もそんなことはしないだろうと思われるかもしれないが、趣旨をきちんと伝えられれば、意外なほど多くの人が協力的になってくれる。これがチームにとってベストであり、全体として自分の生産性を上げられることを論理的に説明すれば、成功するチャンスは十分ある。

どれだけの仕事をこなせるか

ポモドーロテクニックを使ってわかったのは、一週間、あるいは一日にできるポモドーロの数には限りがあるということだ。限界は時間とともに上がり、集中することがうまくなり、こなせる仕事の量も増えてきたが、限界を上げすぎて自分の能力を超えると、必ず代償を支払わなければならなくなった。

実際の限界は、あなたには意外かもしれない。平均的な労働時間は8時間であり、1ポモドーロは30分で完結するので、理論的にはその時間内に約16ポモドーロできるはずだ。しかし、実際には、一日に16ポモドーロをこなすのは、12時間仕事をしたとしても、とてつもなく大変である。

初めてポモドーロテクニックを使ってみたときには、日中に6ポモドーロをこなすことさえ難しいと思った。日中は時間がどんどんと消えていくこと、昼間の大半の時間で集中を保つためにはとてつもないほどの精神的緊張と意欲が必要なことに驚くだろう。今私は一日に10ポモドーロという目標を立てているが、それでも非常に骨が折れる。この目標を達成するために8時間以上かかることがよくあり、どうしてもここまで達しない日もある。

私の週の目標は約50から55ポモドーロである。この範囲までできれば、しっかり仕事をしているということであり、私の目標に向かって毎週確実に前進していると考えることができる。その範囲よりも少し上までできたときには、来週もと思うが、そうすると痛いしっぺ返しを食らう。

このテクニックを取り入れるつもりなら、自分が実際にできることについて現実的な予想を立てるようにしなければならない。週に40時間働くからといって、80ポモドーロをこなせるわけではない（もしそこまでできるという人がいれば、心底驚くだろう。そして、率直なところ、その人の精神衛生に不安を感じる）。

あなたが私のことを少しおかしいとか、ただの怠け者だと思うといけないので、ジョン・クックが有名な数学者、理論物理学者、技術者、科学哲学者だったアンリ・ポアンカレについて言っていることを引用しておこう。

> ポアンカレは、通常午前は10時から12時まで、午後は5時から7時まで仕事をした。それ以上仕事をしても、何かを達成できることはまずないことを知っていたのである。

それ以外でも、多くの業績を残してきたことで有名なスティーブン・キングをはじめとする多くの人々が、集中の上限や人が一日にできる生産的な仕事の量について同じようなことを言っている。使える時間はそれだけだ。その時間をどのように使っても、それはあなたの自由である。

やってみよう

- ポモドーロテクニックを試してみよう。差し当たり、一日に何ポモドーロという目標の設定については考えなくていい。ただし、このテクニックを1週間試してみて、どれぐらいのポモドーロをこなせたかをグラフにしてみよう。
- 週に何ポモドーロできるかについてイメージがつかめたら、来週の目標を設定して、達成できるかどうかをチェックしてみよう。どれだけの量の仕事を終わらせられたか、一日のポモドーロ数として設定した数を達成したときにどんな気分になるかに注意を払おう。

第39章

生産性を維持するためのクォータシステム

私が生産性を最大限に維持するために使っている基本システムについてはすでに説明したが、それとは別に、まだあまり言っていない部分がある。私の生産性向上メソッドのこの部分は、控えめに言ってもかなりユニークだと思う。どんな生産性メソッドでも、私が知る限り、これについて触れている人はいない。私はこれを「クォータシステム」と呼んでいる。

私は、もっとも重要な目標に向かって一日や一週間という単位で計測できる形で着実に前進するために、このクォータシステムを使っている。この章では、クォータシステムの基礎と、あなたが使えるようにするための方法を説明する。

解決したい問題

私が試してみた生産性メソッドは、毎日必ず繰り返されるタスクに対してどれも効果的ではない感じがして、私にとってはそれが大きな問題だった。数週間、あるいは数か月かかる大きなタスクを処理するための方法もほしいと思った。

私は、毎週繰り返される様々なタスクがあることに気づいていた。毎週1本のブログポストと複数のポッドキャストを作り、エクササイズをして、大きな目標に向かって前進する。毎週どころか毎日欠かさず繰り返されるタスクもあった。きっとあなたも同じように毎週、あるいは毎日することがあるだろう。

私はこの種の繰り返されるタスクをしょっちゅうしそびれていた。それは、しなければならないことを忘れていたからか、その週には予想したほど時間がなかったからである。私は予定した仕事をこなしきれず作業ペースが一貫しないので、いつも勢いがつかないと感じていた。

ワークアウトプログラムに参加しようとしたものの、思ったほどジムに行けなかったという経験はおそらくあなたにもあるだろう。自分ではブログを定期的に更新したいと思っているものの、更新できずに何か月もたっているということもあるかもしれない。安定的にブログを書くことができればもっといい結果が得られるのはわかっているのに、がんばっても思うようにブログを書く時間が確保できないのである。

クォータを設定する

私は、一所懸命やろうとしていることを安定して前進させるためには、決められた期限内にどれだけ前進しなければならないか目標を作るしかないと思うようになった。

ワークアウトを始めた当初、私はクォータ（割り当て、ノルマ）を設定していたためにそれなりの成果を上げることができた。毎週何回走らなければならないか（3回）、また、毎週何回ウェイトトレーニングをしなければならないか（これも3回）を決めていたのである。私は、毎週3度のランに3度のウェイトというクォータを必ず達成しようとした。

その後、ブログポストについても、週にひとつという週間クォータを設定することにした。そして、YouTube動画やポッドキャストの製作といった定期的に必ずしておきたい作業についてもクォータを追加していった。繰り返ししなければならないすべてのことに対して、クォータを設定したのだ。反復する作業の頻度も正確に決めていった。月に1度というものもあれば、週に4度、さらには日に2度というものもある。反復して行うことには、頻度を必ず定義し、必ずそれを実行していった。何があっても、決めた通りにクォータを実行していったのだ。

このようにして始めてみると、以前よりもはるかに多くのものが作れるようになっていることに気づいた。何よりもいいのは、一定のペースで反復作業を行っていたので、進行状況を計測してグラフ化できたことである。ある期間にどれだけのものが作れたかを正確に把握できたのである。

このシステムがもっともうまく機能したのは、プルーラルサイトの教材製作である。私は、毎週3つのモジュールを完成させるというクォータを設定した（モジュールとは、ひとつの講座のなかの30〜60分ほどのパートである。私の教材の大半は、5つのモジュールを含んでいる）。自分に対してこのクォータを設定することにより、3年未満で55本以上の教材を完成させることができた。しかも、途中に休みを挟んでいるのである。私はあっという間にトッププロデューサーになり、この会社で仕事をしているほかのどの教材製作者と比べても3倍以上の教材を作っていた。

クォータの例

・毎週3回ランニングをする。
・毎週1本のブログポストを書く。
・毎日ひとつの章を書く。
・毎週50ポモドーロのタスクをこなす。

あなたも試してみていただきたい。今すぐ時間を割いて、あなたのクォータのリストを作ろう。毎週、あるいは毎月、必ずやり遂げたいものを考え、それを書き出すのである。今すぐ実行に移す必要はないが、練習をするだけでも役に立つだろう。

クォータシステムのメカニズム

このクォータシステムには、一体どのようなからくりがあるのだろうか。ごく単純なことだ。あなたが繰り返し行っているタスクを取り出して、特定の期間内にそのタスクを何回こなすつもりかをクォータとして設定する。期間は、毎月、毎週、毎日のいずれでもかまわないが、明確に決めておく。大きなプロジェクトに取り組むときには、それを小さな反復できるタスクに分割する方法が必要になる。たとえば、私のプルーラルサイトの教材の場合、1本の動画をモジュールに分割することができた。この本の場合は、章単位に仕事を分割できる（ちなみに、この本に対する私のクォータは、一日1章である）。

何をするか、どのような頻度でそれをするかを決めたら、次はそれを実行する番だ。本当に実行しなければ成功しないので、これはきわめて重要な部分である。本当に実行するとは、人として可能な範囲内で、あなたがやると決めたことを成し遂げることだ。可能な範囲内という限定は、肉体的に不可能な場合を除き、実際にはほとんどないのと同じである。肉体的に不可能なら、タスクを成し遂げられないのは当たり前のことだ。

以上がクォータシステムの思想の根本である。自分がすると決めたことをする以外に選択肢を残さないということだ。頭のなかの選択肢から失敗を外すのである。1度例外を許せば、再び例外が起きるだろう。それでは「クォータ」は早晩無意味になってしまう。

実行できなければシステム全体が空中分解してしまうので、クォータとしては達成可能で持続可能な値を選ばなければならない。できないとわかっていることを本気で実行しようとしてはならない。それでは最初から失敗が運命づけられてしまう。最初は小さなクォータから始め、その実行に成功するようになったら、クォータを少しずつ大きくしていけばいい。

クォータが高すぎる場合、私はルールをひとつだけ決めている。クォータを達成しなければならない期間中に諦めることは認めない。一時、私はプルーラルサイトの教材のために毎週5モジュールを作ることにしていた。数週間はクォータを満たすことができたが、それは非常に大変で、ほとんどの週は土日も仕事をしなければならなかった。クォータを引き下げることにしたとき、その週は5つというクォータを達成することにして、翌週から3つに下げることにした。途中で止めずルールを変えなかったのは、そうすれば今後クォータを尊重する気持ちがなくなってしまうだろうと思ったからだ。

クォータシステムのルール

- 反復可能なタスクを選ぶ。
- タスクを実行しなければならない期間を決める。
- その期間にタスクを何回実行しなければならないかを決める。
- 実行する。クォータを必ず達成するように厳しく取り組む。
- 調整する。クォータが高すぎたり低すぎたりする場合、期間中にはクォータをいじらない。

それでは、実践の時間だ。自分でも本気になってみよう。クォータを設定できるタスクを選び、クォータを設定して実行するのである。クォータシステムのルールを実際に経験してみよう。最初はタスクをひとつだけに絞るとようにすべきだ。

クォータシステムがうまくいく理由

クォータシステムがうまく機能する理由を明かす鍵は、うさぎと亀の競走の話にある。ときどき非常に速くても、一貫性に欠け、持続性がないぐらいなら、遅くても確実に進む方がうまくいく。私の愛読書であるスティーブン・プレスフィールドの『やりとげる力[※1]』に、これをうまく説明している部分がある。

> 彼（プロフェッショナル）は、犬たちにそりを引かせ続けることができれば、遅かれ早かれノーム[※2]に着くことがわかっているので、自分を保っていられる。

長期的な生産性に関して私たちの大半が直面する問題は、どうやって安定したペースを維持するかだ。毎日小さなレンガを完璧に積んでいけば、いずれ壁ができあがる。大きなタスクを見ていると気持ちが萎えるかもしれないが、1個のレンガを置くことだけを考えるのは簡単だ。ポイントは、毎日、毎週、毎月レンガを確実に置いていけるようにするシステムを用意することである。

クォータシステムは、あらかじめたどっていくべき道を用意し、判断を不要にすることによって、意志の弱さを克服しやすくしてもいる。設定した期間内にタスクを何度も行うことをあらかじめ決めてあるので、仕事をするかどうかを判断する必要がなくなっている。問答無用でしなければならないだけだ。一日の仕事の過程で何度も判断を下さなければならなくなると、わずかしか残っていない意志の力に頼らざるを得なくなる。クォータという形の義務にすることによって判断を取り除けば、意志の弱さに負けることがなくなる（このテーマについては、ケリー・マクゴニガルの『スタンフォードの自分を変える教室[※3]』というすばらしい本をチェックするといい）。

やってみよう

- 繰り返し行っているすべてのタスクのリスクを作ろう。特に、今は一定したペースでできていないが、できるようになれば大きな効果が見込めるタスクに注目するといい。
- 少なくともひとつのタスクを選び、特定の期間内でのクォータを設定して実行しよう。このクォータは本気で実行すること。少なくとも５期はクォータを守って実行しよう。そのクォータを数か月、数年実行し続けたら何が起きるかを想像してみよう。

※１　Steven Pressfield, *The War of Art*, Black Irish Books, 2002. 邦訳『やりとげる力』（筑摩書房、2008年）

※２　アラスカの都市の名前。かつてはアラスカでもっとも人口の多い都市だった。

※３　Kelly McGonigal, *Willpower Instinct*, Avery, 2011. 邦訳『スタンフォードの自分を変える力』（だいわ文庫、2015年）

第40章

自分に対して責任を取る

人が仕事をする気になるモチベーションには、本人の内側から沸き起こる内発的モチベーションと外部からの賞罰によって引き起こされる外発的モチベーションの2種類がある。

内発的モチベーションの方が外発的モチベーションよりもはるかに効果的だ。自分のなかからモチベーションが沸いているときには、ずっと多くの仕事ができ、内容もいい場合が多い。主要なモチベーションが外部からではなく、自分のなかからやってくるようにすることがポイントだ。

この章は、まさにそのことについて考えていく。自分に対して責任を取ることによってモチベーションを生もうというのである。自分に約束をしても、それを守らなければ何の意味もない。なお、このテーマについて深く学んでみたい読者は、ダニエル・ピンクの『モチベーション3.0[※1]』をチェックするといいだろう。

責任とは何か

私たちの大半は、毎日定時に職場に姿を現すが、それは少なくともある程度までは、雇用主に対して責任があるからだ。会社に籍を置いていると、自分の判断だけで動ければしないようなことも、責任上しなければならないことがある。雇われていても在宅で仕事をするチャンスをつかんだとか、会社から飛び出してフリーで働くようになった読者なら、そうなってからすぐ、この責任という概念がいかに強力かを感じたことだろう。

初めて在宅勤務できる職に就いたとき、私は早起きして働こうと思ったが、実際にはしなかった。怠け者になってやろうとしたわけではない。単純に自分に対して責任を取ることに慣れていなかっただけだ。自分の外の存在が自

※1　Daniel Pink, *Drive*, Riverhead Hardcover, 2009. 邦訳『モチベーション3.0 持続する「やる気!」をいかに引き出すか』（講談社＋α文庫、2015年）

分の行動に影響を与えることに慣れ切っていたのである。仕事をするかどうかが自分次第になった途端、私は働かないことを選んでしまった。これは人間の基本的な性質である。

この経験は、私の職業倫理に重大な欠陥があり、私の生産性を損ねていることを暴露した。私は内発的モチベーションではなく、外発的モチベーションに動かされていたのである。私は会社に対して責任があるということによって、枠からはみ出ないように抑制されていたが、外に出て自分で判断できるようになると、自分の行動をコントロールする責任感覚を持ち合わせていなかったのだ。

監視している人がいないときに生産性を上げるためには、自分に対する責任という感覚を育てることが大切になる。これは品位とか高潔さということもできる。どちらも同じ観念を表している言葉だ。自分に対する責任という感覚がなければ、いつも外発的モチベーションに頼らなければ仕事ができなくなってしまう。褒美の人参と、枠からはみ出したときの罰として打たれる杖で操作される人になってしまうのだ。

自制心は内発的モチベーションの結晶であり、内発的モチベーションの中心には自分に対する責任感がある。他人からの影響に頼らずに予測可能で信頼性のある結果を生み出したければ、自分に対して責任を取る方法を学ばなければならない。

自分に対して責任を取れるようになるには

私は主に外発的モチベーションに動かされてしまう問題との格闘にかなりの時間を費やした。完全に自分次第で結果が決まるようになってから仕事を有能にこなして生産性を上げるためには、自制心について学ばなければならなかった。しかし、ついに私は自分のなかに棲む野獣の飼い慣らし方を見つけることができた。

自分に対する責任感を育てるためには、まず、生活のなかに何らかの構造を作り出す必要がある。自分がどうすべきなのかを知らなければ、何に対しても責任を取れるようにはなれない。会社に通勤する場合、勤務日と始業、就業時間が決まっている。一部を柔軟に運用することが認められている場合もあるが、明確な定義が設けられているぐらいの厳格さはある。そして、自分がそれに違反した場合には、上司に対して責任を取らされる場合があるこ

自分に対する責任を生み出すためのステップ

とを知っている。そういう構造がある。

そこで、自分のためにルールを作り、自分の生活のなかに自発的に何らかの構造を作り出さなければならない。どのように生活したいかを支配する独自のルールを作るのである。そして、このルールは、明快に考えることができ、頭が間違った判断によって曇らされないときに、事前に作っておく必要がある。

おそらく、あなたもすでに自分のために決めたルールをいくつか持っているだろう。毎日歯を磨くとか、期限内に請求書の支払いを済ませるといったことだ。それに加えて、自分にとってトラブルの原因になる分野や成功のためにきわめて重要な分野にはルールを決めておくとよい。このような構造を追加すると、思い付きや感情に支配されず、タスクのもとに留まり、するべきことをするために役立つ。

ときどき自分を外から見て、自分の活動を自分でする必要がなければ、毎週自分の生活と活動をどうスケジューリングするかを考えてみると役に立つ。自分のキャラクターの毎日の活動を計画しなければならないビデオゲームをプレーしているところを想像してみよう。どんなプランを立て、スケジュールを決めるだろうか。どんな食事を用意するだろうか。キャラクターには何時間の睡眠を与えるだろうか。これらの問いに対する答えは、自分に対して責任を取るために使えるルールのいい候補になる。

外部への責任

責任を取る相手が自分だけなら、自ら作ったルールを破るのは簡単だと思うかもしれない。そのような場合は、外部からの支援を少し受け入れるといいかもしれない。それでも、自分のルールは自ら決めてよく、ルールを作っているのはあなただけなので、モチベーションは内発的なままである。ただ、そのルールを徹底するために他人の力を借りてもよいということだ。

自分に対する責任を取りやすくするために、他人の手を借りても問題はない。責任のパートナーになってくれる人を作ると役に立つものだ。できれば同じような目標を共有する人がいい。その人物には、あなたのルールやあなたが達成しようと努力している目標を話していい。そして、互いに定期的に進行状況（成功と失敗の両方）を報告することによって、互いに対して説明責任を果たす。

責任パートナーに失敗を報告しなければならないと考えるだけで、失敗につながる行動をする気持ちは失せることが多い。悪い選択肢ではなく良い選択肢を選ぶかどうか微妙なときには差が出るだろう。重要な決定をするときには、一時的な悪い考えに判断を曇らされず、長期的に見てもっとも利益になることを確実に選択するように、責任パートナーの判断を受け入れてもよい。

私は、責任グループとして機能するマスターマインドグループを持っている。私たちのグループは毎週会って、その週に何をしたか、何をしようと計画したかを話し合う。グループでそれぞれのプランを議論することにより、互いに対して結果についての説明責任を負う。グループのメンバーは、行動を怠ってグループを崩壊させるようなことをしたくないと思っている。このグループを始めて以来、私の生産性は飛躍的に上がった。

行動をできる限り公開するのもいい方法だ。私は、毎週ブログポスト、YouTube 動画、ポッドキャストを公開している。ある週に公開を忘れると、人々がそれに気づかないわけがないので、するべきことを怠けてさぼる気にはとてもなれない。自分の仕事を一般の目に晒すということも、みっともない思いをしたくないとか、自分を頼りにしている人々を失望させるわけにはいかないと思ってやる気につながるので、効果がある。

大切なのは、自分の行動に対して何らかの責任を必ず負うことだ。自分で作った標準を維持できるようになると、あなたの生産性は飛躍的に上がるだろう。

やってみよう

- どのように生活し、時間を使いたいかをはっきりさせ、間違いなく正しい方向に向かうために役立つルールを作ろう。
- 自分のルールを守るために役立つ責任システムを作ろう。

第 41 章

並行作業の弊害が利益よりも大きい理由

並行作業（マルチタスク）は難しいテーマだ。並行作業は生産性を殺すと言う人もいれば、並行作業こそ大切だと思う人もいる。しかし、世間一般の考えは、並行作業を完全になくす方向にどんどん傾いていっている。

しかし、私はこの問題はそれほど簡単なものではないと思っている。並行作業に向いている作業とそうでない作業があると思うからだ。生産性を本気で最大限まで引き上げたいなら、いつ並行作業をすべきで、いつ避けるべきか、効果的に並行作業するためにはどうすればいいかを学ぶ必要がある。

一般に並行作業がよくない理由

並行作業についての最近の研究の大半によれば、並行作業している人自身は自分の生産性が上がっていると感じているのに、実際にはほとんど必ず生産性が下がっているそうだ。たとえば、アメリカ心理学会が並行作業研究の概要をまとめたレポート（https://www.apa.org/research/action/multitask）を見るとよい。

その理由は、人間には本物の並行作業をする能力がないことに根ざしているように見える。私たちが並行作業していると思っている活動の多くは、実際には複数の作業を絶えず切り替えているだけに過ぎない。この作業の切り替えが生産性を引き下げる犯人らしい。作業の切り替えの回数が増えれば増えるほど、頭を切り替え後の作業に対応できる状態に引っ張り上げるための時間が無駄になる。本物の並行作業とは、複数の作業を同時に実行することだ。すぐあとで示すように、それは本当に効果的である。しかし、ほとんどの並行作業では、実際には作業の切り替えを行っているに過ぎない。

生産性にとって集中がいかに大事かを考えれば（第 36 章で述べたように）、このことは納得できるだろう。並行作業をすると、その集中を破って以前の作業に戻るために時間を費やさなければならなくなる。また、集中モードに入っていなければ、仕事を先延ばしにしたり、ほかの何かに邪魔されて気が散ったりする危険が高くなる。自分は「ゾーンに入って」いるときにもっとも生産性が高くなると思うなら、集中して仕事をする時間がある程度なければゾーンには入れないので、すばやく仕事を切り替えるのは効果的ではないと考えるのはもっともである。

しかし、これが正しいのは、本当に同時に複数のことをできないタイプの仕事をしているときや複数のことをすると集中が切れるときだけだ。複数の作業をうまく結合することができれば、かなり大きく生産性を引き上げることができる。しかし、それについては少しあとで話すことにしよう。まず、普通なら並行作業しようと思うような複数のことをもっと効果的に処理するための方法から検討していく。

一括作業の方がはるかに生産的

私のもとには毎日かなりの数のメールが届く。以前は私も新しいメールが届いたらコンピューターに通知させるようにしていた。新しいメールが届くたびに、私はしていた仕事を中断し、メールを読んで返事を書いていた。これでは絶えず集中を破られてしまうし、「メールモード」に入るわけでもないので効率が悪い。

このケースでは、私がマルチタスクしていないことも明らかだ。私はメールを処理するためにそのときにしていた仕事を中断しているだけである。タスクスイッチしているだけなのだ。私には、たとえばこの本を書きながらメールに答えることはできない。そのために必要なキーボードも指も持っていないのである。

今の私のメール処理は一括作業（バッチ処理）である。具体的には、毎日数回メールをチェックし、緊急のメールには返事を書く。しかし、一般的には、日中の１回ですべてのメールを処理している。受信箱に入っているすべてのメールをまとめて処理するのである。こうすると、ほかのことに邪魔されずに「メールゾーン」に入れるのでずっと効率的だ。メールゾーンに入ると、私はただ受信箱を開いているときよりもはるかにすばやくメールを処理できる。

こんな話をして何が言いたいのかって？ しなければならない仕事が複数あって、並行作業のために効率が上がらないと思っているなら、一日を通じてバラバラと処理するよりも、それらの仕事をひとつにまとめて一度に処理してしまった方がたぶんいい。メールは最初の対象として恰好の存在だが、短い周期で繰り返していることなら何でも一括作業の候補になる。

一括作業に向いているかもしれない作業

・メール処理
・電話がけ
・バグフィックス
・短時間の会議

関連する仕事を別々のタイミングでバラバラに行うのでなく、ひとつにまとめて一括処理することにはふたつの大きなメリットがある。ひとつは、大きな仕事に取り組むための集中が破られないことであり、もうひとつは、通常なら集中モードに入るほどの時間を使わない仕事に深く集中できるようになることだ。ひとつのメールに返事をするだけでは、時間が短すぎて集中モードに入れない。しかし、20本のメールにまとめて返事を書くと、ゾーンに入れる。

ここで少し時間を割いて、あなたの生活のなかでひとつにまとめられるものはないか考えてみよう。たくさんあるものの、長時間に渡って分散しているタイプの活動である。少しまとまった時間を設けてそれらを一括処理できないだろうか。

本物の並行作業とは何か

私たちは単なる並行作業嫌いにはならないようにしてきた。ここで単に作業を頻繁に切り替えるのではなく、実際にふたつのことを同時に行う本物の並行作業について考えてみよう。

私は、本物の並行作業のおかげでかなり生産性を上げている。並行作業に意味があるのは、ふたつの仕事を結合して実際に両方を同時に実行すると、そうでないときよりも多くの仕事をこなせるときである。ポイントは、得られる能率以上に個々の仕事の生産性を下げることなく、結合できる仕事は何かを明らかにすることだ。

頭脳をまったく使わないタスクとある程度の精神集中を必要とするタスクを結合することはできる。今の私は、ヘッドホンで音楽を聞きながら、この章をタイピングしている。音楽を聞くこと自体は生産的な活動ではないが、私の場合、音楽を聞きながらものを書くと、執筆のタスクの生産性が上がる。

音楽は、私のなかから言葉を流れるように紡ぎ出すために役立ち、ほかのものが私の注意を奪うのを防いでくれるようだ。

もっと生産的な例はないだろうか。私は、フィットネスと学習を結合するよう心がけている。ジムでウェイトトレーニングやランニングをするときには、オーディオブックやポッドキャストを聞くことが多い。学習関係のものを聞きながら身体を動かす活動をしてもマイナスの影響は出ないらしいのだ。そこで、ウェイトやランニングをしながら多くの本のオーディオバージョンを聞いて本の内容を頭に入れることができている。

しかし、この章を書きながらオーディオブックを聞いたらどうなるだろうか。オーディオブックが耳に入らなくなるか、文章を書けなくなるだろう。私たちの脳は、ふたつの頭を使う作業を同時にすることはできないのだ。

ポイントは、一日のうち、頭か身体が空いている時間を探すことだ。車の運転中は、オーディオブックを聞く時間として最適である。運転には集中はいらない。自動運転でもほとんどこなせる。だから、通勤中には多くのことを学ぶことができる。

発想を 180 度変えて、私はラップトップを載せる小さな棚がついたトレッドミル（ランニング / ウォーキングマシン）を手に入れた。メールの返事を書いているときに歩いていていけないという理由はない。ところが、よほどゆっくり歩くのでもない限り、トレッドミルでコードを書いてもいい仕事ができないことがわかった。歩くことなど身体を動かす活動にはちょっとした集中が必要とされるようだ。そのため、エクササイズと組み合わせる仕事はあまり集中を必要としないものにすることをお勧めする。同じように、ウェイトをしながら難しい数式を解こうとしてもたぶんうまくいかないだろう。私は試したことはないが。

やってみよう

- 本物の並行作業ではない並行作業をやめよう。仕事中には、同時にひとつのことだけをするように努力する。ポモドーロテクニックが役に立つ。
- 一日や一週間のバラバラな時点で細々と処理しなくても一度にまとめて処理できる小さなタスクをひとつにまとめよう。
- 本物のマルチタスクを実現できそうな分野を探そう。頭を使わない活動をしているときに、ほかの頭を使う作業を組み合わせるように心がけよう。逆に頭を使う作業をしているときには、身体を動かす活動を組み合わせるようにしてみよう。

第 42 章

「燃え尽き」の対処法

燃え尽き症候群と呼ばれる肉体的・精神的状態は、生産性をもっとも大きく損ねるもののひとつだ。私たちはみな、プロジェクトに取り掛かるときにはあふれるほどの熱意とエネルギーでぶつかっていくのに、ある程度時間がたつと、もっとも情熱的に取り組んでいた仕事でも、考えただけで吐き気がするようになってしまう。

ほとんどの人々はこの状態を燃え尽きと呼び、克服できないでいる。これは不幸なことである。この燃え尽きた感じを乗り越えることができれば、壁の向こうには新たなエネルギーとご褒美が待っているのだ。

この章では、燃え尽きとは何か、どのようにして発生するのか、私がなぜほとんど燃え尽きを幻と考えているのかを話していく。

先に進む前にここでひと言お断りしておきたい。私は燃え尽きの「医学的定義」なるものを信じていない。しかし、ここで断り書きを入れて、私は医学的なアドバイスをしようとしているわけではないということをはっきりさせておく必要がある。ここで話すことは医学的ではない私の意見だ。私は医者ではないのだからそれは当然である。私は燃え尽きを病気だと思っていないので、私がするアドバイスは、自動的に医学的なものではなくなる。読者が私とは異なり燃え尽きは病気であり、その病気にかかっていると思うなら、医師に相談することをお勧めする。

燃え尽きに陥る仕組み

私たちは、新しいものには最初は熱狂し、やる気が出てくるものだ。しかし、時間がたち、なじんでくるにつれて、新しかったものがだんだん当たり前になり、さらには嫌いになるところまで進んでしまうことが多い。

これは人生における自然なサイクルであり、あなたもきっと今までに何度も経験しているはずだ。あなたの車が新品だった（少なくともあなたにとって）ときのことを思い出してみよう。その車を運転したときの興奮、気持ちのよさはどうだっただろうか。その気持ちはどれぐらい続いたか。車のことをもう気にかけなくなったのは、どれぐらいたってからか。いつ頃から車は「古い」ものになってしまったのだろうか。

おそらく新しい勤め先についても同じことを経験したはずだ。私は、複数の異なる職場で初めて働き出したときのことを覚えている。希望に満ち、ハイになり、早く仕事を始めたいと思ったものだ。しかし、その熱い気持ちは、ほどなく消えていく。すぐに仕事に行くのが嫌になり、もうこんな職場にはいられないと感じてしまうのだ。

これは、新しさが剥げ落ち、現実が入り込んでくるということである。新しいプロジェクトを始めたり、新しいスキルを学ぼうとするときも、いずれ興味やモチベーションが下がり始める地点に達してしまう。次第に成果が見えてくるのが非常に遅くなり、まったく成果が見えなくなってしまうことさえある。

そして、精神的にも肉体的にも出し殻になったように感じるところまで進んでしまう。あなたはその事実を否定しよう（あるいは隠そう）とするが、最終的にその仕事、プロジェクト、ワークアウトルーチンなどに、もう何もわくわくするものを感じなくなってしまう。まるで燃え尽きたように感じてしまうのだ。

一所懸命に取り組めば取り組むほど、多くの成果を生み出せば生み出すほど、この燃え尽きの感覚がやってくるペースが早くなる。だからこそ、生産的な状態に戻るのが難しい。生産的になればなるほど、生産的でないように感じてしまう。

実際には単に壁にぶつかっているだけ

私たちの大半は、燃え尽きの状態に陥ったらもう終わりだと考えてしまう。その先を見ることができなくなる。モチベーションや興味がなくなったのだと思い、そこから離れてほかのことをやらなければならないと考える。

そこで新しい勤め先を探したり、半分まで書いた本を投げ出したり、あと数週間で完成するサイドプロジェクトを放棄したりする。本物の情熱を見つけるために、何か新しいものを探しに出かけてしまうのである。それは、本物の情熱を傾けられるものが相手なら、燃え尽きたりはしないはずだと思うからだ。

休暇を取ればよくなると思うこともあるが、休暇から帰ってくると、以前以上に燃え尽きを感じてしまいがちだ。モチベーションと興味を失っただけでなく、勢いもなくなっているのである。

しかし、ほとんどの場合、この燃え尽きの感覚はまったく自然なことであり、深刻な問題の兆候ではない。私たちの大半は、何をやったとしても、いずれ壁にぶつかってしまうということなのだ。そこでは最初の興味やモチベーションは失われ、それらを再び呼び戻すだけの十分な結果も見えなくなってしまうのである。

新しいプロジェクトが始まったときには、興味はもっとも高い水準にある。しかし、新車に対する気持ちと同じように、興味のレベルはかなり早くに落ちてしまう。興味は希望や期待によって刺激されるように思うかもしれないが、物事に対する興味は、それを実際に始める前がもっとも高いものだ。

モチベーションは最初は低いが、何かをして前進すると少しずつ上がってくる。早い段階で成功を収めると、モチベーションはもっと上がる。弾みがついてあなたを後押しするのである。

しかし、時間がたつとともに、結果の出るペースが遅くなって、モチベーションも下がってくる。そのうち、モチベーションと興味がともに最低ラインに近づいたことを感じる。これが壁だ。

壁の向こう側

残念ながら、ほとんどの人は壁を乗り越えられない。まわりを見れば、こ

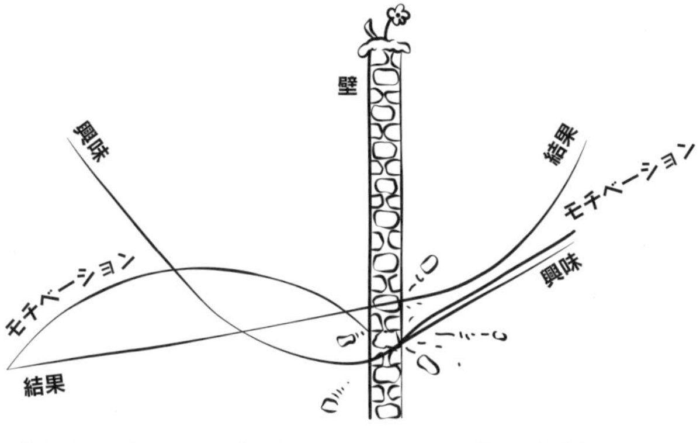

私たちはみな、しょっちゅうモチベーションの壁にぶち当たっている

れが真実だと認めざるを得ないだろう。何かが実際にうまくなったり、プロジェクトが完成したりする前に諦めた人がどれほどいるだろう。

あなた自身の個人ヒストリーを考えてみよう。あなたのクローゼットには、半分完成したプロジェクト、武術の黄帯、汚れたギター、サッカーのスパイクといったものがどれぐらい溜まっているだろうか。私も自分が何度も壁にぶち当たり、その先に行けなかったことを覚えている。私自身のクローゼットは、失敗に終わった無数の情熱でいっぱいだ。

しかし、ここで耳寄りな話がある。治療法があるのだ。それを紹介しよう。ごく単純なことだ。聞く準備はできただろうか。

何とかして壁を押し倒せばいい。

言った通り、ばかばかしく単純なことだ。もちろん、私は真剣である。興味、モチベーション、結果、壁のグラフを見返してみよう。うまく壁を倒せたあと、その右側では何が起きるだろうか。突然、結果が出てくる、それも早いうちにだ。そして、モチベーションと興味も上昇基調に乗ってくるのである。

読者が眉につばをつけ始める前に、何が起きるのか、なぜそこに壁があるのかを説明しよう。先ほども触れたように、ほとんどの人は、壁にぶち当たると手を引いてしまう。彼らは燃え尽きたと感じており、壁を倒そうとはしない。壁にぶつかるまでは、激しい競争に参加しているランナーはとても多い。誰もが熱狂的でハイになっている。道は走りやすく、リタイアした人はいない。しかし、壁にぶち当たった途端、彼らは立ち止まってしまうのだ。

壁を倒せない人があまりにも多いので、その向こう側は人影がまばらだ。競争も大したことがない。ほとんどのランナーはレースを諦めている。壁の向こう側に行ったランナーは、すでに参加者が少なくなっているため、褒美の分け前が多くなる。

壁の向こう側にさえ行ければ、突然あらゆることが簡単になり、モチベーションと興味が蘇ってくる。始めたばかりの新しい取り組みでは、モチベーション、興味とも高い水準になるが、マスターしたものに対するモチベーションと興味も高い水準を維持する。ギターを習った最初のうちは楽しく簡単だ。練習を続けてうまくなるまでは長くて退屈な道になる。しかし、偉大なギタリストになれば誰よりも楽しく、やりがいという褒美が得られる。

単純に燃え尽きを無視し、歯を食いしばって壁を押し続け、耐えに耐えて壁を押し倒せれば、燃え尽きから立ち直れることがわかるだろう。苦しみを耐えることが燃え尽きを克服するための秘訣である。その後、もっと壁にぶち当たるかもしれないが、毎回そこを通り抜ければ、新たなエネルギーとモチベーションが沸いてくる。しかも、競争しなければならない人の数がぐっと減るのだ。

壁を押し倒す

ひょっとすると、私が言っていることがあまり信じられない人がいるかもしれない。それは、本当に燃え尽き状態に陥っている場合だ。朝起きても、コンピューターに向かう気にはとてもなれない。コンピューターなど二度と見なくて済む森の小屋に逃げ込みたい。

しかし……たぶん、たぶんの話だが、私が言っていることを試してみたいという気持ちもあるのではないだろうか。壁の向こう側に本当に夢のような世界が広がっているなら、それを見てみたいだろう。

いいことだ。どうすれば見られるかを言おう。

あなたはすでに最初のステップを通過している。それは、壁の向こう側にあなたを待っている何かがあると思うことだ。ほとんどの人は、押し続けていれば、いずれ事態を打開できるということを知らないから諦めてしまうのである。努力が無駄にならないことがわかっていれば、我慢していずれ向こう側に行くための大きな力になる。

しかし、それだけでは不十分だ。モチベーションがそれまででもっとも低い水準にあるときに押し続けるのは非常に難しい。モチベーションがなければ、押す気にならないだろう。それとは逆のことをしたくなるはずだ。必要なのは、ある種の構造である。自分自身に対して責任を取ることについて書いた第40章を読み直すとよい。一言で言えば、自分に対する一連のルールを作り、その力によって確実に前進し続ける必要がある。

たとえば、この本について考えてみよう。書き始めた最初の頃、私はとてつもなくハイだった。座って一日じゅう「私の本」を書くこと以上に楽しいことなどとても想像できなかった。しかし、最初のハイな気分が薄れてくるまで、それほど時間はかからなかった。それでも、あなたがこの本を読んでいるということは、私が何とか最後まで書き通したからである。私のモチベーションと興味が完全に失せてしまったとき、私はどうしたのだろうか。自分のために日程を組み、それにしがみついたのである。降っても晴れても、気分がどうであっても、毎日ひとつの章を書いていった。もっと多く書いた日もあったが、いつも少なくとも一章ずつは書いていた。

ぶつかった壁を押し続けるためには同じようなアプローチを取るといい。ウクレレの演奏を学びたい？ 少しずつ時間を割いて毎日練習することだ。最初のレッスンを受ける前から、まだ興味とモチベーションがしっかりあるときからこれをしよう。その後、避けられない壁にぶち当たったときには、あなたのなかに「壁を押し倒すために役立つ構造」がすでに作られているはずだ。

やってみよう

- 取り掛かったものの終わっていないプロジェクトや、取り組んだのにマスターしていない習いごとについて考えてみよう。あなたはなぜ諦めたのだろうか。それについて今はどう思うだろうか。
- 次にプロジェクトに取り掛かるときには、完了またはマスターするまで諦めないことを決心しよう。必ずぶち当たる壁を倒すために、自分に課するルールや制約を準備しよう。
- キャリアまたは個人的な生活のなかで何らかの壁に直面しているなら、それを押し倒せるよう努力してみよう。壁の向こう側であなたを待っているものについて考えよう。モチベーションと興味がいずれ戻ってくることを想像しよう。

第 43 章

時間浪費のメカニズム

そう、誰もが時間を浪費している。実際、時間の浪費を止める方法を学べるなら、私たちは最大限に生産的になれる。浪費する時間がまったくないように時間を最大限に活用できれば、最大能力で稼働できるはずだ。

しかし、毎日毎分毎秒にわたって高い生産性を引き出し続けることはできない。それはあまりにも非現実的な目標だ。ただ、もっとも時間を浪費しているのはどこかを明らかにして、それを減らすことならできる。時間の浪費のもととなっている上位 1 位か 2 位までを取り除ければ、かなりいい形になる。この章では、歴史的に時間浪費のもっとも大きな要因となってきたものが何かを明らかにするとともに、あなた自身の時間浪費の要因を見つける方法を示し、その要因を 1 度で完全に断ち切るための実践的なアドバイスを提供する。

時間浪費の最大要因

はっきり言う。テレビを見るのを止めよう。

これは本気だ。できる限り早くテレビを見るのを止めなければならない。テレビを消し、リモコンを置いてほかにやることを見つけよう（テレビなんかなくて大丈夫という読者は、この章の「テレビ」という部分を YouTube や Netflix に置き換えるとよい）。

私たちは、自分にとっても社会にとっても何の利益にもならないのに、テレビを見て人生のかなりの部分を浪費する人々が多数派を占めるような世界に住んでいる。2012 年のニールセンの報告書によれば、3 歳以上の平均的なアメリカ人は、週にテレビを生で 34 時間以上見ている。しかし、それだけではない。彼らは、そのほかに 3〜6 時間も録画した番組を見ている。なんてことだ。本気かよ。見間違えじゃないだろうな。週に 40 時間もテレビを見ているだって？ 毎週、フルタイムの仕事をするのと同じ時間だけテレビに張り付いているのかよ。それはとてもまともだとは言えない。

あなたはたいしてテレビを見ていないかもしれないし、平均的なアメリカ人と同じだけテレビを見ていたりもしないだろう。しかし、この種のデータを無視することはできない。この報告書によれば、自分たちが思っているよりもはるかに長い時間テレビを見ていることになる。

週に40時間あれば、何ができるかを想像してみよう。自分の事業を始めたいなら、さあどうぞ、40時間もあるのだ。キャリアを積みたい？ 毎週40時間ずつ増えれば目標を実現できるように思えてくるだろう。体を鍛えるのはどうか。私は、40時間あれば十分だと思う。

平均的なアメリカ人の半分しかテレビを見ていなくても、週に20時間である。パートタイムの仕事と同じ時間だ。

ここでちょっと時間を割いて、自分がどれぐらいテレビを見ているかを調べてみよう。見ている番組を考え、毎週どれぐらいテレビを見ているかを計算してみる。自分に対して正直になろう。1年ではどれぐらいの時間になるだろうか。

テレビを止める

テレビを見るのがなぜ時間の浪費なのかを説明する必要はないだろう。しかし、テレビを完全に止める、あるいは少なくともテレビを見る時間を減らすためには、もう少ししっかりした理由がほしいだろう。

テレビの最大の問題は、テレビを見るために使った時間からは何の利益も得られないことだ。純粋に教育的な番組を見るのでもない限り、基本的には時間の浪費である。テレビに時間を使うぐらいなら、ほとんど何であってもそれ以外のものに時間を使う方がましだ。

テレビは、時間の浪費になるだけではなく、本人の気がつかない形で見た人に影響を与える。テレビ番組は、脳のなかの問題解決を担う部分を短絡させ、すべての答えを見せてしまう。お金の使い方の傾向から世界観まで、あらゆるものがテレビの直接的な影響を受ける。テレビを見れば見るほど、自分自身の考えや行動を放棄することになる。テレビはあなたを文字通りプログラミングしているのである[※1]。

※1　英語ではテレビ番組もprogramという。

では、どうすればテレビを止められるだろうか。止めるのが容易ではないことは私も真っ先に認める。以前の私は毎週テレビをかなり見ていた。仕事から家に帰ってくるとテレビをつけるのが習慣だった（テレビの前で夕食を食べられるようにするために、小さな折りたたみ式のテーブルまで買っていた）。私はそのようにして育ち、両親もそうしており、大人になったときにもそうしていた。そのようなやり方にどっぷり浸かっていた。仕事でくたくたになったあとは、リラックスが必要だと思ってテレビを見ていた。頭を使わない娯楽が必要だったのである。

私がテレビを見るのを減らすようになったのは、自分のためのサイドプロジェクトを始めてからだった。私は、自分のランニングの記録を残すためのAndroid アプリを作り始めた。そのアプリを作るために毎日２時間ほどを確保していた。そして、テレビを見るために使っていた時間を、プロジェクトのための楽しい時間にすれば、ずっと多くのことができ、自分でもいい気持ちになることに気づいたのだ。

こうしたメリットを感じて、私はもっと自分の時間を取り返したいと思ったが、お気に入りの番組のいくつかは諦めたくなかった。そこで、見る番組を１度にひとつだけに絞ることにした。テレビをそのまま見たり、録画したりするのではなく、見たい番組の全放送をまとめたものを買って、見たいときや時間があるときに見るようにした。テレビの番組表や各回の最後のシーンにテレビを見るペースを支配されないようにしたのである（今でも、ときどきテレビ番組のコンプリートシーズンを買って映画のように見ることはある）。

自分の時間を使いたいテレビ以外のものを見つけ、番組表に自分のスケジュールをコントロールされないようにして、初めて私はテレビ中毒から抜け出し、毎週2、30 時間の空き時間を作り出せたのだ。

テレビ以外の時間浪費要因

私が真っ先にテレビを標的にしたのは、ほとんどの人がもっとも大きく時間を浪費するものだからだ。この浪費を削減しただけで、あなたの生産性は、２倍、３倍になり得る。お金が少し節約できることは言うまでもない。しかし、時間を大きく浪費するものはほかにもあり、生活からそれを取り除く方法も知っておいた方がいい。

今日、特に大きいのは、ソーシャルメディアである。第2部で述べたように、ソーシャルメディアの存在は非常に重要だが、仕事をすべきときやほかの生産的な活動のときにFacebookやTwitterなどのソーシャルメディアで膨大な時間を浪費してしまうのもありがちなことである。

ソーシャルメディアで活動する時間を一日に1度か2度にまとめるのはいい方法だ。これは電子メールにも応用できる。Facebookを見るのは昼食時や夜だけにして、仕事中に絶えずチェックするのは止める。それでも、見たいものを見逃すことはまずない。

会社で働いている場合、会議は時間を浪費して生産性を大きく引き下げる要因になっている。会議でどれぐらい時間が浪費されているかは言うまでもないだろう。私は、一日に少なくとも2、3時間も会議をしているような職場にいたことがある。当然ながら、実際の生産的な仕事のために残された時間は少なくなってしまう。

会議に時間を浪費されないようにするための最高の方法のひとつは、単純に参加しないことだ。これは少し異端的に思われるかもしれないが、私が出ていた会議の多くでは私はオプションの参加者に過ぎないか、本当は出席する必要がない人だということがわかったのである。

会議の議題がメールその他のメディアで処理できるものなら主催者に会議を中止してもらえるよう働きかけるのも、出席する会議数を減らすための方法のひとつだ。会議は簡単に開けるので、何かというとデフォルトで会議という方法が選ばれることが多い。そうではなく、メールや電話など、より時間のかからないメディアで問題を処理できないときの最後の手段として会議を使うようにしよう（ジェイソン・フリードとデイヴィッド・ハイネマイヤー・ハンソンの『小さなチーム、大きな仕事[※2]』には、会議を整理するための方法がもっと詳しく書かれている）。

時間を大きく浪費するものの例

・テレビ

・ソーシャルメディア

・ニュースサイト

※2　Jason Fried and David Heinemeier Hansson, *Rework*, Crown Publishing Group, 2010. 邦訳『小さなチーム、大きな仕事―働き方の新スタンダード』（ハヤカワ・ノンフィクション文庫、2016年）

・不要な会議
・料理
・ビデオゲーム（特にオンラインゲーム）
・コーヒーブレイク

料理、コーヒーブレイクまで時間の浪費と言えるのか

答えはイエスでもノーでもある。している理由によって変わるのだ。しなければならないことがわかっている仕事から逃げるためでなく、本当に楽しみのためにしているのなら、時間の無駄ではない。

私はゲームを時間の無駄だと思っているが、実は大のゲーム好きだ。それならゲームを完全に止めたかというと、そんなことはない。しかし、何かしなければならないことがあるときに、仕事から逃げるための手段としてゲームをしてはならないだろう。

同じことが料理にも当てはまる。おそらく、あなたは料理が好きで自分のために健康な食事を作りたいのだろう。それならすばらしいことだが、時間を大きく節約できる単純な料理をすればいいのに手間のかかる料理のために膨大な時間を使っていて、それが特に楽しくもないのなら、料理のためにかける時間を減らして、健康を維持するためのほかの方法を考えた方がいい。

ポイントは、生活のなかで楽しみにしていることをすべて取り除くのではなく、しなくてもいい上に楽しくもないことや、自分の時間を全部食い尽くすようなことのために時間を浪費しないようにすることである。

時間の管理

ソーシャルメディアで時間が潰れて困っている場合、それにどれだけの時間を使ったかを記録、管理するとよい。RescueTime（https://rescuetime.com/）などのツールを使えば、仕事中に何のために時間を費やしているかを追跡し、コンピューター上でソーシャルメディアサイトやそのほかの生産的ではないもののために費やした時間を正確に示すレポートを作れる。それから、本書初版を執筆していた頃には大きな問題ではなかったが、今はスマホやタブレットが時間を浪費する最大の原因になっている。私はカル・ニューポートの『デジタル・ミニマリスト[※3]』をちょうど読み終わったところだが、読者にも一読をお勧めしたい。それはともかく、モバイルデバイスで何のために時間を使ったかは、iOSのスクリーンタイムやAndroidのDigital

Wellbeingで追跡できる。

生活のなかで時間の無駄になっているものを取り除く最良の方法は、何のために時間を無駄にしているかを把握することだ。どこで時間を浪費しているかを知らなければ、その時間を取り戻すことはできない。

あなたの時間が毎日何のために使われているかを正確に記録する時間管理システムを用意するといい。初めてフリーの仕事を始めたとき、私は自分の時間がどこに行ってしまうのかわからないでいた。私は、自分が実際にできている量よりもはるかに多くのことができるはずだと思っていた。そこで、2週間ほど自分の時間を細かく追跡し、記録してみると、特にどこで多くの時間を浪費しているのかがわかった。

自分がどこで時間を使っているかを正確に読み取ることができれば、時間を特に浪費しているものを見つけて削減することができる。毎日、様々なタスクで自分がどれぐらいの時間を費やしているかを正確に記録するようにしてみよう。自分が食事のためにどれだけの時間を費やしているかまで記録すれば、自分の時間がどこに行ってしまうのかがよくわかるだろう。

「時間の浪費」について最後にもうひとつ言っておきたい。私は本当に無駄な時間とそうでない時間に関する誤解と混乱を大部分取り除けるような「時間の浪費」の定義を作った。「時間の浪費とは、自分がするつもりでなかったことをしているときのことで、それ以外は時間の浪費ではない」私は自分の時間管理の一般的なガイドラインとしてこの定義を使っている。テレビを見たい、ビデオゲームをしたいと思ってそれらをするなら問題はない。しかし、ほとんどの場合、仕事をするか何か生産的なことをするつもりでいながら、デフォルトでテレビやビデオゲームに走ってしまう。また、このテーマでは、不朽の名作で知恵が満載されたセネカの『生の短さについて[※4]』があるので読むとよい。

※3　Cal Newport, *Digital Minimalism*, Penguin Business, 2020. 邦訳『デジタル・ミニマリスト スマホに依存しない生き方』(ハヤカワ文庫、2021年)

※4　セネカ『生の短さについて』(岩波文庫、2010年)、『人生の短さについて』(光文社文庫、2017年)など

やってみよう

- 来週、自分が使っている時間を正確に追跡して記録しよう。仕事中の各時間をどのように使っているかを正確に見積もろう。そのデータを見て、特に多くの時間を浪費している2、3個の要因を明らかにしよう。
- テレビを見る習慣があるなら、1週間だけ見ないで済ませてみよう。「テレビなし」の週を作って自分の行動がどうなるかを見てみよう。テレビを見る代わりに何のために時間を使っているかを把握しよう。
- 庭仕事や掃除をしてくれる人を雇ったら何時間空くかを明らかにしよう（ケーブルテレビを解約したら、それによって節約できたお金でこういったサービスを使えるかもしれない）。

第 44 章

ルーチンを持つことの重要性

生産性を上げるための本当の秘訣は、長期に渡って小さなことを繰り返し行うことだ。毎日欠かさず1000語ずつ書き続けたら、1年後には四つの小説を書き上げられる（平均的な小説は、6〜8万語である）。

それなのに、小説を書こうとしてデスクに向かいながら、一作すら完成できていない人がどれだけいるのだろうか。彼らは、自分と夢の間に立ちはだかっているものがルーチンだけだということを知らないのだ。ルーチンは、あなたの人生を形作り、生産性を引き上げ、目標を達成するためのもっとも強力な方法のひとつである。人生のどの分野でも、毎日していることが時間とともに積み重なっていくのである。

この章では、ルーチンを持っていることの重要性を学び、自分のためのルーチンを確立するための方法を紹介する。ルーチンを確立すれば、生産性が上がり、今はとても手が届かないように見える目標を達成するために役立つだろう。

ルーチンが人を作る

私はウィークデーの朝は必ず起きるとジムに行ってウェイトトレーニングをするか、3マイル（約4.8km）のランニングに向かう（実は、初版のときとはすることが少し変わっている。今はマラソンをしているので、ランニングの距離は8kmから32kmほどになっているが、ウェイトについては変わらない）。私は何年も前からこれらを続けており、今後もやり続けるつもりだ。ワークアウトから帰ってくると、デスクの前に座り、毎日のルーチンを済ませる。毎週、毎日、何をすることになっているかは正確に把握できている。ルーチンの内容はしょっちゅう変わるものの、私を目標に近づけてくれる何かしらのルーチンは常にある。

1年前に導入したルーチンが今の私を作ったのである。私のルーチンが毎朝ワークアウトでなく、ドーナツ店に行くことだったら、私の外見は今とは大きく変わっていただろう。私のルーチンが毎朝カンフーの練習をすることなら、かなり力のある格闘家になっていたはずだ。

同じことがあなたにもあてはまる。あなたが毎日していることが、時間とともにあなたを形作っていく。自分に関して変えたいと思うことはたくさんあるかもしれないが、変えるためには時間がかかり、欠かさず繰り返すことがポイントだ。小説を執筆する、アプリケーションを完成させる、自分の事業を起こすといった目標を実現したいなら、あなたをゆっくりと、しかし確実に、目標の方向に近づけていくルーチンを確立しなければならない。

私がここに書いていることは常識のように感じるかもしれないが、自分の生活と目標、つまりあなたの夢や志を見直してみよう。毎日その夢に近付くために積極的な努力をしているだろうか。毎日目標に向かって1歩ずつ自分を近付けていくようなルーチンを確立すれば、いずれ目標を達成できるとは思わないだろうか。

ルーチンの作り方

行動を起こすべきは今だ。明日や来週ではなく、今である。自分の目標を達成し、他人や状況が作った形にはめられてしまうのではなく、自分で未来を作りたいなら、あなたが行きたいと思っている方向にあなたを導いてくれるルーチンを開発しなければならない。

いいルーチンは、大きな目標から始まる。あなたが実現したいことは何だろうか。通常は、ひとつの大きな目標の実現だけにしか集中できないので、今あるなかでもっとも重要な目標を選ぼう。いつか実現したいと思っているが、そのための時間を取れないでいるものである。

大目標を選んだら、最終的にその目標に到達するために、毎日または毎週、目標に向かって少しずつ進むためのステップを考える。本を書きたいなら、1年でその目標に到達するために毎日何ワードずつ書かなければならないかを考える。体重を落としたいなら、その目標に到達するために毎週何 kg ずつ軽くしていかなければならないかである。

この大目標がルーチンの基礎を作る。この目標を中心としてスケジュールを立てる。ほとんどの人は、それぞれの勤務先の仕事のために、昼の8時間を充てなければならない。この数字にはあまり柔軟性はないが、それでも毎日16時間ずつ残っている。しかし、さらに8時間を睡眠のために確保するので、残された時間は8時間になる。最後に、食事のために一日2時間ずつ確保しなければならない。最悪でも、あなたが実現したいことのために割り当てられる時間は、毎日約6時間も残っている。

一日6時間ではたいしたことがないと思うかもしれないが、週にすれば42時間もある（そして、あなたがいかに時間を浪費しているかを示した前章を読んでいれば、ほとんどの人が毎週42時間のなかの40時間をどのようにして使っているかは想像がつくだろう。テレビを見るのを止めるのがいかに大切か、わかるはずだ）。

何をすべきかがわかったら、次は実際に時間をスケジューリングする。毎日仕事に行くことに関連してすでにルーチンができているので、週5日の出勤日をベースとしてルーチンのスケジュールを考えるといいだろう。私なら、一日の最初の1、2時間をもっとも重要な目標のための時間にすることをお勧めする。そのために毎日2時間早く起きなければならないかもしれないが、一日の最初の1、2時間を使えば、やろうとしていることを守れる可能性が高くなるだけでなく、もっともエネルギーが溜まっている時間をしたいことのために使える。

このように生活をわずかに変えるだけで、あなたは毎日もっとも重要な目標に向かって前進するようになる。出勤日だけに前進をスケジューリングしている場合でも、毎年260歩ずつ正しい方向に向かうことができる。小説を書いていて毎日1000ワードずつ書ければ、1年で26万ワード書くことができる（メルヴィルの『白鯨』は209,117ワードである）。

細かいスケジューリング

今までは、たったひとつのことをルーチンに追加しただけだが、それはもっとも重要なことであり、それだけでもかなり満足のいく結果が得られる。しかし、その気になれば、それより少し大きな結果も得られる。本気で生産性を上げたいなら、自分の生活をもっとコントロールする必要がある。

私はフリーで自宅で仕事をしているので、私のルーチンはかなり微に入り細を穿ったものになっているのではないかと思われるだろう。私は、一日の大半について何をすべきかを決めたルーチンを持っている。このルーチンのおかげで、私は毎日最大限の仕事をすることができている。私と話をしたほとんどの人々は、やりたいことが何でもできる自由があるのに、私が毎日ルーチンに従っていることを知って驚く。しかし、このルーチンこそが成功にとってきわめて重要なのだ。

あなたが独立したり、在宅勤務になったりしたときには、仕事時間中に何をするのかについて、作業開始と終了の時間を含めてはっきりと決めたルーチンを用意すべきだ。柔軟性の欠如は、生産性の向上と自分が目標に向かって着実に進んでいることがわかっている安心感によって埋め合わされ、さらにお釣りがくる。

しかし、たとえ在宅勤務をしているわけでなくても、仕事時間の大半を包括するルーチンを作る必要がある。あなたが9時から5時までの標準的な仕事をしている場合、ありがたいことにその構造の大部分はすでに作られている。

勤務日のスケジュールは、毎日毎週何をするかを把握できるようにきっちりと決めておくことを強くお勧めしたい。大きな目標によってルーチンを決める話をしたが、同じように毎日少しずつ先に進めたい小さい目標がほかにもいくつもあるだろう。それらの小さな目標も前に進めるためには、ルーチンのなかにそれらのスケジュールも入れておくのが一番だ。

毎日仕事を始めるときに何をするのかを決めておこう。それはメールをチェックして返事を書くことかもしれないが、毎日しなければならないもっとも重要なことのための作業を始めた方がいい（メールはいつでも後回しにできる）。毎日、あるいは毎週繰り返ししているタスクをいくつか選び出そう（これに関して役に立つクォータシステムについては、第39章で詳しく述べた）。毎日それらのタスクのための時間をスケジューリングし、必ずそのタスクを終わらせられるようにする。

会社勤めだった頃、私はそのときの仕事で使っているテクノロジーについて毎日30分ずつ学習するようにしていた。私はこれを「研究タイム」と呼んでいた。

食事の時間、さらには毎日何を食べるかまで、ルーチン化しておこう。それは少しやり過ぎだと思うかもしれないが、私たちは何を食べ、何を料理するかを決めるためにかなりの時間を浪費している。そして、こういったことをあらかじめ決めておかないと、つまらないものを食べる羽目になるのだ。

一日の構造がしっかりすればするほど、生活をしっかりとコントロールできる。よく考えてみよう。物事をあらかじめ計画しておかず、いつも出たとこ勝負で目の前のものを処理していたら、自分ではなく環境に生活をコントロールされてしまうのだ。

一日のルーチンの具体例

午前 7:00 ワークアウト（ランニングまたはウェイト）
午前 8:00 朝食（月、水、金：朝食A、火、木：朝食B）
午前 9:00 仕事開始。もっとも重要なタスクの選択
午前 11:00 メールチェックと返事書き
午後 0:00 昼食（月、火、水、木：弁当、金：外食）
午後 1:00 プロとしての能力開発（研究、スキル向上）
午後 1:30 副次的な仕事、会議、その他
午後 5:30 翌日のタスクのプランニング、当日完了した作業の記録
午後 6:30 夕食
午後 7:00 家族や友人との時間
午後 9:00 読書
午後 11:00 就寝

ルーチンにあまりこだわりすぎないように

従うべき一般的なルーチンは持つべきだが、柔軟にもならなければならない。一日が台なしになったり、スケジュールがぐちゃぐちゃになったりすることはある。車の故障のような予測不能なことが起きればルーチンがずたずたになる可能性があるが、そんなのは忘れることだ。そういった突発事は冷静に対処できるようにならなければならない。

やってみよう

- あなたの現在のルーチンはどうなっているか。毎日の行動を追跡し、すでに従っているルーチンがどれぐらいあるかを確認しよう。
- 大きな目標を選び、少なくとも平日には毎日そのための仕事をルーチンに組み込もう。目標達成のための日々のステップを決めたら、1年にどれぐらい進めるかを計算しよう。

第 45 章

効果的な習慣の育て方

私たちは繰り返し行っていることによって表現される。だから、秀逸とは、ひとつの行動ではなく習慣である。

—アリストテレス

私たちはみな、習慣を持っている。習慣のなかにはいいものも悪いものもある。いい習慣は、私たちを前進させ、成長を助ける。悪い習慣は、私たちを後退させ、成長を妨げる。いい習慣を生み、育てると、意識的に努力しなくても、生産性を上げられる。ルーチンがゆっくりだが着実に一つひとつのレンガから大きな壁を作り出すのと同じように、習慣も蓄積によって私たちを前進、後退させる。しかし、ルーチンは私たちがコントロールできるのに対し、習慣はコントロールできないという大きな違いがある。

この章では、いい習慣を持つことがいかに価値のあることか、そのような習慣を育てるにはどうすればいいかについて考えていく。習慣をコントロールすることはできないが、習慣を生んだり破ったりすることはできる。生活のなかで習慣をどのように扱えばよいかを学ぼう。

習慣とは何か

習慣を変えたり、新しい習慣を生み出したりすることについて考える前に、習慣とは何かということを正確に知る必要がある。ここで説明するのは概要であり、詳しい説明を読みたい場合は、チャールズ・デュヒッグの『習慣の力』[※1]を読むとよい。

習慣は、基本的にキュー、ルーチン、報酬の３つで構成されている。キューは、習慣が現れる引き金になるものだ。一日の特定の時刻、何らかの社会

※１　Charles Duhigg, *The Power of Habit*, Random House, 2012. 邦訳『習慣の力〔新版〕』（ハヤカワ・ノンフィクション文庫、2019 年）

的なやり取り、特定の環境、そのほか、ほとんど何でもよい。私の場合、映画館に入ることがポップコーンを買うキューになっている。

次はルーチンだ。ルーチンは、何らかの行動であり、習慣そのもののことである。ルーチンは、タバコを吸うこと、ランニングに出かけること、コードをチェックインする前にユニットテストを全部実行することなどである。

最後に、報酬がある。これは、習慣を実際につなぎとめておく錨のような存在で、習慣を実行したときに感じるいい気分のことだ。報酬は、単なる満足感、オンラインゲーム『World of Warcraft』でレベルが上がったときになる音、好きなお菓子の甘味などだ。

私たちの脳は、習慣を生み出すのがとても得意である。私たちは、よくすることに対して自動的に習慣を形成していく。あることをたびたびすればするほど、習慣が作られる可能性が高くなる。習慣の強さは、報酬の価値によって左右されることが多い。いい報酬がもらえることは好んでするものだ。しかし、奇妙なことに、いつも同じ標準の報酬がもらえるものよりも、報酬が変わるものの方が中毒性が高い。カジノにあまりにも多くの人々が集まってくるのはそのためだ。報酬がもらえるかどうか、報酬がどこまで大きくなるかがわからないときには、悪い習慣が生み出されることがある。このような習慣のことを中毒とも呼ぶ。

あなたには、意識していない習慣が無数にあるはずだ。おそらく、起きたときに毎朝行う決まったルーチンがあるだろう。たぶん、毎朝歯を磨くだろうし、仕事のやり方に影響を与えるあらゆる種類の習慣があるはずだ。私がこの章で注目したいのはこれである。そういった習慣を生み出せば、生産性を最大限に引き上げるために役立つのだ。

悪い習慣に気づいて改める

習慣を見直したいときには、悪い習慣を見つけてきて、それをひっくり返していい習慣に変えるところから始めると簡単なことが多い。何が悪い習慣かを特定できれば、それを取り除き、いい習慣を生むことによって、生産性は二重に上がる。

私には、毎日コンピューターの前に初めて座ったときに、すぐにメールをチェックして、そのついでにインターネット取引のサイトと自分のソーシャルメディアも見てしまうという悪い習慣がある。あなたにも、毎日同じようにしてしまうルーチンがあるのではないだろうか。

最初に、私はこの習慣を破り、変えようとしている最中だということを認めなければならない。まったくこれは簡単なことではない。しかし、逆転させていい習慣に変えられることがわかっている悪い習慣の好例としては使える。

まず、この習慣を解析して、3つの部分に分解しよう。第1はキューだが、デスクの前に座ることがキューのように見える。朝、コンピューターの前に座ると、そこからこの習慣が始まる。次はルーチンだが、メールをチェックし、Slickdeals.comにいい出物があるかどうかを見て、Facebook、Twitterその他をチェックすることである。最後に報酬だが、見ていくのが好きなインターネットサイトをすべてチェックするといい気分になる。特に、投稿に「いいね！」がついていたり、いい内容の新しいメールが私を待っていたりすると気分がいい。また、少しだけストレスから解放された気分になる。その日にしておかなければならないとわかっていることを少し忘れて気持ちが楽になり、ちょっとの間だけリラックスできる。

この習慣を完全に止めようと努力してもいいのだが、止めるのはかなり難しいだろう。誘惑の囁きは絶えずあり、そのうちの半分では気づきもせずに習慣の行動をしている。自動的になっているのだ。しかし、この習慣を完全に止めてしまうのではなく、ルーチンを変えるという方法もある。チェックしたいすべてのインターネットサイトをチェックするのではなく、別のもっと生産的な行動に誘導するキューを準備しておくのである。

朝、最初にすることとしてインターネットサイトをチェックするのではなく、一日のプランを立て、その日のタスクとしてもっとも楽しいものをつまみ食いすることにしたらどうだろうか。できる仕事が増え、もっともつまらない仕事ではなく、もっとも楽しい仕事から一日を始められる。確かに、毎日もっとも大切な仕事を最初にしているわけではないが、全然生産的ではないことのために30分を浪費するのではなく、生産的な仕事をすることができる。

悪い習慣をいい習慣に切り替えるためには少し時間がかかるかもしれないが、最終的には悪い習慣の代わりにいい習慣が残り、それが私の1日のルーチンの一部になる。

あなたも自分の悪い習慣に対して同じことをすることができるが、そのためにはまず、悪い習慣を見つけなければならない。生活やルーチンのなかから後ろめたい気分になるものを見つけるようにするのが一番だ。止めたいと思っているけれども、いつも先延ばしにしてしまうことは何だろうか。

最初は小さなものから試すようにしよう。見つけられた悪い習慣のなかからひとつを選んでも、すぐにそれを変えようとしてはならない。まず、その習慣の引き金となるキューは何か、そのためについしてしまうことは正確に何なのか、その悪い習慣が止められなくなる報酬となっているものは何かを見極める必要がある。報酬は幻に過ぎないことがわかることがある。果たされると期待してしまうが実際には果たされない約束だ。

習慣自体についていい手がかりが得られれば、それに対してずっと意識的になれる。よく解析するだけで、習慣を潰したり変えたりできる場合さえある。

次に、その習慣として現在していることの代わりにできるほかのルーチンを考える。可能なら、あなたができることで、現在の習慣と似た報酬、または同じタイプの報酬が得られるようなものを見つけるようにしよう。

最後に、もっとも難しい部分が残っている。新しい習慣にできるかもしれないことを自分に強制し続け、古い悪習を塗り替えるのである。十分に長い間やり続けると新しい習慣がいずれ簡単かつ自動的にできるようになることがわかっていれば、切り替えやすくなるだろう。

新しい習慣を生み出す

古い習慣を変えることに加えて、自分がやりたいことのために新たな習慣を生み出すこともしたい。前章では、ルーチンを持つことの重要性について話したが、ルーチンをやり続けるように仕向ける習慣に支えられていなければ、ルーチンで大成功を収めることはできないだろう。

ルーチンを十分長い間やり続けるだけで、新しい習慣を生み出すのに成功することがある。週に3回ずつランニングとウェイトをする新しい習慣を生むことに成功したのは、2か月間ルーチンにこだわったからである。2か月たつと、自動的に曜日によって外に走りに行くかジムに行かなければならないという気分になるようになった。

新しい習慣を生み出すという例で気に入っているのは、尊敬するソフトウェア開発者、ジョン・レシグのブログポストに載っていたものだ。ジョンは、ブログ投稿“Write Code Every Day”のなかで、毎日最低30分かけて一定量の役に立つコードを書く習慣を身に付けるまでは、サイドプロジェクトが先に進まなかったということを言っている。新しいルーチンを作り、それが習慣になると、彼の生産性はとてつもなく上がったのだ。ブログポストそのものは、https://johnresig.com/blog/write-code-every-day/ で見ることができる。

習慣を生み出すための方法は、ルーチンを作る方法とよく似ている。達成したい大きな目標のことを考えるようにして、その方向に自分を動かしていく習慣を生み出せないかを考えるのである。生産的な習慣があればあるほど、目標に向かって進むことが楽になる。

育てたい習慣の候補を選んだら、その習慣を始めるモチベーションとなる報酬のことをよく考えよう。コードをチェックインする前に、ユニットテストを全部実行することを習慣にしようと決めたとする。おそらく、コードをチェックインする前に単体テストを実行すれば、メールチェックのための5分の休みが作れるとでも思ったのだろう。自分に与える報酬自体が悪い習慣になっていないかどうか注意しなければならない。ワークアウトのたびにキャンディバーを食べるのはお勧めできない。

次に、新しい習慣を引き出すキューを考える。その習慣の引き金になるのは何だろうか。キューは頼りにできる安定したものでなければならない。毎日またはある曜日の特定の時間は、次の機会に行動を先延ばししないように自分を抑えるいいキューだ。ほかの習慣と抱き合わせにすることができればさらにいい。私は、自分のスキルを維持するために、毎晩30分ずつ技術書を読むことを習慣にしている。それに30分歩くことを組み合わせて、毎日30分歩くという新しい習慣を生み出すことにした。今では、本を読みたいと思うたびに、トレッドミルで歩かなければと思うようになっている。

やってみよう

- あなたの習慣を追跡してみよう。今の生活を形成しているもっとも影響力の強い習慣は何か。そのうちいい習慣はいくつで、悪い習慣はいくつだろうか。
- 悪い習慣をひとつ取り出し、いい習慣に変えられるようにしてみよう。行動に移る前に、1週間後、1か月後、1年後にあなたの生活がどのように変わるかをイメージしよう。

第46章

分解は生産性を上げる

象を食べるときには、一度に一口ずつ食べるものだ。
—クレイトン・エイブラムス

先延ばし（生産性にとっての致命傷）をしてしまう大きな理由のひとつは、問題を過大視することだ。問題の規模の大きさに圧倒されてばかりいて、実際に解決に取り組もうとしないのである。タスクの全体を見ると、実際よりもずっと大きく威圧的なものに感じてしまうことがある。

この章では、先延ばしを克服するために役立つ生産性向上の小技、分解を取り上げる。大きなタスクを小さなタスクに分解すると、そのタスクをこなそうというモチベーションが上がり、目標達成に向かって以前よりもずっと着実に前進できるようになる。

大きいことが必ずしもよくないのはなぜか

タスクは、大きければ大きいほど威圧的に見えるようになる。ソフトウェアアプリケーション全体を書くのは難しい。しかし、1行のコードを書くのは簡単だ。残念ながら、ソフトウェア開発の分野では、タスクやプロジェクトは小さいものよりも大きいものの方が増えてきている。

しかし、私たちはずっと先の将来を見通すことができないので、こういった大きなタスク、プロジェクトは、私たちの生産性を低下させがちである。大きなタスクを全体として見てしまうと、ほとんど実現不可能なもののように見えてしまう。摩天楼や数kmも続く橋を構築するという、とてつもなく大きな仕事について考えてみよう。

多くの摩天楼や橋が建築されてきたので、実現可能なことはわかっている。にもかかわらず、この種のプロジェクトを全体の形で見ると、そんなことは誰にも実現できないように感じてしまう。

私は、長年に渡ってゼロからアプリケーションを構築するような巨大プロジェクトに関わってきた。私は様々なアプリケーションを手がけたが、物事を分解することを学ぶまでは、どれひとつとして完成にたどり着けなかった。いつも最初はプロジェクトに情熱を注いでいるのに、すぐに細部に埋没しているような感じになった。私は、あとどれだけの仕事が残されているかを考えることに囚われていて、完成までたどり着くことができなかった。プロジェクトが大きければ大きいほど、失敗する傾向があったのだ。

しかし、同じ問題を抱えるのは私だけではないことに気づいた。ソフトウェア開発分野の様々な職務のなかでほかの開発者に仕事を任せてきたが、決まってタスクの大きさがプロジェクトの成否の大きな指標になることを感じたのである。任せるタスクが大きければ大きいほど、彼らがそのタスクをこなせなくなる可能性が高くなるのだ。

なぜこうなるかの理由のひとつはすでに述べた。大きなタスクの心理的な負担である。大きな問題に直面すると、私たちは問題解決の手順を進めるよりも、問題そのものの大変さについて考えることのために時間を費やしてしまいがちだ。人は、もっとも抵抗の小さい道を選ぶ傾向がある。大きなタスクに直面すると、ほとんど必ずメールをチェックしたり、コーヒーをもう一杯飲んだりという楽な道を選び、タスクを先延ばししてしまう。

しかし、大きなタスクがよくない理由は、先延ばしが起きることだけではない。タスクは大きければ大きいほど、定義がはっきりしない傾向がある。店に行って卵、牛乳、パンを買ってきてほしいと頼む場合、タスクは明確に定義されており、あなたは何をすべきか正確にわかる。そのようなタスクは簡単に実行でき、あなたが正しくミッションをクリアする可能性は高い。

それに対し、私のためにウェブサイトを作ってくれと頼んだ場合、タスクが先ほどの例よりもかなり大きい上に定義が明確でない。どこから始めたらよいのかなど、答えられていない疑問がたくさんある。仕事を完成させるために何をしたらいいかが正確にわかる可能性は低い。私にとってウェブサイトの作成とは正確にどういう意味なのか、私が何を期待しているのかの説明を書くことはできるが、そこまで詳しく説明すると、読んで理解するために時間がかかるし、間違いが起きる可能性が非常に高くなる。

大きなタスクは、見積もりも非常に難しくなることが多い。リストのなかからもっとも大きい要素を見つけるアルゴリズムを書くためにどれぐらいかかるかと尋ねられれば、たいていの人がかなり正確な見積もりを出せるだろう。しかし、ウェブサイトのショッピングカート機能を実装するためにどれぐらい時間がかかるかと尋ねられても、出せる見積もりはほとんど当てずっぽうになってしまうはずだ。

つまり、大きなタスクは小さなタスクと比べて精神的に負担になり、日程が遅れがちになり、一般に説明が曖昧になって間違いが起きやすく見積もりが難しくなる。

分解の効用

しかし、希望を失ってはならない。解決方法はある。大きなタスクのほとんどは、小さなタスクに分解できることがわかっている。実際、ほぼすべての大きなタスクは、ほとんど無限ともいえる数の簡単で小さなタスクに分解できるのである。

大きなタスクを小さなタスクに分割することは、できる仕事量を増やすとともに、自分が仕事をしたときにかかる時間をより正確に見積もるために、私がいつも使っている常套手段のひとつである。

実際、この本の構成との一致は偶然ではない。読者は、この本にはなぜ、こんなにたくさんの短い章があるのだろうと思われたかもしれない。本書の執筆に取り掛かったとき、少数の大きな章を書くのではなく、多くの小さな章を書き、それをいくつかの部にまとめるという方法を意図的に選んだ。これにはふたつの理由がある。

第1に、この方が、読者が内容を消化しやすいだろうということである。私の場合、長い章を含む本は、章全体を読むだけの時間がない限り、取り出して読むのを避ける傾向がある。長い章を持つ本は、そうでない本よりも威圧感があるので、私はそうならないようにした。読者から見ても、千から二千ワードの章の方が、細かく分けられていない大きな章を持つ本よりも、読みやすく、威圧的な感じを受けないのではないだろうか。

第2に、この方が私にとって楽だからだ。私は、本の執筆が大変なことだということを知っている。私は、ほとんどの人がデスクの前に座って本を書き始めたものの、書き上げられないで終わることを知っている。私も何度か自分で本を書こうとして完成させられなかった経験がある。各章を長いブログポストぐらいの小さなものにしておけば、本を書くという仕事は、はるかに扱いやすくなる。私は、大作を書くというひとつの大きなタスクではなく、小さな章を書くという80個程度の小さなタスクに立ち向かうことにしたのである。

タスクを小さく分割すれば、それらのタスクは取り組みやすくなり、タスクを終わらせるために必要な時間の見積もりはずっと正確になり、正しく仕事ができる可能性が高くなる。小さなタスクで仕事を間違えても、大きなプロジェクトや取り組みに深入りする前に修正するチャンスが見つかることが多い。私は、ほとんどの場合で、大きなタスクを小さなタスクに分割するのは正しいと考えるようになった。

どのように分解するか

大きなものを分解するのはそれほど難しいことではない。ほとんどのタスクは1度に1ステップずつ進むようにすれば、簡単に小さなタスクに分解できる。象の食べ方の引用は、まさに真実だ。象を食べられる方法があるとすれば、一口ずつ食べること以外に考えられない。大規模な仕事でも、ほとんどすべての場合で同じことが当てはまる。大きなタスクを意図的に分割しなかったとしても、線形に進む時間の制約を受ける。あることを終わらせなければ、ほかのことを終わらせられない。それが延々と続くのである。

大きなタスクの威圧感を抑えたいなら、まずそのタスクを完成させるために、どのようなステップを踏んでいかなければならないかを明らかにする必要がある。大きなタスクを任されたとき、私がまずしてみることは、タスクを小さい連続的な部品に分解できるかどうかを明らかにすることだ。

最近、クライアントが持つ継続的インテグレーションシステムとデプロイの手順をクライアントのコードで使えるようにするというプロジェクトに取り組んだ。これはとても大きなタスクだった。当初、このタスクは威圧的で、難しく感じたが、頭からぶつかっていくのではなく、タスクを小さなタスクに分割するところから始めた。

最初は、コマンドラインからそのコードをビルド、コンパイルすることから始めることにした。自動ビルドを作るためには、まずこの作業が必要なのである。次のタスクとしては、ビルドサーバーにコードをチェックアウトできるようにすることが妥当なところだ。すると、ふたつのタスクを結合する新しいタスクを作れる。つまり、ビルドサーバーにコードをチェックアウトして、コマンドラインスクリプトでコードをコンパイルするというものである。

私は、このような形でプロジェクト全体を小さなタスクに分解していった。すると、とても太刀打ちできない猛獣が小さなネズミのように見えてきた。プロジェクト全体は非常に難しい問題のように見えたが、個々の小さなタスクはばかばかしいほど単純に見えたのである。

大きなタスクを多数の小さなタスクに分割しようとすると、自分が何を求められているのかについての情報が不十分で不正確なことがわかる。先ほども言ったように、大きなタスクは小さなタスクよりも定義が不明確なのだ。大きなタスクを小さなタスクに分割するときには、情報が足りなくて小さなタスクを明確に定義できないことがある。そのような情報の不足を埋めることは、分解の重要なステップのひとつだ。大きなタスクをうまく分解できないなら、それは情報不足によるものかもしれない。

しかし、これは悪いことではない。情報が足りないことがプロジェクトを始めてかなりたってからわかるぐらいなら、プロジェクトの初期の段階でわかる方がはるかにいい。大きなタスクを小さなタスクに分割するときには、小さなタスクが明確な目標を持つようにしよう。小さなタスクの目標を明確にしようとすると、本来なら必要な重要な情報が欠けていることが明らかになることがよくある。

アジャイルチームで仕事をするときには、私はこのテクニックを使って顧客から適切な情報を引き出そうとすることが多い。顧客は、サイトにショッピングカートを追加するなどの大きなタスクを依頼するときに、自分が望んでいることをあなたに正確に言えない場合がある。しかし、あなたが大きなタスクを小さなタスクに分割できれば、顧客の望みを正確に聞き出せるようになる。

分解の効用

分解というアプローチは、コードや問題解決にも直接応用できる。新人開発者の多くは、自分から見て書くのが難しいコードや解決するのが難しい問題にぶつかると、圧倒されて何もできなくなってしまうが、それは一度に解こうとしている問題が大きすぎるからだ。彼らは分解の方法を知らないのである（もっとも、私自身もまだその点では同じようなことがたびたび起きるが）。

私たちは、コードの複雑さに対処するために、部分的ながら自然に分解というアプローチを行っている。私たちがすべてのコードを収めたひとつの巨大なメソッドを書かないのはそのためだ。私たちは、自分のコードをメソッド、関数、変数、クラスなどの構造に分解して、コードを単純にしている。

プログラミングの問題は、いかに複雑でも、必ず小さな部品に分解していくことができる。複雑なアルゴリズムを書こうとしているときには、しゃにむに突進してコードを書こうとするより、独立して逐次的に解決できる小さな部品に問題を分割するとよい。アプリケーションは、いかに大きくて複雑でも必ずコード行に煮詰めることができる。一行のコードの複雑度は、どんなプログラマでも読み書きできる範囲を決して超えない。だから、問題を十分細かく分解するつもりがあれば、わずか一行のコードを書く能力を持つだけで、どんなアプリケーションだって書けるのである。

やってみよう

- 規模の大きさに圧倒されて今まさに避けている大きな課題はないか。掃除、ブログポスト書き、難しいアルゴリズムへの挑戦といったものを先延ばしにしていないか。
- 今直面している大きな問題を選び、それを小さなタスクに分解するいい方法を見つけられるか、考えてみよう。

第 47 章

ハードワークの価値と避けてしまう理由

この章では、私が心から大切に思っていることを言おうと思う。私のキャリア、そして人生には非常に大きなターニングポイントがあった。それは、成功のためにはハードワークは必要であり、避けるべきものではないと考えるようになったときのことだ。

すべての人は、いつも人生の近道を探している。成功するために必要なハードワークをやらずに済ませる方法だ。私もその例外ではない。私たちはみな、ハードワークを実際にせずに、ハードワークの結果だけを手にする方法を見つけたがる。たとえば、じっと座って書き続けるというハードワークをせずに、この本を魔法のように書き終えることができたらいいのにと思ってしまう。

しかし、現実を見れば、価値のあるすべてのものはハードワークの結果としてやってくる。人生、特にソフトウェア開発者のキャリアでは、本当に結果がほしいなら、コンピューターの前に座ってやりたくない仕事をやる、それも一貫して安定的にやる方法を学ばなければならない。

この章では、一所懸命に働かなくても賢く働けば大きな報酬が得られると約束するいかさま師の作り話を一掃しよう。そして、ハードワークを支えるモチベーションという難題に挑戦する。

ハードワークはなぜそんなに最悪……いやハードなのか

ほかの仕事よりもずっと大変な仕事がある理由は、私にとってまったくの謎だ。何時間もぶっ通しでゲームをしてもまったく苦にならないのに（これはかなり頭を使うはずだ)、ブログポストを書くために同じようにコンピューターの前に座って言葉をタイピングしていくことができないのはなぜだろうか。私の頭は仕事を選り好みしているのだろうか。私の脳、すなわちこういった活動を展開するマシンにとっては、どちらも仕事であることに違いはないはずだ。私の脳は、叩いているのがゲームコントローラのボタンかキーボードのキーかで態度を変えたりしないだろう。しかし、私からすれば、片方は仕事であり、もう片方は遊びである。片方はハードでつらいが、もう片方は楽しい。

ハードワークを心から楽しいと思っている人など、私は見たことがない。ハードワークを楽しんでいると言う人はたくさんいる。実際、私たちの大半は、仕事に入り込んでから、あるいは仕事が終わってからならハードワークを楽しいと思える。しかし、ハードワークを始めたくてうずうずしている人というのはまずいないだろう。

正直なところ、なぜそうなのかについての理由をきちんと説明することは私にはできない。Facebookのコメントやいつもの暇つぶしサイトのアドレスを入力するために脳が手に電気信号を送るときよりも、バグをフィックスするためのコードを書くために同じ脳が手に電気信号を送るときの方がはるかに難しい理由は私にはわからない。しかし、現実には、ある種の仕事はハードで、別の種類の仕事は簡単なのである。

しかし、私たちがハードだと考える仕事は、私たちにとって利益になる可能性の高いもののように見える。キャリアを前進させたり、新しいチャンスを開いたりしそうな仕事だ。何の利益にもならないような仕事は、どれも簡単なように見える。

「賢く」仕事する？

最近はいつも誰かが、ハードに働くのではなく賢く働こうという考えを説いているのを耳にするような気がする。できる限り賢く働くべきだということには反対しないが、賢く働くことがハードワークの代わりになるとは思わない。少ない仕事で大きな結果を約束する人はみな、あなたに何かを売りつけようとしているか、彼らが今の地位を得るためにいかにハードに仕事をしなければならなかったかを忘れてしまったかなのだろう。

賢く仕事をすればハードに仕事をするよりもいい結果が得られるという考え方には、大きな誤りがある。成功するためには賢く働かなければならないのは事実だが、ハードワーカーは、自称賢く仕事する人をいずれ必ず追い越すだろう。自分の行動から本当に結果を出したいなら、喜んでハードワークをするつもりにならなければならない。それが物事の真実というものだ。

あなたが本当に有能になりたいのなら、賢く働くとともにハードに働く方法を学ばなければならない。賢くなるだけでは不十分だ。本当に成功するためには、一定のレベルの積極性と障害にぶつかったときの一定レベルの忍耐がどうしても必要である。

ハードワークは退屈だ

なぜ私たちがハードワークを避けたがるのかについて私なりに考えると、ハードワークは一般に退屈だからだと思う。初めてブログを書き始めたとき、私は気分がとてもハイだった。自分を表現するこの新しいチャンスに夢中になっていたのだ。しかし、時間が過ぎていくとともに、ブログは単調でつまらない仕事になってしまった。退屈でも歯を食いしばってやり抜けるようになっていなければ、自分の行動にメリットがあるとは思えなかっただろう。

私たちが難しいと感じるものは、実際には面白くないとか華やかでないといった理由でやりたくないものである。興味を感じることだけをして次から次に情熱を傾けるものを変えて飛び回る人生は非常に魅力的だ。何かがつまらなくなったらすぐに、次の面白いものに飛んでいくのである。

しかし、このような考え方には問題がある。それは、ひとつのことにこだわり続ける人がいずれあなたを追い越していくことだ。最初は彼らよりも先に進んでいるように感じるかもしれない。最初は、していることに対する情熱によってあなたは一時的に上昇しているような気がするかもしれない。しかし、長くてつらい時間に耐え、仕事を完成させるために必要な退屈な作業に率先して取り組んでいる人の方が、いつのまにか前に行っている。それもずっと先の方に行っているのだ。

> 競争は動かしていくもので、一瞬のうちに決まるものではない。
>
> —ジョン・ジェイクス『南北戦争物語』[※1]

現実を直視しよう

あなた、そして私たちすべてにとって、現実には簡単なものなどない。本

※1 John Jakes, *North and South*, Harcourt Brace Jovanovich, 1982

当に成功したいなら、本当に成功者になりたいなら、何度か徹夜をしなければならない。キャリアのなかの何年間かは、週6、70時間も働かなければならないかもしれないし、前進するためにテレビを見たり友だちと遊んだりすることを何年も控えなければならないかもしれない。このシステムを騙すことはできない。引き出せるものは自分が入れたものだけだ。種を蒔く季節があるからこそ、育てたものを収穫する季節もある。種を蒔いてもいないものを収穫することはできない。

しかし、これはいつまでも楽ができないという意味ではない。成功は成功を生む。大きく成功すればするほど、次の成功は簡単にやってくる。最初に登らなければならない丘が高くて険しいだけだ。

頂点に立てた人はごくわずかだ。本物の成功というものを見られた人はまずいない。大半の人は、平凡にキャリアを送る。彼らは、本当の成功をつかむために必要な時間と犠牲を払おうとしない。この本のアドバイスにすべて従っても、ハードワークを進んでするつもりがなければ、効果はないだろう。まったく何の効果もない。進んで働こうとしなければならない。学んだことを実践に移してその効果を引き出さなければならない。

どうすればハードワークができるのか

ここまで来たら、読者もコンピューターの前に座って、しなければならないとわかっている仕事を実際にしなければならないと思っているだろう。そして、そのためにどのようにモチベーションを高めたらいいのだろうと思っているのではないだろうか。あなたを突然、もっとも生産的な人に変え、どんな仕事でも先延ばしにしたり文句を言ったりせずに取り掛かれる人にする魔法の答えがあればいいのだが、そんなものはない。

言えることは、私たちはみな同じ問題のために苦闘しているということだ。みな、自分にとって本当に大切な仕事を避けたり先延ばしにしたりしがちなのである。私の愛読書のひとつ、『やりとげる力[※2]』の著者、スティーブン・プレスフィールドは、私たちの行く手に障害をばらまくこの魔法の力を「抵抗」と呼んでいる。私たちが自分を一段上に引き上げようとするたびに、抵

※2　Steven Pressfield, *The War of Art*, Black Irish Books, 2002. 邦訳『やりとげる力』（筑摩書房、2008年）

抗が頭をもたげて私たちを同じ場所に引き留めようとすると彼は言っている。

取り組んでいる分野で成功を収めたいのなら、この抵抗に打ち勝つ方法を学ばなければならない。しかし、どうすればこの難敵を打ち負かせるのだろうか。抵抗というやつの顔をマットに押さえつけてギブアップと言わせるにはどうすればいいのか。単純にデスクの前に座り、しなければならないことをするだけだ。意志の力で仕事をするための方法を学ばなければならない。簡単な答えはないのだ。このようなメンタルな面での抵抗に打ち勝つためにも、ルーチンを持つことが重要になる。

あなたが聞きたい答えはこのようなものではないことはわかっている。私だってこんな答えは聞きたくない。しかし、少なくともあなたはそれが自分だけの問題ではないことを知っている。少なくとも、あなたが座ってこの本を読むのと同じぐらい、私が座ってこの本を書くのはしんどいことだとわかっている。あなたが仕事から逃げてFacebookを見ているときに、同じことをしている人がほかに1億人もいることを知っている。

その上で聞きたいのは、あなたは負けるつもりなのかということだ。単純に自分は仕事に集中することができないと諦めるのか、それとも抵抗に立ち向かい、障害を乗り越えようとするのか。それはあなただけができる選択だ。単にしなければならない仕事をすると決心すればいいだけだ。いずれ仕事は終わらせなければならないことを認識し、それならあとでやるのではなく今終わらせようと思うことだ。あなたの目標を達成し、あなたの潜在能力をフルに引き出すためには、歯を食いしばり、ぐっとこらえて仕事をしようと思う以外に道はないことを認識しなければならない。

やってみよう

- あなたはどのようなハードワークから逃げているか。やる気がでないので先延ばしにしているのはどういうタイプの仕事か。そのような仕事からひとつを選んで、問答無用でやろう。しなければならない仕事を先延ばしせず、すぐに取り掛かる習慣を身に付けよう。

第 48 章

何でもしないよりした方がまし

何でもしないよりはした方がましなことが多い。特に、長い間不幸な状態から離れられなくなっているときはそうだ。したことが誤っていれば、少なくとも何かを学べる。その場合、それはもう誤りではない。じっとしていれば、何も学べない。
—エックハルト・トール『さとりをひらくと人生はシンプルで楽になる』

第 4 部の締めくくりは、生産性の最大の敵のひとつ、動かないこと、行動しないことについて話をしたい。ソフトウェア開発者のキャリアで何よりも生産性を傷付けるものは、行動しないことだ。よく考えて賢い判断をすることは大切だが、ほしい情報が揃わないのに前進して判断を下さなければならないことがある。そういうときには、行動することだ。

この章では、どんな形でも行動することが、まったく行動しないよりも、ほとんど必ずよいのはなぜか、多くの人々がデフォルトで行動しない方に行ってしまうのはなぜか、そしてその理由にどう対処するかについて考えていこう。

なぜ私たちは行動を拒否するのか

行動を拒否してしまうために無駄にしてしまうチャンスや可能性は無数にある。それは当然のように思えるかもしれない。行動しなければ、どうして何かが起きることを期待できるだろうか。私は、ほとんどの人が今言ったことの正しさを理解できると思う。ごくごく当たり前のことだ。しかし、それならなぜ、多くの人々が行動しないことを選んでしまうのだろうか。

私の理由はわかっている(思い切って言うと、あなたも同じだろうと思う)。単純なことだ。怖いのである。間違うことの恐怖、何かをめちゃめちゃにしてしまう恐怖、合格か不合格かを決められる恐怖、変化の恐怖、何か違うことをする恐怖が襲ってくるのである。

行動しなければならないことがわかっているのに、行動を拒否してしまう最大の理由はおそらく恐怖である。しかし、大切なのは恐怖に縛られたままにならないことだ。私たちが取る行動が最良のものでなくても、それはほとんど必ず何も行動しないというデフォルトの選択よりもいいことを認識し、恐怖を克服することを学ばなければならない。

持っている最良の知識に基づいて取った行動を後悔する人はほとんどいない。しかし、行動を取らなかったことを後悔する人は非常に多い。彼らは、慎重過ぎるか、気が弱過ぎるか、優柔不断なために、前進して何かをすることができず、チャンスを失ったことを後悔しているのである。

行動を起こさなければ何が起きるのか

私は、行動を起こさないばかりに、いつも損をしている夫婦を知っている。夫の方は非常に論理的な人物で、妻の方はそれよりもフィーリングで動くタイプである。よくあるパターンだ。彼らの問題は、大きな判断を下し、その判断に基づいて行動しなければならないときに顕在化する。

あるとき、この夫婦は、客用のバスルームを改良しようとした。新しいバスタブを据え付けてから、シャワーカーテンにするかガラス張りにするかを決めようというとき、問題が起きた。片方はカーテン、もう片方はガラス張りを主張した。論争は激しくなっていき何年も続いた。どちらも諦めず、何もしようとしなかった。それぞれの主張が展開され、可能性が議論されたが、何も決まらなかった。行動は起きなかった。

この状態が何年も続いた。私はこの10年で少なくとも7回彼らの家に泊まったが、シャワーカーテンもエンクロージャーもなかったので、客用バスルームは使えず、いつもメインのバスルームを使っていた。

彼らは何年もの間、そのシャワーを使えず、客にも自分たち自身にとっても不便な状態のままだったが、それは決定を下せず、行動を取れなかったからだった。そして同じ夫婦が芝生の張り替えをめぐって新たな戦いを始めている。それもまた10年続くのだろうか。

ふたりが何らかの行動を取ることにしていれば、それがたとえ最適な結果でなくても、10年間シャワーが使えなくなるよりもましな結果になっていたはずだが、彼らはそうしなかった。決心がつかないときにほとんどの人が選ぶデフォルトの選択肢、「何もしない」を選んでしまったのである。

あなたは10年間シャワーカーテンなしのシャワーを放置したりはしていないだろうが、行動を取っていれば5分で解決していたはずの選択をぐずぐずと引き延ばしたことが何回あるだろうか。最適の選択肢が見つからないからとか、間違った選択をするのが怖いからといった理由で選択を棚上げにして、いくつのことを間違いなく失敗に向かわせているだろうか。行動しないことによって、あなたの人生の時間をどれだけ無駄にしているのだろうか。

おそらく、ギターの弾き方を習いたいのだろう。自分の職に満足できず、新しい職場を見つけたいのだろう。財務状況がひどいので家計を大きく見直さなければならないのだろう。あなたが避け、苦しんでいることが何であれ、そのために行動を取らずにいることがあれば、今こそ決めるべきときだ。そして、行動すべきだ。

起き得る最悪のことは何か

それで起き得る最悪のことは何だろうか。物事を決められなくなったら、必ずこのことを自問自答すべきである。ほとんどの場合、この問いに答えれば、自分が間違っていたことに気づき、決意して先に進めるはずだ。

正しい行動の道筋を見つけるためには、何度も間違わなければならないことが多い。行動を遅らせれば遅らせるほど、すべての間違った道をたどり、正しい道を見つけるまでの時間も長くなる。

決められなくなるほとんどのことは、ごくささいなことだ。私たちは、十分以上にいいといえる90%の答えで満足せず、95%の答えを見つけようとして3倍も余分な苦労をすることが多い。人生の問題でもコードの問題でもそうだ。それどころか、新しいテレビを買おうとしているときでさえ、同じ苦労をしている（3番目の問題については、どのテレビを買うべきか決めない方がいい。テレビのおかげでいかに時間を無駄にしているかについては第43章を読んでいただきたい）。

しかし、こういったささいな選択でも、最適ではない答えやまったく間違った答えを選ぶことではなく、何もしないことにより、人生に大きな影響を及ぼすことがある。重要なクライアントに届けるコードのなかで、ふたつのよく似たアルゴリズムからどちらかを選ばなければならないのに選べないでいるとき、何が起きるのかを考えてみよう。

おそらく、どちらを選んでも許容範囲の結果を生み出せるが、どちらかの方がほんの少しよいのだろう。しかし、さらに情報を集めるために行動を取るのを遅らせてしまい、締め切りを守れなくなって、重要なクライアントを失うことになったらどうなるだろうか。

この場合は、たとえ最高のものでなくてもどちらか一方のアルゴリズムを選んだ方がはるかにいい。行動を取れば、片方のアルゴリズムでは動作しないことがわかった場合でも、もう片方を実装する時間がまだ残っているかもしれない。選ばないことを選び、行動を先延ばしにすると、最悪の結果が生まれる。

人生が変わるような一見重要な選択でも、決めないで行動しないことと比べれば、サイコロの目で適当に決めた方がまだいい。多くの大学生は、専攻やキャリアを選ぶのは非常に重要なことだと考えている。確かにその選択は重要かもしれないが、何かを選ぶことほど重要なことはない。しかし、本当の選択をすることができないばかりに、専攻を絞れず、意味のない学位を取って卒業する大学生がいかに多いことか。彼らは優柔不断な態度のために麻痺して行動を取ることができなかったのである。

動いている車の方がハンドルは切りやすい

行動を取らないでいるのは、駐車している車の運転席に座ってハンドルを切ろうとするのと似ている。駐車している車のハンドルを切ろうとしたことがあるだろうか。簡単には切れない。車が動いているときにハンドルを切る方がはるかに簡単だ[※1]。

しかし、あまりにも多くの人々が人生のガレージに駐車した車に座り込んで、まだ道に出る前からどちらに行くべきか迷って、必死にハンドルを左右に回している。

止まっていないで運転を始めた方がいい。そうすれば少なくともどちらかの方向に行かれる。車が動き出せば、いつでもハンドルを切ってコースを修正できる。その方がはるかに簡単だ。ガレージに駐車している限り、間違った方向には行かないかもしれないが、正しい方向にも行けない。

動き出した車には、勢いがある。その勢いによってあなたは間違った方向

※1　今は大半の車にパワステがついているのでこのようなことはないが、パワステがない頃の据え切りはほとんど不可能なぐらいに力が必要だった。

に進んでしまうかもしれない。しかし、間違っていることがわかったら、ハンドルを切るだけで同じように簡単に正しい方向に向かうことができる。

何をすべきかまったくわからないとき、とりあえず何かをしてみて、途中でコースを変えるのがもっともいい行動の仕方になることがある。前進するためには、そうするしかない場合だってある。前進しなければ、どこで左に曲がらなければならないかだって、止まっていてその場所を見ていないのでわからない。始めてみなければ、将来取る必要のあるすべての行動を予測することはできないし、何が問題を起こすかもわからない。

ある方向が間違っていることは、その方向に行ってみなければわからないことがよくある。間違うことのコストが小さい場合には、いつも必ず何もしないより何かをすることを選ぶべきだ。

今何ができるか

それでは、ここで学んだことをあなたの今の生活にどのように応用していけばよいだろうか。どうすれば今日から行動を取れるようになるだろうか。行動を取れるようになるために、次の簡単なチェックリストを活用しよう。

- 私が行動できなくなっている原因は具体的に何か。
- どれにするかを決めなければならないとき、具体的な選択肢は何と何と何か。
- 間違った選択をしたときに起きる最悪のことは何か。
- 間違った選択をしたときに、戻って別の選択をすることはできるか。そのためのコストは高いのか。
- 選択肢の間に大きな違いはあるか。すぐに行動を起こせば、ベストとは言えない選択をしてもその場を切り抜けることができるか。
- 目の前の問題は進んでいくうちに自然に答えがわかるようなものか。何らかの行動を取れば、正しい行動が何かがわかるまで、軌道修正できるか。
- 何も行動を取らなければどうなるか。代償は時間か、チャンスを取り逃がすことか、お金か。

やってみよう

- 行動を取らなければならないことがわかっている何かの問題を選び、この章のチェックリストの答えを書いてみよう。
- 行動を取らなかったために逃した過去のチャンスを探そう。たとえば、株の売買、会社への投資、起業などである。
- 物事が期待したように進まなかったときに起きた結果のなかで、今までで最悪だったものは何か。
- 何が最良の選択肢だったか。
- 行動の目標が複雑すぎて今日決められない場合、少しでも前進するためにできる小さな決定は何か。たとえば、PythonとJavaのどちらを学ぶかを決めようとしているとき、とりあえずどちらかの練習を始めた上で、長期的にどちらを習うかを考えられるか。

第 5 部

資産形成

お金は主人になると恐ろしいが、家来にすれば忠実だ

—P・T・バーナム

ソフトウェア開発は、今日もっとも収入のいい職業のひとつである。これからは世界がますますコンピューターとソフトウェアを基礎として動いていくようになるので、その価値は高まる一方だろう。しかし、お金は、活用方法を知らなければ、ほとんど役に立たない。

宝くじの 1 等当選者、映画スター、有名スポーツ選手の多くが自らの財産を管理できるだけの「お金の知識」を持っていなかったばかりに、数百万ドルを稼いだあとで失ってきたのだ。

あなたは百万長者になるかもしれないし、一生給料が右から左に消えていくような生活を続けることになるかもしれない。どちらになるかはあなた次第だ。特に、資産形成についての知識と、世界の金融システムの仕組みについての知識によって、大きく左右される。お金がどのような仕組みで動いているかについてごくわずかな知識を身に付けた上で、お金をどれだけうまく使えるかにより、あなたの経済的な未来は大きく変わる。

第 5 部では、ソフトウェア開発者にとって役立ちそうな、お金についてのもっとも重要な知識を取り上げていく。不動産投資を始めるにはどうすればいいか、給料の交渉をどのように進めるか、引退のプランをどのように立てるかなどである。そして最後の章では、ここで取り上げた原則や知識を活用して私が 33 歳で引退した経緯をお話ししよう。

あなたが今何を考えているかはわかっている。「ジョン、それはよかったね。でも、私はお金の話なんか興味ないんだよね。私はソフトウェア開発者だからさ、自分のキャリアを伸ばしたいんだよ」。しかし、この章を読み飛ばしてしまう前に、考えていただきたいことがある。資産形成と投資するかしないかは、おそらく健康以外のほかの何よりもあなたの人生に大きな影響を与えるということだ（この本では、健康についても取り上げる）。

実際、あなたがキャリアについて下す重要な判断の多くは、あなたの資産状況に大きく左右される。ソフトウェア開発者としてのチャンスもそうだ。この分野の知識がほんの少しあるだけで、大きな違いが生まれる。まだ半信半疑かもしれないが、あなたの資産状況の変化が人生とキャリアについての意思決定を大きく変え得るということを真剣に考えることをお勧めしたい。

第 49 章

給料の賢い運用方法

たとえば30年会社で働き、2週間に1度ずつ給料を受け取っていれば、キャリア全体を通じてちょうど780回給料をもらうことになる。40年なら1040回だ。その間にこれらの給料をどのように運用するかによって、何年働くか、引退時にどれだけのお金を用意できるか、そもそも引退できるかどうかが決まってくる。

大切なのは、毎月あなたのお金がどこに行っているのか、そのなかのどれだけの部分が未来のあなたの損得のためにどのように機能しているかを理解することだ。この章では、あなたの収入に関連する重要なお金の概念を掘り下げ、自分のお金を今までよりも上手に管理し、今までとは少し異なる見方で自分のお金のことを考えるための足がかりを提供しよう。

目先のことだけを考えるな

ソフトウェア開発者らしく高給取りになると、ぜいたくなものが買えると思うかもしれないし、実際に買えるが、収入が多いからといってお金を使いまくることが賢いやり方だとは言えないだろう。

私のおかげで、多くの同僚たちが新車を買うのを止めてきた。ほとんど全員が気持ちを変えるか、少なくとも自分の選択を真剣に考え直す、ある単純なシナリオを話したからだ。

誰かが私に新車を買うつもりだと言ってくると、私は彼らにいくらかかるかを尋ねる。通常、彼らが答えてくる数字は2万ドルから3万ドルであり、かなりな額である。私が知っているほとんどの人は、それだけの現金を手元に持っているわけではない。実際、彼らはその額を用意するために数年に渡って節約しなければならない。しかし、多くの人々がそれだけのお金を喜々として車と交換するらしい。でも、それは本心なのだろうか。

彼らが私に車の値段を答えると、私はどうやって支払うかを尋ねる。ここで返ってくる答えは、ほとんど必ずローンである。何年にもまたがって支払うので、毎回の支払額は小さくなると彼らは言う。普通ならそれでいい感じに思えてしまうが、それも私が次のもっとも重要な質問をするまでだ。「2万5千ドルの現金が入ったスーツケースがあったとして、現金がぎっしり詰まったスーツケースを新車と取り替えるかい？」

それでも買うという人もいるが、ほとんどの人々は買いたくなくなる。新車よりも2万5千ドルの現金の方がいいのだ。しかし、月々わずか300ドルで4年から6年かけて3万ドルを払って2万5千ドルの車を買えるということになると、現金払いよりもかなりいい取引のような気がしてしまう。

私はそのあとでたいてい、同じA地点からB地点まで連れて行ってくれる5千ドルの車を買って、今後数年間に渡って好きなように使える2万ドルが残ったら、どれぐらい余分に楽しめるかを尋ねる。私だって、今まで1度も新車を買ったことがないと言うつもりはない。しかし、このようなことを考えたら、新車を買う意味はほとんどなくなるだろう。

問題は、私たちの大半がお金の問題を長期的に考えず、短期的に考えてしまうことだ。私たちは、もののために今月いくらかかるかについては考えるが、全体としていくらかかるかについては考えないのだ。

キャリアをスタートしたばかりの頃の私も、まさにそのような考え方をしていた。私は、毎月いくら稼いだかを考えていたことを覚えている。その額からどうやって生活するかを決めていた。月々の稼ぎが多くなればなるほど、借金できる額が増える。そこで、給料から食費などの基本的な生活費を差し引いて、残った額を車の支払いのために使っていた。残った額が多ければ多いほど、買える車がよくなる。

昇給したときには、すぐに毎月どれぐらい余分に使えるかを考えていた。給料が毎月500ドル上がるなら、税引き後、毎月300ドル余分に車の支払いに使えると計算していた。

このようなものの考え方をしていると、財力通りかそれ以上を使って生活することになるので、非常に危険だ。これは目先のことだけを考えた収支計算で、稼げば稼ぐほど使ってしまうので、前進できなくなる。

私の友人で、ペイデイローンという次の給料の支払い日が返済日となる短期ローンの会社を経営している人物がいる。彼がこの種のローンで得ている利率はばかばかしいほど高いものだが、それは、彼から借金をする人々はギリギリの状況で金を借りに来るからである（少なくとも、そう見なされるのが前提となっている）。

この友人にペイデイローンを借りに来るのはどういう人なのかを尋ねたことがある。私は、生活できるだけの収入を稼げないのでいつも支払いを先延ばししている貧しい人たちに違いないと言ったが、彼の答えは驚くべきものだった。彼の顧客の大半は、貧困ライン以下の人々だが、年収10万ドルを越す医師、弁護士などの高給取りもかなりの割合でいるというのである。

たくさん稼いでいるからといって、お金の使い方が賢くなるわけではない。友人からペイデイローンを借りている医師や弁護士たちは、キャリア初期の私の考えと同じような短期的な思考に囚われていたのである。彼らは毎月の収入をそっくり使っているので、給料が右から左に消えるような生活をしていたのだ。彼らは、稼げば稼ぐほど使ってしまう。彼らは全部借金で前よりも大きな家や速い車を買っていたが、普通そうするものだと思い込んでいたのである。

資産と負債

しかし、前よりも多く稼げるようになったからといって、前よりも多く使わなくてもいいという考え方もある。毎月の収入に合わせてコストを増減させてしまうのではなく、長期的な視野でいろいろなものの実際のコストについて考えるようにするのだ。

この種の考え方の基礎には、資産と負債という概念がある。資産と負債は世間で様々に定義されているが、私の考え方では、資産とは、維持費よりも利用価値の高いもののことだ。そのため、あるものが資産として認められるには、その維持費よりも多くの価値を提供できなければならない。

負債はその逆だ。提供する価値よりも維持費の方がかかるものである。負債を維持するためには、大金を使わなければならないが、出したコストほどの価値は決して得られない。

この定義は会計士が資産や負債に与える定義とは正確に一致しないことはわかっている。しかし、この定義を使えば、持っていたり買ったりするすべてのものを資産か負債か、つまり、あなたの人生の富を増やす効果をもたらすか、それとも富を減らす効果をもたらすかを考えるために役立つだろう。

私の定義に従って、資産と負債の例をいくつか考えてみよう。はっきりとどちらかに分類できるものからはじめて、どちらにもなり得るものに進んでいく。

はっきりとした資産の例は、四半期ごとに配当をもたらす持ち株である。このような株式は、持っているために何のコストもかからないが、持っているだけで３か月ごとに収入をもたらしてくれる。株自体の価値は上がったり下がったりするが、生み出すお金に注目すれば、私の定義する資産である。

それに対し、クレジットカードの債務は明らかな負債である。クレジットカードの債務を持っていても何の利益にもならない。クレジットカード債務は毎月支払わなければならない利子を生み出していくので、ただ単にお金の持ち出しになる。これを取り除くことができれば、個人財務状況は改善されるだろう。これに関して異論はないはずだ。

しかし、家のようなものについて考えると、話は少しややこしくなる。あなたの家は資産だろうか負債だろうか。私が気に入っている資産形成の専門家で、『金持ち父さん 貧乏父さん[※1]』の著者であるロバート・キヨサキは、家は負債であって資産ではないと言っている。そして、ほとんどの場合、私も同じ考えだ。

私たちはみな、住む場所を必要としている。持ち家か借家かにかかわらず、雨風をしのぐシェルターのためにお金を払わなければならない。完全な自分の持ち家であっても、貸すこともできる資源を自分で使っているので、「シェルターのためにお金を払っている」ことに変わりはない。持ち家とは、基本的に自分から家を借りているということである。

家のコストが必要なシェルターの基本コストよりも高ければ、それはあなたにとって負債である。ほとんどの人にとって、家は大きな負債だ。賃貸費を支払う以上の価値を与えてくれるような利用価値を家から手に入れていないからだ。

同じことが車にも言える。おそらく、何らかの移動手段は必要だが、ずっと安い車が与えてくれる以上の現実的な価値を与えてくれない車にお金を支払っているなら、それは負債だ。

資産の例

- 配当を生む株式
- 貸しに出している不動産

※１　Robert Kiysaki, *Rich Dad, Poor Dad*, Demco Media, 2009. 邦訳『金持ち父さん 貧乏父さん：アメリカの金持ちが教えてくれるお金の哲学』（筑摩書房、2,013 年）

- 債券
- 音楽著作権
- ソフトウェア著作権
- 事業

負債の例

- クレジットカードの債務
- 持ち家（必要以上のものなら）
- 自動車（必要以上のものなら）
- 月極サービス
- 時間とともに価値が減少していく備品・設備

ロバート・キヨサキは、資産と負債という用語を私よりも厳しく使っている。彼は、ポケットにお金を入れていくものを資産と呼び、ポケットからお金を持ち出していくものを負債と呼ぶ。その見方に立って悪いことはまったくない。

ポイントは、買うもののなかには、収入を生み出すものや初期投資よりも大きな価値を生み出すものもあれば、収入を食っていくもの、払っただけの価値がないものもあるということだ。

この視点を持つようになれば、短期的な考え方ではなく、長期的な考え方に立てるようになるだろう。給料として手に入れるお金は、働かなければ得られないお金である。それに対し、資産が毎月生み出していくお金は、働かなくても手に入るお金だ。働かなくてもお金を生む資産を買うために、働かなければ手に入らないお金を使えば使うほど、同じかそれ以下の仕事で多くのお金を作れるようになる。毎月コストがかかる負債を買うために働いて手に入れたお金を使えば使うほど、逆の方向に進み、それらの負債の維持費を払い続けるために、もっと汗水たらして働いてお金を稼がなければならなくなる。

ここで少し時間を割いて、あなたの資産と負債をリストアップしてみよう。完全でなくてもかまわないが、最大の資産と最大の負債を明らかにするように努力していただきたい。資産がなくても気にしなくていい。ほとんどの人がそうだ。

話を給料に戻すと

さて、以上の話とあなたの給料との間にどのような関係があるのだろうか。もう少し現実がはっきりとわかる話をしよう。

私が19歳だった頃のことだ。私には明らかに分不相応なとてつもないチャンスが転がり込んできた。カリフォルニア州サンタモニカで、ある会社の契約社員として時給75ドルで働いてみないかというのである（これは2000年代初めのことであり、75ドルは今以上に価値があった）。この仕事に就けば、2週間の休暇を取ったとして、1年で少なくとも15万ドルも入ってくることになる。

これは、私の年齢から考えると信じられないような額であり、自分は間違いなく金持ちだと思った。確かに、このチャンスはすばらしいものだった。しかし、もっと多くのお金を稼げなければ、自分が金持ちでないだけでなく、近い将来に金持ちになることもできないことに、私はすぐに気づいた。

私はかなり質素に暮らしていたが、資産が100万ドルになるまで何年かかるかを試算してみた。年間15万ドル稼いでも、税のために約30%を支払わなければならないことを考えると、残るのは10万5千ドルになる。そして、私は生活しなければならないが、私なら年間3万5千ドルぐらいで質素に暮らせるはずだ。すると、毎年7万ドルを貯蓄に回せる。

さらに計算を続けて、毎年7万ドルずつ貯蓄に回すことができれば、14年を過ぎたところで百万長者になれることがわかった。もちろん、14年後には、インフレによって100万ドルには今ほどの価値はない。実際、https://www.measuringworth.com/に行って数字を入力すれば、2000年の100万ドルは、今日の130万から160万ドルの価値があることがわかる。だから、実際には100万ドル以上を稼がなければならないわけだが、給料もインフレで上がるという前提で考えよう。

これがわかったときにはとてもショックだった。運よく手に入れた新しいポストであと14年も一所懸命働かなければならないのだ。しかも、その間、私は極端に質素に生活して、できる限り多くのお金を貯金しなければ、百万長者にはなれないのである。そして、百万長者になったからどうだろうか。資産百万ドルでは決して豊かだとは言えない。そして引退するためには明らかに足りない。快適に引退生活を送るためには、少なくともあと2、300万ドル必要だろう。

いつか本当に金持ちになりたいなら、私の足を引っ張る負債に給料を浪費しないだけではなく、私のためにいずれお金を生み出してくれる資産に給料のかなりの部分を投資しなければならないことを認識したのはそのときだった。

お金の面で成功したいなら、投資の方法を学ばなければならない。ほかに選択肢はない。一生働き続け、できる限り多くのお金を貯め込んだとしても、お金に働かせる方法を見つけなければ、金持ちになることはもちろん、金銭的に不自由しないようになることはできない。

やってみよう

- 毎月あなたのもとを通り過ぎていく現金の行方をたどってみよう。最初にいくらあって、そのお金がどこに行くのかを確かめるのである。あなたのお金の大半は、資産への投資ではなく、負債への浪費の方に向かっているのではないだろうか。
- 預金残高が100万ドルに達するか、金銭的に不自由しない額だとあなたが考える数字に達するまで、毎年いくらずつ貯蓄に回さなければならないかを計算しよう。投資に手を出さずに死ぬまでにそれだけのお金を蓄えることはできるだろうか。
- 「いくら使えるか」から「いくら蓄えられるか」に考えを改めよう。

第 50 章

給与交渉のやり方

多くのソフトウェア開発者が給与交渉を一切していないこと、交渉していたとしても、給与交渉をするだけで、ほかの条件について考えないことには驚かされる。

給与交渉は重要である。それは単に時間とともにお金が積み重なって交渉額が大きくなるからというだけではなく、給与交渉の場で自分自身をどのように扱って見積もるかが、会社でのあなたの評価に大きく影響を与えるからでもある。

会社の一員になってしまうと、固定されてしまった第一印象を振り払うのは難しくなる。雇われる可能性のある会社に敬意を払いつつ、自分の価値を示せるように給与交渉をそつなくこなすと、あなたは自分のまわりにプラスのオーラをまとわせられるようになる。それは、その会社でのあなたのキャリアに非常に大きな意味を持つ。

交渉は応募する前から始まっている

給与交渉の力量は、あなたの評判によって大きな影響を受ける。有名なスポーツ選手や映画スターを考えてみよう。どちらの職業でも、名前がよく知られていることが交渉で大きな影響力を持つ。同じことがソフトウェア開発やその他の分野でも当てはまる。名前がよく知られていればいるほど、交渉では力になる。

では、ソフトウェア開発の分野で名声を確立するにはどうすればいいのだろうか。偶然有名になってしまう人もいるが、ほとんどのソフトウェア開発者は、綿密な計画を立てて戦術を駆使する必要がある。私が強くお勧めしたいのは、パーソナルブランドを作り、ソフトウェア開発者として積極的にセルフマーケティングすることだ。

基本戦略は、できる限り多くの種類の媒体を通じてあなたの名前を外に出すことである。ブログポストを書き、ポッドキャストに出演し、本や雑誌記事を書き、カンファレンスやユーザーグループで講演し、ビデオチュートリアルを作り、オープンソースプロジェクトに貢献し、このほかにもあなたの名前が外に出ることなら、何でもしよう。

セルフマーケティングによって高評価を確立できていればいるほど、給与交渉は楽になることを忘れてはならない。ひょっとすると、これがもっとも重要なことかもしれない。私が助言したソフトウェア開発者のなかには、ちょっとした個人ブランドを築き上げ、ネットで有名になっただけで、給与をほぼ2倍に上げられた人が複数いる。

どのようにしてポストを獲得するかはきわめて重要だ

給与交渉力に影響を与える2番目に大きな要素は、どのようにしてそのポストを獲得するかだ。職に就くまでの経路は様々であり、どの経路を通っても同じになるわけではない。ポストを獲得するためのいくつかの方法について考えてみよう。

第1の方法は、求人票を見て、履歴書にできればいいカバーレター[※1]を付けて普通に応募するというものである。実際、仕事を求める多くの人々は、職を得るための方法はこれだけだと思っている。しかし、求職方法としてこれは最悪だ。この方法で職を得ると、あなたは会社よりもずっと弱い立場に置かれてしまうので、給与交渉を有利に進めるのは難しくなる。あなたは、自分から職をくださいとお願いする側になっているのだ。

何を交渉するときでも、成約を強く望む方が必ず不利になる。ゲームのモノポリーをしたことがあるだろうか。あなたは自分のモノポリーを完成させるためにほかのプレーヤーの資産が必要なのに、そのプレーヤーはあなたから手に入れたいものがないとき、そのプレーヤーと交渉してみたことがあるだろうか。交渉の結果はどうなっただろうか。

第2のルートは、個人的な紹介によって職を得るものである。あなたがその会社の社員を知っていて、彼らがあるポストに対してあなたを推薦し、その結果、そのポストに就かないかというオファーが届くという形である。これは、単に求人に応募するよりも、はるかにいい形だ。実際、積極的に新し

※1　送り状、添え状と訳されるもので、履歴書に同封する文書。英文の場合、履歴書に記入欄のない連絡先、志望動機、自己PRなどを書く。

い職がほしいときには、必ず個人推薦を手に入れるようにすべきである。この場合、相手の会社は、あなたが積極的に求職していることさえ知らない場合がある。すると、あなたの側のニーズは低いものと見なされる。そして、あなたは個人推薦を受けているので、すでにある程度の信用を持っている。あなたを推薦してくれた人の信用を借りているということだ。あなたを推薦している人の信用が高ければ高いほど、あなたも高く信用される。この信用がオファーを受けたあなたの交渉能力に大きな影響を与える。

職を得るルートはほかにもあるのだろうか。最良のルートはどのようなものなのだろうか。それは、職を与えてくれる会社の方があなたを見つけ出してきて、職をオファーしてくるとか、求人に応募してくれと頼んでくるルートだ。どのような状況で職を得ることになったかが、あなたの交渉力に大きな影響を与える。会社があなたのことを知っていて、面接さえせずに直接ポストを提示してくるのが最高の形であることは言うまでもないだろう。その場合、給与交渉はほとんどあなたの言い値だ。そうでなくても、雇用主が直接あなたに声をかけてくるような場合には、給与交渉では有利になる。

今あなたは「会社が自分に直接声をかけてくるなんて考えられない。まして、面接抜きでポストを提示してくるなんてあり得ないだろう」と思っているかもしれない。確かにそういうことはまれだが、実際にあることだ。この種のことが起きるようにするためにもっとも効果的なのは、第2部で説明したように、セルフマーケティングして自分のブランドを築くことだ。

数字を先に言った方の負け

準備段階の話が終わったので（実際には、給与交渉でもっとも大切なのはこの部分だが）、実際の交渉の細部について考えていこう。

特に重要なのは、先に数字を言った方が確実に不利になることだ。どのような交渉でも、自分の条件はあとから言うようにしたい。理由はこうだ。たとえば、ある募集に応募して、そのポストの給与は7万ドルだと見込んでいたとする。採用が内定して最初に尋ねられるのは、給与としていくら必要かだ。そこであなたは7万ドルぐらいのポストを探していると答える。もっと賢く、7万ドルから8万ドルの範囲で、と言うかもしれない。採用部長は、すぐに7万5千ドルではどうかと言ってくるだろう。あなたは首を縦に振り、契約を受け入れ、めでたしめでたしとなる。しかし、この話には大きな問題がひとつあった。採用部長は、8万ドルから10万ドルの予算を立てていたのである。あなたが先に数字を言ったので、年に2万5千ドルも自分を値引きしてしまったのだ。

これは極端な例だと思われるかもしれないが、そんなことはない。どのような額が提示されるかは、相手があなたに言うまでわからない。先に自分の数字を言ってしまうと、あなたは確実に不利になる。あなたは自分が言った額より上を要求するわけにはいかなくなるが、交渉でその額よりも引き下げられてしまう可能性はある。先に数字を言ってしまうと、上はなくなり、大きく引き下げられる危険だけが残る。

いや、自分はもっと賢いと言うかもしれない。本当に大きな額を言っておけばいいんだと。これも大きな問題を引き起こすことがある。高すぎる数字を言うと、反論さえされずに話が終わるか、極端に低い額を提示されることがある。だから、有利に交渉を進めるには、必ず会社側に先に数字を言わせることだ。

唯一の例外は、会社側が意図的に低い数字を言いそうなときだ。このようなケースはごくまれだが、ただの憶測ではなく、そういうことが起きそうだと予想できるときには、先に数字を言って歯止めをかけよう。低い数字を聞いてしまうと、それよりも大きく引き上げた数字を会社側に受け入れさせることは難しくなる。もちろん、そのような場合には、何をしても大した成功は見込めないだろう。

先に数字を出してくれと言われたらどうするか

出してはならない。「それはできません」と答えよう。

確かに、このアドバイスに従うのはきついだろう。しかし、具体的な状況を示して切り抜け方を説明するので参考にしていただきたい。

まず、面接の前や応募書類の一部で希望の最低額を尋ねられるかもしれない。応募書類にそのような欄がある場合は、可能なら空欄にして、必ず書かなければならないのなら「全体的な報酬パッケージ次第で交渉可能」と書いておこう。どうしても数字を記入しなければならないのなら、0と書いてあとで理由を説明する。

予備面接で給与として最低いくらが必要か、あるいはいくらほしいかを尋ねられたときにも、同じことを答えるようにしよう。福利厚生を含む報酬全体で考えさせていただきますと。ここで福利厚生の内容を返答されたり、ざっくりとした数字が必要なだけだと言われたりするかもしれない。その場合は、できる限りうまく立ち回って質問者と回答者の立場を逆転させ、次のような質問をしたい。

- 「私は、正確な数字や見積もりを申し上げる前に、御社のことと私がこれからすることになる仕事についての理解を深めたいと思っています。しかし、お話を伺っていると、双方の条件がかけ離れていて互いに時間の無駄になるようなことは避けたいということなのかなと思いました。それでよろしいでしょうか」

たいていの場合、「イエス」という答えになるだろう。そうしたら、次のように続けよう。

- 「そういうことでしたら、このポストのために予算として組んだ範囲がありますよね？」

ここでも、答えはイエスになるだろう。勇気があれば、ここでひと呼吸置いて黙っていよう。すると、範囲を言ってもらえるかもしれない。しかし、そんな勇気はないとか、会社が情報を明かそうとしない場合は、さらに次のように続ける。

- 「私はまだ自分の条件をはっきりと言えるほどのことを知りませんが、範囲がいくらかをおっしゃっていただければ、私が探している条件に合うかどうかをお答えすることはできます」

当然ながら、このような交渉を実際に行うのは簡単なことではない。しかし、会社側があなたに数字を尋ねるなら、会社側が数字を言えない（あるいは先に言えない）理由もないはずだ。がんばって会社側に先に数字を言わせるようにしよう。

会社がどうしても答えない場合でも、まだ手は残っている。どうしても数字を言わなければならないのであれば、全体的な報酬パッケージ次第だと前置きをした上で、広い範囲を答えるのである。ただし、範囲の下限は、許容できる絶対最低額よりも少し上にしておくようにしよう。たとえば、次のように言えばいい。

- 「全体的な報酬パッケージで大きく変わりますので、正確な数字は言えませんが、7万ドルから10万ドルの仕事を探しています。しかし、くどいようですけど、全体的な報酬パッケージ次第です」

今の給与額を尋ねられたらどうするか

これは答えるのが難しい質問だ。厳密に言えば、そんなことは相手の会社にとって何の関係もないことだが、まさかそう言うわけにもいかない。やはり、質問者と回答者の立場を逆転させることを目指したい。方法はいくつもあるが、答え方の例をひとつ示しておこう。

- 「申し訳ありませんが、今いただいている額は申し上げたくありません。御社がこのポストに考えられている額よりも高い場合、私としてはこのポストなら給与が下がってもいいと思っていますので、選考対象から外されてしまうのは不本意なことです。そして、御社が考えられている額よりも低い場合、自分を安く売りたくはありません。ご理解いただけますでしょうか」

これは実に正直な答えであり、相手の気分を害さずにこの質問から逃げられるだろう。その質問にはお答えしたくないとか、今の会社との間で給与の正確な額を口外しないという秘密保持契約を結んでいるという答え方もある。

どうしても数字を言わなければならない場合には、報酬総額に影響を与えるボーナスや福利厚生の話をしてできる限り幅をもたせた数字を言うか、全体的な報酬パッケージはXドルに福利厚生が加わった形だと説明しよう。

提示を受けたとき

給与の質問をうまくかわせたら、最終的に提示を受け取ろう。そこには数字が書かれている。数字なしの提示は提示ではないので、受け取ってはいけない。しかし、あなたが数字を言って会社がその通り提示してきたというのでない限り（なお、この場合は、離れ業を決めようとしてはならない。質問への回答通りの額が提示された場合は、その額で受けるか辞退するようにしなければならない。最初に質問されたときよりも大きな額を言ったりすると、後味が悪いだけではなく、提示が撤回される可能性がある）、提示を受けたあとも交渉は終わらない。

提示が手に入ったら、ほとんど必ず反対意見を言いたいところだ。どう言うかはあなた次第だが、自分の腹が収まるぐらい高い額を言うことをお勧めする。彼らの数字に近い方がいい返事をもらえるような気がするかもしれないが、一般にこの方法はうまくいかない。大きな数字を選んで言おう。

そんなことをすれば、職自体を逃すのではないかと思うかもしれないが、うまくやれば提示が完全に撤回されるようなことはない。通常、最悪のシナリオは、会社が頑なに提示を変えようとせず、この提示を飲むか諦めるかだと言ってくることだ。本当に提示が撤回されるようなら、自分が間違っていました、すべてを秤にかけて考えてみると最初の提示は過分な評価をいただいたものだとわかりましたと言えばいい（面白くないことだが、本当にその職が必要なら、そちらの方向にはいつでも行ける）。

実際、内定をもらったら、それが撤回されることはあまりない。面接をして内定を出すまでかなりの時間を費やしている以上、会社側もやり直したくないので、少し勇気を出す余裕はあるということを覚えておこう。

ほとんどの場合、高い額を言うと、少し額を上げた次の回答が返ってくるだろう。そこでハイと言ってもいいのだが、ほとんどの場合はあと1回だけ希望を言うことをお勧めする。しかし、相手を怒らせる危険があるので、ここでは注意が必要だ。次のような言い方をするのがうまい方法だ。

- 「私は心から御社で働きたいと思っています。仕事の内容はすばらしく、御社のチームで仕事ができることが本当に楽しみです。しかし、この数字で本当に満足かと言われると少し迷ってしまいます。もしXドルにしていただけるのなら、そのような迷いはなくなり、今すぐにでも契約したいと思います」

うまい言い方をするとともに額をあまり大きく引き上げたりしなければ、普通はイエスを貰える。雇用側は、あなたを手に入れ損なうぐらいなら、少し多く払ってもいいと思うものだ。最悪の場合は、これ以上は上げることはできないという返事になる。

さらに粘るのはお勧めできない。勇気があるのならやってみてもいいが、2度目の逆提示以降は、相手の好意を失い、交渉を難しくする危険がある。賢く見えても、貪欲に見えないようにしたい。誰でも骨が折れたとか利用されたと感じるのは面白くないことだ。

最後のアドバイス

数字をよく研究しよう。応募した会社の給与の幅がどれぐらいで、同じようなポストの給与の幅がどれぐらいかをできる限り調べておくことだ。オンラインで給与の幅を調べられるサイトもあるが、その数字は必ずしも信用できるとは限らない。求める給与の根拠をうまく言えれば言えるほど、交渉は簡単になる。数字の正確な範囲とあなたが要求している給与が妥当なものだという理由を具体的に示せれば、はるかに立場がよくなる。

給与としてある額を要求している理由については、決してそれだけのお金が「必要」だからだと言ってはならない。あなたが何を必要としているかなど、誰も考えたりはしない。そうではなく、自分にそれだけの給与を払うだけの価値がある理由、あなたが会社に与えられるメリットを話すようにすることだ。また、過去の勤務先でどのような貢献をしたか、あなたの要求額であなたに投資するのがいい投資になるのはなぜかを話そう。

仕事探しをするときにはできる限り多くの内定を集めるようにしよう。どのような交渉でも、決裂させる余裕があれば有利になる。そのためには、複数の内定を集める必要がある。だから、同時に複数の求人に応募しておきたい。ただ、複数の内定の間でどれにするかを決めるときには注意しなければならない。今検討している内定が複数あり、もっともいいものに決めたいということを話のなかにうまく織り交ぜたいが、傲慢に聞こえないように注意する必要がある。自信があるのはいいが、傲慢になってはダメである。

やってみよう

- できる限りしっかりと交渉の練習をして、交渉に対する恐怖心を克服しよう。次に店に行って何かを買うときには、値引き交渉を試してみよう。失敗しても、貴重な経験が得られる。
- 給与を丁寧に調査し、自分の価値を把握しよう。あなたの得意分野の会社が社員にどれぐらいの給料を出しているかを調べ、現在の給与と比較しよう。
- 職探しをしているわけではなくても、面接を受けてみよう。失うものがなければ（あなたは新しい職を探しているわけではないので）、交渉は簡単だということがわかるだろう。練習しているうちにもっといい職を見つける場合もあるだろう。

第51章

投資先は不動産がもっといい理由

読者はこの本にまさか不動産投資についての章があるとは思わなかっただろう。その気持ちはわかるが、私が不動産について説明せず、いい投資である理由を言わなければ、私は読者の期待を大きく裏切ることになり、この本を「ソフトウェア開発者の人生マニュアル」とは言えなくなるだろう。

なぜか。理由はふたつある。第1に、不動産は、私が受動的収入によって33歳で引退できるようにしてくれた投資対象であり、今も毎年私のために少しずつ多い受動的収入を与え続けてくれている（これについては第55章で話す）。第2に、ソフトウェア開発は給料が高く、本当に不動産に投資できるというほかの多くの人々にはない特別なチャンスを与えてくれる。

人々が不動産投資はリスクが高いと言っていることは知っている。ファイナンシャルアドバイザーたちが、401k、ミューチュアルファンド、S&P 500インデックスファンドなどの「賢い」投資をするように勧めていることも知っている。しかし、私はあなたのような多くのソフトウェア開発者たちに不動産投資の方法を教え、その多くが私と同じような成功を収めている。私はこの章を守るために、否定的な批評、編集者、出版社と戦ったが、それは不動産投資がとても重要だからだ。そういうわけで、みなさんには、開かれた心でこの章を読んでいただきたい。その上で不動産には投資しないことを決めるのならそれはそれでいい。少なくとも私は自分の義務を果たしたわけだし、夜安心して眠れる。

私は、およそ人が投資できるもののなかで、不動産は群を抜いて最高だと思っている。不動産以上に長期的な利益が保証され、レバレッジが大きく効く投資はない。しかし、だからといって不動産投資は簡単だというわけではない。株取引のようにボタンをひとつ押せばできるというようなものではないのだ。不動産投資にはかなり大きな元手も必要となる。もっとも、それは他の職業よりも高い給料をもらえることが多いソフトウェア開発者に不動産投資が向いていると考える理由のひとつだ。

不動産投資は私のメインの投資分野であり、過去何年にも渡ってもっとも儲かった分野なので、私が言うことには少し偏りがあることを認める。しかし、不動産に投資するかどうかにかかわらず、不動産投資の仕組みと不動産投資からどのようなチャンスが得られるかについては理解しておくべきだ。

しかし、ネットで「不動産投資の方法」のようなものをサーチしても、すぐに金持ちになる方法を約束するといった類の、とても信用できない情報ばかりがどっと出てくるだけだろう。この章は、その手の信用、信頼できない情報を切り捨てて、不動産投資の仕組みと始め方についての現実的で実践的な説明をしていく。

蒸し返すようだが、こういうことを書くと、この本に不動産投資の章が入っているのはどういうことかと思われるかもしれない。私は、キャリアの様々な時点で、同僚のソフトウェア開発者たちから不動産投資の始め方を相談されたことが何度もある。ソフトウェア開発者は、ほかの職業の人々と比べてかなり高い給料をもらっていることが多いので、不動産投資のやり方を覚えると得することが多い。だから、この本で少なくとも不動産投資のテーマを取り上げ、不動産投資を始めるために知る必要のある基礎を紹介しなければ、読者に対して不親切過ぎるだろうと思ったのである。

当然ながら、この短い章では、深いところまで思う存分説明することはできないが、あなたが不動産投資を始める気になったとして、このテーマを独力でさらに掘り下げていくために知らなければならないことはひと通り示しておきたい。

なぜ不動産投資なのか

不動産投資の方法に入る前に、もっとも重要な問いである「なぜ、不動産投資なのか」という問いに答えておこう。株式と比べて始めるのが難しく、ずっと高い維持費がかかるのに、なぜ不動産投資がいい投資になるのだろうか。

無茶苦茶に聞こえるかもしれないが、私が不動産投資を勧める最大の理由は、安定性である。あなたもおそらく不動産価格が大きく変動しているのを見たことがあるはずだ。安定性と言われても信じられないだろうが、どういうことなのかを少し説明しよう。

不動産の価格は大きく変動するかもしれないが、私が投資することをお勧めする不動産は賃貸物件であり、そのような物件から安定して得られる収入は賃料である。

いい不動産取引がいい不動産取引であり続けるのは、賃料はそれほど激しく変動しないからだ。資産購入資金として固定金利の貸付が確保できるなら、その資産は、生み出せる収入という観点からは、非常に安定している。賃料は、変わるときには普通値上がりするもので、値下がりはあまりない。

そこで、資産自体の全体価格が大きく変動したとしても、それをうまく乗り切って長い間持ち続け、資産自体の価格上昇ではなく賃料収入を当てにして投資するなら、不動産投資は非常に安定している。私自身は、かすり傷ひとつ負うこともなく、不動産の歴史のなかの難局を乗り切っている。

不動産投資は、最小限のリスクで大きなレバレッジが得られる数少ない投資のひとつでもある。株式投資のために自己資本が10%で銀行貸付が90%という割合で長期貸付をしてくれる銀行などあり得ないが、不動産ではごく日常的にこのような貸付が行われている。自己資本なしで貸付を確保することさえできるが、この方法は通常あまりよくない。

この種のレバレッジはきわめて強力だ。強力なだけに危険にもなり得るが、資産を担保として貸付を受ける場合には、あなたよりも銀行の方が多くの危険を負担してくれる。このレバレッジのパワーを示す例を見てみよう。

あなたが10万ドルで賃貸用の物件を購入したとする。銀行が購入費の90%を貸し付け、あなたは頭金として10%を支払う。あなたが選んだ資産は、「浮動担保」になっている。つまり、返済、税、保険などのコストが資産によって生み出される賃料収入によって賄われるということである。この場合、コストはすべて賄われ、これ以外の支出のキャッシュフローはほとんど、あるいはまったくない。

この状況に入っただけですばらしいことである。30年ローンで資産を購入した場合、30年たつと、1万ドルの投資は、少なくとも10万ドルの価値を持つ。価格上昇のためにおそらく価値はもっと高くなるだろう[※1]。実質的に賃貸ユニットの店子が返済をしてくれるので、ただで家を手に入れることになる。これが私の言ういい取引である。

しかし、この話はもっといいものになる。投資のレバレッジ効果により、価格上昇からはかなり大きな利益が得られる。2年で資産の価格が10%も

※1　この章の話はデフレが起きないことが前提になっているが、長期のデフレに陥っている日本ではそのことも考えに入れなければならない。

上がることは特別なことではない。たとえば、2年後に資産の価格が10%上がり、11万ドルになったとしよう。この時点で投資から得られるものはどれぐらいになるだろうか。

私がこの話をした多くの人々は、利益は10%だろうと言うが、実際にはそれでは正しくない。その時点で資産を売却すると、11万ドルが手に入る。ここから債務を差し引くと（あまり大きくは下がっていないものとして9万ドル残っているものとする）、2万ドルが残る。最初に投資した1万ドルが2万ドルになったのだ。投資が100%返ってきた、あるいは年あたり50%ずつ返ってきたことになる。株式市場でこのような収益が得られたという話を聞いたことがあるだろうか。

レバレッジの力により、ほとんどリスクなしで、わずかな価格上昇から大きな利益が得られるのである。そして、貸し付けの担保は資産なので、損失の最大額は初期投資だけになる（不足金判決と呼ばれるものがあるが、資産を持ち続けるつもりがあれば、これは無視できる）。

最後に再びインフレについて考えよう。インフレが起きると、債務や銀行に預けてある現金の価値は下がるという話を思い出そう。不動産投資は、このようなインフレによる資産価値の減少に対する最良のヘッジのひとつになる。

激しいインフレ期に入ったときに不動産購入資金の返済がまだ残っていた場合、銀行に預けた現金の価値は下がるが、不動産価格が上昇し、賃料も上昇するのにともない、不動産購入資金の債務も実質的に下がる。これらは全体でどのように作用するのだろうか。

あなたが10万ドルの家を買うという例をもう1度使って考えよう。賃料は月1,000ドルで、返済、税、保険その他のコストも月1,000ドルだとする。この場合、損益は差し引き0になっている。先ほどの言葉を使えば、資産は浮動している。しかし、インフレが起きると、銀行口座の残高は減り、給与は下がり、賃料は……上がる。あなたの返済や固定コストは月1,000ドルのままなのに、賃料は1,200ドル取れる。これで、キャッシュフローは200ドルのプラスになり、インフレのマイナス効果がある程度カバーできる。

インフレでは、資産価値も上昇傾向になる。これはドルの価値が下がるからであって本物の上昇ではないが、ヘッジとして機能する。ドルが弱くなると、不動産の価値が上がるのは、不動産の価格がドルで計算されているからだ。

以上をまとめておこう。不動産投資はなぜいいのか。固定金利の貸付で資産を購入して賃貸に出すと、とても安定した収入が入り、資産購入資金の大半は銀行から出してもらうことができ、レバレッジによって極端に大きな利益が得られる。そして、インフレによってほかのすべてのものが損失を出すようになっても、不動産投資はインフレから利益を得ることができる。ヘッジとして機能するのである。

では、どうすれば始められるのか

読者はもう不動産投資の可能性に心を動かされているだろう。しかし、私がすばらしい結果を約束しつつ、やり方を説明していないので、まだ少し懐疑的になっているかもしれない。この短い章では、ステップバイステップガイドを示すことはできないが、このプロセスがどのような仕組みになっているのか、どのように始めたらいいのかがわかるだけの情報は提供できる。

投機ではない賢い不動産投資は、この投資が長期的なものだということを理解するところから始まる。転売目的で資産を買ったり、格安で抵当流れの資産を買ったりしてすぐに金持ちになれると思うなら、それ相応の結果になるだろう。

この世にタダで手に入るものはない。不動産投資ですばらしい収益を得たければ、忍耐、勤勉、とても長い時間が必要だ。私は、投資用の資産を買うときには、20 年から 30 年かけて利益を生む計画を立てる。固定金利でキャッシュフローがプラスや浮動担保の賃貸用資産を買うということは、完済の資産を手にするまで 30 年かかるということである。私が見込み、期待しているのはそういうことであり、ほかのすべてはボーナスだ。

一般的な戦略（あるいは少なくとも私がお勧めする戦略）は、30 年固定金利の貸付を受けてキャッシュフローがプラスか浮動担保の賃貸用不動産を購入するというものだ。この戦略は、リスクが非常に低く、不動産景気に当たって価格が急上昇すれば、莫大な利益を生み出すが、少なくとも 30 年後には、返済済みの資産がほぼ確実に手に入る[※2]。

※2　日本の場合、不動産という形で資産を持っていると、所有者が死んだときに多額の相続税がかかり、物納はなかなか認められないことを頭に入れておく必要がある。

第１ステップ：学習

この戦略を実行するための最初のステップは、市場について学ぶことである。不動産投資でもっとも儲けが得られるのは、売るときではなく買うときだ。いい取引が見つかれば、最初からいいポジションを確保できる。株式市場は流動性が非常に高いが、不動産市場はそうではない。流動性の高い市場は、一般に「効率的」である。これは、価格に大きなばらつきが見られることはあまりないという意味である。

不動産はあまり流動性が高くないので、価格に大きなばらつきがあることが多い。特定のタイミングにおける株価がいくらかということは、誰もが数秒でわかる。議論の余地はない。確かに、過小評価されているとか過大評価されていると言うことはできるが、市場価格は、究極的には特定のタイミングにおける株の本当の価値を反映している。

不動産の場合はそうではない。家の値段はいくらだろうか。誰が価値を知っているのだろうか。10人の不動産鑑定士が同じ物件を鑑定すれば、毎回異なる答えが返ってくる。いい市場データや比較できる出物があまりない場合には、鑑定価格の差は非常に大きくなることがある。

これはどういうことだろうか。あなたが賢く熱心なら、非常に安い価格で不動産を買えることがあるということだ。そのためには、取引の実態を頭に入れておいて、いい取引を見分けられるようになればいい。

いい取引に気づくためには、研究と練習が必要だ。不動産投資したいなら、最初にしなければならないことは、市場の研究である。物件の販売価格がどのようなものかのイメージをつかもう。どの物件でもお買得価格がいくらぐらいか感じがつかめるようになるまで、それらの物件が何平米で、賃料がいくらで、どの地域にあるかといった表示をよく見よう。

それと同時に、指定された価格である物件を購入した場合、何が起きるかについての模擬シナリオを動かし、いい取引になるような価格で物件を買うためにどのようなオファーを提示すべきかを考えよう。練習である。

そのためには、物件に関連するすべての数字を集め、指定された価格に基づいて担保付き融資の返済額や税、保険の額、地主家主協会の会費、水光熱費、その他物件について考えられる様々な維持費をすべて推計する必要がある。

この練習はかなり面倒だが、いい取引がどれで、それがどう機能していくかの感じをつかむためには最高の方法だ。デスクの前に座って巨額の小切手を振り出す前に、自分がしようとしていることに自信が持てなければならない。私の不動産投資戦略は、すばやい行動を基礎としている。

行動の起こし方

市場についてまずまずの感覚がつかめたら、行動を起こそう。私は、資産を買う準備ができると、私の基準に合う新しい物件についての情報が入るように不動産代理店と契約する。お買い得だと私が思うような物件や、お買い得になるような値下げ交渉ができそうだと思う物件を見かけると、私はすぐに行動に出る。

私は、現地を見ないで物件を買いたいというオファーを送ることがよくある。それは、売り手をテストするとともに、誰かほかの人に取られる前にいい物件を押さえておくためだ。私はほとんど必ず極端に低い額（代理店が提示するのをためらうぐらいのもの）を提示するが、こうすると、そのまま提示が受け入れられる場合や、私の額よりもほんのわずか高いだけの額を提示し返してくる場合がある。

私の提示の大半は拒絶に合わないなどと言うつもりはない。拒絶される。しかし、これは数字のゲームだ。50 個の少額提示を出してひとりの売り手が受け入れればそれでいい。売り手が物件を手放したがっているか、大切に思っていなければ、不動産市場の本来の価格から考えて 50% も割安な物件を手に入れられる場合がある。理由が何であれ、売値に無頓着な売主はたくさんいる。

現地を実際に見ないでオファーを出すときには、オファーは物件を実際に見てからという条件付きだという出し方をする。こうすることによって、私は一歩戻って一覧に書かれた事項を確認し、開示されていない大きな問題がないことを確かめることができる。物件が私の好みに合わなければ、私は波紋を残すことなく、その時点で取引から下りることができる。

物件が気に入り、不動産契約を結んで取られないように確保すると、次のステップは物件の精査である。私はいつも、自分が知る限りもっとも優秀で細かいところまで見てくれる土地家屋調査士の人に調査してもらう。物件に問題があるときには、さらにお金を注ぎ込んでしまう前にそれを知りたい。

物件の精査をクリアした場合、次のステップは融資の獲得である。このステップは、実際に物件を探す前にすることもできる。これを事前資格審査という。不動産物件に関して最良の取引を追求するのと同じように、最良の融資契約を見つけたい。この章では、融資を獲得するための詳細には踏み込まないが、よく調査して、様々な融資元の利率と経費を比較することだ。

不動産管理会社を使おう

最後に、物件を購入したあとのことだが、不動産管理会社と契約することをお勧めしたい。自分で賃貸不動産を管理するようなことには強く反対する。私からすると、管理には、労力をかけ頭痛を抱えるだけの価値はない。毎月私がもっとも効果的に使っているお金は、賃貸不動産を管理してくれる不動産管理会社への支払いだ。

優れた不動産管理会社は、店子探し、リースの実行、テナントのスクリーニング、メンテナンス問題の処理、賃料の収集など、賃貸不動産にまつわるほとんどあらゆることを処理してくれる。しかし、優れた不動産管理会社を見つけるのは難しい。よく調査して、見たなかでもっとも誠実な不動産管理会社と契約するようにしよう。私は、無能だとか、修繕費の誤りとか、単純な怠慢などを理由として、今までに少なくとも3つの不動産管理会社との契約を解除している。

不動産管理会社には、賃料の約10%を支払うことを見込んで、取引について考えるときのコスト計算にその数字を必ず入れるようにしなければならない。優れた不動産管理会社が見つかれば、あなたの不動産投資は世話いらずになる。時間とともに多くの物件を所有しつつ、フルタイムの仕事も続けたい場合には、これが必要だ。

不動産価格が非常に高い地域に住んでいる場合にはどうするか

IT企業が集まるシリコンバレーなどの不動産価格が高い地域にあなたが住んでいる可能性が高いことは理解している。私も不動産価格が高い地域に住みながら、不動産投資をしてきた。そういう地域では、収入がプラスになったり少なくとも収支トントンになったりするいい取引を見つけるのは難しい。しかし、気にすることはない。地元の不動産を買わなければならないわけではない。実際、私が買った物件のなかには州外のものがたくさんあり（大半がそうだ)、一部は実地調査さえしていない。

それではリスキーで落ち着かない気分になるかもしれないが、不動産投資は煎じ詰めれば数字の問題であり、自分がどう感じるかの問題ではない(このことを覚えておくと大きな利益につながることがある)。自分の車で行ける範囲の物件に投資した方が安心感があるかもしれないが、それは絶対条件とすべきことではない。

しかし、遠隔地の物件への投資には一定レベルのリスクがあり、注意が必要だということを言わなければ手落ちになるだろう。できれば投資しようとしている物件と近隣の状況を自分の目で見た方がいい。これは絶対条件ではないが、見に行けば安心できるし、現地でなければ簡単に入手できない情報を収集できる。不動産代理店に現地の写真や動画を撮ってもらったり、信頼できる友人にチェックしてもらったりするのでもよい。私自身は両方をしたことがある。

しかし、不動産価格の高い地域に住んでいるからといって、不動産投資を諦めるべきではない。地元以外の物件に投資する場合でも、細心の注意を払い、物件をどのように管理していくか、修理などの問題をどのように処理するかをはっきりさせればよい。そして、どうしても必要なら現地に行く覚悟を決めることだ(もっとも、私は20年間そういうことが必要になったことはない)。

やってみよう

- 今日、出かけて賃貸用不動産を買おう。幸運を祈る。
- 冗談である。地元の賃貸不動産の一覧表を探し、すべての数字に目を通そう。頭金の額の異なる様々なシナリオを試し、その物件を買って、キャッシュフローがプラスか少なくともフロートになるかどうかを計算しよう。

第 52 章

引退プランが本当に理解できているか

海岸でピナコラーダをすすりながらゆったりとした気分で本を読んでいると、足に小さな波がぶつかって砕ける。多くの人は、引退後の生活をそのようにイメージしている。しかし、それを当たり前のものだと思っていたり、60 歳を過ぎてからのことだと思っていたりする人があまりにも多いことには驚かされる。

南の島での引退生活は誰にでも保証されているわけではないし、60 歳を過ぎなければ実現されないわけでもない（実際、第 55 章では、私が 33 歳で事実上の引退をできた理由を明らかにする）。現実には、引退に成功したいなら、今すぐそのためのプランを立てなければならない。

しかし、私が読んだ引退のためのアドバイスの大半は、単純に間違っている。私は、年金口座にお金を払い込めば、あとは忘れてしまっていいとアドバイザーたちが人々に言っているのをしょっちゅう耳にする。確かに、大多数の人たちにはこのアドバイスで役に立つのかもしれない。しかし、ソフトウェア開発者、そしてもっと大切なことだが、この本を選んだあなたには、もっといい方法がある。

この章では、あなたの引退に対する考え方を変えようと思う。私のアドバイスのかなりの部分は、401k（確定拠出年金）などの柔軟な年金口座や IRA（個人退職口座）があるアメリカ中心のものになっている[※1]。しかし、私がアドバイスするこれらの口座を処理するための考え方や戦略については、企業が資金を拠出する年金制度を使っているアメリカ以外の多くの国[※2]の人々を含め、あらゆる引退プランに応用できるはずだ。

※1　2001 年から日本でも日本版 401k と呼ばれる確定拠出年金が始まっている。

※2　日本の厚生年金（企業の従業員、公務員だけが加入できる）は事業主と加入者が折半で保険料を支払っている。

引退とは逆算で働くこと

引退のためのプランニングで大切なことは、毎月生活するために必要な額を正確に計算し、少なくとも少し余裕を持たせられるだけの受動的収入を確保する方法を確立して、逆算で仕事をすることだ。

私が読んだ引退についての記事や本の多くには、引退した人が現役で働いている人と同じだけのお金を必要とするという前提で書かれているという大きな誤りがある。ファイナンシャルアドバイザーたちがこの種の前提条件のもとで話していることを非難したりはしないが、他人に資産の増やし方を教えますという職業でありながら、自分自身は金持ちではない人のアドバイスを取り入れるときには私ならとても警戒する。

実際には、豊富な自由時間を手に入れ、もうお金を節約したり通勤したりする必要がなくなると、大幅に減少するタイプの出費がある。それだけでなく、私たちの大半は、幸せになるために必要な額と比べてはるかに出費の多いライフスタイルで暮らしている。

長い間働いてきたあとになって何かを犠牲にしたりする気にはなれないので、引退したらライフスタイルを縮小したくないと考える罠には簡単にはまりがちだ。年を取ってから、かつかつで暮さなければならないのはいやだろう。しかし、引退するために必要な資金がいくらかを決めるもっとも大きな要因は、月々の出費がいくらになるかだ。今、そういった月々の出費を減らせるなら、年を取ってから節約したライフスタイルで生きる方法を学ぶ必要がなくなるだけでなく、ずっと早いうちに引退生活に到達できる。

次のように考えればいい。生活するためには月8,000ドルが「必要」で、引退後にそれだけの収入が必要だと考えるなら、蓄えのために月8,000ドル以上稼がなければならない。そして、引退したら毎月8,000ドルずつその貯金を食い潰していく。

しかし、コストを削減できればどうなるかを想像してみよう。毎月4,000ドルで生活する方法を見つけられればどうなるだろうか。その場合、ずっと速いペースで引退時のためのお金を貯金できるだけではなく、引退したときには同じお金が2倍長持ちする。だから、ずっと早くに引退できるようになる。節約には両面の効果がある。必要なお金を貯金するまでに必要な時間が短くなり、蓄えたお金を長持ちさせられるのだ。

長々と話してきたのは、引退時のための貯蓄でできるもっとも効果的なことは、月々の出費を減らす方法を考えることだと言うためである。投資、仕事、昇給その他どんなものでも、少ない額で暮らす方法を考え出すこと以上に効果的なものはない。節約が勝利をつかむのである。

引退目標を計算する

引退したときに必要な月々の生活費を計算し、月々の受動的収入、つまり働かなくても得られる収入がそこに達したら、正式に「引退」できる。受動的収入源は、インフレとともに増えるようにしておく必要がある。不動産が投資手段として優れている大きな理由のひとつがこれだ。

私は、貯蓄を取り崩していくという考え方は好きになれない。引退するために蓄えを取り崩して減らしていかなければならない理由はない。貯蓄を受動的収入に変える方法はいくらもあるのだ。少なくとも、まずまずの利子を生み出し、ほとんどリスクのない国債を買うべきだろう。

引退するためにどれぐらいのお金が必要なのだろうか。それは、出費の大きさ、受動収入の手段、使える投資機会によって変わる。ここでは、本書執筆時点に当てはまる実践的な例を示しておこう。

今の時点で100万ドルを持っているものとする。そのお金を不動産に投資するつもりなら、4ユニットの賃貸ビル(4世帯が暮らせる)を3棟購入でき、そうすると1棟につき毎月約2,400ドルの賃料（ごく控え目な推計）が入ってくる。賃貸物件には、そのほかに税、保険、不動産管理料、その他の出費がかかるので、それを計算に入れると、1棟につき1,800ドル（これもごく控え目な推計）の収入になる。つまり、今100万ドルを持っていれば、月に5,400ドル、1年に64,800ドル稼ぐことができる。

すると、問題は月5,400ドルで暮らせるかに移ってくる。暮らせるなら引退を宣言できる。この方法のいいところは、不動産投資ならインフレに耐えられることだ。価値は時間とともに変わっていく。時間とともに不動産の価格は上昇し得るが、100万ドルの購買力はインフレによって大幅に下がる。そのほかにも予測できない環境の変化が起きる可能性はあるが、一般的には、どんなときでも同じような収益が期待できる投資の方法が必ずあるものだ。

ある程度の資本から生み出される受動収入によって暮らすなら、まずその資本を作り出さなければならない。100万ドルを持っていなければ、100万ドルで暮らすことはできない。ここが難しいところだ。特にアメリカに住んでいると難しい。ここで道はふたつに分かれる。

ルート1：401k、IRA、その他の年金口座

長期的に富を蓄積するための方法として最初に考えつく自明のルートは、年金口座、その他の年金プランを利用することだ。アメリカのほとんどの雇用主は、401kという有名な年金プランを提供している。これを利用すると、税引き前の給与の一部を年金口座に拠出できる。雇用主があなたの拠出額の一部を補助してくれる場合さえある。

このオプションが与えられる大多数の人にとって、これは加入すべきサービスだ。401kに拠出すれば、少なくとも収入のかなりの部分を税から守ることができる。そして、401k口座から得られる利益も課税の対象にならない。

ここではあまり細かい話をしたくないので、正確な数字までは出さないが、税引き前の給与を蓄えに回し、そこから得られた利益も課税されなければ、通常の投資よりもかなり大きな利益が得られる。

このルートの唯一の欠点は、60歳前後になるまで引退を待つと決めなければならないことだ。戦略は、年金口座にできる限り多くのお金を集め、引退の年齢が来るまでそのお金を複利で増やし、引退時には余分な料金を払わずにそのお金を引き出せるようにするというものである。

401kのような年金口座では、早期に基金を離脱する場合、10%の違約金を支払わなければならない。引退までのルートは基本的にふたつあると私が言っているのはそのためである。401kなどの課税が繰り延べされる年金口座を使う道を通る場合、長期に渡ってその道を通らなければならない。実質的に、意思を変更することはできない。気が変わると、そのためにかなり大きな違約金を払うことになる。そして、収入のかなりの部分を年金口座に拠出するため、ほかの種類の投資をする余地はほとんどない。

しかし、繰り返しになるが、60歳以上になってから引退するつもりなら、課税繰延年金口座（特に雇用主の補助がある場合）がいかに有利かということはいくら強調しても足りないほどだ。早い時期から開始し、まずまずの給与をもらって上限まで拠出すれば、引退しようと思う頃にはかなりの額になっている。次に説明するルート2に興味がなければ、年金口座を最高限度まで使い切るべきだ。

自営ならどうなるのか

フリーで働いている場合、401k や雇用主が提供する年金プランには加入できないが、それでもアメリカでは少なくとも何らかの課税繰延年金口座を作ることができる[※3]。本書では、あまり大きく脇道にそれたくないのでそれらの年金口座については説明しないが、まずは IRA やロス IRA といった年金プランについての情報を調べるところから始めるといいだろう。

ルート２：早期引退の準備、または金持ちを目指すために

ほとんどの人が 60 歳で引退することに満足していることはわかるが、私はそんなに長い間待ちたくないと思っていた。たとえ若いうちにもっとハードに仕事しなければならなくなっても、そして大きなリスクを抱えることになっても、もっと早く引退したいと思ってきた。ルート２は、まさにそのような道である。

ルート２の詳細に踏み込む前に、なぜ２本の道がほとんど相互排他的になっているのかを説明しておこう。最大の理由は、伝統的な引退年齢に達するまで年金口座には手をつけられないことにある。そのため、たとえば 40 歳で引退する計画を立てた場合、60 歳になるまでお金が隠されてしまうような年金プランにお金を拠出しても何の役にも立たない。

年金プランは、早期に引退するための投資からは基本的に外れてしまう。確かに、60 歳になるまで年金口座に拠出し続け、ほかのお金を使ってたとえば不動産投資などをすることは不可能ではないが、両方のルートを使おうとすると、結局どちらのルートについても十分活用できなくなってしまう。

早期に引退したい場合や、大儲けして金持ちになろうと思う場合には、年金口座に拠出するわけにはいかないだろう。このアドバイスはまともではないように聞こえるかもしれないが、だからこそ読者に警告しているのである。そして、ほとんどの人は単純に年金口座を最高限度まで使い切れと言っているのもそのためだ。このルートはもっとも安全な道である。しかし、あなたが私と同じような考えで、普通の人よりも積極的でリスキーな早期引退とい

※３　日本の場合、厚生年金に加入できない自営の人は国民年金基金に加入できる（デメリットもあるのでよく検討した方がいい）。

う目標を狙っているなら、この先を読んでいただきたい。

早期引退を目指すなら、あなたの月々の出費を越えるだけの受動収入のルートを確立する方法を見つけるとともに、インフレからそのルートを守れるようにしなければならない。100万ドルを米国債（米国財務省証券）に変えて約2%の利子を手に入れればそれでいいというわけにはいかないだろう。確かにほとんどリスクなしに毎年2万ドルが手に入るが、インフレが起きると、最初の資本と利子は目減りしてしまう。

100万ドルの資本を賃貸不動産に投資して、毎月約5,400ドルの収入を得るという先ほどの例の方がはるかにいい。インフレに負けない仕組みになっているし、投資から得られる収益も大きい。

問題は、不動産に投資できる100万ドルを稼ぐのは簡単ではないことと、不動産投資は人任せにできないことだ。投資が受動収入になるところまで成功する可能性はあるが、そのためには時間と労力と勉強が必要になる。

しかし、引退生活の必要経費を賄う受動収入を生み出す方法は不動産投資だけではない。高い配当を生み出す株を利用する方法もある。株なら、インフレと戦って価値を引き上げられる可能性がある。ロイヤリティや印税を生み出す知的財産を作って売ることもできる。特許、音楽、本、さらには映画の脚本のようなものでもいい。自分の事業を買うか始めるかして最終的に経営権を他者に引き継ぎ、自分は利益を引き出すという方法もある。

容易に想像できるように、受動収入を生み出すこれらの手段はどれも大きなリスクをともなうので、受動収入のルートは複数用意しておくようにすべきだ。この種の受動収入のルートをひとつ手に入れるだけでも難しい場合がある。そこで、先ほども言ったように、このルートを選ぶのは、成功するために必要ならどんなハードワークでもいとわない場合だけにした方がいい。

ところで、100万ドル以上の資本を手に入れる話はどうなっただろうか。お金もないのに投資をすることはできない。そして、年金口座という普通のルートを諦めたので、大きな資本を楽に蓄積するために役立つ租税優遇措置はないし、蓄積のために時間をかけることもできない。

ここで話は難しくなってくる。利益を生む小さな投資をして、時間とともに大きな投資ができるようにしていけるようにしなければならない。最初から100万ドルで3棟の4世帯住宅を買うことはできない。まず、10万ドルの物件の10%の頭金になる1万ドルを蓄えるところから始めるのである。そして、それを繰り返していく。すると、その1、2件の物件を売ってもっと大きなものを買えるようになる。

受動収入を増やすことをいつも目的としながら、階段をひとつずつ上がっていかなければならない。持っている資産から生み出せるお金が増えれば増えるほど、もっと大きな収入を生み出せる物件を買えるところに近づいていく。あなたが追求すべきなのは、時間をかけて収入を生み出す資産を増やしていくうちに、もっと多くの資産を買うための資金ができていくという雪だるま効果である。

このプロセスを加速させる主要な方法が三つある。まず、すでに説明したように、出費を減らすことである。できる限り小さな家を買うか、小さなアパートを借りる。両親と同居すればただで暮らせるなら、何がなんでもそうすべきだ。中古車を手に入れるか、車なしで暮らす方法を考える。ケーブルテレビを止め、外食せず、中古の家具を手に入れる。ただ倹約するだけではなく、安く済ませることだ。生活費が安くなればなるほど、毎月投資に回せるお金は増えていく(これは簡単ではないということはすでに言った通りだ)。

次に、できる限り収入を上げる。可能なら、ほかの地域よりも高い給料が入るサンフランシスコやニューヨークのような大都市に引っ越す。あなたが賢ければ、物価の高い都市で安く暮らす方法が見つかる。すると、主として住居費が高い分高くなっている給料のその割増分を手に入れられる。サイドビジネスやサイドフリーランサーができるならするといい。稼いだお金が増えれば増えるほど、投資できるお金は増える。

自分ができる投資のなかでもっとも利益が上がるものを実行しよう。繰り返しになるが、大きな利益が得られる投資に注意を払えば払うほど、お金が増えるペースを上げられる。そのためには、綿密に調査し、交渉術を鍛え、いい取引をすばやく見つけることが必要だ。

再三言っているように、このルートは簡単に通れる道ではない。ほとんどの人々はする気にならないだろう。私はそういう人々を非難したりはしない。私は、早期引退を目指して、床にマットレスを敷いて寝たり、週70時間のペースで働いたり、財力と比べてはるかに狭い場所で暮らしたりした。そこまでしても、成功する保証はなかったのである。

引退間近な人、引退までの道を半ばまで歩いてしまった人はどうすればいいのか

すべての人が大学を出たばかりではないし、片方のルートをきっぱりと選択できるわけでもない。すでに年金口座に長期に渡って投資してしまったのに、早期引退のルートに移ることを考えている場合もあるだろうし、妻や子がいるので、給料を上げるためにサンフランシスコに引っ越すというわけにはいかない場合もあるだろう。

心配することはない。引退を成功させる準備はまだできる。あなたができることに合わせて私のアドバイスをアレンジすればいい。私は、両方のルートの極端な形を示して、違いがはっきりとわかるようにしたかっただけだ。いずれにしてもどちらかのルートを迷わずに進んで、できる限り労力を無駄にしないことが望ましい。

そして、最適な方法ではないが、両方のルートの中間を進むこともできる。すでに年金プランに投資しており、それを維持したいが、拠出の上限に達したら、さらに不動産などの収入を生む資産に投資するという方法もある。

うちの公認会計士やファイナンシャルアドバイザーはあなたが言っていることを妄想だと言ってますけど…

その人たちは金持ちだろうか。それとも今も9時5時の仕事をしているのだろうか。自慢ではないが、私は実際にこの本で言ったことを実行し、不動産だけでなく、複数のルートから数百万ドルを稼いでいる。

「賢い金儲けの方法」を教えますと言っている正統派の人たちが401kやミューチュアルファンド、インデックスファンドを勧めていることは承知しているが、本気でお金を貯めて60歳になる前に引退したいなら、それではうまくいかない（仮にうまくいっても、保証はない）。

今までに言ってきたことを蒸し返してもしょうがないので、友人のMJ・デマルコが書いた『ファストレーンのお金持ち』[※4]をお勧めしたい。MJは、その本のなかで正統派のアドバイスの問題点を明確に指摘しており、それら

※4　MJ DeMarco, *The Millionaire Fastlane*, Viperion Publishing Corporation, 2011. 邦訳『ファストレーンのお金持ち』（花泉社、2013年）Fastlaneは追越車線、出世コースという意味。

を「登坂車線」と呼んでいる。この本は間違いなく読む価値があり、読めば人生が変わるだろう。

そして自分でも言っているように、私はこの節のアドバイスを聞いたほとんどの人々が眉につばをつけて懐疑的になっていることを知っている。しかし、忘れないでいただきたい。私は何らかの理由によりこのように若くして引退して話をしている。そしてその理由は401kに投資したからではない。だから、聞きたい人だけが私の話を聞けばいい。しかし、他人のアドバイスには従わないことだ。代わりに自分でよく考えよう（ちなみに、私が今までの章で言ってきたようにたくさん仕事をしているのに「引退」したとはどういうことなのだろうか。答えは、仕事をする必要がなくなったということだ。それでも仕事をしているのは、ビジネスを構築すること、目標を持つこと、目標に向かって頑張ることが好きだからである）。

繰り返しになるが、自慢話をしたいわけではない。しかし、私が今どういう生活をしているか、どのようにしてそのような生活を手に入れたかを言わなければ、私のアドバイスを聞く気にならないだろう。私よりも金持ちで賢い人は山ほどいる。しかしそういう人々の大半は、この本で私がしているようにあなたに寄り添って手持ちの札を全部開けて見せたりはしないものである。

やってみよう

- あなたの現在の毎月の出費を計算してみよう。何か大きな犠牲を払えば、出費をどれぐらい削減できるかも計算しよう。
- 出費を減らした上で、引退するためには毎月いくらの収入が必要かを計算しよう。少し余裕を残すようにすることを忘れないようにしよう。
- 引退できるだけの収入を確保するために、2%、5%、10%など様々な収益率でどれぐらいの資本が必要なのかを計算しよう。

第53章

借金の危険性

お金に関するあらゆる過ちのなかでも、もっとも大きいのは借金をすることである。残念ながら、私たちは借金を当たり前のこととして教えられ、借金が生活にとってどれだけ有害で破壊的なものかを知らないことが多い。

ソフトウェア開発者がキャリアの過程で直面する難問のなかでも、成功との付き合い方は特に難しい。収入が増えれば増えるほど、裕福になるのではないかと思われるかもしれないが、そうとは限らない。実際、私は金銭的に成功した多くの人々、特にソフトウェア開発者が、大きな借金を抱えるようになったのを見ている。それは、収入が増えれば増えるほど、使う金が増えていくからだ。

本当の意味で金銭的に成功するためには、自分のお金からお金を生み出すようにする以外にない。金銭的に自由になりたければ、自分のためにお金に仕事をさせられるようになるしかない。利子が自由を与えてくれるなら、当然借金は人を奴隷状態に陥れるということになるだろう。

この章では、まず借金の破壊力がいかに大きくなり得るか、借金をめぐってどのようなばかげたことが行われているかを明らかにする。続いて、すべての借金が悪いわけではないことを示し、良い借金と悪い借金の違いの見分け方を説明する。

借金が一般に悪い理由

このことについてはすでに少し触れているが、一般に借金は悪いことだ。借金は、自分のお金から利子を得るという良いことの正反対なのである。借金を抱えると、自分のお金のために利子を払うことになる。それは、あなたの出費によって誰かほかの人が金儲けをしているということである。

借金を抱えている間は、自分のお金を投資に回し、投資からお金を生み出すことはほとんど不可能だ。もっとも、支払っている利子よりも大きな収益を上げるために借金をしている場合は別だが、それについてはあとで取り上げる。

借金をしているときには、商品やサービスに本来の値段以上の額を払っていることになる。この損失は時間とともに複利で大きくなる。特に、借金本体の返済よりも借金が生み出す利子の方が大きいときはそうだ。借金を抱えている期間が長くなればなるほど、借金が収支に与える影響は大きくなる。単純な例を使ってその理由を説明しよう。

3万ドルで車を買い、そのために5%の金利でローンを組んだとする。そして、6年間で支払いを終えるものとする。その6年の間に、最初に借りた3万ドルに加えて4,786ドル65セントの利息を払うことになる。その車の実際の値段は、34,786ドル65セントになってしまうのである。

しかし、実際にはその車はもっと高くついている。あなたが利息として支払った4,786ドル65セントは、あなたのためにお金を生み出せたかもしれない。そのお金を支払う代わりに、そのお金から利子を受け取れたかもしれないのだ。

正確な額を計算するのは難しいが、毎月利息のために支払っていた額を、収益が5%の投資に回していれば、6年間でその4,786ドル65セントから2,000ドルほどを生み出すことができたはずだ。そのため、実際には、借金のために7,000ドル近く損をしているということになる。

大した額には見えないかもしれないが、それが時間とともに積み上がっていくのである。特に、指数的に増えていく様々な形の借金をしている場合には、支払う利息の利率も高くなる。

借金をすればするほど、負担は重くなり、財務的に独立した状態に戻るのは難しくなっていく。借金を抱えているときにお金を蓄えることはできず、お金を蓄えられなければ投資をすることもできない。

あなたの現在の借金のレベルはどれぐらいだろうか。すべての借金を洗い出し、利率を明らかにして、毎年借金のためにどれだけの利息を支払っているのかを計算しよう。

借金をめぐるばかげたこと

おそらくあなたは借金を抱えているだろう。そういうことはある。私も借金を抱えていた。実は今もある。担保付き融資のために100万ドルほどの借金を抱えている。それについてはすぐあとで話そう。しかし、今借金を抱えているなら、借金の正しい処理のしかたを学び、できる限り早く減らす必要がある。

借金に関してもっともばかげているのは、借金、特にクレジットカード債務を抱えているのに、貯金をすることだ。私からすれば、これはまったくナンセンスである。緊急時のための資金が必要だとか将来のための蓄えだという言い訳を耳にするが、このような行動を論理的に正当化することはほとんど不可能だ。

私は、クレジットカードで数千ドルの債務があるのに、同時に数千ドルの預金口座を持っている人々を見てきた。これがあなたのことだったら申し訳ないが、すぐに何らかの対策を打つ必要がある。理由を説明しよう。

このような状況の問題は、ほとんどの場合、借金のために払っている利息の方が、銀行にお金を預けていることによって得ている利子よりも多くなることである。特に、クレジットカード債務はそうだ。1万ドルのクレジットカード債務があり、15%の金利がかかっているものとする。これは、その借金の利息だけのために毎年1,500ドルも払っていることになる。お金を預けている銀行があなたの預金に15%の金利を支払っているのでもない限り、そのお金を使って借金を帳消しにした方がいい。

それはもっともなアドバイスだけれども、高い金利のカーローンを抱えながら、同時に銀行にお金を預けている人はたくさんいるじゃないかと思われたかもしれない。カーローンにかかっている金利が0%に近いのでもない限り、それはまったくナンセンスである。カーローンは一般にクレジットカードローンよりも金利が低いので、現実を認識しにくいだけだ。

お金を貯蓄に回す前に、家のための担保付き融資を完済することさえ意味がある場合がある。判断のためには、正確な数字を出してみなければならない。また、担保付き融資の返済のためにお金を入れると、それを取り消すことはできず、債務削減のメリットを実際に感じるためには完済まで待たなければならないので、状況も少し異なる。しかし、この状況を純粋に数字だけで考えれば、預金を何らかの投資に回して担保付き融資の利息よりも高い収益が得られるのでもない限り、担保付き融資の返済に預金を充てた方がいい。

具体的な話をしよう。7%の金利で担保付き融資を受けたとする。これは、融資を受ける代わりに、毎年7%の利息を払っているということだ。担保付き融資の元本を返済できるだけのお金が手元にあれば、基本的に間違いなく7%ずつ得するわけである（この数字は、担保付き融資の利息から税的優遇の部分が差し引かれる分、わずかに変わるが、預金口座にお金を入れているぐらいなら、ほとんどの場合は、担保付き融資の返済のためにそのお金を投入した方が得だ)。

私がよく見かける借金に関する誤りで次に大きいのは、間違った順序で借金を返済していくことだろう。借金を完済するまでかかる時間は、借金の返済の順序によって大きく変わる。必ず、金利に基づいて借金の返済順序を決めよう。もっとも金利の高い借金を先に返済するのである。

これも当然のことのように感じられるだろう。しかし、クレジットカードやその他の形の借金に最小限の返済しかしていない人がたくさんいる。これはいけない。すべての借金が完済されるまで、毎月もっとも金利の高い借金の返済のためにできる限り多くのお金をつぎ込むべきだ。

しかし、借金をめぐる過ちのなかで群を抜いてもっとも大きいのは、不要な借金である。つまり、借金をする必要がないときに、借金をしてしまうことだ。ここでもう1度、カーローンを取り上げよう。人々が犯す最大の過ちのひとつは、借金をして自動車を買うことだ。彼らは販売代理店に入って新車を買い、不要な借金を背負うということを簡単にしてしまうのである。

問題は、物事の順番が逆になることだ。一般に、私たちの行動は車を買うときとは逆になっている。このように考えてみよう。借金して車を買うときには、まず車を買ってから車を買うための貯金をしている。このようなやり方をしていると、買ったもののために余分な出費をすることになる。

逆に、貯金をしてから現金でものを買うようにしよう。確かに、このサイクルを最初に破るときは大変だが、サイクルを1度破ってしまえば、買うすべてのものに対して支払いが安くなる。ローンで買った車を持っているなら、そのローンを完済しよう。しかし、完済したときに、ローンで新しい車を買ってはならない。古い車に乗り続け、「新車ファンド」口座に入金をしてサイクルを破るのである。新車口座に十分なお金が貯まったら(4年から6年ぐらいの間で貯まる)、現金で新車を買うことができる。そして、すぐに「新車ファンド」口座に新たな入金を始める。

このようにすれば、車のために余分にお金を払う代わりに、車を安値で入手できる。新車のために貯めたお金からは、誰か他人のためではなくあなたのために利子が生れて蓄積されていく。

すべての借金が悪いわけではない

今までは借金を醜く描いてきたが、すべての借金が悪いわけではない。その借金を使って、借金のために支払う利息よりも多くのお金を儲けられるなら、借金をしてもいい。

思い出すのは、ある同僚と話したことだ。彼は、クレジットカード会社が特別なプロモーションを行っていて、新しくカードを作ったり、カードにほかのカードの残高を移転したりすると、カードキャッシングの金利を1%にするのを見つけたのだ。彼は、貸出限度額まで借金し、それを使って1年ものの利率3%のCD（譲渡性預金）を買った。そして年末にCDの払い戻しを受け、カードキャッシングを返済して、銀行のお金から利益を生んだのである。

私が今も担保付き融資で100万ドル以上借りていると言ったことを思い出していただきたい。これも同じような話だ。銀行に取られる利息よりも高い利益を稼ぎ出せることがわかっていたので、不動産購入のために借金をしたのである。最終的にはその借金は完済するが、今の段階では、借金は経費以上の利益を生み出している。

家は借りるより買う方がいいとは必ずしも言えないが、利率次第では、借金をして家を買った方が得になることがある。賃料として消えるはずだったお金を節約できるのである。

多くの場合、学生ローンも同じ範疇に含まれる。借金をすれば学位が取れて給料のいい仕事を手に入れるために役立つなら、借金も投資に見合うものになるだろう。しかし、いつもシナリオ通りになるとは限らないので注意が必要だ。

最近の高校生たちには、高等教育の最初の2年はコミュニティカレッジで過ごし、それから大学に移って学位を受けることを勧めている。この方が、教育費がかなり安くなるのである。投資に見合うだけの利益が得られるとはとても思えないような学費の高い大学で学位を受けるために、あまりにも多くの人々が無駄な借金をしている。下手をすればそのために破産する場合だってある。

要するに、借金をする前に、その借金が支払い利息よりも高い利益を生む投資になることを確認せよということだ。よほど切羽詰まった状況でもない限り、利益を出さない借金はしてはならない。

やってみよう

- あなたの借金のリストを作ろう。そして、その借金を、良い借金と悪い借金のふたつに分類しよう。
- 利率に基づいて悪い借金のリストを並べ替えよう。すべての悪い借金を完済するまでにどれだけかかるかを計算しよう。

第54章

本物の富と豊かさを築く方法

最近は、「手っ取り早く金持ちになる方法」、オンラインで金儲けする方法、ビットコインで億万長者になる方法といった情報が氾濫している。誰が本当のことを言っていて、誰があなたをカモにしようとしているのかは、正直なところ容易に見分けがつかない。

この章では、そういったデマをすべて切り捨て、金持ちではなくても豊かな生活を送れるようにするための方法をはっきり示そうと思う。これは大きな違いだ。

この章は本書でもっとも役に立つ章になるかもしれない。この章では、豊かになるための原則を示す。また、稼いだお金を今後の人生で役に立つ受動収入に変えて大きく増やすために、あなたが持っているほかのスキルをどのように活用するかも説明する。

ずいぶん大きな話だと思うだろうか。そうだろうと思う。しかし、大風呂敷を広げているセンセイ方と私の違いは、私が自分で言っていることを実践し、今もし続けていることだ。そして、あなたがすでに買ったこの本以外に私があなたに売ろうとしているものはない。

それではシートベルトを締めて、「資産家への追越車線」（MJ・デマルコ）に入ろう（資産家への追越車線[※1]は、彼の著書のタイトルであり、必読書である）。

金持ちと本物の豊かさの違い

一見同じように見えるかもしれないが、金持ちになるのと豊かになるのとでは大きな違いがある。私は破産した「金持ち」をたくさん知っているが、豊かな人でそういう人はいない。

それは解釈の問題だろうと言われるかもしれないが、豊かとは必要な分よ

※1　実際の訳書タイトルは『ファストレーンのお金持ち』。

りも多くのお金が途切れることなく入ってくるルートを持っているという意味だと考えている。この定義に従えば、豊かになるために富豪や金持ちになる必要はない。次のふたつができればよい。

1. 定期的に湧き出す収入源を手に入れる。
2. 収入源から得られる範囲内のものだけで暮らす。

たったこれだけのことだ。ほかに必要なものはない。支出が収入よりも低く、その収入を得るために働く必要がなければ（定期的に湧き出すとはそういう意味である）、貧困ラインと呼ばれる水準よりも年収が低くても豊かになれる。実際、友人のピート（Money Mustache という名前もある）は、まさにそれをしていた。彼は30代前半で非常にささやかな収入だけで妻とともに引退した。そして、慎ましい生活と早期引退についてのブログを書いている。ここで注目したいのは、彼も彼の奥さんもコンピュータープログラマー/エンジニアだということである。

だからといって、豊かになるためにはつつましく安上がりな生活をしなければならないと言っているわけではない。受動収入が高ければ、支出も高くなってよい。次の章では、私が33歳で「豊か」になったいきさつを話すが、私の受動収入は当時よりもわずかに上がっただけだ。それでも、私はその収入以下の支出で快適に生活している。

なぜこのような話をしているのだろうか。それは、金持ちになることよりも豊かになることの方がずっと大切だということを理解していただきたいからだ。金持ちかどうかは相対的な数値の問題である。どれだけのお金があれば金持ちなのかは誰にもわからない。1千万ドルだろうか、1億ドルだろうか。たとえば1千万ドルを持っていたとして、1年に5百万ドルも使うだろうか。その場合、「金持ち」でいられるのは何年だろうか。人生の金銭面で成功しているかどうかの指標としては、豊かさの方が優れている。何か不幸な運命のいたずらが起きたり、突拍子もない行動に走ったりしない限り、豊かになればそれは生涯続く。

あとひと言付け加えたら先に進もう。私の豊かさの定義は、ストア哲学の影響を受けている部分がある。ストア哲学については第73章で詳しく取り上げる。ストア派の哲学者たちは、幸せと充足感を得るために大切なのは、より多くを手に入れることではなく、欲望を抑制し、必要なものを減らすことだと考えた。そのため、豊かさの追求は、金銭的な問題だけではなく、スピリチュアルな問題でもある。必要なものを減らし、望むものを減らせば、豊かで幸せになるのも簡単になる。

豊かさのトライアングル

豊かさ（そして悟り）を得るための旅を続ける前に、私が作って「豊かさのトライアングル」と呼んでいる強力なコンセプトについて話しておきたい。私が作ったというのは自力で見つけ出して名前を付けたというだけのことで、これから言うことは金融の基本法則であり、私の専売特許だと強く主張するわけにはいかない。

頭のなかで三角形を描いてみよう。3つの頂点には、元本、収益率、時間と書いてある。これが豊かさのトライアングルの基本である。大儲けしたいなら（または豊かになりたいなら）、これら3つのうちのふたつだけがあればよい。

お金を作るためにはお金が必要だということわざを聞いたことがあるだろうか。それは違う。お金はいらない。ごくわずかなお金と高い利率、100年ぐらいの時間があれば、どう使ったらいいかわからないぐらいのお金を手に入れられる（もっとも、そのときには99%の確率で死んでいるだろうが）。私が違いを生み出せるだけのお金を用意できるまでは投資に手を出すべきではないと強く思っている理由のひとつがそれだ。しかし、話を急ぎすぎないようにしよう。それについてはすぐあとで説明する。

豊かさのトライアングルのポイントは、複利の力であなたの豊かさを強固なものにする3つの要素の関係を視覚化し、理解しやすくするところだ。まるで魔法であるかのように複利の力を強調しすぎる人が多い。複利は魔法でも何でもない。豊かさのトライアングルのうちのふたつがなければ、複利は無意味だ。

豊かさのトライアングルがどのように働くかは、私がこの短い章でどう説明するよりも、複利計算機をいじってみればずっとよく理解できる。豊かさのトライアングルの3要素として様々な組み合わせを使ってみて、どうなるかを見てみよう。最初から大金があり、低い利率で時間をかけたらどうなるか。利率をとても高く設定したら5年でどうなるか。最初の元本はわずかでも30年あればどうなるか。ある程度まとまったお金を作るためには、どの程度の利率が必要か。

複利計算機で実際に様々なシナリオを試してみれば、主流のメディアや大半の金融アドバイザーが言っている愚かなアドバイスに私が強く反対する理由がすぐにわかるだろう。そんなアドバイスは無意味なのだ。彼らは65歳でなんとか引退できる状態に持っていくために、時間と高い利率を当てにしている。それはいい戦略ではない。

決して枯れない泉

豊かさのトライアングルが理解できたら、豊かになるために必要なもうひとつのコンセプト、「決して枯れない泉」の話ができる。

これは私が取り入れ、私が知っている資産数百万ドルの金持ちの大半も何らかの形で取り入れている戦略だ。非常に単純なことで永遠の豊かさを保証してくれる（繰り返しになるが、原子力災害、ゾンビの襲来、全財産の権利証書を抱えて大酒を食らった挙げ句街に繰り出すラスベガス旅行のようなことがなければの話である）。

この戦略は、会社勤め、事業、その他の収入源から得たすべての資金をハイリターンな資産（不動産が望ましい）に注ぎ込み、その資産が生み出す受動収入で生活するというものである。生活費、予算は、投資した資産が生み出す収入だけでやりくりする。月末まで残ったお金があれば、投資先に戻してリサイクルする。

ごく簡単に具体例を見てみよう。毎月１万５千ドル（税引き後）が得られる勤務先を持っていたとする。ほとんどの人は、毎月の給料を生活費に回し、残った分を貯金に回す。しかし、決して枯れない泉戦略を採用している人は、その１万５千ドルをすべて不動産投資などのキャッシュフローを生む投資（配当のある株式や債券など）に充てる。

そして、現在の投資からその月に受動的に得られるお金を生活費に充てる。たとえば、その額が毎月８千ドルだとすると、それだけは気兼ねなく使っていい。その８千ドルは来月も間違いなく入ってくる（泉に水＝お金がたまる）。

時間とともに、受動的なキャッシュフローを生み出す対象への投資額が増えていき、泉の数はどんどん増えていく。やがて泉から得られるお金は毎月１万ドルになり、その額は時間とともに増えていく。会社勤めから得られる収入は働かなければ入ってこないが、泉から得られる収入は何もしなくても来月になれば補充されるので、その部分の収入は100％使ってかまわない。

私がこれを「決して枯れない泉」と呼んでいるのは、軌道に乗ってしまえば、投資した資産から（受動的に）得られる収入を全部使ってしまっても、翌月にはまったく同じだけの収入が戻ってくるので何の問題もないからである。

資産から得られる受動収入で暮らせるだけの状態になるまでは少し時間がかかり、倹約も必要になるが、サイフォンと同じで、動き出したら決して止まらない。それどころか、会社勤め、事業などから得た資金を資産に投入すればするほど、泉は増えていく。

ご存知のように、ほとんどの人は資産を築けない。彼らは会社勤めや事業から得た収入を生活のために使ってしまい、残ったお金があれば、受動収入を生む資産にそのうちの一部を投資するだけだ。サイフォンが働き出すまで倹約に努めて忍耐を重ねられれば、自分の王国を築き、本物の国王になれる。

千ドルをどこに投資するか

あなたがあからさまにこの質問をしてこなかったことも、あなたがこの問いの答をどうしても必要としていることも、私にはわかっている。遠慮はいらない。私だってこの本の初版を出してから5年もたっているのだ。聞いてもらってかまわない。実際には、この質問は非常にたびたび受けている。そしてこの問いは、豊かさのトライアングルと決して枯れない泉の両方の話と深く結びついている。

復習すると、豊かさのトライアングルは、豊かになりたければ3つの頂点のうちのふたつが必要だという話である。千ドルしか持っていない場合、高い利益率と大量の時間が必要になる。そして、ファイナンシャルアドバイザーやMSNマネーでコラムを書いている人々は、たった千ドルだけではなく、最初の千ドルに毎月継続的に投資額を増やしていけば、時間とともにそれら全部が複利を生み出していくと言うだろう。でもそれは希望論に過ぎない。実際には、投資先はそれぞれまったく別の存在で、それぞれの投資先に固有の異なる金銭的利益を生み出す。

8％複利で30年に渡って毎月500ドルずつ投資すれば、739,106ドル54セントの積立金が得られるなどと予測したくなるかもしれないが、それは大した額ではないし、最初に投資した千ドルは30年もたって10,062ドル66セントにしかなっていないので正しくもない。結局、大したことはないのだ。

話を進めろって？ あとちょっとの辛抱だ。この話を長々としてきたのは、今まで話題になったどれとも違う単純な答えを言うためである。答えを聞く準備はできただろうか。

投資できる千ドル（あるいは同じぐらいの小さな額）があるなら、投資すべきは株式でも不動産でも債券でもなく、ましてビットコインなどでは決してない。投資すべき対象は……あなた自身だ。嘘ではない、自分に投資すべきだ。その千ドルを自分の学習、訓練のために投資して、もっと多くのお金を稼げる人、もっと多くのお金を投資できる人になるのである。その千ドルをセミナーに参加し、オンライン講座を購入し、本を買い、トレーニングに通い、起業のためのシードマネーにするために使う。実際の投資のために千ドルを使うのは、千ドルが簡単に手に入るようになってからだ。

なぜこれがもっとも効果的な方法なのだろうか。こうすると、収入が増え、貯金に回せるお金が増える。そうすれば、いざ投資を始めようというときに、本当の差を生み出せるだけのまとまった額を投資できるようになる。決して枯れない泉を手に入れるためには、できる限り多くの現金を作って、受動収入を生み出す資産を買わなければならないことを思い出そう。だから、得られる収入が多ければ多いほど、そのときが来るのを早められるのだ。

本物の豊かさを生み出すための鍵はレバレッジである

この章を締めくくるに当たって、本当の豊かさを生み出す重要なお金の概念をもうひとつ説明しておこう。それはレバレッジである。

レバレッジは本物の富をハイピッチで生み出すための鍵を握っている。レバレッジがなければ、自分のスキルで稼げるだけのお金しか手に入らない。ソフトウェア開発者の場合、それだけでもかなりな額になるが、この壮大な計画ではそれだけでは不十分だ。

レバレッジを活用すれば、他人の資源を使って自前の資源だけでできることを超える結果を生み出せる。学校の物理の授業で習った梃《て》子《こ》※2の仕組みを思い出そう。長い棒があるとき、支点を持ち上げようとしているものに近づけ

※2　レバレッジ（leverage）は「梃子の力」という意味の英語である。ちなみに梃子の英語は lever である。

れば近づけるほど、小さな力でそのものを持ち上げられるようになる。梃子の力＝レバレッジを使えば、超人的な力が得られるのだ。

時間とお金にも同じことが当てはまるが、ここでは主としてお金のことについて話そう。金銭的に豊かになるためのレバレッジの使い方はたくさんある。よく使われている最高の方法のひとつが本書でもすでに取り上げた不動産である。なぜか。不動産の購入のためには銀行が自分のお金を貸してくれ、使わせてくれるからであり、銀行のお金から自分のお金を生み出せるからだ。株式や債券のような資産を買うときには、通常は自己資金を使わなければならないので、本質的な意味でのレバレッジはない（ただし、自分のお金を梃子にして自分のために働かせるということはできる。これは時間的なレバレッジである）。

起業して社員を雇うのもレバレッジの使い方のひとつである。正社員、またはコンストラクターを雇って自分のために働かせれば、彼らの時間と経済的アウトプットを利用して自分の経済的アウトプットを増やせる。彼らの仕事のマネジメントのために自分の時間を使ったり、彼らの給料を払うために自分のお金を使ったりすると、彼らの労働の経済的利益を手に入れられる。まるで奴隷制のように聞こえるかもしれないが、これは完全に合法的なことだ。

レバレッジにはほかにもたくさんの使い方があるが、煎じ詰めれば自分のお金、時間、名声、人脈を梃子にすることに尽きる。投資して富を生み出すときには、これらすべてのレバレッジを活用して、自分の努力だけでできる以上のことをし、生み出せる以上のものを生み出すことができる。これが資本主義のよいところであり、ほかの政治経済体制とは異なり、資本主義だけが階層移動を可能にしている理由である。

そろそろ終わりにしよう。この章で説明した豊かさと豊かさの創造についてのコンセプトがあなたの軌道修正に役立つことを期待している。不動産や投資についての章、具体例として私の引退までの経緯を語った章も参考になるだろう。そして、この章の冒頭でもちょっと触れたことを最後のアドバイスとしてあなたに贈りたい。豊かになるためのもっともてっとり早い方法は、大金を作ることではなく、出費を減らすことだ。僅かなお金で暮らすことができれば、わずかな受動収入を手に入れるだけで金銭的に自由になれる。そして自分の時間と人生を本当の意味で自由に使えるようになる。

やってみよう

- 複利計算機の時間だ。オンラインで気に入ったものを見つけ出し、様々なシナリオを試してみよう。元本、複利の利益率、時間として様々な数値を選ぶこと。そして、結果を予測してみよう。結果に驚くことが多いはずだ。
- 同じ複利計算機を使って現在のやり方でどうなるかを計算してみよう。今の投資戦略で金持ちになれると思っているなら、それをグラフ化してみよう。結果にがっかりするかもしれない。

第55章

私はどのようにして33歳で引退したか

働き始めたときから、私の目標は早く引退することだった。働きたくないとか、怠け者だったというわけではない（確かに、私には楽したいという気持ちはあるが）。自分の時間と自分の人生を自分のしたいことのために使う自由がほしかったのである。

あなたが同じような希望を持っているなら（私ほど早くに引退したいというわけではなくても）、私の話には興味を持っていただけるだろう。私は、自分の引退に成功するまで、ほかの人々がどのようにして早期引退を勝ち取ったのだろうかということをいつも考えていた。スタートアップを設立して大当たりして金持ちになる以外に、ソフトウェア開発者の早期引退は可能なのだろうかということもよく考えた。

この章では、私の個人史をお話しする。隠しごとはしない。私が早期引退のためにどのようなことをしたのかを説明し、その過程で自分が経験した誤りや大きな成功に触れていくつもりだ。

「引退」とはどういう意味か

話に入る前に、引退という言葉は人によって様々なイメージを呼び起こすので、この言葉の意味を定義しておきたい。

私が「引退した」という表現を使うときには、シャッフルボードで遊んで、アーリーバードスペシャルを利用しながら、朝食と夕食はカントリーダイナーでカントリーを聞きながら食べるというような意味ではない（今朝はボブエバンスで朝食を食べたが）。

私が定義する引退とは、マルガリータを飲みながら1年じゅう熱帯のビーチで座っているといったものでもない（もちろん、このような引退生活を排除するものではないが）。私のイメージする引退は、何もしないことではないのである。実際、どこから見ても、私は何もしていないわけではない。この本を書いているのだ。

私が定義する引退は自由だ。もう少し限定すると、金銭的な自由である。金銭上の制約から、自分の時間を自分がしたくないことのために使うことを強制されないでいられることだ。

私は、二度と仕事をしない状態になることを望んだことはないが、働きたくないときに仕事をしなくても済む状態になることはずっと望んでいた。私が今いるのはその状態である。私はインフレ対策までできた受動収入を十分に持っており、ビーチでマイタイをすすっていたければそうできるし、（金銭的な理由からではなく）面白そうだという理由だけでやりたいプロジェクトの仕事を進めることもできる。

ただし、まったくその通りにできているわけではないことは、最初に認めておこう。お金を稼ぐだけの目的で何かをするという習慣は、なかなか破れないものだ。私は今でも必ずしもやりたいわけではないことをするために、かなりの時間を使っている。しかし、少なくとも、それは自分で選んだことだというのが、以前とは異なる。自由だということは、見かけほど簡単なものではない。しかし、本書執筆時点では、私は「正式に引退」してから1年ぐらいしかたっていない。それでも、私はついに自分の人生を買い戻すことができた。私は、自分がどのように生きたいか、自分の人生で何をしたいかをはっきり知るためにかなりの進歩を遂げたと思う。（本書も第2版になり、私が「引退」してから5年ほどたっている。ここ数年は、Bulldog Mindset（https://bulldogmindset.com）という新しい事業の立ち上げ、マラソン、世界旅行、*The Complete Software Developer's Career Guide*（日本語版は『CAREER SKILLS　ソフトウェア開発者の完全キャリアガイド、https://www.nikkeibp.co.jp/atclpubmkt/book/18/P55740/）という別の本の執筆、その他面白いことをたくさんしたが、まだシャッフルボードは持っていない）。

きっかけ

第49章で触れたように、私は20代初めに年15万ドルを稼いでいたが、それでも多くのことを犠牲にして耐えなければ、100万ドルに到達するだけでも15年ぐらいかかるだろうということに気づいていた。そしてその線に達しても、インフレと戦うしっかりとしたプランがなければ、自分が「引退」できないことも知っていた。

私には、短いながらモデル、俳優のキャリアもある。
サンタモニカに住んでいたら、ぜひ挑戦してみたいことだ

最初はこのことでとてもがっかりしていた。倹約し、お金を貯めながら、いつか引退できる日を夢見て、それから20年、30年と懸命に働かなければならないのではいやだと思った。50歳、60歳になるまで自分の人生が自由にならず、そのときになってやっと自分のしたいことができるようになるなど願い下げだった。

この徒労感のおかげで、私は必死に考えた。すでに説明したように、不動産投資を始めた最大の動機はこれだった。私は、不動産投資こそ、競争社会から抜け出すためのチケットだと思った。それでも、若いうちに引退できない可能性はあったが、少なくとも融資を完済して資産が自分のものになれば、豊かになって引退できる。私は進んでリスクを引き受けた。

私は早期引退の準備するために抜け目なく行うべきあらゆることをすぐに始めた、出費をほとんどなくして稼いできたお金をほぼすべて貯め、抜け目のない投資をすぐに始めた、と言いたいところだが、実際にはそうではなかった。

私は19歳で年収15万ドルも稼いでいた。そして、カリフォルニア州サンタモニカの、すぐ先にビーチがあるようなところに住んでいた。ダッジ・バイパーのディーラーに行ったら、7万ドルの車なら手が届くものの、サンタモニカ周辺で19歳が赤のダッジ・バイパーを運転するためにかかる保険料は、車の料金と同じぐらい高かった。すんでのところで、災難を免れたわけだ。

しかし、嘘をつくわけにはいかない。私はお金の使い方で大きな過ちを犯した。結局、3万2千ドルでホンダ・プレリュードの新車をかなりまずい条件で買ってしまった。しかし、全体としてはかなり倹約していた。私は稼いできたお金の大半を貯金にまわし、それはかなりの額になっていた。

トラブル続きの賃貸物件

本当はスキルなどない19歳のソフトウェア開発者に時給75ドルの仕事など、話がうますぎると誰もが思うところだろう。実際、そうだった。私の地位は長持ちしなかったのである。約1年半後、私が契約した会社は、引き締めのためのレイオフを始めた。プロジェクトはあまりうまく進んでおらず、そのために高い労賃を投入しても役に立たない。私にとってはびっくりである。

私は新たな職を探さなければならなかったが、つい数年前に見つけた大チャンスに匹敵するようなものは見つからなかった。私はアリゾナ州フェニックスに引っ越し、契約社員の職を確保した。実入りは以前ほどではないが、とても不満を言えたものではなかった。

同じ頃、アイダホ州ボイシにあった私の自宅を賃貸物件として借りていた人が、家をかなりめちゃくちゃにした上で引っ越していった。そして、私は新しい勤め先での仕事を始めた1週間後に重要な家族旅行をすることになっていた。楽しい時期である。

ボイシの物件を借りた人は数人になったが、いつも何かしらトラブルがあった。賃料はきちんと払ってもらえず、ものは壊れていった。しかも、道の反対側には、私の物件のなかで繰り広げられていたとんでもない違法行為を逐一録画していたおかしなご近所さんがいた。ある会社がその物件を買いたいとオファーしてきて、最終契約を結ぶ前にリノベーションを始めたいと伝えてきた。その会社は家全体をズタズタにしてしまった。それで？ 結局、契約しなかったのである。私はこの資産に対する希望を失い、もう諦めようと思った。

おそらく、不動産投資は私には向かなかったのだ。私の物件はぼろぼろになって賃貸に出すこともできないが、その上に経費さえかかる。アリゲーター（風化してワニ皮のようにひび割れた物件）というやつだ。もっと資産を蓄積して、不動産王になるという私のプランはとても実現できそうになかった。

事態の好転

それから数年間に起きたことを細かく話すと退屈なので簡単に済ませよう。結局、ボイシの物件は、私が諦めきれず、持ち続けた。そして、私自身は、フロリダ、ニュージャージー、再びフロリダと国中を動きまわった。私はフロリダに住むつもりだったが、職が見つからなかったのである。結局、ボイシに戻ってヒューレット・パッカード（HP）に籍を置くことになった。

その時期を通じて、私はけっこうお金を蓄えることができた。私は倹約し、蓄えはかなりの額になった。ボイシに戻ってくる頃には、2万ドルぐらいの貯金があった。意識的にいくら貯めると決めるまで2年ぐらいかかった。それまでは毎月残った額を貯蓄にまわしていたが、これはあまりうまいやり方ではない（今考えると、あの時期になぜもっとお金を貯めておかなかったのだろうと思う）。

私はボイシに戻ってきて、住む場所を探した。私は、いずれ賃貸に出せるような家を買うことにした。ある家で数年暮らしてから、新しい家に引っ越して、元の家は賃貸に出すという計画である。1軒のタウンハウスを約12万ドルで買うことにした。これなら、約10%の頭金を出せる。このタウンハウスは約800ドルで賃貸に出せそうであり、担保付き融資の返済額も同じぐらいだったので、毎月の収支はトントンになるはずだった（しかし、税、保険、地主家主協会の会費、修繕費などがかかるので、実際にはそうはいかなかった）。

すると、そのタウンハウスの隣のタウンハウスも売りに出ていることがわかったので、不動産投資計画を前倒しにすることにした。その隣の物件にも買いのオファーを出し、さらに10%の頭金を入れて、第2の賃貸物件を手に入れた。全部で3つめの不動産である。実際には、これは恐ろしい買い物だった。純粋に投資目的で買った最初の物件だったのである。

ボイシの自宅と隣の賃貸物件

この時点で、私はプロの不動産管理会社を使うことにした。私はあまり調査せずにある不動産管理会社を使うことにしたが、これは無能な会社で、賃借人を確保し続けることができず、しょっちゅう嘘の修理費を請求してきた。いい会社を見つけるまでは少し時間がかかった（最初の不動産管理会社は、正確に言うと無能だったのではなく、クライアントの大家を犠牲にして私腹を肥やすことがうまかったのである）。

必死でがんばる

不動産投資計画は数年かけて前進していた。私は数件の物件を取得し、毎年ひとつずつ新しい物件を購入するという目標を達成していた。私はHPの仕事を続け、もっと物件を買うためにできる限り多くの資金を貯えた。頭金にする現金の貯えがなくなったので、新しい物件を購入するために、既存の物件の一部を住宅担保ローンの対象に追加していった（これはリスキーな方法だが、当時の住宅担保ローンの利率は非常に低かったので、うまく機能した）。

私はとても盛んに不動産投資を行っていたので、一歩進んで不動産売買の免許を取ることにした。そうすれば、自分で契約を進められ、かなりの額になる不動産売買手数料を節約できる。私は不動産売買免許の講座を受けて、試験に合格した。私は正式な不動産代理人になったのである。

当時、私は約6件の物件を持っていたが、どれひとつとして収入を生み出してはいなかった。それどころか、毎月かなりの赤字を出していた。私は自分が買った不動産のコスト計算を間違え、不動産の維持のために毎月2千ドルから3千ドルを支出しなければならなかった。

これは非常に悪い状況のように見えるかもしれないが、毎月3,000ドルずつ支出していても、かなりの額のお金はローンの元本の返済に使われており、不動産を持っていることによってかなりの額の税金が免除されていた。私は前進していた。……非常にゆっくりとだが。

近道？

不動産売買免許を取得した直後、私は安定していて高給が得られるHPの仕事を辞めて、ある友人が経営していたトレーディングカードゲームのオンライン販売ビジネスに、パートナーとして参加するという馬鹿げた決断をした。同時に、不動産販売でも彼と提携した。また、非常に短い期間だったが、ガムボールマシンのオペレーターにもなった。『金持ち父さん 貧乏父さん』を読んで、不動産と株式以外で考えられる資産はガムボールマシンしかないと思ったのである。

あと知恵で考えると、このような選択をしたもっとも大きな動機は、金銭的な自由を達成してではなく、「自分がやりたいことをして」、本物の「引退」に近道で到達したいと思ったことなのではないかと思う。

言うまでもないが、これはうまくいかなかった。私は未熟で愚かだった。がんばって一所懸命働くということがわかっていなかった。私は最悪のビジネスパートナーであり、両立しないものを両立させたがっていたのである。

結局、私はそのベンチャーを辞め、再びフルタイムの職に就いた。ただし、そのときにはまだ20台のガムボールマシンをビジネスパートナーに送り返していなかった。おそらく、私は起業家に向いていなかったのだろう。

私は一時ガムボールマシンを借りていた

さらに必死でがんばる

それからの数年間、私は正社員の仕事を必死にがんばり続けた。キャリアを上げて給料が少し増えてきたので、貯金も少し増えた。私は稼いだお金をすべて不動産投資に注ぎ込んだ。

私はまだ不動産投資の担保付き融資を返済するために毎月かなりの額を支出していたが、それでも数年間でかなりの物件を購入していった。私は3軒のシングルファミリー用住宅、1軒の4世帯住宅、2軒の2世帯住宅、2か所の商用オフィススペースを持ち、どれも毎月少しずつ返済が進んでいた。

ふたりの友人が始めたペイデイローンの会社から、彼らのために新しいソフトウェアシステムを作ったら私をパートナーにして給料を払うというオファーが来たとき、私は再び起業家になろうとしてちょっと回り道をした。このときも私は愚かで未熟だった。そして、たぶん少し気を抜いていた。ベンチャーは1年後に倒産し、私はまた新たに会社勤めの仕事を探すことになった。

この時期、どの会社に勤めても、19歳のときのサンタモニカの職よりも高い給料は決して稼げなかった。アイダホ州の契約の仕事を手に入れるまでそれが続いた。この仕事でやっと10年ぶりに時給75ドルを実現した。最初に高給が得られる仕事に就けて自分がいかに幸運だったかをようやく認識したのはこのときだった。

この時期、不動産市場は激しく落ち込んだ。不動産に投資していた友だちの多くはパニックに陥り、自分の資産の空売りをしていた。幸い、私はすべての物件を30年固定金利で購入しており、不動産価格の下落の影響は受けなかった。確かに、私の資産の価値は大幅に下がったが、担保付き融資の返済額に変わりはなく、同じ賃料が入ってくるので何の問題もなかった。

私に影響が及んだのは、銀行が新規貸付で始めた貸付制限だった。私のプランは、15年間に渡って毎年1件ずつ不動産を手に入れ、それからもっとも古い物件を売り始めて、その利益で生活するというものだった。しかし、銀行がひとりの貸付件数を4件に制限するようになって、私のプランは大きな打撃を被った。

結局、ミズーリ州カンザスシティで大きな買物をするための資金は、住宅融資ではなく、商業融資で調達することにした。この地域に住む友人が不動産投資の始め方を尋ねてきたときに、この地域の状況を見て、不動産価格は極端に安いのに賃料はきわめて高いことがわかったのである。

私は、2軒の4世帯住宅をそれぞれ22万ドルで購入する予定だった。私としてはそれまでで最大の投資である。しかし、この物件の収支を試算してみたところ、ちょうど10%引きなのに、毎月少なくとも1,000ドルの出費になることがわかっていた。問題は、私がローンを受けられないことだった。

しかし、私は運がよかった。その不動産を所有していた銀行が、バランスシートからその物件を取り除きたいがために、自ら私に貸付をしてくれることになったのである。銀行は非常に有利な条件を提示して取引は決まった。拡大する私のバランスシートに、8世帯分の物件が追加されたのである。

それでも、この取引はきわめて恐ろしいものだった。この時点でも、私はすでに投資物件のための担保付き融資の返済で毎月数千ドルを支払っていた。不動産市場は真っ逆さまに落ちてきていた。そして、私は今まで見たこともないようなふたつの巨大物件に約5万ドルの頭金を投入しようとしていた。私はこの投資で大成功を収めるかボロボロになるかのどちらかだった。

転機

ミズーリ州のこの4世帯住宅（ちなみに、下見していない）の購入とともに、状況は好転し始めた。私はキャッシュフロー的には依然としてかなりの赤字だったが、非常に多くの不動産を抱え、それらは主として賃料によって返済されていた。私は、最悪でも20年以内に楽勝で引退できる自信があった。何よりもいいのは、引退したときの収入が悪くないことだ。すべての物件の返済が終わると、受動収入だけでおそらく年10万ドルになる。

私は、給料のいい契約の仕事を辞め、在宅勤務のチャンスを与えてくれた小さな会社に移った。私はずっと在宅で働きたいと思っていた。給料こそ減るが、行きたいところに行く自由が手に入り、通勤しなくて済む分、使える時間が増える。

この新しい勤務先での仕事を始めたとき、私はサイドビジネスで自分のソフトウェアを作り始めることにした。不動産以外で受動収入を得る方法を見つけたかったし、キャリアを積んで自分はほとんど何でも作れるという自信が持てるようになっていたからである。私は、ランナーが一定のペースで走れるように、走っているときに「スピードアップ」、「スローダウン」と指示してくれるAndroidアプリケーションを作って、Android開発の勉強を始めた。

この在宅の職を手に入れてからすぐ、私は自分の人生を変えることになる人物、デビッド・スターに紹介された。

その数年前、私はブログを始めていた。それほど人気を集めていたわけではないが、一部の記事、特にScrumについて書いたものは、ある程度注目されていた。デビッドは私のブログポストの一部を見ており、ボイシのコードキャンプで私は彼と話をした。デビッドは、プルーラルサイトという新しいオンライン教育サービス会社の仕事をしていた。彼は、私が開発したAndroidアプリのことを聞いており、プルーラルサイトはAndroidアプリの提供とAndroidアプリ開発についての講座開設のふたつを検討していると私に言った。

私としては、企業向けのAndroidアプリを開発したりAndroidアプリ開発講座で教えたりしたいという気持ちはあまりなかった。結局のところ、この時点では、私は自由時間を使ってAndroidアプリを開発し、受動収入を確保しようというだけだったのである。最初のうちは、私はプルーラルサイトの方が大きなチャンスだということがわかっていなかった。しかし、私は試しにプルーラルサイトの講座を作ってみることにした。

幸運が舞い降りる

この時点では、私の不動産投資はかなりうまくいっており、私の新作Androidアプリは、女性のフィットネス雑誌として有名なShapeで取り上げられ、受動収入を生むようになっていた。私は週に2回ずつブログを書き、ソフトウェア開発と不動産投資についての本をよく読んだ。

プルーラルサイトからチャンスをもらう直前に、私の人生には大きな変化が起きていた。同社の講座の開始時期が迫っていることはわかっていたので、デモモジュールを提出して講座のオーディションを受けた。すると、驚いたことに合格したのである。私は3か月ほどで最初のプルーラルサイト講座を作ることになった。

プルーラルサイトがすばらしいのは、講座の製作料を支払ってくれるだけでなく、講座のロイヤリティも支払ってくれるところだった。プルーラルサイトと受講契約を結んだ開発者が私の講座を視聴すると、四半期に1度ずつロイヤリティをもらうことができた。当時の私はこれがどれだけありがたいことかわかっていなかったが、すぐにわかった。

最初の講座を作り終わった直後に、私は大きなことをふたつ決めた。ひとつは、家族と暮らすためにフロリダに引っ越すこと、もうひとつはランニングアプリのiOSバージョンを作ることだ（ふたつめは大きな話ではない感じがするだろうが、これのおかげでiOS開発についての第2、第3の講座を作ることになったので、非常に大きな仕事になったのである）。

その年の8月、私はアイダホ州ボイシからフロリダ州タンパまで長いドライブをした。私はいつもiOSアプリを開発するか、プルーラルサイトの講座を作っていた。フルタイムの仕事でも働いていたことは言うまでもない。

私の作業環境は、あまりいいものではなかった。私には、「ベッドオフィス」と呼んでいるスペースがあった。私は小さなアパートに住んでいたので、私のデスクはベッドルームの壁に接しており、ベッドにもほぼ接していた。私は文字通り昼も夜もその部屋にいた。昼間は本業の仕事をして、夜になるとサイドプロジェクトの仕事をした。

初めてロイヤリティを受け取ったとき（ひとつの講座だけで5,000ドル近い額になっていた）、これは本当に幸運なことで、引退に向けてのプランを加速させられると思った。あとは必死に働いて、このチャンスを最大限に活用するだけだ。

ハードワークモード

それからの数年、自分がどのようにして生き残ってきたのか、どうにもはっきりわからない。当時したことを今するエネルギーはとてもないが、プルーラルサイトからもらったようなチャンスは、人生に1度しかやってこないものだとわかっていた。

最初の2年ほどは、昼の8時間を本業の仕事のために使い、夜の4時間から5時間をプルーラルサイトの講座の製作に充て、さらに週末にも講座を作った。約2年半の間に、私はプルーラルサイトの講座を60本も作り、そのなかの55本が公開された。全部聞こうと思ったら、1日24時間ぶっ通しで1週間以上かかるぐらいのチュートリアル動画を録画したのだ。

この時期、私は週1度ずつブログを書き続け、"Get Up and CODE" という開発者向けのフィットネスについてのポッドキャストを新たに始め、モチベーションについてのYouTube動画も毎週作るようになった。大変なことではなくすべての時間を楽しんだと言いたいところだが、実際にはみじめなハードワークであり、いつか自由になりたいとずっと思っていた。

受動収入の複数のルート

この時点で、私は受動収入のルートを複数持っていた。私のブログは、広告とアフィリエイトの売上からお金になり始めていた。AndroidとiOSのランニングアプリを販売しており、プルーラルサイトのロイヤリティは四半期ごとに入ってきてどんどん増えていった。そして、不動産投資についても、キャッシュフローがプラスになる月が出てきた。

タンパに引っ越してすぐ、持っている不動産のローンの利率を下げるために、借り換えを始めた。これで支払いは月に1,600ドル以上削減できた。また、プルーラルサイトの講座から得たほぼすべての収入、その他の本業から貯蓄していたすべてのお金も不動産の融資返済に注ぎ込み始めた。

私の目標は、受動収入を毎月5,000ドル確保することだった。その状態になれば、正式に引退できる。そして2013年1月、その水準に達したことが明確になった。私は上司にメールした。もっといい仕事を見つけたからでもなく、今の仕事がいやだからでもなく、もう働く必要がなくなったので会社を辞めると。私は自由になった。

簡単な分析

私の個人史は少し奇妙だ。最初は少し多難な感じだったが、たったひとつの幸運に巡り会って急上昇し、引退することができた。確かに、私は幸運を引き当て、そのおかげで引退のためのプランは加速したが、話はそれだけではなかった。

幸運を引き当てただけでは不十分だったのである。実際に引退するためには、プルーラルサイトの講座で稼いだお金にさせる仕事が必要だった。私は100万ドルでも200万ドルでも稼ぐことができたかもしれないが、そのお金をどのように投資すればいいかがわかっていなければ、あるいは不動産のような投資先を持っていなければ、引退することはできなかった。100万ドルや200万ドルでは、今後50年、60年と暮らしていくことはできないので、私はまだ働かなければならなかっただろう。

私が成功をつかむために決定的に重要だったのは、不動産投資だった。プルーラルサイトは、不動産投資プランをスピードアップさせられただけだ。私にプルーラルサイトのチャンスがなくても、実際に引退できた年から10年ぐらいまでの間には引退できていただろう。それは43歳ぐらいの時点であり、そう悪くない。

私がセルフマーケティングをして名前を広めていなければ、プルーラルサイトの講座の仕事をするというチャンスにも巡り会えていなかっただろう。私がデビッド・スターと出会えたのは、自らのブログのおかげであり、コードキャンプでの講演のおかげである。また、私は門戸を開くためにいつも努力していた。様々なプロジェクトに関わり、自分のスキルとキャリアを伸ばすために投資をしていた。プルーラルサイトのチャンスがなくても、人生を変えるようなチャンスはほかのどこかからやってきただろうと思っている。実際、私はほかのチャンスを断らなければならなかったので、それは間違いないはずだ。

言いたいのは、幸運が必要なのは確かだが（私は幸運に恵まれたわけではないというふりをするつもりはない)、幸運はある程度までは自分で引き寄せるものだということだ。外を歩き回り、一所懸命働き、自分とその周囲をよくしようと努力すれば、幸運を引き当てる可能性を大きく引き上げることができる。

方程式の最後の項はハードワークだ。私と同じチャンスを手に入れたプルーラルサイトの講座の製作者はたくさんいる。彼らがあまり働いていないなどと言うつもりはないが、私はライブラリにもっとも多くの講座を持つ製作者になることを積極的に選択した。何年にも渡り、夜遅くや週末も一所懸命働いて夢を引き寄せたのである。

たとえ一生に一度の大きなチャンスでも、チャンスを手に入れただけでは不十分だ。そのチャンスを最大限に活用しなければ、チャンスは本当に意味のあるものにならない。

この話を締めくくる前に、私が成功した重要な要因のひとつが信仰だということに触れておきたい。あなたが信心深い人かどうかはわからない。私はこの本で自分の信仰を説いて、あなたにも信じさせようなどとは思っていない。この本はそういうものではないし、率直に言って最近の宗教はとてもややこしいことになっている。しかし、私はあるとき収入の10%を寄付に回そうということを思いついた。

早期引退への旅に出発した頃から、私はすべての収入の10%を納めることに決めていた。実際、このお金は、インドの孤児たちを支援するチャリティに送られている。初めて10%の寄付をしたときには、その翌週に私が寄付に充てているのとちょうど同じ額だけ収入が増えた。個人的には、私の成功のかなりの部分は、この10%の寄付(今も続けている)のおかげだと思っている。

読者は信心深いタイプではないかもしれないが、これには論理的な説明を与えられると思っている。私は、お金にしがみつけばしがみつくほど、成功するために必要な賢い投資をするのが難しくなると思っている。10%の寄付のように収入の決まった割合を自発的にチャリティにまわすと、お金に対する考え方が変わる。考え方の変化は、お金の持ち主からまわりに伝わる。

それはともかく、私の物語から刺激を受けていただけただろうか。少なくとも、早期引退は可能だということが伝わってくれればと思っている。私の物語を披露したいと思った理由のひとつは、私が早期引退を勝ち取るまでの過程で犯した過ちを見てもらうことである。今わかっている知識と経験がその当時にあれば、私はもっと早く成功に到達できていたはずだ。おそらく、あなたは私の過ちから教訓を学び取って、そのような過ちを避けられるだろう。

やってみよう

- いい機会なので、長期的な目標を本気で考え、書き出してみよう。私の話からヒントを得て、何ができるかが見えてきたとしたらうれしいことだ。この章を呼んだあと、あなたが引退にたどり着くためのプラン、ルートはどのようなものになっただろうか。
- 私は自分が成功できた大きな要因のひとつは、失敗や誤りをはっきりと説明できたことだと思っている。それはこの章を読めば明らかだろう。あなたはどうだろうか。あなたは今までの人生でどのような教訓を学んだだろうか。それを思い出し、見直せるように、書き出してみよう。
- チャリティについてはどう思うか。始めてみる気になっただろうか。どれかひとつを選び、毎月の収入の数％を寄付しよう。

第 6 部

フィットネス

人間の身体は、その魂をもっともよく描き出している。

—ルードヴィッヒ・ヴィトゲンシュタイン

ソフトウェア開発者のために書かれた本にフィットネスの部があるのは奇妙に感じるかもしれないが、私は全然そうは思っていない。実際、この部を入れることは私の義務だと思っている。私は、身体の健康にまったく注意を払わなければ、もっとも優秀なプログラマーになれる人でもそうはなれないと思っているのだ。

私は、ずっと前からソフトウェア開発コミュニティには身体フィットネスの分野での教育と奨励が必要だと思っている。私が初めてプログラミングを始めた頃のソフトウェア開発者の典型的なイメージは、太縁メガネをかけ、ポケットプロテクターを持った社会性のない痩せこけた男というものだった。最近はこのイメージも変わったようだが、それは悪い方向にだ。今、多くの人々がソフトウェア開発者と言われてイメージするのは、首まで届く長いひげを生やし、汚れた木綿の白Ｔシャツを着て、ピザをくわえている太った男だ。

当然ながら、どちらのイメージも間違っている。世の中には、このようなステレオタイプにはまらない男女のソフトウェア開発者がたくさんいる。しかし、私からすると、古いイメージよりも新しいイメージの方がぞっとする。というのも、まるで自分だと思う開発者がいるのではないかと感じてしまうからだ。

第６部の目標は、フィットネスの基礎を学び、ソフトウェア開発者だからといってステレオタイプを破って健康になれないわけではないということを認識し、きりっとしたイケメンに（女性なら、目が覚めるほど美しく）もなれるという自信をつかんでいただくことだ。あなたも身体を鍛えられるし健康になれる。しかし、教育と自分の可能性に対する信念がなければ何も始まらない。

読者は、私に食事、栄養、身体フィットネスについて語る資格があるのだろうかと疑問に思ってもいるだろう。私は栄養学の学位を持っているわけではないし、認定個人トレーナーでさえない。しかし、私には経験がある。私は 16 歳の頃からフィットネスと栄養について学んでいる。初めてボディビルのコンテストに参加したのは 18 歳のときだ。身体を丈夫にしたい、体重を減らしたい、筋肉をつけたいなど、フィットネスの様々な目標を持つ多くの人々（もちろん、ソフトウェア開発者も含まれる）を手助けし、コーチングしたこともある。私はエキスパートではないが、この分野には幅広い知識があり、経験の裏付けもある。

いいタイミングなので、ここで断り書きを入れておきたい。私は医師ではないので、新しいダイエット、エクササイズプログラムを始めるときには、あらかじめかかりつけ医に相談するようにしていただきたい。誰がこのお願いを守ってくれるかは私にはわからないが、もしあなたが相談を怠っても、それはあなたの責任で、私やほかの誰かの責任ではない。そこについてはよろしくお願いしたい。

第56章

身体が「フィット」していることの利点

> 身体的なフィットネスは、健康な身体にとって
> もっとも重要なもののひとつであるだけでなく、
> ダイナミックでクリエイティブな知的活動の基礎でもある。
>
> —ジョン・F・ケネディ

どうすれば身体を鍛えようという気持ちになってもらえるだろうか。そうだなあ……心臓病が世界の死因第1位で、次が脳卒中というときに、鍛えれば長生きできるよというのはどうか。それとも、エクササイズをすると、頭がよく動いてクリエイティブになることがわかっているよというのはどうだろうか。ダメ？ 確かにそういう答えは何度も聞いた。身体的にもっと魅力的になりたくない人がいるだろうか。私は魅力的になりたい。ウェイトトレーニングをして脂肪を落とせばもっと魅力的になれる。そしてほら、あれを増やすための選択肢が増える。あれだよ、あれ、子孫……。

現実を直視しよう。ほとんどのソフトウェア開発者は、デスクの前で非常に長い時間を過ごす。一日じゅう座っている。私たちの仕事は健康とは逆の方向に私たちを引っ張り込もうとする傾向があるのだ。だからこそ、ソフトウェア開発者が健康になる方法を学べば大きな利益が得られる。

この章では、身体を鍛えるべき理由を深く考えてみよう。そして、明日や来週ではなく、今すぐ身体を鍛え始めるべきだと考えるようになっていただきたい。健康を手に入れれば、あなたはもっと優秀なソフトウェア開発者になれる。その理由を説明しよう。

自信

健康になりたいという実際の気持ちにアピールするのとは別のところからスタートしよう。私たちは誰もが健康になりたいと思っている。そして、ほとんどの人は、より健康になるために何をする必要があるかについて、少な

くとも何らかの考えを持っている。それでも私たちは、ついペパロニピザを口に運び、深夜にタコベルに走ってしまう。健康になるということだけでは、身体を鍛えるための動機としては弱い。少なくとも、直接的に生命の危機を感じるようにならない限り、そんな気にはならないだろう。ただし、このことについてはすぐあとで触れる。

そういうわけで、最初は健康な食事とエクササイズのもっとも重要なメリットのひとつである自信に注目する。自信はそれほど重要なものではないだろうと考える人も、「兄弟、俺はもう十分に自信に満ちているよ」という人もいるだろう。しかし、すでに自信を分けてあげたいぐらい自信満々の人にも、自信の重要性を感じない人にも、自信をつけた方がいいし、つけられるだけつけた方がいいという理由を言おう。

カリフォルニア大学バークレー校のハース・スクール・オブ・ビジネスの研究者たちの研究によれば、自信は才能以上に成功を呼び込むという。同じような相関関係を示すほかの研究もある。

しかし、健康になればなぜ自信が得られるのだろうか。単純なことだ。身体を鍛えるとセルフイメージがよくなり、設定した目標を達成できたという事実が自信を生む。自信は外にも現れ、他者との対話ややり取りに投影される。そして、科学的根拠は少し劣る説明だが、いい感じに見えれば、いい感じになれる。

スリムなジーンズが似合い、シャツの腕の部分がすっと伸びれば、どんなに気持ちいいかを想像してみよう。自分は健康だと感じることができれば、行動様式が変わる。自分自身に対する見方が変わり、周囲の人々とその業績をどれぐらい脅威に感じるかも変わる。そして、他人があなたをどのように見るか、どのように感じるかも変わってくる。

この本に書かれていることの多くは、外に出て行って、ある程度の自信が必要なことをしようということだ。自信について考えても自信を生むのは難しい。しかし、私がウェイトルームでトレーニングを指導した人や体重を下げる手伝いをした人は、ほとんど全員、自分にあるとは思っていなかった自信を突然示すようになる。

脳のパワー

エクササイズで賢くなるというのは本当だろうか。賢くなるかどうかはわからないが、スタンフォード大学の最近の研究によれば、ウォーキングは創造性を 60% も伸ばすことができるという。この研究で、オペッツォ博士は、学生たちにある創造性テストを受けさせている。このテストはものの使い方を考えるなどの創造力を測る活動から構成されている。

学生たちは、最初はデスクに向かい、座ってテストを受ける。そのあとで、トレッドミルで歩きながら同じようなテストを受ける。ほぼすべての学生が、創造力の大幅な向上を示した。歩いてから座る学生にも同じテストを実施したが、結果はやはりウォーキングの効果を示した。

これはどういうことだろうか。ウォーキングには、少なくとも脳のひとつの機能（創造力）に大きな効果を与える。しかし、私はもっと多くの機能にも影響を与えるのではないかと思っている。

個人的な経験からは、エクササイズをして健康になればなるほど、私は仕事のパフォーマンスが上がっているように思う。身体的にベストの状態になっているときには、集中力がかなり上がり、仕事がはかどることを感じる。ほかの多くの開発者からも話を聞いているが、彼らもやはり同じ経験をしていると言っている。

実際のエクササイズや体脂肪率によって賢くなり、集中できるように脳内で化学的変化や構造的変化が起きるのか、それともただ気分がいいので仕事に集中できるのかをはっきりと言うことはできない。でも、理由がどちらなのかは大切なことだろうか。

いつも疲れていて仕事にやる気が出ないとか、ピークの力で仕事ができていない感じがするなら、食事を変えてエクササイズすれば、身体と頭の両方を甦らせることができるかもしれない。

恐怖心の除去

すぐに恐怖心に訴えたりはしたくはないが、それでも肥満になっていたり全般的に不健康になっていると、本来なら防げる様々な病気にかかるリスクを抱えることになる。

以前、私は「Get Up and CODE」という開発者向けのフィットネスについてのポッドキャストを製作していた。このポッドキャストで多くの開発者たちにインタビューをした。彼らは、自信をつけたり脳のパワーを上げたりするためではなく、死に近づいていることを感じたために、何とか健康を取り戻した人々だ。

特によく覚えているのは、ミゲル・カラスコの健康への道のりについての話だ。彼はもともと体重や健康のことなどにあまり注意を払わなかったが、ある日、病院に担ぎ込まれるという恐怖を経験し、そこから生活習慣を非可逆的に一変させたのである。

ある日のこと、車でデイケア施設から息子を連れて帰る途中、ミゲルは突然左手にしびれを感じた。彼は、外が寒いからだろうとか、どこかに強く手をぶつけたからだろうと思い、無視した。

その日の夜、ミゲルは横になってうたた寝をした。ほとんどいつも夜遅くまで起きていたので、これは彼としては奇妙な行動だった。彼の妻は、この奇妙な行動について夫に尋ねた。彼は左半身全体がしびれたような感じだと答えた。妻は、彼を病院に連れていかなければと強く思った。脳卒中を起こしたのではないかと思ったのである。

病院に着くと、彼の血圧は190/140になっていた。これはよくないというか、まったくひどい数値だ。

結局、ミゲルは無事だった。大ごとにはならなかった。病院は彼を検査して翌日帰したが、それから1か月間、彼の健康状態を観察し、様々な検査を実施した。彼はこの経験ですっかり怖くなり、きっぱりと生活を切り替えた。

180日で33kgも体重を落としたのは、ワークアウトプログラム、特別な食事、ジム通いなどによるものではなく、精神状態によるものだとミゲルが言ったときのことははっきりと覚えている。このときの怖い経験から、彼は健康やフィットネスについて真剣に考えるようになった。ソフトウェア開発者として積んできたキャリアを投げ捨てて、ほかの人の健康目標達成を手伝い、励ますフィットネスコーチになったほどだ。

この話をしたのは、読者を怖がらせるためではない……いや、実際に怖がらせたか。しかし、あなた自身の話ではなくミゲルの話から怖がっていただきたい。自分の話になったときには手遅れかもしれないのだ。ミゲルは、怖い思いをしたものの、大事に至らなかったので幸運だった。怖い思いは、本気で身体のことを考えるための警告だったのである。しかし、それほど幸運ではない人も多い。警告抜きでやってくることだってある。本気で身体のことを考える前に心臓発作で死んでしまったり、ほかの病気でひどい状態になることだってある。手遅れになることだってあるのだ。

手遅れになるようなことがあってはならない。今すぐ本気になろう。健康問題を抱えるようになるまで健康に無頓着であってはならない。本書を買ったのは、健康になろうと思ったからではないだろう。あなたがもっといい職に就き、キャリアを積んでいくお役に立てればすばらしいし、私にとってもうれしいことだ。さらに、あなたが健康になり、子どもたちの成長を少しでも長く見守るためのお役にも立てれば、この本はもっと大きく成功したと思えるだろう。

やってみよう

- 第6部をさらに読む前に、健康のためにいいことをしよう。あなたはすでに健康で、あとの章は復習に過ぎないかもしれない。しかし、もっと健康にならなければならないことがわかっている読者は、健康のことを真剣にとらえて生活を変えよう。第6部では、私が知っている限りの健康とフィットネスの情報をお話しする。それでも、あなた自身が変えるための行動をしなければ、何の役にも立たない。

第 57 章

フィットネスの目標の設定

何を目標にしてフィットネスに取り組むにしても、目標がなければ決して目標を達成することはできない。自分が書いているコードが何をするはずのものかを知らなければならないのと同じように、汗をかき、腹をすかせて実現したい最終結果が何なのかを知る必要がある。そうでなければ、時間を無駄にするだけだ。

この章では、フィットネスの旅のために、現実的で達成可能な目標をどのように設定するかを考える。より良い結果を得るために、短期的な目標と長期的な目標の両方を使う。そして、長期的な変化は、破滅的なダイエットや4時間の有酸素運動セッションではなく、健康なライフスタイルの確立に本気で取り組まなければ得られないことを示す。

長時間に渡ってデスクに向かい、時には猛烈に働かなければならないソフトウェア開発者は、一般に普通の人よりも健康なライフスタイルで生活することが難しい。最初からハンデがある。だから、健康になるためには明確な基準を設定することが特に大切だ。

明確な目標を選ぶ

「身体を鍛える」ことを目標としてフィットネスルーチンやダイエットを始めるという話をよく耳にする。いい目標のように聞こえるかもしれないが、具体性がない。「身体を鍛える」とはいったいどういう意味だろうか、「身体が鍛えられた」ときをどのようにして判断するのだろうか。

具体的な成果のイメージが頭のなかにあろうがなかろうが、明確な目標がなければエクササイズと正しい食事を進めてもいい結果が得られないというわけではない。明確な目標がなければ、どんなプログラムでも忠実に守るという意識が薄れ、現実的な変化が起きないということだ。

フィットネスの目標として選べるものは様々である。しかし、同時にふたつの目標を立ててはならない。体重を落としたいのなら、筋肉をつけることは考えず、体重を落とすことに集中しよう。ランニングによって心肺機能を丈夫にしたいなら、その過程で体重が少し落ちるかもしれないが、心肺機能のことだけを考えよう。

同時に複数の目標を達成するのが非常に難しいのは、それらが直接矛盾し合うことがよくあるからだ。たとえば、同時に筋肉をつけて脂肪を落とすのはきわめて難しい。筋肉をつけるためにはカロリーを過剰摂取しなければならないのに対し、脂肪を落とすためにはカロリー不足にしなければならないのである。

フィットネスの適切な目標の例

- 体重（脂肪）を落とす。
- 筋肉をつける。
- 筋力を増強する（必ずしも筋肉をつけるのと同じではない）。
- 筋持久力を上げる（スポーツのパフォーマンス向上のために）。
- 心肺機能の健康向上。
- あるスポーツで上手になる。

マイルストーンを作る

6年ほど前に、私は右の胸筋を肉離れしてしまったことがある。重いダンベルを使ってベンチプレスをしていたところ、補助をしようという人が来た。私は補助を受け入れたが、補助者が私の腕を上に引っ張るのではなく、外に広げるように引っ張ろうとしたので、すぐに後悔した。腕がぐにゃっとして私の身体の方に落ちてきたときの破裂音をはっきりと覚えている。筋肉が骨から完全に離れてしまったのだ。これは痛い。

言うまでもないが、その事故のあと長い間ウェイトトレーニングをしなかった。ベンチプレスさえできなくなってしまったので、モチベーションがなくなってしまったのである。私はそのようなときにありがちなことをした。エクササイズを止めて太ったのである。

ある時点では、体重が130kgほどになっていた。これは、私の身長、190.5cmの理想の体重から考えると40kgも重い。太ったという自己嫌悪を吹っ切り、ようやく我に返って40kgほど体重を落とさなければと思った。

40kgも体重を落とすのはほとんど不可能な目標だと思った。体重を40kg

落として再び丈夫な身体に戻るにはどうすればいいだろか。どれぐらいの時間がかかるのか。40kg 落とそうと思ってもどうしてもやる気が出なかった。大きな課題をもっと小さく見せる方法を考えなければならなかったのである。

そこで思いついたのが、2 週間ごとに 2.5kg ずつ落とすという小さな目標を立てることだった。40kg 落とすことは最終的な目標には違いないが、こうすれば 40kgの方は気にしなくて済む。2 週間の目標のことだけを考えればいい。体重計に乗って、2 週間前よりも 2.5kg 軽くなっていればいいのだ。

2 週間を何度も繰り返さなければならなかったが、私は最終的に目標とした 40kg の減量を達成し、お釣りが出た。その過程で小目標を達成できなかったことはただの 1 度もなかった。ポイントは、大きな目標を小さなマイルストーンに分割し、成功への道しるべとすることだ。

フィットネスのメインの目標を決めたら、最終目的地に達するまでの道筋にどうすれば一連のマイルストーンを置けるかを考えよう。体重を落とそうとしている場合には、毎週、あるいは私のように 2 週間でどれだけの体重を落とすかを決めればいい。筋肉をつけようとしている場合には、同じような間隔で脂肪を除く体重をどれだけ増やすかを決める。

大切なのは、節目の目標となるマイルストーンを到達可能なものにすることだ。毎週 4.5kg ずつ減らそうとしても、目標に近い数字にさえならなくて、すぐにやる気が失せてしまうだろう。ほとんど到達不能な目標を立てるぐらいなら、簡単に達成できる甘いマイルストーンを設定した方がまだいい。成功した勢いが前進する力になり、最終目標を目指すモチベーションが上がるのである。

時間がない場合にはどうすればいいのか

あなたはソフトウェア開発者なので、きわめて多忙で、旅行にさえ長い間行っていないかもしれない。そのようなあなたがダイエットとエクササイズのための時間を見つけてフィットネスの目標を追求するにはどうすればいいのだろうか。この問題には簡単な答えはない。私ができる最大限のアドバイスは、フィットネスの優先順位を上げることだ。以前、私はランニングやウェイトトレーニングの予定に合わせてカレンダーに「会議」と書いていた。プランをきちんと実行するのが難しい場合には、同じことをするといいだろう。あなたの午前 7 時の会議が、実際はランニングだということなど、誰も知る必要のないことだ。

進歩の度合いを計測する

目標を目指してするべきことをしたら、進歩の適切な計測手段を用意することがとても大切だ。定期的に自分が正しい方向に向かっているかどうかを確認できるようにする必要がある。

達成しようと努力している目標にどれだけ近づいたかをどうすればうまく計測できるかを考えよう。体重を減らしたり増やしたりしようとしているときには、体重計が基本になるだろう。筋力を上げたり筋肉を大きくしたりしたいときには、どれぐらいのウェイトを持ち上げられたか、そのウェイトを何回持ち上げられたかを記録して進歩を測ればいい。

しかし、私はあまり計測し過ぎないようにしている。計測し過ぎるとあっという間に目標の大きさに圧倒されてしまう。私は、進歩を測るための方法をひとつに絞り、ほかの計測方法はもっと長い間隔で使うようにしている。

おそらく、もっとも一般的な計測方法は体重計だろう。しかし、何を食べたか、その時点で抱えている水の重量はどれぐらいかによって、体重の計測値は大きく変動することがあるので、少し注意しなければならない。

私なら、毎日体重を測っても、達成度のグラフでは毎週 1 つずつの計測値を使うことをお勧めする。私は、同じ日で 4.5kg もの体重変動を経験したことがある。体重計測を毎日 1 回ではなく毎週 1 回にすれば、絶えず起きている体重変動の大きな波に振り回されなくなるだろう。

健康的なライフスタイル

フィットネスの目標を達成すると、最初はすばらしい気分になるが、そのすばらしい気分はあっという間に落ち込み、結局元に戻ってしまうことがよくある。嘘ではない。私は、フィットネスの大きな目標を達成したあと、何度もこの落ち込みを吹き飛ばしてきた。実際、ダイエットして体重を落とした多くの人々は、最終的にまた体重を増やしてしまう。その理由の一部は空腹感を強めるホルモンだが、もとの習慣に戻ってしまうことも大きな原因だ。

フィットネスの目標を達成しても、戦いは終わらない。実際のライフスタイルを変えなければ、達成した進歩はあっという間に消える。ダイエットに永遠に頼っているわけにはいかないので、苦労して達成したフィットネスレベルを維持できるような生活の形を見つける必要がある。

フィットネスの目標を達成したあと、すぐに「通常の生活」に戻るのではなく、行っていたダイエットやエクササイズプログラムを徐々に緩めていくようにすることをお勧めする。目標達成のために行っていたことと以前行っていたことの中間のどこかに、「通常の生活」を築くことが目標だ。23kgの減量に成功したあとで大食いをすれば、もとの体重、あるいはもっとひどい状態にリバウンドするための近道である。

生活に健康的な習慣を組み込み、エクササイズや健康的な食事が生活の一部になるようにする方法を考え出さなければならない。これは容易なことではない。特に過激なダイエットやフィットネスプログラムを行っていた場合にはそうだ。確かに、空腹を我慢すればずっと短期間で体重を落とせるが、いつまでもやっていけるような水準より少し厳しいダイエットやエクササイズプログラムを組み込むように努力しよう。

このあとのいくつかの章では、そのために役立つツールを紹介する。体重を維持するために身体が必要とするカロリーはどれぐらいかを知るための方法、健康的な食生活の方法、エクササイズの方法について話す。これらのことを知っていれば、フィットネスの目標を達成できるようになるだけでなく、今後一生続けられるルーチンに基づいて健康なライフスタイルを確立するための方法もわかるようになる。

やってみよう

- フィットネスの大目標を立てて書き出そう。
- 次に、その目標を達成するための現実的なマイルストーンを書き出そう。
- 最初のマイルストーンを達成するためにできることを考え出そう。

第 58 章

体重の落とし方（または増やし方）

体重を減らしたり増やしたりしたいのなら、何によって体重のもとが作られたり、取り除かれたりするのかを理解する必要がある。しかし意外にも、フィットネス産業には、体重の増減の直接的な要因は、食べたカロリーの数なのか燃やしたカロリーの数なのかについての大論争がある。

そんなことは簡単に白黒をつけられそうな感じがする。つまり、体重の変化の原因となっているのはある程度まではカロリーだということだ。しかし、カロリーがどれぐらいの影響を及ぼすかについての論争は、そう簡単には解決できない。

この章で決定的な答えを出すことは約束できないが、私が体重の増減のもっとも重要な要因をカロリーと見る考え方に味方しがちな理由ははっきりと説明しよう。また、カロリーとは何か、一日にどれぐらいのカロリーを燃焼させているかはどうすればわかるかについても説明する。

カロリーとは何か

カロリーが体重にどれぐらい影響を及ぼすかを正確に知るためには、まずカロリーとは何かをはっきりさせておく必要がある。カロリーとは本当のところ何で、私たちはなぜこんなにカロリーが気になるのだろうか。

カロリーとは、基本的にエネルギーの計測値である。具体的には、カロリーとは、1kg の水の温度を摂氏 1 度分上げるために必要な熱量のこと[※1]だ。

あなたの身体の主要なエネルギー源は、あなたが食べたものである。食料の計測単位がカロリーなのはそのためだ。燃焼するエネルギー量の計測単位もカロリーである。

身体のなかに入ってきたカロリーは、使われるか蓄積されるかのどちらか

※ 1　1kg ではなく 1g の水でカロリーを表す場合が多いが、本書では原著に倣い、1kg の水を単位としたカロリーで示す。

だと考えて大体間違いない。一部のカロリーはただ無駄になるが、人体は機械として非常に効率よくできている。

食べるものが異なれば、身体に入るカロリーの数値も異なる。カロリーは、食べものの量によって決まるわけではない。ブロッコリーによって入ってくるカロリーは、同じ量のバターの塊によるカロリーよりもはるかに少ない。

炭水化物、タンパク質、脂肪は、それぞれグラムあたり異なる数値のカロリーを供給する。そのため、カロリー密度は食べものによって異なる。炭水化物とタンパク質はグラムあたり約4カロリーになるのに対し、脂肪はグラムあたり約9カロリーになる。そして、繊維質は消化できないので、繊維源に含まれるカロリーは、基本的に差し引いてよいことを覚えておこう。

体重を落とすのは単純なことだ

カロリーがエネルギーを表すもので、身体がエネルギーを獲得できるのは食べたものだけなのだとすれば、体重を落とすための方法は簡単にわかる。燃やしているカロリーよりも食べるカロリーを減らせばいい。燃やすカロリーよりも食べるカロリーを減らせば体重が減るということに反対する人がいるとは考えられない。実際に燃焼させているカロリーがどれだけかを正確に計算すれば、論争は終わる。

一日に燃焼、摂取するカロリーの数値を確実に知ることはできないが、いい目安は得られる。そして、合理的な範囲の誤差を認めれば、確実に体重を減らしたり増やしたりすることができる。ポイントは、いい目安だ。

いい目安を得るための第一歩は、脂肪を減らすためにどれぐらいのカロリーを燃焼しなければならないかを知ることである。この話は、あなたが減らしたいと思っているのは筋肉ではなく脂肪だということを前提として進めている。1ポンド（約0.45kg）の脂肪は、エネルギーに換算すると、約3,500カロリーに相当する。1ポンドの脂肪を減らしたいなら、食べたカロリーよりも3,500カロリー多く燃焼させなければならない。ごく単純なことだ（なお、これは男女双方に当てはまる）。

しかし、実際には話はそれほど単純ではない。残念ながら、体重が減るときには、脂肪だけが減るわけではない。3,500カロリーのマイナスを作って体重が減るようにしたとしても、脂肪だけが減るわけではない。筋肉も減ってしまう。

それはともかく、体重を減らすためには、身体に入るカロリーを燃焼させるカロリーよりも少なくする必要がある。カロリーをどれだけマイナスにできるかによって、どれだけ体重を減らせるかが決まる。つまり、体重を減らしたいなら、自分がどれだけのカロリーを身体に入れているかとどれだけのカロリーを燃焼させているかのふたつの値を知る必要があるということだ。

摂取しているカロリーはどれだけか

身体に入るカロリーがどれだけかの計算は、それほど難しくない。買ってくる食品のほとんどには、単位あたりのカロリー数が書かれているラベルが貼ってある。ラベルが貼られていない食品については、CalorieKingのようなアプリで食品ごとのカロリー数を調べられる。

実は、食品のラベルの表示は、必ずしも100%正確だとは限らない。ラベルの数値には10%の誤差が含まれているものと考えるべきだ。レストランで食べるときには、もっと大きな誤差を見込む必要がある。シェフがあらゆるものを完璧に計測して食事を作っていると思ってはならない。料理に少しバターを足しただけで、カロリーの総量は大きく増える。

また、食事の内容が複雑になればなるほど、カロリー数を正確に計算するのは難しくなる。だから、私は自分がダイエットするときには、ごく単純な食事をするように心がけている。また、カロリー数をいちいち調べなくても済むように、同じものを何度も食べるようにしている。

燃焼させているカロリーはどれだけか

どれだけのカロリーを燃焼させているかの計算は、取り込んでいるカロリーよりも計算が少し難しいが、いい目安を得ることはできる。

レースで走っていようが、長椅子で寝てようが、身体はカロリーを燃やしている。生命を維持するだけのためにも、身体は一定量の燃料を必要とする。体重1kgあたりのこのカロリーの基本量を基礎代謝率（BMR）、それに体重を掛けた値を基礎代謝量と言う。

おおよその基礎代謝量は、体重、身長、年齢、性別の組み合わせで計算できる。この計算によって得られた値は、ただ生命を維持するためにどれだけのカロリーを燃焼するかを示す。そこで、一日に燃やすカロリー量を計算するための出発点として優れている。少なくともそれだけの量のカロリーを燃やしているということがわかる。

基礎代謝量を簡単に計算するには、オンラインツールを使えばいい。“BMR calculator”をサーチするか、https://www.bmi-calculator.net/bmr-calculator/ にあるものを試せばいい[※2]。たとえば、私は身長が6フィート3インチ（190.5cm）、体重が約235ポンド（106.6kg）で、年齢が34歳なので、私の基礎代謝量は一日2,251カロリーである。

さて、私たちのほとんどは、一日じゅう何もしないで座っているわけではない。そのため、基礎代謝量は実際のカロリー燃焼量の計測値にはならない。より正確に推計するには、ハリス・ベネディクト方程式を使って、活動レベルに基づく燃焼カロリーの概数を計算する。

ハリス / ベネディクト方程式

ほとんど身体を動かさない	基礎代謝量 × 1.2
軽いエクササイズ（毎週1日から3日）	基礎代謝量 × 1.375
ほどほどのエクササイズ（毎週3日から5日）	基礎代謝量 × 1.55
ハードなエクササイズ（毎週6日から7日）	基礎代謝量 × 1.725
非常にハードなエクササイズ（毎日2回）	基礎代謝量 × 1.9

私は週に3回走り、3回ウェイトトレーニングをするので、ハリス・ベネディクト方程式で計算すると、毎日燃焼しているカロリーは、2,251×1.725=3,882カロリーとなる。しかし、体重を落としたいのなら、確実を期してランクをひとつ下げることにしている。一日に燃焼するカロリーの控え目な推計は、2,251×1.55=3,489カロリーとなる。

あなたの統計値を使えば、あなたが毎日どれだけのカロリーを燃焼するかがわかる。しかし、実際に計算する前にどれぐらいかを推測し、実際の計算値にどれぐらい近いかを比較してみよう。

※2　日本語のサイトでは、例えば、以下で算出できる。
BMIと適正体重（https://keisan.casio.jp/exec/system/1161228732）

目標達成のためのカロリー摂取量

これでカロリーがどのように機能するのか、身体が摂取するカロリーはどれだけかと、身体が燃焼するカロリーはおおよそどれだけかの計算方法がわかった。この情報を使えば、体重を増減させるための基本プランを作成できる。

たとえば、体重を落としたいものとする。週に1ポンド、0.45kgずつ減量するという目標を立てたとして、今知っている情報を使ってどのようなフィットネス、ダイエットプログラムを作れば、目標を達成できるだろうか。

まず、毎日燃焼するカロリーから計算する。ルーチンをまったく変えなければ、私は毎日3,500カロリーを燃焼する。一日何も食べなければ、1ポンド減量できる。その場合、私はかなり不機嫌になるだろう。

一週間で1ポンド落としたい場合、一週間のカロリーのマイナスの合計を3,500カロリーほどにしなければならないことになる。3,500を7で割ると500となる。つまり、一日に約500カロリーずつマイナスにする必要がある。

毎日3,500カロリーずつ燃焼するのなら、最大で3,000カロリーまで食べても、約500カロリーのマイナスになるはずだ。しかし、理屈ではそうなのだが、現実にはこれでは期待する結果は出ないだろう。

数値から考えれば、一週間に1ポンド減るはずなのに、そうならない理由は様々だ。たとえば、食品のカロリー計算を誤り、一食100カロリーずつ低い値だと思ってしまうと、実際に摂取するカロリー数は、思っている値よりも300カロリーも多くなってしまう。逆に、見積りほどのワークアウトができておらず、カロリーの燃焼量が減ってしまう場合もある（一応、最初から低めに見積もってはいるが）。

目標を確実に達成するためには、実際には摂取するカロリーを約10%、すなわち300カロリー減らすようにしたい。すると、一日に摂取するカロリーは、約2,700カロリーにすべきだということになる。こうすれば、目標を達成できるという自信が持てる。

自分の数値に合わせて同じような手順を使えば、体重を増減するためのプランを立てることができる。しかし、体重を減らしていくと基礎代謝量も減っていくので、体重を減らし続けたければ、摂取するカロリーをさらに減らすか、エクササイズを増やす必要があることに注意しなければならない。

「摂取、燃焼するカロリーだけではない」論争

最近は健康の専門家がたくさんいて、太っているのはあなたが悪いからではないし、この問題はどれだけのカロリーを摂取してどれだけのカロリーを燃焼するかというだけの話ではないと言っているが、それは基本的に希望論に過ぎない。

確かに、彼らに有利な事実はある。体重の増加や身体組成ではホルモンが大きな役割を果たしているということだ。遺伝によって体脂肪率が高めになる人はいる。実際に、普通よりも骨太になることはある。

しかし、そうではあっても、この章で言っていることは正しい。カロリーが不足すれば体重が下がり、カロリーが過剰になれば体重が上がる。身体と熱力学はそのように作用する。

このことについては第63章で説明するが、体重を減らし、インシュリン（脂肪を蓄積させる原因になることがある）などのホルモンのバランスを調整するための最高の方法のひとつは断食である。詳細はその章に譲るが、今のところは、摂取、燃焼するカロリー**だけ**の問題ではないが、ほかの要因にどれだけ期待しようが、ほとんどはカロリーの出し入れで決まると考えていただきたい。

やってみよう

- 少なくとも３日間、自分が食べているカロリー数を追跡してみよう。すると、自分がおおよそどれだけカロリーを摂取しているかがわかるはずだ。実際に測る前に、推測値を出して、実際にどれぐらい近かったかを見てみよう。
- 自分の基礎代謝量を計算し、さらにハリス・ベネディクト方程式を使って毎日どれぐらいのカロリーを燃焼しているかの概算値を計算してみよう。そして、カロリー摂取量と比較しよう。あなたは体重が増える方向と減る方向のどちらに進んでいるのだろうか、
- 以上の情報を使って、カロリーと活動量の範囲で、体重を増減するための基本プランを立ててみよう。

第 59 章

モチベーションの向上と維持の方法

フィットネスの目標を達成するためにもっとも難しい部分は、実際に目標を設定することや目標の達成方法を明らかにすることではなく、目標達成のために必要なことをすることでさえない。目標達成のためにもっとも難しいのは、そのためのモチベーションを生み、維持することだ。

あなたはソフトウェア開発者なのでおそらく忙しいだろう。気になるビルドを失敗させてしまったり、フィックスしなければならないバグが見つかったりする。ワークアウトとダイエットの開始を後日に先延ばしする理由ならいつでもある。問題は「後日」が永遠にやってこないことだ。

減量に成功したり、世界一筋肉質なプログラマーになったり、あるいは単純に健康になったりしたければ、自分にモチベーションを与え、そのモチベーションを維持する方法を学ぶ必要がある。この章は、フィットネスプランについて思い悩むのを止め、実際に行動に移し、それを守るために必要なすべてのことを取り上げる。

何からモチベーションを得るか

私たちはみな、様々なものからモチベーションを得ている。あなたのモチベーションになるものでも私のモチベーションにはならず、私のモチベーションになるものでもあなたのモチベーションにはならない。少し時間を割いて、自分のモチベーションがもっとも上がるのはどういうものかを考えることが大切だ。起きて一日を始めようという気持ちになるのは何か。逆に、逃げ出したり隠れたりしたくさせるものは何だろうか。

フィットネスの目標を達成する上でもっともモチベーションが上がる要因を見つけたら、それを使って腰を上げ、動き出そう。たとえば、私があなたに店に行って何かを買ってきてくれと言っても、あなたはそんなことをする気にはならないだろう。しかし、1,000 ドルをあげるから店に行ってきてくれと言えば、あなたは私が言い終わる前に車に乗り、店に向かってくれるかもしれない。モチベーションを上げる適切なものがあれば、大きな違いが生まれる。

自分に対する早過ぎるご褒美

モチベーションを確実に潰す方法がある。それは、課題をうまくこなす前に課題をうまくこなしたことに対するご褒美を自分に与えることだ。

つい先週のことだが、私は前払いをしてくれたクライアントのための仕事をした。クライアントは、私が実際に仕事をする前に、24時間分の仕事の対価を払ってくれた。普通、一週間にひとつのクライアントから請求書に24時間分と書ける仕事をもらえれば、とてもやる気になるのだが、このときはまったくやる気が出なかった。なぜだろうか。それは、私の銀行口座に大きな金額がすでに支払われていたからだ。実際に仕事をする前に報酬を貰っていたので、いつもほどやる気が出なかったのである。

あなたにも同じことが起きる。私はそういう例をしょっちゅう見ている。新しいワークアウトプログラムを始めようというモチベーションを上げるために、多くの人が高価なランニングシューズや真新しいトレッドミルを買っている。新しい400ドルのミキサーを買えば、健康的な食事に対するモチベーションが上がるのではないかと思うかもしれない。しかし、起きるのは逆のことだ。すでにご褒美を買ってしまったので、モチベーションは消えてしまう。必要なことをする前に自分にご褒美を与えてしまうと、自分のモチベーションを下げてしまうのである。

そうではなくて、3か月コンスタントにランニングをしたら、ご褒美に新しいトレッドミルとランニングシューズを買おうと自分に言い聞かせるようにすべきだ。1週間ずっと健康的な食事ができたら、ホールフーズ・マーケットに出かけて健康食品を買おうと思うのである。必ず、褒美は苦労して獲得するものにしなければならない。そうすれば、ゴールに到達しようというモチベーションはずっと高くなる。

実際には、この考え方には科学的な証拠がある。意志の力については、ケリー・マクゴニガルの『スタンフォードの自分を変える教室』[※1]に面白いこと

※1　Kelly McGonigal, *Willpower Instinct*, Avery, 2011. 邦訳『スタンフォードの自分を変える力』（だいわ文庫、2015年）

が書いてある。この本では、目標を達成する前に自分に褒美を与えると、すでに目標を達成したような気分になってしまうことを示す複数の研究が紹介されている。

モチベーションを維持するためのアイデア

新しい今までよりも健康的な自分になる努力を始めるために、モチベーションが上がるすばらしいものをもう用意したかもしれないが、そのすばらしいものの効果はいずれ失われるかもしれない。いや、必ず失われると言って間違いない。私自身、数えきれないほど自分のモチベーションを失ってきた。ダイエットを始めたのに止めてしまった人と話をすると、同じ問題があることを聞かされるだろう。モチベーションを維持するためには、何かほかの方法を見つけ出さなければならなくなるのである。

たとえば、自分がどのようなスタイルになりたいのかを思い出せるように、ありとあらゆる場所に目標となる人の写真を貼り出すのは、モチベーションを維持するための方法として優れている。そういう写真を見れば、脱線せずに目標に集中しようという気持ちになりやすいだろう。次にチョコケーキを見たときには、アーノルド・シュワルツェネッガーがあなたを正面からじっと見つめて「お前はそのケーキを食べるつもりなのか」と問い詰めてくるだろう。

進歩をグラフ化してどこまでやってきたかを絶えず思い出せるようにするのも効果がある。今晩、私はこの本をもう書こうという気にはならなかったが、第58章まで来ていることを思い出したら、続きを書こうという気になった。すでに非常に長い道のりを歩いてきたことを確認するだけで、その道をもっと歩き続けようという気持ちになることがある。長い勝利の軌跡を止めてしまうのは誰でもいやなものだ。

ゲーム化も、モチベーションを維持するための強力なテクニックである。ゲーム化の背後にある考え方はごく単純なものだ。やりたくないものを選び、それをゲームにしてしまうのである。ワークアウトや健康維持のための習慣をゲーム化するために役立つフィットネスアプリは、すでにかなりある。

ゲーム化アプリ

- Habitica

- SuperBetter
- Fitocracy
- Zombies, Run!

ウェイトトレーニングやランニングのパートナーを見つけてきたり、友人とともに新しいダイエットプログラムやチャレンジを始めるのもいい。話ができる相手がいて、いいものであれ悪いものであれ自分の経験を打ち明けることができれば、長い旅が楽しいものに見え、モチベーションを維持できる。私も、ウェイトトレーニングのパートナーがいるときには、安定したペースでジムに行けているのだ。

モチベーションを維持するためのその他の方法を簡単にまとめておこう。

- オーディオブックを聞く—私は走ったりウェイトトレーニングをしたりするときに、いつもオーディオブックかポッドキャストを流している。毎日これを聞くのが楽しみになっている。
- トレッドミルでテレビを見る—トレッドミルに乗っているときだけテレビを見てもいいというルールを作ると、走ろうというモチベーションが上がるだろう
- 外に出る—アウトドアが好きな場合は、走るために外に出ればモチベーションが大きく上がる。
- 子どもから離れる—息を抜いて自分自身のための時間を持つことは誰もが必要としていることだ。多くのジムが、ワークアウト中に子どもの面倒を見てくれるデイケア施設を備えている。

とにかくやれ！

いつもモチベーションを維持できればすばらしいことだが、モチベーションがあろうがなかろうが、歯を食いしばってプランにしがみつかなければならないときもある。取るべき行動を取るように自分を仕向けるためのことは、事前に決めておくようにしよう。

たとえば、朝起きて疲れを感じるときは、走るかどうかを決めるタイミングとしてあまりいいものではない。オフィスでただで食べられるドーナッツ

を見せられたときは、ダイエットのルールを守り抜くかどうかを決めるべきタイミングではない。将来のある決まった日が来るまでは、どう感じることがあっても、ルールを守り抜くと決めておくと、効果がある。

ずっと前にプランを立てて生活の中からできる限り判断というものを取り除こう。毎日何を食べ、何をすべきかを正確に把握し、誤った判断を下す可能性を減らして、モチベーションにあまり頼らないで済むようにすべきだ。

モチベーションが枯渇したときには、モチベーションの代わりに原則を使おう。私は、疲れてきてランニングを終わりにしたくなってくると、最後まで踏ん張ることが自分にとって大切な原則なんだということを思い出すようにしている。生活を規律する格言集を作り、状況が悪くなってきたときにはそれを思い出して死守しよう。

生活を支える格言

- 必ず最後まで踏ん張る。
- 勝者は決して途中で止めず、止める者は決して勝てない。
- 苦しみがなければ何も得られない。
- 時間は短い。人生で何かをしたければ、今すぐすることだ。
- これも必ず成功させる。
- 雨だれ石をうがつ。

あなたを嫌っている人や批判的な人は、モチベーションを削ぐ存在として必ず対処しなければならないものである。

やってみよう

- 身体を鍛えたり、健康を増進したりする理由をリストにまとめよう。そのリストから、もっとも大きなモチベーションになりそうなものを３つ選び出す。それら３つのモチベーションのもとを印刷し、毎日見られる複数の場所に貼り出そう。
- この章で触れたモチベーションを維持するためのアイデアを選び、それを生活に組み込もう。モチベーションを生んでくれる人の写真を探して見られる場所に貼り出すとか、ワークアウトが楽しくなる新しいフィットネスアプリを探してくるといったことである。
- フィットネスのマイルストーン（中間目標）に到達したときに自分に与える褒美を選ぼう。目標までの進行状況をグラフにまとめ、到達したときには、自分に褒美を与えよう。
- 努力してきたことを止めたくなったときには、あきらめなければ、３か月後、あるいは１年後にどう思うかを自問自答してみよう。そのときはいずれやってくる。

第 60 章

筋肉のつけ方

ちょっとそこのあなた、そうあなたのことだよ。筋肉をつけたくないか？つけたいよな。よろしい。私がお手伝いしよう。違法薬物はいらない。筋力トレーニングの基礎を学ぶだけでいい。

この章では、筋肉のつけ方を話す。やる気があれば難しいことではない。どうすれば筋肉が成長するかを説明し、自分の筋肉に刺激を与える方法を示す。また、ダイエットの話題に少し戻り、どのようなものを食べれば最大限の前進が得られるかを示そう。

コンピューターオタク……もといコンピュータープロフェッショナルが筋肉をつけると大きなメリットがある。スタイルがよくなりいい気分になるだけではなく、この職業の多くの人々に与えられたステレオタイプを破ることができる。ユニークな分、キャリアを伸ばすために役立つ場合もある。

あなたが女性なら、あまりごつい身体になりたくはないだろう。私でも、女性がインクレディブル・ハルクのようになってもあまり魅力的ではないと思う。しかし、心配はいらない。ウェイトトレーニングをしたからといって、余分なテストステロンがなければ、ごつい身体になってしまうわけではない。

あなたが男であれ女であれ、この章で説明することはあなたに当てはまる。男女でウェイトトレーニングの方法を変える必要はない。あなたが女性なら、ウェイトトレーニングは、容姿にアクセントを与え、体格をよくする。ごつく見えるところまで達するのはきわめて難しい。女性には、ごつくなるための化学ホルモンがないのだ。だから心配せずにウェイトトレーニングをしよう。そしてスクワットも忘れずに！

筋肉はどのようにして成長するか

人間の身体は驚くほど順応性が高い。手で硬いものをつかむと、手の皮は自分を守るために硬化する。長距離を走ると、走りやすくなるように心肺機能が適応してくる。重いものを持ち上げれば、身体は筋肉を増強させる。

ポイントは、身体が非常に効率よくできていることだ。あなたが筋肉質に見えるようにしたいからといって身体は筋肉を成長させたりはしない。ヘラクレスのようになりたいと思って毎日鏡に全身を映しても、実際にウェイトトレーニングをしなければ何も起きない。

ウェイトトレーニングをしたとしても、ウェイトが十分重くなければ、つまり身体にとって十分な負荷になっていなければ、やはり筋肉は成長する理由がないので成長しない。筋肉が成長してきたら、それに呼応するような形で負荷を上げていき、筋肉にだんだん大きな過負荷を与えることが大切だ。もっと大きな筋肉が必要だということを身体に納得させなければ、身体は筋肉を作らない。

筋肉を成長させるのは、筋肉が過負荷に対して適応する様々な方法のひとつに過ぎない。筋肉は、強度や筋持久力を上げるという方法を取ることもできる。筋肉（のサイズ）の成長を最適化したいなら、筋肉に適切な種類のストレスを与えなければならない。

ウェイトトレーニングの基礎

ウェイトトレーニングというと、ちょっと威圧感があって始めにくいかもしれない。エクササイズにはありとあらゆる種類があり、どれをすべきかなかなかわからないかもしれない。しかし、基本はごく簡単なことである。

まず、ウェイトトレーニングの用語について説明しておく必要がある。通常、ワークアウトは、種類の異なるエクササイズに分割される。スクワットというリフトのエクササイズを行うものとする。スクワットとは、スタンディングポジションからスクワットポジション（上半身を起こしてしゃがんだ状態）に移行することだ。

エクササイズ（私たちの場合はスクワット）の全サイクル1回分をレップという。一般に、エクササイズを数レップ（たとえば、10回）行ってから、休憩を入れる。これをセットと呼ぶ。セットは、エクササイズを行う連続したセッション1回分のことである。

目標は、たとえばそれぞれ10レップの1セットを3回行うことになる。つまり、10回のスクワットを行って休憩を入れるということを3回繰り返すということだ。

目標別の方法

先ほども言ったように、筋肉は様々な形で負荷に反応する。筋肉がどのような反応をするかは、どのようにウェイトを持ち上げるかによって決まる。レップとセットの意味がわかったので、目標別に、レップとセットをどのように使うかを説明しよう。

筋力の向上

レップを少なくしてセット間の休憩をしっかり取ると、筋肉は筋力を強化することによって対応しようとする。当然ながら、筋力を上げようとすれば、筋肉自体も大きくなるが、同じサイズの筋肉でも筋力には大きな差が生まれる。筋力を上げたからといって、必ずしも筋肉のサイズが大きくなるというわけではない。少なくとも、ほかのトレーニング方法で大きくできるほどには大きくならない。

一般に、筋力を上げるのが目標なら、レップを1から6の範囲にする。しかし、レップを制限しただけでは不十分だ。そのレップの範囲でできる限り重いウェイトを持ち上げるようにする。1セットを4レップにする場合、そのウェイトでは5度目は持ち上がらないようにする。

サイズの拡大

次に考えられるのは筋肉のサイズを大きくすることで、おそらくもっとも多くの人が目標にすることだろう。筋肉のサイズ拡大は、肥大化と呼ばれる。レップを多くも少なくもない中間的な範囲にして、ほどほどの休憩時間を挟むと、筋肉は大きくなる。

筋肉肥大の効果をもっとも上げたい場合には、レップは8から12の範囲にする。この場合も、レップの回数だけ持ち上げられるウェイトのなかでもっとも重いものを持ち上げる。レップの回数を増やすと、筋肉が動かなくなるまでにかなりの燃焼を感じるだろう。痛みなくして得るものなしということである（初版では触れなかったが、レップの範囲を4回から6回に減らしたときにもっとも肥大化の効果が大きくなることがある。8回から12回でうまくいかないようなら、レップを減らしてみよう。私の場合、6回がもっとも合っているようだ）。

筋持久力の向上

最後は、筋持久力を増強したい場合だ。その方法は大体見当がつくだろう。レップをさらに増やすのである。レップを増やし、休憩時間を短くすると、筋肉は筋持久力を上げるという形で反応する。これは、負荷がかかっても身体がそれほど簡単に疲れてしまわないようになるということだ。

筋持久力増強の効果を出すためには、レップを13以上にしたい。20レップ以上にすると、筋持久力が上がる。しかし、注意しなければならないのは、筋持久力を上げようとしているときには、サイズはあまり大きくならないことだ。逆に小さくなることさえある。短距離ランナーと長距離ランナーの違いを考えれば、どういうことかイメージがわくだろう。

さあ、始めよう

あなたはきっと、どのような種類のトレーニングをすべきか、どのようにして始めたらいいのかが気になりだしているだろう。フィットネス雑誌や達人と呼ばれる人々が言うほど複雑なものではない。最小限の時間で最大限の効果が得られる基本的なトレーニングがあるのだ。

まず、週のなかでルーチンをどのように割り振るかから話そう。私は、週3日のワークアウトルーチンがとても気に入っているが、その気があれば、これから説明する基本プランよりも頻度を上げてエクササイズしてもいいだろう。

始めたばかりのときには、おそらく、全身を対象としてトレーニングすべきだ。ただし、最終的には、決められた日に決められた部位を鍛えるよう、トレーニングを分割しなければならなくなる（身体が負荷に反応し続けるようにするために、ワークの量を増やす必要がある）。

私は、エクササイズをプッシュ、プル、レッグという3つのカテゴリに分類している。プッシュエクササイズは、ウェイトを押して身体から引き離す。この種のエクササイズは、胸（胸筋）、肩（三角筋）、三頭筋を使う。プルエクササイズは、ウェイトを身体に引き寄せるもので、背筋や二頭筋を使う。最後に、レッグはもちろんレッグ、すなわち足を鍛える。

最初のうちは、プッシュ、プル、レッグをすべて同じ日に行いたい。部位ごとにひとつのエクササイズを行う（エクササイズの内容についてはすぐあとで説明する）。初めてウェイトトレーニングをしたときには、身体が非常に痛くなる。この痛みは、遅発性筋肉痛（DOMS）と呼ばれるもので、翌日に現れ、通常は一週間ほど続く。しかし、気にする必要はない。続けているうちに痛みは取れていき、痛みが出る頻度も減っていく。

2、3週間ほど全身ワークアウトを行ったら、ワークアウトを分割できる。上半身と下半身に分ける2分割とプッシュ、プル、レッグに分ける3分割がある。

ここでも記述を補っておきたいことがある。本書初版を書いたときには、プッシュ、プル、レッグの3分割がもっとも効果的だと思っていた。しかし、この2年間は、週3日のすべてのワークアウトで、実験的にフルボディワークアウトをしている。初心者向けとして勧めたものだ。そして、すべての回でフルボディワークアウトをした方が結果がいいようだ。高度なフルボディルーチンで十分な数のセットをこなすためには、1度に1時間半から2時間ジムに籠もる必要がある。あなたもこの方法を試してみるといいかもしれない。私はこのルーチンで身長190.5cm、体重99.8kg、体脂肪率8%という理想的な数字になったが、人によって結果は異なるだろう。

どのようなトレーニングをすべきか

基本プランが用意でき、目標の達成方法もわかったので、次はどのような種類のトレーニングをすべきかを知る必要がある。この節では、私が身体の個々の部位のためにできる最良の総合的エクササイズと思っているものを紹介する。本書では、個々のエクササイズのやり方を詳しく説明しないが、私が気に入っているフィットネスサイト、BodyBuilding.com（http://www.bodybuilding.com/）に行けば、画像、動画、丁寧な説明が見られる。

一般に、エクササイズでは、できる限り複合運動をするようにするとよい。複合運動とは、複数の関節が関わる運動のことである。関わっている関節が多ければ多いほど、動く筋肉も増えるので、1度のエクササイズでより大きな効果が得られる。私がここでお勧めするエクササイズの多くは、様々な筋肉を鍛えるが、もっとも多く鍛える主要な筋肉グループがひとつある。

また、最初は1、2セットというような少ないセット数で始めるようにしたい。そして次第に増やしてエクササイズあたり3〜5セットにする。一般に、私はワークアウトが全体で20〜25セットになるようにしている。そうすると、1時間ぐらいかかる。それ以上にやっても必ずしもメリットはない。

最良の総合エクササイズ

できるエクササイズはほかにも多数あり、それらの変種もある。ここに示すのは、私が自分や他人のために作るルーチンにほぼ必ず追加する基本的な種目である。あなたは、これらのエクササイズからベストなものを選んでかまわない。

プッシュ

胸筋

- ベンチプレス—胸筋の主なエクササイズのひとつである。正しいエクササイズの方法を学ぶようにしよう。このエクササイズは、筋肉の異なる部分をターゲットとするためにデクライン（身体が斜めで頭が低い状態）、インクライン（身体が斜めで頭が高い状態）ポジションですることもできる。
- ダンベルフライ—胸を大きくするために非常に役立つ、胸筋の優れたエクササイズである。

三頭筋

- オーバーヘッドトライセップエクステンション—私は座ってするようにしている。三頭筋のエクササイズ全体のなかでも特に優れているもののひとつだと思う。三頭筋全体を鍛え、腕を太くするために非常に役立つ。
- ケーブルプッシュダウン—三頭筋というよりも三頭筋の外側頭をターゲットとしたエクササイズで、すばらしい馬蹄形が得られる（どういう形かわからない場合には、Google で“三頭筋 馬蹄形”の画像を検索してみよう）。

肩

- ミリタリープレス—立って行えば、腹部も鍛えることができる。ただし、このエクササイズには注意が必要だ。まず軽いウェイトで始め、正しいエクササイズの方法を学ぶようにしたい。全体として、肩のエクササイズとしては最高のもののひとつであり、優れた複合運動になっている。
- サイドラテラルレイズ—肥大させるのが難しい肩の側面を鍛えるエクササイズ。複合運動ではないが、強くお勧めする。

プル

背筋

- ワンアームダンベルロウ—かなり苦しい（少なくとも私にとっては）エクササイズだが、ほかのどのエクササイズよりも背筋を肥大させる。片手ずつ行うと効果が上がる。
- 懸垂—背筋を鍛え、大きな広背筋を作るための基本エクササイズである。広背筋とは、背中の左右にある逆三角形の筋肉で、鍛えると翼を持っているように見える。自力で懸垂ができない場合は、できるようになるまで補助してくれるマシンを探すか、エクササイズバンドを使うようにしよう（上級者になったら広背筋を肥大させ二頭筋をつけるためにウェイト付きで懸垂をするとよい）。

二頭筋

- オルタネーティングダンベルカール—二頭筋を鍛えるもっとも優れたエクササイズのひとつ。ほかの背筋エクササイズをしている場合には、それで二頭筋も鍛えられるので、あとはこのエクササイズをするだけでいい。とかく身体に反動をつけてチーティング（ずる）しがちだが、そうしないように注意する。

レッグ

- スクワット—ウェイトトレーニングの王者というべきエクササイズである。スクワットをやり終えたとき以上に気分のいいものはない。足のほぼすべての筋肉を活性化させ、体幹にも効果がある。正しい方法を学ぼう。決して避けてはならない。
- デッドリフト—優れたエクササイズだが、学ぶのが少し難しい。気楽に考えて少しずつウェイトを上げていけばいい。このエクササイズは、ある程度まで身体全体を鍛えられるが、非常に骨が折れる。5レップを越えないようにすることをお勧めする。しかし、ぜひとも時間を作って、正しい方法を学ぶべきだ。正しい方法でしなければ腰を痛める場合がある。このエクササイズは、主としてハムストリングと腰を鍛える。
- カーフレイズ—ふくらはぎのエクササイズをどのようにするかはそれほど重要ではないが、必ずこのタイプのもののどれかをするようにしよう。身体は立派なのにふくらはぎは細いようだと奇妙な感じになってしまう。
- ウォーキングランジ—私はスクワットやデッドリフトの代わりにウォーキングランジをすることにしたが、以前よりもずっといい結果が得られている。特に臀筋が上がっている。定期的にウォーキングランジをするまでは尻が平らになっていた。スクワットやデッドリフトが嫌いな場合や、これらをすると背中が痛くなる場合には、代わりにこれをするとよい。

ごく一部のエクササイズだけを選ばなければならないとすれば、お勧めのものはいいものから順に、スクワット、デッドリフト、ベンチプレス、ウェイト付き懸垂、ミリタリープレスである。これらのエクササイズだけでも、はっきりと筋肉が肥大する。

腹筋はどうだろうか。本書初版では、腹筋の直接的なトレーニングを勧めなかった。上記の基本トレーニングで十分だと思っていた。しかし、その後私は考えを改め、毎週何度か厳しい腹筋トレーニングをするようになった。すると、体脂肪率が高くなっても腹筋が割れるようになった。そういうわけで腹筋トレーニングにもメリットがある。ただし、ほかの部位と同じように厳しいトレーニングをしなければ意味がない（これについては次章で詳しく説明する）。

必ず個々のエクササイズのやり方を調べて正しいやり方を学ぶようにしていただきたい。また、必ず軽めのウェイトから始めて少しずつ重くしていこう。

何を食べるべきか

食事が適切でなければ、ウェイトトレーニングでがんばっても何の効果も得られない場合がある。幸い、正しい食事は難しいことではない。カロリーを多めに摂り、十分なタンパク質を食べることに注意する必要がある。

体重のなかの脂肪を除く部分1ポンド（0.45kg）あたり1〜1.5gのタンパク質を食べることをお勧めする。たとえば、体重が200ポンド（90kg）で体脂肪率が約20%なら、脂肪以外の体重は160ポンド（72kg）なので、筋肉の増強のために十分な量を確保するために、少なくとも160gのタンパク質を食べるようにすべきである。

食べたカロリーの大半が筋肉を作るために使われ、脂肪を増やすために使われないように、健康的な食品を食べるようにしよう。しかし、脂肪が増えるのは避けられないことも知っていなければならない。筋肉をつけるときには、それに伴って脂肪も少し増える。これはそういうものなのだ。

サプリメントということでは、何もいらない。ワークアウト直後にプロテインシェークがあれば役に立つ。その気があれば、クレアチンも試していい。私が実際に効果を感じたサプリメントは、クレアチンだけだ。クレアチンを使うと、少し重いウェイトを使えるようになり、筋肉が立派になる。最後になるが、以前はBCAA（分岐鎖アミノ酸）を勧めていたが、今はもうBCAAの効果に確信が持てなくなっている。実際に試してみたが目に見える効果はなく、むしろマイナスの効果があるようだ。繰り返しになるが、ほとんどのサプリメントはまったく不要であり、ここで示した以外のすべてのものはほぼ確実に暴利をむさぼるものだ。ただし、ほとんどの人々が不足しがちなビタミンD3の摂取はお勧めする（ビタミンK2も込みで）。

やってみよう

- ジムの会員になり、自分で個人用トレーニングプランを準備しよう。しっくりこない感じなら、最初の数週間は個人トレーナーを雇えばいい。しかし、今すぐ何かをしよう。待っていてはならない。
- http://www.bodybuilding.com/ に行き、この章で取り上げたエクササイズについて調べよう。動画を見て、エクササイズのやり方を学ぼう。そして、ウェイトなしで動きを練習しよう。

第61章

シックスパックの腹筋の作り方

誰もが答えを知りたがっているフィットネスに関する疑問がひとつある。「どうすれば6つに割れた腹筋が手に入るか」だ。腹筋は典型的な身体能力と肉体的な魅力の指標のようになっている。腹筋があれば、通常の人間関係の掟に縛られない特別なクラブの一員になれる。

しかし、どうすれば腹筋をつけられるのだろうか。水着モデル、ハリウッドセレブ、古代ローマの彫像などだけに与えられているフィットネスの一段高い地平に上るためにはどうすればいいのか。それは簡単なことではないが、驚くべきことにシットアップ[※1]やクランチ[※2]は答えとはほとんど無関係である。

この章では、カーテンを開け、シャツを腕まくりして、あなたが夢見る引っ込んだお腹を手に入れるための方法を説明しよう。

腹筋は台所で作られる

良い話と悪い話がある。良い話は、あの苦しい腹筋運動を止めていいということだ。腹筋運動では、腹筋を作る効果は得られない。悪い話というのは、腹筋を手に入れるためには、腹筋運動よりも無限に難しいことをしなければならないことである。節制して、体脂肪を非常に低い値まで落とさなければならないのだ。

ほとんどの人々は、腹筋を繰り返し動かすことによって腹筋を作るのだと思っている。ほかの筋肉と同様に、次第に負荷を大きくしながら鍛えていけば、腹筋のサイズも増やせるのは間違いないが、ほとんどの人に腹筋らしい腹筋がないのは、腹筋の大きさが足りないからではなく、腹筋が見えないからなのだ。

※1　仰向けにまっすぐ寝ている状態から上体を起こす腹筋運動

※2　仰向けに寝て足を上げ、上体を起こして少し止める腹筋運動

シットアップ、クランチ、レッグリフト[※3]その他の腹筋を鍛えるエクササイズをしたければすればいいのだが、体脂肪を大きく落とさない限り、腹筋は見えてこない。しかし、ウェイトトレーニングをしているほとんどの人は、直接的な腹筋運動をしなくても見事な腹筋を持っている。私も自分の腹筋を直接鍛えたことはほとんどない。問題は、腹部、特に男性の腹部は、脂肪の主要な貯蔵領域になっていることである。

遺伝的に恵まれていて、腹部にあまり脂肪が蓄積されないというのでもない限り、腹筋がかすかに見えるというだけの状態にするだけでも、体脂肪を非常に少なくしなければならないだろう。仮にそうでないとしても、私たちのウェイトトレーニングについての知識から考えるなら、クランチやシットアップでは筋肉肥大を起こすほどの抵抗がないため、腹部の筋持久力が上がるだけだ。

シックスパックの腹筋を手に入れたければ、スタート地点は台所だ。体重の落とし方についてはすでにかなり説明したが、5〜10kg もオーバーウェイトになっているときに体重を落とすためにしなければならないことと、すでにすっきりとした体型になっているときに脂肪を落とすためにしなければならないこととでは、大きな違いがある。腹筋が割れるような体脂肪率になるために必要な食事と栄養については、第 58 章を見ていただきたい。

すでにまともな体型になっていなければ、腹筋を割るのは思いも寄らないことなのだ。しかし、今までの章のアドバイスに従えば、出発点にたどり着くのはそれほど難しいことではない。ただ時間がかかるだけだ。しかし、体脂肪が平均的な水準に達してからさらに体脂肪を落とすためには、厳格な規律が必要であり、おそらくかなりの犠牲を払わなければならない。

身体は腹筋をつけることを求めていない

見事な腹筋を持つフィットネスモデルの写真を見ると、私たちは「この人はすごいな」と思う。それに対し、私たちの身体は、ちょっと違うことを考える。身体が自分の心を持っていて、考えていることをしゃべれるとしたら、その反応は私たちとは大きく異なるものになるだろう。「げげっ！ この人は死にかけているぞ。飢えて死にそうなんだ。なんでこの人の身体はこの人を

※3　仰向けに寝て、足をまっすぐ上に突き上げる腹筋運動

守ろうとしないんだろう？」

身体は非常に複雑な機械であって、水着を着たときのあなたがかっこよく見えるかどうかなど気にしていられないことを理解しなければならない。身体の主要な関心事は、あなたを生かし続けることに集中している。身体からすれば、腹筋が割れて見えるのは由々しき事態なのだ。腹筋が見えているということは、あと数週間で飢えのために死ぬという意味なのである。あなたに明日たくさんのものを食べるという確信があっても、あなたの身体は長期的な災難に備えておこうとするのだ。身体が脂肪を溜め込むのはそのためである。万一に備えて、脂肪を残しておきたがるのだ。

あなたを生かし続けるというこのひとりよがりな目標のために、身体はありとあらゆることを行って、脂肪の削減を妨害する。あなたが脂肪を減らすと、筋肉も少し落ちる。これはどうしようもないことだ。あなたの体脂肪率がすでに低い場合、あなたの身体は、あなたの脂肪を落とす努力を挫くという邪悪な意図のもと、筋肉の消費のペースを上げるのである。身体は、カロリーとして燃やすためにいつもよりも多くの筋肉を火にくべ、身体にとって大切な脂肪の貯蔵を守る。

考えてみれば、これは完全に合理的なことだ。筋肉は、維持のために毎日一定量のカロリーを必要とする。ついている筋肉が増えれば増えるほど、消費カロリーの量も増える。だから、カロリーの貯蔵が減って、あなたが飢えによって自殺しようとしているかのように見えると、身体は筋肉をカロリーとして利用することによって、追加のエネルギーを獲得するとともに、必要なエネルギー量を減らすという一石二鳥の効果を得るのである。

身体は、筋肉を削って水着が似合う身体に変身するというあなたの意図を挫くだけではなく、グレリンを増やし、レプチンを減らすという邪悪なことも行う。グレリンは空腹感を生むホルモン、レプチンは満腹感を生むホルモンである。そのため、脂肪を減らせば減らすほど、あなたは空腹になり、満腹を感じにくくなる。

ここで詳細には立ち入らないが、どういうことか要点はつかんでいただけただろう。体脂肪が一定の水準以下になると、身体はあなたを生かし続けるというばかげた目的のために、余分な防御策を総動員し始めるのである。

身体の反応にどう対処したらいいのか

残念ながら、この問題に特効薬はない。体脂肪を極端なところまで落とすプロのボディビルダーたちは、ステロイドなどの薬物を摂取して対処しているが、それは危険で有害なので、あなたは手を出すべきではないだろう。一部のプロボディビルダーやフィットネスモデルが体脂肪を落とすために使っている極端な薬物に興味がある読者は、Google で“DNP 薬物”をサーチしてみていただきたい。このきわめて毒性の高い化学物質は、ミトコンドリアを脱共役し、小学校で習ったATPサイクルを止め、身体全体を有毒なかまどに変える（免責条項の時間だ。体脂肪を落としたり筋肉をつけたりするためにDNP、タンパク同化ステロイド、その他の違法物質を決して使わないように。そのようなことをしても意味がないし、死ぬ可能性さえある）。

しかし、ミトコンドリアを脱共役するようなことはしたくないごく平均的な人はどうすればいいのだろうか。ダイエットのルールを厳格に守り、それを長期間続けることだ。腹筋が割れる程度まで体脂肪を落としたければ、カロリーを丁寧に計算し、体重を過度に急激に、または過度に緩慢に落とさないようにしなければならない。そのためには、特に強くなる空腹感を処理するために規律が必要になるが、やればできることだ。

ダイエットを忠実に守ってズルして食事をしないようにするだけでなく、まるで本当に筋肉をつけようとしているかのようにウェイトトレーニングも忘れずにする必要がある。負荷の高いウェイトトレーニングを続ければ、体重を落としつつ、筋肉の燃焼をかなりの程度まで抑えられる。ただし、カロリー制限食を食べながらウェイトトレーニングを続けるのは難しいかもしれない。ウェイトトレーニングを続けると、まだ筋肉を残しておかなければならないことを身体に知らせることができる。

体脂肪を落とすためには、HIIT トレーニングと呼ばれているものを試してみるのもいいかもしれない。HIIT は、非常に短時間で高強度に行う有酸素運動だ。上り坂をダッシュしたり、1、2 分間できる限り速く走ったりする。この種の有酸素運動は、長距離走のような通常の有酸素運動よりも、筋肉を維持しながら脂肪を燃焼できることがわかっている。

しかし、いずれにしても、6 つに割れた腹筋を作りたければ、厳格な規律が必要になる。文字通り、死の脅威とバトルしている身体と戦わなければならない。

腹筋トレーニングをすべきときとその方法

本書初版を出したあと、私は少し考えを変えた。なぜなら、フィットネス関係のユーチューバーたちは、私よりもかなり体脂肪率が高いのに、いつも腹筋が割れているように見えるからだ。

そこで、数年前から高い負荷をかけた腹筋トレーニングをルーチンに入れることにした。すると、体脂肪率が高くなったときでも腹筋が割れるようになった。それは腹筋が大きくなったからである。当たり前のことだ。これは大きな差ではなく、腹筋が見えるようにするためには体脂肪率はかなり低くなければならない。しかし、体脂肪率が10%前後で変動せず（これは男性の場合で、女性なら17%前後と少し高くてよい）、腹筋が見えない人は試すといいだろう。

腹筋トレーニングをするなら、この章で今まで言ってきたように、クランチ、シットアップ、サイドツイスト[※4]のことは忘れて、ウェイトを使ったトレーニングに力を入れよう。ウェイトの設定がある腹筋マシーンを使ったり、クランチ、レッグリフトをやるときにウェイトも使うようにするのである。ただし、大切なのは本物の結果を得るためには負荷の重いトレーニングをする必要がある。

また、腹筋の見え方は遺伝で大きく左右されることも言っておくべきだろう。生まれつき腹筋の具合がよくてエイトパックに見える人もいれば、非対称でせいぜいフォーパックにしかならない人もいる。そして、少しでも腹筋が見えるようにするためには、本格的なワークアウトを十分行わなければならないので、ほとんどの人は腹筋が見えない。

※4　座った上体でさらに足を上げ、身体を左右にひねる腹筋運動

やってみよう

- インターネットでサーチをして、様々な体脂肪率の人の写真を見つけてみよう。シックスパックを見せるためには、体脂肪率をどれぐらいまで下げなければならないかを調べよう。この数字は、男女で大きく異なる。
- シックスパックを手に入れるための決定的なプランを立てよう。食事はどうするか。体重をどれだけ落とすか。やり方を知らなければ目標達成は難しいので、ほとんどの人が実現できていないことをしたいなら、今すぐ実現方法を計画しよう。

第62章

ランニングを始めよう

体重を軽くしたい、あるいは、心肺機能を高めたいといった様々な理由で、読者はランニングに興味があるかもしれない。意外に思われるかもしれないが、正直に言っておこう。私はランニングが嫌いだ。好きになろうと努力はしてきた。トレッドミルの残り時間を数えていたり、スマホを見てあと何マイルかを確かめたりするたびに、今は楽しいことをしているんだぞと自分に言い聞かせてきたが、正直に言うと、私はランニングが好きではない。

それでも、私はランニングしている。約5年前から、週に3回、4.8km（3マイル）ずつ必ず走っている。嫌いでも規則的にしていることなので、今やルーチンになっている。しかし、最初は大変だった。走ったことがなければ、外に出て3マイルのジョギングをするということがまずできない。いや、あなたならできるかもしれないが、私がランニングを始めたときには、1区画分すら走れなかった。

この章では、ランニングを始めた方がいいのはなぜか、ランニングは身体にどのような影響を与えるか、どのようにしてランニングを始めたらいいのかを説明していく。

実は、本書初版のときとは事情が大きく変わった。私がランニング嫌いだったのは間違いないが、今はランニングが大好きになっている。しかし、以前私がランニングにどのように接していたかがわかるように、この章の最初の部分は残すことにした。走る距離も延びている。かなりのマイル数を走っている。距離延長のこととランニングに対する私の姿勢の変化についてはすぐあとで話すつもりだ。

走る理由

私が走り、多くの人々が走っている大きな理由のひとつは、心肺機能の健康のためである。当然ながら、ランニングは心臓を強化し、肺活量を増やすための唯一の方法ではないが（どんなエクササイズにもその効果はある）、もっとも簡単な方法のひとつである。どこにいても、外に出て走るだけなら簡単だ（ただし、関節の問題などでランニングできない場合には、サイクリングやスイミングもよい）。

同じような考え方だが、ランニングは余分なカロリーを燃やすための方法としてもちょうどいい。体重を軽減できるのはランニングだけではない。むしろ、体重を軽くするためには、カロリー制限に全力を注ぐべきだ。しかし、ランニングは体重を減らせる。ランニングには食欲の抑制効果があることが明らかになっているので、お腹がすいたときに走りに行けば、体重減少の目標に二重に近づくことができる。

最初の頃の私は走っているときにはあまりランニングを楽しめていなかったが、いつも変わらず走ったあとは爽快になる。複数の研究が一般にランニングは走った人を幸せにすると言っているが私もそう思う。ランニングは、軽い鬱の自然で優れた治療法であり、自分に対して肯定的な気持ちになれる。ランナーズハイのことを聞いたことがあれば、ランニングによって化学的にも気分が上がることも聞いているかもしれない。もっとも、以前の私は走る距離が短くてこの効果をあまり感じなかった。ランニングが嫌いだったのはそのためだろう。

膝やその他の関節が強化される、骨量が増える、ガンのリスクが下がる、寿命が長くなる可能性があるなど、ほかにもメリットはたくさんある（これらのメリットには、証明しやすいものとそうでないものが含まれている）。

ランニングを始めるには

今まで長距離走というものをまったくしたことがなければ、何 km も走るなんてとても無理だと思うかもしれない。しかし、ほとんど誰もが、マラソンを含めてかなり長距離を走れるところまで達することができる。

長距離を走れるようになるためのポイントは、時間とともに走る距離を増やしていけるようなプログラムを利用することだ。マラソンには、単に 5km ほど走れるというだけの状態から 30 週間ほどでフルマラソンの 42.195km を走れる状態まで力を引き上げられる標準的なトレーニングプログラムがいくつか作られている。

しかし、マラソンを走ることを考える前に、5km 走れるようになる必要がある。これはいい出発点であり、この状態に到達したら、様々な 5km レースに参加できるし、もっと大きな目標のためにトレーニングしたいかどうかも考えられる。

数年間のブランクをはさんで再び走り始めたとき、私は最近人気のCouch-to-5Kというランニングプログラムを使った。オリジナルのCouch-to-5Kプログラムは、クールランニングというランニンググループが作ったものである（https://www.active.com/running/articles/a-goodbye-from-cool-running）。

このプログラムの考え方は単純だ。毎週走る距離を少しずつ増やしていくのである。最初はごく短時間歩いたり走ったりするというところから始め、最終的には5kmを走れるようにする（負荷の上げ方はいつもなだらかだとは限らない）。

このプログラムのすばらしいところは、ランニングの経験がなく、あまり体力がない人でもできるように設計されていることである。プログラムを最後までやり切るためには約2か月かかる。このプログラムでは、週に3回ずつ、20分から30分のランニングセッションを実践する。

私がこのプログラムに取り組んだときには、すべてがとても簡単になるモバイルアプリを使った。このアプリは、私がプログラムのどの位置にいるかを管理し、いつ走っていつ歩くかを指示してくれる。どのモバイルアプリストアでも、“couch to 5K”でサーチすればこのプログラムのアプリを見つけられる。

ランニングを始める人へのアドバイス

ランニングを始めたときにもっとも大切なのは、本気で実行することである。Couch-to-5Kプログラムを始めても週に3回ずつきちんと走らなければ、進歩は見られないだろう。走り続けなければ、前進するのではなく、後退してしまう。持久力をつけるためには時間がかかるが、なくなるときは一瞬だ。

また、始めたばかりのときは、進歩のことをあまりくよくよと考えてはいけない。最初の数週間は走りと歩きをミックスしなければならないはずだが、Couch-to-5Kプログラムがこの方法を提唱していることには理由がある。時間とともに、走れる距離は長くなっていき、目標に到達できるはずだ。必要なのは持続と忍耐である。焦ってがんばり過ぎると、やる気が失せて続けられなくなるだろう。

走る距離を延ばすと…楽しくなる？

初版を書いたときに私がランニング嫌いだったのは本当だ。嫌いでも走っていたのである。しかし、それから2年後に大きな転機があった。そのときも5kmのランニングに出ていたのだが、走りながらポッドキャストの収録もしていた。当時はそれが賢いやり方だと思っていたのである。いずれにしても、そのポッドキャストを収録しているときに、走っているときにまだ話すことがあれば、もっと走れるのではないかと思った。そこで、その日は5kmだけではなく、10kmちょっと走った。

そして、自分で自分に限界を押し付けていたことに気づいた。私の走りが速くならず、いつまでも楽に走れるようにならないのは、進歩がなかったからであり、自分を押し上げようとしていなかったからだ。毎週毎週同じランニングルーチンを繰り返しているだけなのに、もっと速く走りたいとか楽に走れるようになりたいと思っていたのである。

私は走る距離を延ばしだし、ハーフマラソンの距離に迫るまでになった。そこで「ハーフマラソンならきっと走れるぞ」と思い、走りきった。そこから火がついた。複数のハーフマラソン大会に参加し、さらに走る距離を延ばしていった。実際、今日は、この改訂版の原稿を書いたあと、フルマラソントレーニングプログラムの一環として、10マイルランに出かける予定になっている。次のフルマラソンは、なんと4回目だ。私は途中で休まずに42.195kmを走りきれるようになるとは思いもしなかった。

何が変わったのだろうか。どうしてそんなにランニングが好きになったのだろうか。私が思ったのは、長い距離を走るようになると、ランニングの心理的な効果がしっかりと感じられるようになるということだ。ランナーズハイを経験することが増え、自分の成長に後押しされて距離を延ばしていける。また、私の場合、ランニングの時間はオーディオブックを聞く楽しみな時間になっている。とてつもないランニングスケジュールのおかげで、1年で50冊のオーディオブックを聞けるようになった（3倍速で聞いている）。そういうわけで、まさか自分が言うとは思っていなかったが、私は本当にランニングが好きになったのである。

距離の延ばし方

私の話を聞いて、ランニングは面白そうだと思ったのではないだろうか。もしそうなら、5km よりも長い距離を走ってみたいとも思っただろう。実は、最初のうちは 5km 走るのも大変だが、それでも距離を延ばしてみたいと思う方には、私のオススメの方法を紹介する。

それはずばり、Couch-to-5k プログラムを終了したら、すぐにハーフマラソンの参加を申し込むというものだ。ほとんどのハーフマラソントレーニングプログラムは 12 週間なので、少なくともそれだけの時間を確保しよう。優れたハーフマラソントレーニングプログラムは無数にあるので、自分にあったものを探し、それに従う。

最初はそんなことは無理だと思うだろう。走ったことがなければ、かつては 5km 走ることさえ不可能だと思ったはずだ。しかし、トレーニングプログラムに従えば、誰でもハーフマラソンを走れるようになる。驚くほど簡単だ。毎日指定された距離を走っているだけで、知らないうちに休まずに 20km を走りきれるようになる。そしてハーフマラソンを何度か経験するか、もっと大きな挑戦をしたくなったら、フルマラソントレーニングプログラムで同じことをする（通常は 16 週間以上かかる）。きっと走りきれるはずだ。

コーチを雇うという方法もある。ランニングコーチの料金は結構安い。私の場合、競技会の準備のための完全なトレーニングプランを作ってもらい、私のランに助言、アドバイスしてもらって、1 か月 130 ドル（約 14,300 円）だった。進歩を望むなら特にこの方法はいい。特に長い距離を走らなくても、ランニングによる効果は得られる。しかし、長距離を走るとランニングがずっと楽しくなる。

やってみよう

- クールランニングのサイト（https://www.active.com/running/articles/a-goodbye-from-cool-running）に行って、Couch-to-5K プログラムをチェックしよう。
- ランニングを始めてみる気があるなら、Couch-to-5K アプリをダウンロードして、カレンダーで毎週何曜日に走るか計画を立てよう[※1]。そして、本気で実行してプログラムをやり遂げよう。いっしょにプログラムを始める人を見つけるといいだろう。いっしょにプログラムを進める人がいれば、まじめに取り組みやすくなるし、楽しくなる。

※1　http://www.c25k.com/c25k_japanese.htm には、Couch-to-5K のランニングプログラム「ソファーから 5 キロまで」の練習法が日本語で書かれている。

第63章

筋肉を保ちながら脂肪を落とす秘密の方法

本書初版を書き終えてすぐ、私は正式な引退を祝うために2か月のハワイ旅行に出かけることにした。ハワイ旅行で唯一気がかりなことは、日頃の厳格な食習慣が完全に崩壊してしまうことだった。食習慣は、細い体形を維持し、ワークアウトに力を入れるために欠かせないものだ。

ハワイから帰ってきたら体重が10kg近く増えている（過去の同じような旅行のときのように）のは願い下げだが、おいしいものを食べるという楽しみを諦めるのもいやだ。そこで私はプランを用意した。当時はちょっと無茶苦茶な感じがしたが、そのプランによって私の人生は大きく変わり、私の食事やダイエットに対する考え方は完全に変わった。

私の「プラン」とは、食事を夕食だけにするというものだった。プランの名に値しないものに感じられるだろうが、私としては、夕食しか食べなければ、カロリー摂取が1度だけに制限されるので、ディナーとして食べたいものは何でも食べられるはずだと考えたのである。旅行中はずっとそれを貫こうと決心した。そうすれば、旅行から帰っても、体形へのダメージは最小限に抑えられるはずだ。

実際の結果には驚かされた。2か月後に帰ってきたとき、体重は増えないどころか、7.5kgほど減っていた。しかも、いまだかつてないほど筋肉がつき、強くなっていた。チキンとブロッコリーばかり食べていたわけでも、一日6食していたわけでもない。旅行中はウェイトトレーニングやランニングもしていない。どうしたのだろうか。何か発見をしてしまったのだろうか。早速調査に取り掛かった。

かかりつけ医に相談しよう

この章の断食や一日 1 回の食事の話に入る前に、お願いしたいことがある。一日 1 回の食事（OMAD：one meal a day）を含む断食プロトコルを実行に移す前に、かかりつけの医師と相談していただきたい。断食が健康に有害になる医学的な条件がある。私は医師ではないので、あなたの条件に合わせて具体的なアドバイスをすることはできない。しかし、一部の医師があなたの考えに呆れたとしても驚かないようにしよう。複数の医師に相談した方がよいかもしれない。

もっとも効果的な減量方法

旅行から帰ると、すぐに断食について調査を始めた。フィットネスの秘訣を見つけたのか、それとも誰かほかに同じような経験をした人がいるのかがどうしても知りたかったのである。私がしていたことは、私がフィットネスとダイエットについて学んできたすべてのことと完全に矛盾していた。

同じようなプロトコルに従っていた他の人はほどなく見つかった。私がしていたのとまったく同じではないが、非常に似たことを勧めているオーリ・ホフメクラーの『戦士のダイエット[※1]』という売れている本があった。さらに、一日 1 食だけでなく、もっと長い断食さえ推奨しているジェイソン・ファンの『トロント最高の医師が教える世界最新の太らないカラダ[※2]』という本も見つけた。断食中は水だけを飲むのである。

私が今までずっと聞いてきた話では、食べないでいる時間が長くなりすぎると、身体は飢餓モードに入り、筋肉が落ち、脂肪だけが残るということだったが、これは真っ赤な嘘だったということになる。このテーマについて調べれば調べるほど、「飢餓モード」などというものはなく、断食すると身体は筋肉貯蔵状態になるということがはっきりしてきた。これは、一日 3 食できるとは限らなかった私たちの祖先のことを考えれば納得できる。空腹がきわまった状態では、何か食べものになるものを殺しに行くために、普段以上に筋肉が必要になったはずだ。

※ 1　Ori Hofmekler, *The Warrior Diet*, Blue Snake Books; Revised, Expanded Edition, 2007

※ 2　Jason Fung, *The Obesity Code*, Greystone Books, 2016. 邦訳『トロント最高の医師が教える世界最新の太らないカラダ』（サンマーク出版、2019 年）

私は今まであらゆるダイエットを試してきた。流行る前からケトン体ダイエットを実践したし、低脂肪ダイエット、低カロリーダイエットも経験した。毎日午後1時か2時まで食べない間欠断食さえ試した。しかし、体重を減らし、同時に筋肉を落とさないもっとも効果的な方法は、単純に食べないことだったのだ。その通り、まったく当たり前のことが改めて正解だとわかったのである。あまり当たり前すぎてほとんどの人が思いつかなかったのだ。そして多くの人々が、人間は食べなければならない、食べなければ健康を害すると言ってきたが、それは単純に間違っていた。私は、断食の効果を証明する研究を見つけてきた。しかし、私にとって何よりも大きかったのは、断食には効果があることを自分の身体で証明したことだ。

このことがわかって以来、私はもっとも効果的で効率のよい減量方法として断食を強く支持するようになった。どんな断食プロトコルに取り組む場合でも、まずかかりつけ医と相談することを強くお勧めするが、2、3日という比較的短期間の水断食は、あなたが今までに試したほかのどの方法よりも体重を落とすために効果があるはずだ。

断食のその他のメリット

あなたが今何を考えているかは想像がつく。何を馬鹿なことを言ってるんだ、そんなのまったく不健康だ、といったところだろう。「なんとまあ、ジョンは拒食症になれって言ってるよ。とんでもないアドバイスだ」かもしれない。しかし、断食は脂肪を落とすだけではない(脂肪はごっそり落ちるが)。断食には、健康上ほかにも様々なメリットがあるのだ。しかし、その話に踏み込む前に、歴史の話をちょっとしたい。

よく考えておきたいことがひとつある。世界宗教と呼ばれるものはすべて何らかの形で断食を組み込むか、宗教的な実践のひとつとして断食を行っている。イエスは荒野で昼も夜も40日間断食した。イスラム教には、毎年日没後しか飲食しないラマダンの月がある。ヒンズー教は月に2回、エカダシと呼ばれる断食をする。仏教には断食の長い歴史があり、一日1食は「聖者の行い」とされてきた。これだけ多くの宗教で断食が取り入れられているなら、断食にはきっと何らかの利益があるに違いないと思わないだろうか。

実際、断食には様々な効果があり、今も次々と新しい効果が発見されている。まず第1に、私が自ら発見したように、断食は単なるカロリー制限よりも筋肉を減らさない（詳しくは、ジェイソン・ファン博士がhttps://www.dietdoctor.com/does-fasting-burn-muscleで述べていることを読んでいただきたい）。以前、体重を落とそうとしたときには、1日に5、6回小さな食事をするようにしていたが、いつも脂肪とともに筋肉も大きく落ちてしまった。しかし、断食を始めると、全体としてカロリー摂取量はカロリー制限時よりも少ないときもあるのに、筋肉があまり落ちないことに気づいた。実際、2、3日の断食を終えてからジムに行くと、個人ベストを叩き出せることがよくある。

さらに、断食は2型糖尿病の多くの患者を快方に向かわせている（https://www.ncbi.nlm.nih.gov/pmc/articles/PMC6194375/）。先ほども触れたジェイソン・ファン博士は、多くの2型糖尿病患者の治療に当たっており、断食という方法を見つけるまでは、インシュリンを投与して血糖値をモニタリングするという標準的な治療法に従っていた。しかし、2型糖尿病患者に断食をさせると、インシュリンがはっきりと上がり、体重が減り、快方に向かうことを発見した。

そして、炭水化物しか代謝できないある種のがんでは、断食の効果を示す研究がたびたび発表されている。断食によってがん細胞は飢餓状態に陥って死ぬのに対し、正常な細胞は脂肪を燃料にすることができる。詳しくは、https://pubmed.ncbi.nlm.nih.gov/27557543/、https://osher.ucsf.edu/patient-care/integrative-medicine-resources/cancer-and-nutrition/faq/cancer-and-fasting-calorie-restrictionなどの論文を参照していただきたい。

最後に、断食は老化を遅らせ、寿命を延ばすために役立つことが明らかにされてきている。人間による研究は行われていないが、マウスその他の哺乳類では、断食が寿命を延ばすための方法として特に効果的だということが示されている（https://www.nih.gov/news-events/nih-research-matters/fasting-increases-health-lifespan-male-mice参照）。この効果を生み出す科学的根拠は複雑だが、煎じ詰めれば自食作用に行き着く。自食作用とは、新しい強い細胞を作り出すために、体内の弱い細胞や病んだ細胞を餌として使うことである。これは、コンピューターがアイドル状態のクロックサイクルができたときにクリーニング処理を行うのと同じようなものだと考えることができるだろう。

言うまでもないが、私は断食を強く支持するようになったが、それは体重を落とすためだけではなく、心身の健康と規律を維持するためでもある。

OMAD（一日1食）プロトコル

毎日実質的に22時間から23時間断食するようにすれば、日常生活に断食を取り入れ、体重のコントロール、低下にも役立たせられる。この章の冒頭でも触れたように、私は、ほかの人々が実践していることも知らずに、たまたま毎日1度だけ食事するということを思いついて自分で始めてみたわけだが、ここ数年でこの方法は人気を集め、OMAD（オーマッドと発音する）と呼ばれるようになった。

あなたが女性なら、断食を実践する前にまずhttps://www.healthline.com/nutrition/intermittent-fasting-for-womenを読んでいただきたい。一部の女性には、断食、それも長期的なものは、問題を起こす可能性があり、そのことを裏付ける研究もある。男性にはそのような問題はないようだ。

OMADの基本的な考え方は非常に単純で、毎日の食事を1回だけにするだけのことである。ほかに必要なことはほとんどない。これはあらゆるダイエットのなかでも特に単純なもので、ほとんど誰にもでできる。体重を落としたいなら、これがもっとも簡単な方法だと私は思っている。OMADには大規模なFacebookグループが複数あり、私のYouTubeチャンネルにもこのテーマの動画集が含まれている（https://www.youtube.com/playlist?list=PLjwWT1Xy3c4VIgaemPJrH3NcEjcfoydBW）。

OMADに関連してよく尋ねられるのは、いつも空腹を感じながら歩き回っているのかということだ。答えはノーだが、通常午後3時頃からは空腹を感じ始める。私の感じでは、身体がこの食事スケジュールに慣れるまで約2週間ほどかかり、それからはずっと楽になる。この本ではその理由までは説明できないが、食欲ホルモンのグレリンと満腹ホルモンのレプチンが関わっている。

また、一日のうちのどの時間帯に食べるかには大きな意味はないが、私は毎晩ディナーだけ食べるという形がもっともやりやすいと思っている。特に、他人との付き合いや家族との関係を考えるとそうだ。子どもの食事の面倒など、家族との間でどう折り合いをつけるかも気になるだろう。率直に言って、これはちょっとした試練になることがある。私は朝アイホップ[※3]でほかの家族

※3　アイホップ（IHOP）は、International House Of Pancakesの略で、朝食に特化したファミリーレストラン。日本にあった時期もあるが、今は撤退している。

がパンケーキを食べるのを見ながらコーヒーをすすったことが何度もある。しかし、あなたが誰か他人のために料理したり、ほかの全員が食事のために席についているからといって、あなたが食べなければならないわけではない。

私が毎日 OMAD をする理由

私はこの5年間、一日1食を貫いている。読み間違いではない。私はもう5年近く一日に1回しか食事をしていない。確かに、ルールを破って一日に複数回食事をしたことが何度かあるが、両手で数えられるほどだ。

こう言うと、次に聞かれるのは、「わかった、ジョン、そんなに長い間続けているからにはなんか理由があるよね？ ただの自虐趣味じゃないだろ？」ということだ。確かに、私は自分をいじめ抜いてきた（今年の初めには、4日間で立て続けに5km、10km、ハーフマラソン、フルマラソンを走るドーピーチャレンジを走ってきた）が、この場合はただ自分をいじめるためではない。私はこのやり方に満足している。その理由を説明しよう。

私がOMADを気に入っている最大の理由は、身体的なものではなく、心理的なものだ。先ほども言ったように、私は思いつくあらゆるダイエットを試してみた。それらすべてのダイエットでひとつ共通することがあったが、それは失うこと、できなくなることである。これを食べてはいけない、あれを食べてはいけない、これ以外食べてはいけない、これ以上食べてはいけない……こういうことの連続だ。私がOMADで気に入っているのは、一日に1度しか食べないということさえ守れば、何でも食べたいものを好きなだけ食べてよいことである（限度はあるが）。

1回の食事で一日分のすべてのカロリーを取るということであれば、その1回の食事はかなり盛大で満足のいくものになる。とは言っても、それを口実に不健康な食事を盛大にいただくようなことはしない。この条件のもとでも、非常に健康的なものを食べるようにしている。ただ、外食に行ってレストランであまり健康的とは言えないものも食べることはよくあり、それについてはあまりくよくよ気にしないことにしている。健康的なものを食べるときには、通常の食事と同程度がそれ以上の量を食べており、小さな食事を5、6回取るよりも満足度が高い。

健康的で小規模な食事を5、6回取るやり方でボディビルダーらしい食事をしようとすると大仕事になる。私はかつてかなり長い間そうしており、材料の準備や料理にかなりの時間をかけ、材料と食事についてあれこれ悩むことでさらに時間を使っていた。一日に1回だけ食事するようになって、こういったことがすべて単純になった。料理は、したければ一日に1回だけすればよくなり、仕事のために中断されることはなくなった。外食に出かける場合にも、そのことを一日に1回だけ考えればよくなり、支払いは3か所分ではなく1か所分で済む。

「健康なものを食べる」かダイエットするように心がけていた頃には何度もしなければならなかった判断の回数も減った。毎日午後5時までは何も食べないことが絶対不変のルールになり、食事が1回だけになってからは、朝食として卵白とマフィンのどちらを食べるか、昼食は外に出かけるかそれとも誰かが仕事場に持ってきてくれたカップケーキを食べるか、そのカップケーキを何個食べてもいいかといったことを絶えず考えなくても済むようになった。生活のなかでしなければならない判断の数が増えると、まずい判断をする回数も増える。うまく生活するためのコツは、判断、それも誘惑に左右されやすい判断の数を減らすことだ。

しかし、先ほども説明したように、心理的な利点だけでなく身体的な利点も大きい。OMADを実践するようになってから、私の体形は未だかつてなく良いものになっている。筋肉を維持しながら体脂肪率を非常に低い水準に保つことができている。今まではそんなことはとてもできなかった。そして、炭水化物でコンスタントにエネルギーが供給されることを当てにせず、断食状態でエクササイズするよう自分の身体に教え込んだため、壁にぶち当たらずに何マイルも走れるようになった。私は毎週コンスタントに65〜80km走り、3回ずつウェイトトレーニングをしているが、それはすべて断食状態であり、食事はすべてワークアウトのあとである。そして、証明できるわけではないものの、OMADを始めてから免疫系が強くなったような気がする。病気になることはほとんどなくなり、間違いなく老化のペースが遅くなったと感じる。私は今39歳だが、26歳から30歳ぐらいだと思う人が大半だ。これはOMADと関係があるに違いないと思っている。

OMADを始めてみたいと思うなら、それほど難しいことではない。慣れるまでにちょっと時間が必要で、その調整期間を乗り切るためにちょっとした意志の力と規律が必要になるがそれだけだ。最初のうちはとても空腹になり、朝食と昼食を食べずに済ませるのは耐えられないと思うだろうが、だいたい2週間を過ぎると、1食で済ませるのが当たり前になり、ずっと楽になる。

それに、プログラミングの何かの問題を解決しようとしたり、ほかの何かに夢中になったりして朝食や昼食を食べ忘れたことがどれだけあるかを考えてみればいい。

いずれにしても、OMADや断食をするかどうかはあなたが決めることだ。しかし、私の人生はOMADによって一変した。だから、私の発見をぜひともあなたにシェアしなければならないと思ったまでである。率直に言って、私はほかの食事方法に戻ることはとてもできない。あなたがどうかは試してみなければわからないだろう。

やってみよう

- OMADなどの断食プロトコルを始める前に、必ずかかりつけ医に断食を試してみたいと思っていることを話して意見を聞こう。断食が健康に有害になるような身体的条件はある。私は医師ではないので、あなたの条件に合わせて具体的なアドバイスをすることはできない。
- 2日間の水断食を試してみよう。これは2日間水しか飲まないというものである。本格的に断食をするかどうかを判断するためのよいテストになる。これは大きなチャレンジであり、やり通すことができれば自分を誇りに思っていい。
- 少なくとも1、2週間OMADを試してみよう。日々のスケジュールがどのように変わるか、小さな食事を何度も取るよりも大きな食事を1回取るのとではどちらがいいかを考えよう。

第64章

立ち机などの様々な小技

あなたがソフトウェア開発者として私と同じような考え方をするなら、フィットネスの目標を、より早く、より楽に達成するために役立つテクニックには興味をそそられるだろう。私はいつも楽に大きな効果を得るための方法を探すようにしている。

年月を重ねるうちに、私は体重を落とし、筋肉をつけ、フィットネスの目標を楽に達成するために、様々な小技を日常のルーチンに取り入れてきた。ほとんどのソフトウェア開発者は、一日じゅうコンピューターの前に座り続けているので、こういった小技は健康全般によい効果があるだろう。この章では、これらの小技、テクニックの一部を紹介したい。

立ち机付きのトレッドミル

仕事中にトレッドミルで歩いていることができれば、余分なカロリーをたくさん燃やせるのにと考えたことはないだろうか。私はある。それどころか、実際にやってみた。今はたまたまデスクに向かって座っているが、数歩先には、ラップトップを置ける台が取り付けられたトレッドミルがある。

仕事中、非常にゆっくりとしたスピードでトレッドミルを動かし、1、2時間歩きながら仕事をすることがよくある。これにより、あまり労力をかけずに毎日かなりの余剰カロリーを燃焼させられている。歩きながらタイプしたりマウスを動かしたりできるように、トレッドミルのスピードは十分に落としてある。

もともと、仕事中はずっとトレッドミルデスクを使うつもりだったのだが、それはあまり現実的ではないことがわかった。トレッドミルでゆっくり歩きながら仕事をするのは大変な労力というわけではないのだが、ある程度の労力を使うことは間違いない。それに、大きなモニターが置いてあるデスクの前で仕事をするのと比べてトレッドミルのマシンは不便だ。

しかし、トレッドミルの傾斜をゆっくりと上げていくと、かなり多くのカロリーを余分に燃焼させられることがわかった。ペースは同じなので、タイピングやマウス、トラックパッドの操作は相変わらず楽なまま、ずっと多くのカロリーを燃やせるようになったのである。また、一日１時間前後までトレッドミルを使う時間を圧縮することもできた。

自宅で仕事していない場合はどうすればいいか

もちろん、これをするためには、在宅で仕事をするか、職場がとても自由な環境でなければならない。そのような環境にいない多くの人々が、これよりもハードルの低い代用物として使えるのは立ち机である。立ち机は、トレッドミルデスクほどカロリー燃焼効果は高くないが、１日の大半を立っていれば、かなり余分にカロリーを燃やすことができる。

おまけとして、立っている方が座っているよりも明らかに健康のためにずっといい。長時間座っていると健康にとってきわめて有害だということを示す研究は無数にある（たとえば、https://www.washingtonpost.com/wp-srv/special/health/sitting/Sitting.pdf 参照[※1]）。

さらに、私のようにポモドーロテクニックを使っている場合には、５分間の休憩を使ってストレッチ、プッシュアップ、プルアップその他のエクササイズをすることができる。

食事についての小技

食事をどうするかは、健康管理で特に難しいことのひとつである。健康的な食事を摂るためには、通常料理と準備のためにあらかじめかなりの時間が必要になる。自分で食事を作るよりもレストランに出かけた方がはるかに簡単だ。しかし、健康になりたければ、自分でかなりの料理をしなければならない。

私は、健康なものをより簡単に食べられるようにするための方法をいつも探しており、食事に関連した小技をいくつも開発している。

※１　座ることの健康リスクについては、以下のスポーツ庁のサイトでも読める。
https://sports.go.jp/special/value-sports/7.html

電子レンジによる卵料理

食事に関する最初の小技として、卵を取り上げよう。卵はタンパク質を多く含んでおり、全卵を食べるか白身だけを食べるかの割合を調整すると、トータルカロリーと脂肪分をコントロールできる非常にすばらしい食品だ。ただ、黄身から白身を分離することと料理の大変なところだけが難点である。

しかし、私はこの難点をかなり楽にする方法を編み出した。まず、全卵を買う代わりに、代用卵を買うことができる。代用卵というのは、基本的に白身だけの卵だ。食料品店に行けばカートンで売っている。代用卵は冷凍しなければならないが、ほぼ純粋なタンパク質源が手に入るわけで非常に便利だ。

でも、料理の方はどうすればいいのだろうか。実は、全卵でも白身だけでも電子レンジで非常にうまい具合に料理できることがわかった。最初は半信半疑だったが、うまくなると、フライパンで料理した卵とほとんど区別できないぐらいの仕上がりになる（スクランブルエッグでよければの話だが）。

朝食を取っていた頃（一日１食を始める前。第63章参照）、私が最初に食べる食事は、電子レンジによるスクランブルエッグ冷凍ほうれん草添えだった。まず、冷凍ほうれん草を少し取り、電子レンジ対応の容器に入れる。次に代用卵、全卵、両者を混ぜ合わせたもののどれかを注ぎ込む（少なくとも全卵を１個入れると味がよくなるようだ）。卵を１、２分レンジにかけてからそれを混ぜ、さらにレンジでちょうどいい固さになるまで温める。

最後に、卵にチェダーチーズかサルサをかける。カロリーを低めにしておきたいときには、低脂肪のチェダーチーズを使う。この料理なら食材が少ないのでどこででも作れるし、作るために10分とかからない。ほうれん草を使うと、卵だけのときと比べてかなり量が増えるので、食欲を満足させられる。しかも、ほうれん草は身体にもいい。

私の小技の大半は、あまり料理せずにタンパク質を確保することを狙ったものだ。私はたいてい筋肉をつけようとしているか、体重を減らしながら筋肉を維持しようとしているが、どちらの場合もタンパク質の割合の高い食事が必要になるのである。

脂肪分ゼロのプレーンギリシャヨーグルト

食事に関する次の小技は、どこでも使える料理なしのタンパク質源として、脂肪分ゼロのプレーンギリシャヨーグルトの活用だ。ほとんどの食料品店で売っている脂肪分ゼロのプレーンギリシャヨーグルトは、カロリーが非常に低いほとんど純粋なタンパク質になっている。

唯一の問題点は、あまりおいしくないことだ。味付きのギリシャヨーグルトはおいしいが、砂糖がたっぷり入っているので全然健康的でない。しかし、心配はいらない。私は、この問題の解決方法を見つけた。

少量のレモンジュース、バニラエキス、その他のローカロリーフレーバーをかけ、カロリーフリーの甘味料（私が気に入っているのはトルビアだ）を少し加えると、おそろしくタンパク質たっぷりでカロリーが低い味のいいヨーグルトができる。

好みでフレッシュフルーツや冷凍フルーツを追加してもいい。フルーツを少し加えると味はかなりよくなるが、カロリーはほとんど増えない。

冷凍肉

肉ということでは、いい方法をふたつ見つけた。私はずっとチキンを料理するのが嫌だった。時間がかかって難しいだけではなく、嫌いなのだ。チキンの胸肉がボディビルダーたちの基本食材のひとつだということはわかっているが、私はチキンが嫌いであり、料理のしようがないように感じるのだ。

しかし、冷凍食品でチキンの胸肉の照り焼きを買えることがわかった。少し脂肪が増えるものの、味のいいチキンもも肉の照り焼きもある。ブランドはいくつかあるが、アメリカの場合、もっとも多いのはタイソンのようだ。これらは、コストコ、サムズ・クラブ、BJ's などの量販店に行けば売っている。

手軽でうまく、健康的な食事を取りたいときには、冷凍チキンを電子レンジに入れれば数分ですぐに食べられる。料理したてのチキンの方が少し健康的だが、この調理済みチキンは便利なので、外に出てファストフードを食べたくなる回数が減った。しかもなかなかうまい。

同じような路線で、冷凍の七面鳥ミートボールというのも見つけた。これを探したのは、ライアン・レイノルズが役柄に合わせてシェイプアップするときには、主として七面鳥ミートボールを食べるというのを読んだからだ。よさそうなアイデアだったので調べてみると、七面鳥ミートボールは、タンパク質、炭水化物、脂肪のバランスがいい食べ物だということがわかった。

七面鳥ミートボールは、ほとんどの食料品店で見つかる。何個かを電子レンジに入れてチンすれば、数分で食べられるのでとても便利だ。

ファストフードの小技

外食でも健康な食事を取るための方法もかなり見つけた。ほとんどのファストフードレストランには、高タンパク質で、炭水化物と脂肪分が少ないメニューがある。

料理がしたくなく外出できるときに私が決まって行くのはチポトレ[※2]である。ここでは、ライスではなく、繊維質が多いブラックビーンのボウルを注文する。次に、ダブルかトリプルのチキン、またはステーキと野菜ファヒータを追加し、チーズ、サワークリームなどを取らず、レタスだけを追加する。食事として魅力的な感じはしないかもしれないが、低カロリー、高タンパク質で、かなりおいしい。

マクドナルドに行ったときには、普通エッグホワイトデライトマックマフィンを1、2個食べる[※3]。カロリーを本気で減らしたいときには、これを3、4個買い、イングリッシュマフィンの部分を取り除くか、イングリッシュマフィン抜きでオーダーする。

スターバックスにも、エッグホワイトバイツといういいものがある[※3]。カロリーがめちゃくちゃ低く、タンパク質が多くて味がいい。ランニングに出ているときには最適だ。

パーソナルシェフや料理代行サービス

私はいつも忙しく、外食に行くのも自分で料理するのも嫌だというときがある。そういうときのすばらしい小技がパーソナルシェフや料理代行サービスである。

決して安くはないが、時間を節約したいときにはそれだけのお金を使う意味がある。私はクレイグズリストに指定したマクロ比率に正確に一致する料理を作れるシェフを雇いたいという広告を出している（マクロとは主要栄養

※2　欧米に支店を出しているメキシコ料理レストランチェーン。

※3　全卵ではなく卵白だけを使っている。日本では販売されていない。

素：macronutrients の略で、マクロ比率とは食事に含まれる炭水化物、タンパク質、脂肪の割合のことである)。このようにして雇ったシェフに、総カロリー量と炭水化物、タンパク質、脂肪の割合を言うと、週に1、2回、条件に合った料理をデリバリーしてくれる。私は送られてきた料理を食べるだけで非常に簡単にダイエットの条件に合ったものを食べられるわけだ。とても簡単である。

私は料理代行会社や調理済み料理宅配会社も試してみた。正確なマクロ比率と総カロリー量を指定できるわけではないが、それを除けばパーソナルシェフと同じようなものである。今は大小の料理代行サービスがたくさんある。

やってみよう

- この章で紹介した小技のなかに、フィットネスの目標達成を楽にするために、あなたの生活に取り入れたいものがあるかどうかを考えてみよう。
- 現在のスケジュールとフィットネスプランを見て、ルーチンのなかでもっとも煩わしく、時間がかかっている部分はどれかを明らかにしよう。それを大幅に改善できる小技を生み出すにはどうすればいいだろうか。

第 65 章

フィットネスのためのテクノロジー活用法

あなたがどうかは知らないが、私は大のガジェットギークだ。テクノロジーを使って生活を楽にすることが好きなのである。座ってこの章をタイピングしている今も、私の顔は1台のコンピューターにつながっている5台のモニターの光を浴びている。こうする方が生産的だと言いたいところだが（ある程度はそうだと思う）、本当は、単純に画面がたくさんあるのが好きなのだ。テクノロジーに関するちょっとしたことが私のモチベーションを生み出す。特にフィットネスではそうだ（第2版を執筆している今は、巨大なモニターを1台置いている。2台の画面を継ぎ目なしで置いているようなもので、とても気に入っている）。

この章では、フィットネスの目標達成に役立ったり、目標達成を目指す過程がとても楽しくなったりする技術製品を取り上げる。私たちは自分自身について、また身体の仕組みについて未だかつてないほど多くのことを知れる時代にいる。このような知識を QS（Quantified Self、自己定量化）という。この章では、フィットネスに関するテクノロジー全体を概観し、QS を得るために特に役立つ製品を紹介する。

ただし、ひと言言っておきたい。目標を達成する前にご褒美を買い込んではならないという第59章の話を思い出そう。ここでも同じ考え方が当てはまる。自分でよく考えよう。

歩数計で行動を変えよう

この話題では、まず歩数計から話を進めるのが適切なやり方だろう。歩数計は、今日目にする機会が特に多いフィットネスのための技術製品のひとつだ。

私は歩数計が大好きだ。歩数計は、自分がどれぐらい活発に動いているかを知るために役立つ。そして、自分がどれぐらい活発に動いているかを知るだけで、もっと活発になるように普段の行動を変えるきっかけが作れる。

身に付けられる歩数計には様々な種類があり、もっとも人気があるもの（特に開発者の世界で）は、Fitbit《フィットビット》だろう。Fitbitには様々なモデルがあるが、基本的には１日に歩いた歩数を管理する。Fitbitは、スマホに自動的に同期できるので、自分のデータにすぐにアクセスできる。

Fitbitや競合メーカーの同様の製品をまだ持っていないなら、ぜひ入手するといい。値段は安いし、自分の日常の活動について教えてくれることには値段がつけられないほどの価値がある。私のオススメは、腕時計用のバッテリーを入れれば数か月持つモデルだ。私の場合、Fitbitをいつも身に付けていたときに一番慌てたのは充電忘れだった。

歩数計はいずれ使わなくなるときがくるようだ。私は6か月ほどいつもFitbitを付けていたが、そのうち自分のルーチンとFitbitに現れる数字を覚え、自分の歩数がどれぐらいかだいたいわかるようになったので、Fitbitを外してしまった。

しかし、定期的に走っている人は、Garmin《ガーミン》の腕時計のようなもうちょっと高度なものを買ってもいいかもしれない。私は今、Garmin Fenix 5xを持っているが、歩数計のほか、高度な機能がたくさんついている。この時計は、サイクリングやスイミングの記録にも役立っている。Garminには、これらのアクティビティに特化した時計もある。

ワイヤレス体重計による変化の可視化

Withings《ウィジングズ》という会社のワイヤレス体重計は、私が特に気に入っている製品[※1]だ。この体重計がすばらしいのは、体重計に乗るたびに、自動的にワイヤレスで私のデータをクラウドにアップロードしてくれるところである。同居する複数の人にも対応している。誰が乗ったかを自動判別し、わからない場合には利用者が誰の計測値かを手動で指定できる。単純で些細なことのようだが、体重計に乗る以外何もしなくても、体重の完全な履歴データが簡単に手に入るのはすばらしいことだ。

この体重計は、体重だけでなく、体脂肪率も記録してくれる。体脂肪率の計測値の精度には疑問符が付くが、私が注意しているのは、時間とともにこの値がどのように変化しているかだ。完全に正確な値はわからないかもしれ

※1　日本のメーカーも同様の製品を作っている。

ないが、相対的な変化がわかれば、上がっているのか下がっているのかがわかる。

現在の体重と増減の傾向について高い意識を持てるので、このような体重計はぜひ持つべきだ。計測値はメーカーによれば日々改善されているという。すでに毎日体重計に乗っている場合でも、時間とともにどのように変化しているかをグラフで見られるようになれば、そのグラフを正しい方向に動かそうというモチベーションが湧くはずだ。

私はもう7年も体重と体脂肪率を測っている。だから、時間とともにこれらがどのように変化してきたかが見られるわけだ。

コンボデバイス

私が本書初版を書いたときには、歩数、心拍数、ストレスレベル、睡眠の質を全部教えてくれるようなコンボデバイスはまだ市場に出ていなかった。しかし、今はほぼすべてのウェアラブルデバイス会社が、これらすべてではなくても大半を計測でき、その他のデータも計測できるような製品を作っている。本書初版では、アップルがこの種の時計を作るという噂があるという話もした。

アップルはその後実際にウォッチをリリースし、数回アップデートした。フィットネス、健康データを手に入れたいなら、アップルウォッチはすばらしい選択肢になる。私は何年かアップルウォッチを持っていたが、とても役に立つと思った。

先ほども触れたように、私はGarmin Fenix 5xを使っているが、別の心拍数モニターとこれをペアリングしている。私はこの時計が気に入っている。かっこいいし、心拍数、歩数、その他のデータとともに高度なランニングデータを教えてくれる。

今、このように多種多様なデータを計測してくれるスマートウォッチやウェアラブルを作っている会社は、Fitbitを含めて複数ある。自分にとってもっとも重要な特徴は何かをはっきりさせ、それに基づいて製品を探すとよい。デバイスによって求める機能の優劣はある。私がアップルウォッチを捨ててGarmin Fenix 5xを使っているのは、こちらの方がランニングの指標をはるかに詳しく教えてくれるからだ。

PUSH

PUSH《プッシュ》は、私がとても気に入っているデバイスだ[※2]。私は、自分の「Get Up and CODE」ポッドキャストのために、この会社のCEOにインタビューするチャンスをもらい、フィットネスデバイスに対するユニークなアイデアについて詳しく知ることができた。

PUSHデバイスの面白いところは、歩数や活動量を記録するのではなく、ウェイトトレーニングワークアウトの改善を目的として設計されていることだ。ウェイトトレーニングをするときに腕か足に巻いておくと、レップやセットを記録してくれる。それだけでなく、あなたが生み出した力の大きさ、バランスの良し悪し、ウェイトを動かしているスピードなども計測する。

私にとっては、こういったデータは宝の山である。ウェイトトレーニングをしているときにレップやセットを数えるのは非常に面倒だし、ウェイトを持ち上げるスピードがワークアウト後に得られる結果にどのような影響を及ぼすかはいつも気になっていたことだ。

ヘッドフォン

ヘッドフォンは、私のワークアウトで重要なテクノロジー製品のひとつである。私はワークアウト中にポッドキャストやオーディオブックを聞くことが多いので、スマホに接続できるいいヘッドフォンを確保したい。

私にとって最大の問題は、ヘッドフォンケーブルである。小型イヤホンであれその他のヘッドフォンであれ、有線のものはとても使えたものではない。走っているときにケーブルを引っ張って、乱暴に引っこ抜いてしまうのが落ちだ。しかも、使おうとするといつもケーブルがもつれている。

幸い、いいワイヤレスヘッドフォンを見つけられた。私が本書初版を書いたときにはこの種の製品は種類が限られていた。今はアップルのAirPodsを使っている。AirPodsは、ワークアウトでも通常の日常的な使い方でもとても重宝している。今は競争が激しく同じようなワイヤレスヘッドフォンがいくつもあるので、自分に合ったものを見つけるのに苦労することはないだろう。

※2　2021年9月、米WHOOP社が加PUSH社の買収を発表した。

ヘッドフォンはいいものを買うことをお勧めする。最近は、Bluetoothのおかげでワイヤレスヘッドフォンから簡単にまともな音を聞けるようになり、スマホに簡単に接続できるようにもなった。いいヘッドフォンを用意すれば、ワークアウト中の時間を有効に使える。また、Audible（https://www.audible.co.jp/）を契約すれば、オーディオブックが聞けるようになる。

アプリ

アプリのことを忘れるわけにはいかない。様々な目的のために大量のフィットネスアプリが作られている。数があまりにも多いので名前を上げていくこともしないが、どのようなアプリを探せばいいかについての考え方を示し、私が気に入っているものの一部を紹介する。

ランニングの状況を記録するアプリがある。私自身、最初はPaceMaker、今はRun Faster！という名前（登録商標が問題になったため）のAndroidとiOSのアプリを作っている。このアプリは、走りの状況を監視し、走っている最中に「スピードアップ」、「スローダウン」などと指示して一定のペースを保てるように支援する。しかし、自分でこのようなアプリを作っていながらあえて言えば、走りのトラッキングのためにはもとずっといいアプリがある（ただし、Run Faster！はペースの維持のためには本当に役に立つ）。

私が気に入っているランニングトラッキングアプリはStravaで、今実際にメインで使っている（サイクリング用としても優れている）。このアプリには様々な機能があり、スプリットタイム、エレベーション（高低差）の変化、心拍数など、ランニングについての多彩な情報を見ることができる。また、友人のワークアウトの活動量も見られるようになっている。

私は、ウェイトトレーニングワークアウトをトラッキングするアプリも使っている。以前はペンとノートを使っていたが、ワークアウトをトラッキングできるアプリを使った方がずっと簡単で便利だ。次に何をするかを教えてくれるし、それまでに何をしたかもわかる。まだウェイトトレーニングワークアウトをトラッキングしていないなら、ぜひすべきだ。

私はほかのタイプのアプリもいくつか試しているが、とてもいいと思ったものはない。実際に試してみて一番の問題だと思ったのは、ワークアウトを作り（これは時間がかかる）、それを他人にシェアすることだ。

結局、私の場合はBodybuilding.comのアプリ（https://www.bodybuilding.com/fun/fitness-apps.html）を使うところに落ち着いた。このアプリが気に入ったのは、実際のワークアウトをウェブサイトを通じてオンラインで作れることである。そのワークアウトを保存すれば誰とでもシェアできる。このアプリもそれほどわかりやすくできていないので少し苦労するかもしれないが、そこを通過したら、私にとってはなかなか使い勝手のいいアプリになっている。

やってみよう

- ワイヤレス体重計を入手し、毎日同じ時刻に同じ程度の服装で乗ってみよう。フィットネスの目標が何であれ、これは絶対必要であり、まず最初に取り組むべきことである。
- 追跡、記録したいデータの種類を優先度順にリストにまとめ、その計測、記録に役立つテクノロジー製品を探してみよう。装置を買うことが目的にならないように。それでは無駄遣いになるし、正しく装置を使えない。
- Audibleに入会し、ワークアウト中にオーディオブックを聞くことを始めてみよう。これはあなたが今まで決めてきたことのなかでも最高のものになるはずだ。学んだすべてのことを思い出すために、本書のオーディオバージョンを聞くのもよいだろう。

第7部

マインドセット

自分を制圧できなければ、自分に制圧される。

―ナポレオン・ヒル

この本全体を通じて、私たちは実践的な意味でのキャリアの伸ばし方、チャンスのドアを開き、様々なチャンスをつかむためのセルフマーケティングの方法、学び、教えて知識を広げる方法、粘り強さと集中力によって生産性を引き上げる方法、資産形成の基礎と富のために働くのではなく富に働かせるという発想法、身体を強化してスタイルアップする方法などを取り上げてきた。しかし、これらをひとつにまとめる重要なものにまだ触れていない。

私たちが単純な機械なら、それでかまわないだろう。しかし、私たちは機械ではない。人間なのだ。私たちは「頭がついている身体」ではない。自分に命令を下せばその通りになるわけではない。私たちを動かす力はほかにもある。この力は強力で、私たちを成功への道に送り込むことも、破滅に突き落とすこともできる。この力には人それぞれの名前がつけられているが、本書では「心」と呼ぶことにしたい。

第7部では、心と身体の間の目に見えないつながりについて考えていきたい。私たちを行動に導くのはこのつながりであり、私たちが最終的に自分の可能性をすべて開花させるか、どん底まで落ち込んで周囲を恨むようになるかを決めるのもそうだ。第7部の目標は、あなたが直面する最大の敵、すなわちあなた自身を制圧するための道具をあなたに贈ることである。

第 66 章

心はどのようにして身体に影響を与えるか

この本で今まで書いてきたことは、すべて少なくとも何らかの科学的な証拠の裏付けがあるものだったが、ここからは、定量化できない領域に踏み込もうとしている。これからのテーマでは、主として私の経験と持論の組み合わせを述べていくことになる。

そのようなテーマについて、なぜ私の言い分を真剣に受け止めなければならないのだろうか。もっともな疑問だ。ここで私が言うことは、「私が成功できた理由」である。しかし、あなたは、私のようになりたくないかもしれないし、私にあまり感心しないかもしれない。そのような場合でも、第7部で取り上げる考え方は、私の考えだけではないと言えば、より説得力が増すかもしれない。

第7部で紹介する考え方の多くは、私よりもはるかに有名で大きな成功を収めている著者たちの優れた書物から派生してきたものだ。さらに、もっと重要なことだが、これらの本から取り出してきた考え方（つまり、心が身体に大きな影響を及ぼすという考え方）は、20世紀のもっとも偉大な思考の持ち主たちの成功に裏打ちされているのである。

私は、有名な人や大成功を収めた人に話を聞くチャンスが与えられたときには、「人生でもっとも影響を受けた本を1冊だけ選ぶとすれば何か」を尋ねるようにしている。驚くべきことに、信じられないほどの数の人々が同じ2、3冊の本を答えるのである。それらの本は、第70章「私の成功のための本リスト」で紹介する。

すべては心から始まる

自分はできると信じないでできることはほとんどない。心があなたの身体や成功する能力にいかに大きな影響を与えるかは驚くほどだ。信じられれば達成できるという考えをすぐに否定するのは簡単なことだが、この考えには、重大な真実が含まれている。少なくとも、信じない人間は達成できないというこの命題の逆には、もっと大きな真実が含まれている。

自分で考えたもっとも小さなプランでさえ、実行に移せるようにしたければ、心を制圧して、心が持つ力を制御する方法を学ぶ必要がある。しかし、これは簡単なことではない。意志の力で自分に何かを信じさせることはできないからだ。あなたは、座って自分に何かを信じ込ませようとしたことがあるだろうか。

よかったら今、試してみていただきたい。象はピンクだと信じるよう努力してみよう。自分にこれを信じ込ませることができるだろうか。生命がかかっていたとしても、こんな単純な考えはどうしても変えられない。心をだまして何らかのでたらめな情報を信じ込ませるためのトリックはないのだ。

しかし、だからといって、象はピンクだと信じることは決してないというわけではない。反対できないような証拠があれば、あなたの心は一瞬で切り替わる。しかし、非論理的なでたらめを信じ込ませるほど強力な証拠が見つかることは考えられない。実際、象の色について現在思っていることを根底から覆すような強力な証拠を見せられても、心は非常に強力なので、現在信じていることをそのまま信じる場合もある。その方が楽なのだ。

ここからも、心を支配する力は、見かけほど簡単に得られないことがわかるだろう。私たちは、ある程度までは脳の生物学的プロセスの餌食になってしまうのだ。しかし、私たちは動物ではなく人間なので意識を持っている。そのため、私たちにはこの基本的な生物学的プロセスを制圧する能力を持っている。それは選択の自由、自由意志だ。

象はピンクだと自分に信じ込ませることはできないかもしれないが、繰り返し言い聞かせることにより、自分が信じ込んでいることを自分の好みの考え方に切り替えることはできる。私は、あなたと同様に、自分の思考を形作る力を持っているのだ。

しかし、信じ込んでいることを変えられたからといってどういう意味があるのだろうか。自分の思考や思考方法を変えられる例外的な能力を持っているかどうかが、なぜ重要だというのだろうか。あなたの現実認識に合わせて物理的な世界が変わるというのだろうか。

話が面白くなってくるのはここからだ。私はこの質問に「そうだ」と即答したりはしない。そんなことをすれば、あなたはここでこの本を読むのを止め、ゴミ箱に放り込むだろう。もちろん、物理的な現実はあなたの思考や信念によって完全に形を変えたりはしない。そうですよね？

この問いに答える前に、一歩下がったところで話を続けよう。物理的な世界は実際にどのようにして変わるのかを考えてみる。テーブルの上に邪魔なものがあり、あなたはそれをほかの場所に移したいとする。移すことが可能だと思わない限り、移すことを試そうとさえしないだろう。しかし、移すことは可能だと考え、自分は手を動かし、障害物を持ち、テーブルからどけられると考えるなら、あなたは心を使って身体を制御し、その行動を起こすことができる。厳密に言って、これはあなたが信じていることが、現実を形作る力を備えているということではないだろうか。身体を使うことが必要な分、力としては間接的だというだけのことだ。

意識が神経系に信号を送って四肢を動かせる仕組みは神秘的である。確かに化学プロセスや物理プロセスの仕組みはわかっているが、何がそのようなプロセスを引き起こすかについてはわかっていない。私たちがみな持っている、形のない心というものが、物理的な世界を直接操作できる仕組み、最初のニューロンに火を付ける仕組みはわからない。

この仕組みはわかっていると言う人がたくさんいることは、私も承知している。私たちは環境と相互作用を起こしている化学物質の塊で、自動操縦装置がずっと入った状態になっており、完全に環境に基づいて化学的な連鎖反応を起こしているという主張である。しかし、もしそうだとすると、あなたがこの本を読むという選択をすることができるのは、どう説明できるのだろうか。私がこの本を書けることは、どうだろうか。複雑な連鎖反応によって、本を読んだり書いたりする行動は不可避であり、私たちは選択肢を持たずに成り行き任せでこうなっているのだろうか。それとも何かほかのもの、明確にはわからない何か……自由意志すなわち「選択する力」を与えるものがあるのだろうか。

心と身体のつながり

私が心と身体という表現を使うとき、心とは身体のなかの肉体的ではない部分を指している。それを精神と呼ぶか意識の機械的メカニズムと呼ぶかにかかわらず、心は脳を含む身体の下位機能からは区別されるものだ。

この区別は重要である。心が身体に影響を及ぼすと私が言うとき、心は脳にも影響を及ぼすという意味になるのである。身近なできごとで、このことは証明できる。薬のようで薬ではない砂糖の錠剤などの偽物を与えられたにもかかわらず、脳が正しい薬を与えられたと思う偽薬効果は十分に説明されている。ダンボが羽によって飛ぶ力を手にしたように、心は意識が制御できないような形で、身体に影響を及ぼせる。

私たちは、心が思考の力を通じて世界を操作できることを知っている（思考の内容は身体の行動によって実現される）ので、私たちが信じたり考えたりしていることが物理的な現実に影響を及ぼすことができるとも言える。

言葉にもっとも忠実に言えば、これは考えたことが現実になるという意味だ（少なくとも、身体と心の能力の範囲内であれば）。この原則は、様々な形で表現されており、哲学にも組み込まれている。よく知られているのは、「似たものは似たものを引き付ける」という引き寄せの法則である。マイナスのことを考えればマイナスの結果が起き、マイナスの結果はマイナス思考を呼ぶ。これについては次章で詳しく考えよう。

ロンダ・バーンの『ザ・シークレット[※1]』という本について聞いたことがあるだろうか。この本は私の好みからすると神秘主義的過ぎ、騒がれ過ぎだ。それでも、過去に様々な形で明らかにされ、これからも繰り返し発見され、再認識され続ける重要な真実に触れていることは確かだ。それは、積極的に意識することを通じて自分が信じ込んでいることを変え、思考を制御できている人々が、考えたことを現実化できていることである。

ここであなたを神秘主義に引き込むつもりはまったくない。私は現実的な人間だ。だから、このメカニズムが機能する仕組みについて、現実的な説明があり得るはずだと思っている。しかし、それと同時に、無視できない神秘主義的な要素を無理に否定するつもりもない。

> 信念が変われば、思考も変わる。
> 思考が変われば、言葉も変わる。
> 言葉が変われば、行動も変わる。
> 行動が変われば、習慣も変わる。
> 習慣が変われば、人格も変わる。
> 人格が変われば、運命も変わる。
>
> —マハトマ・ガンジー

※1　Rhonda Byrne, *The Secret, Atria Books/Beyond Words,* 2006. 邦訳『ザ・シークレット』（角川書店、2007年）

メカニズムがどのように機能するかにかかわらず、あなたが考えることは、あなたが生きる現実に少なからず影響を与え、形を与えるということを理解することが大切だ。この文に含まれる真実を知るためには、この章を読む必要さえない。単純に周囲を見てみよう。

日常的に関わっている人々のことを考えたとき、特定のパターンの思考が特定のパターンの行動や結果を引き起こしていることに気づくはずだ。人生に対してマイナスの態度を崩さず、自分や他人に対して確信や信頼を持たない人で、大きな成功を収めている人はいるだろうか。外部的な要因もないのに（でも、本人はそう主張しているが）、繰り返しひどい目にあってしまう人を見たことはないだろうか。自分自身のことも考えてみよう。もっとも怖れ、過度に意識してしまった考えが、どうしたものか実際に起きてしまったことがどれぐらいあっただろうか。

人生の方向性を形作り、コントロールしたいと本当に思うなら、心の力、思考の力をコントロールする方法を身に付けなければならない。心と身体のつながりについてのこの章の説明に説得力を感じたかどうかにかかわらず、マインドセットや信念が人生にプラスにもマイナスにも影響を及ぼすということをほんの少しでも肯定できるなら、これからのふたつの章では、あなたの成長のためにもっとも生産的なマインドセットを形成するにはどうすればいいかについての実践的なアドバイスを送ろう。

やってみよう

- 心と身体のつながりを探そう。自分の人生で、自分が考えたことが現実に対してプラスの方向に、あるいはマイナスの方向に影響を及ぼした例を見つけてみよう。
- 最後に大きな成功を収めたときのあなたのマインドセットはどのようなものだっただろうか。
- 最後に大きな失敗をしてしまったときのあなたのマインドセットはどのようなものだっただろうか。

第 67 章

すべてはポジティブなマインドセットから始まる

ひとつ質問をしたい。あなたは、主としてプラス（ポジティブ）思考をする方か、それともマイナス（ネガティブ）思考をする方か。これは、楽観論者、悲観論者というラベル以上の意味を持つ。表向きはベストを望みながら、内面ではありとあらゆるマイナスの思考や感情を抱えて自分の努力を台無しにしている楽観主義者はいくらもいる。

プラス思考（単なる表向きの楽観主義者ではなく、それ以上のもの）は、健康によく、寿命を延ばし、人生にあらゆるメリットをもたらすという考え方には、実際に科学的な証拠が提出されている。一方、おそらくもっと重要なことだが、マイナス思考にはまったく逆の効果がある。マイナス思考は実際にあなたを傷めつけ、人生で成功をつかむための努力を妨害する。

この章は、正しい心構えを持つことについて様々な角度から述べていく。まず、ポジティブな態度とは実際にどういうことなのかを検討し、プラス思考が幸福のために重要なのはなぜか、伝染するぐらい強力にプラスの態度を育てるにはどうすればよいかを明らかにする。

ポジティブとは何か

おそらくあなたはポジティブな態度をとるとはどういうことかをご存知だろう。しかし、このフレーズは頻繁に使われるあまり、意味がぼやけかかっている。さらに、あなたが一般にネガティブな態度を示すなら（現実を直視しよう。ほとんどの人はそうだ）、正確なところ、ポジティブとはどういう意味なのか、なぜそれが重要なのかをちょっと思い出しておいてもバチは当たらないだろう。

多くの人々は、非現実的な楽観主義は破壊的だと思っているので、プラス思考をすぐにはねつけてしまう。頭のなかを虹や一角獣や熱帯のビーチのイメージでいっぱいにすべきだと言うと、「私は現実主義だ」と反対されることがよくある。

しかし、私は逆にプラス思考はリアリストであることと矛盾するものではないと言いたい。それどころか、プラス思考の実践はリアリズムの究極の形だと言いたい。プラス思考とは、自分には現実を変えるパワーがあり、周囲の状況に潰されたりしないという信念なのだ。

プラス思考の根っこには、自分は周囲の状況などに負けない力を持っているという信念がある。周囲がどうであれ、自分には自分の未来を変えるパワーがあるという思いがあるので、将来には良いことがあるという考え方になる。プラス思考は、人間の達成力は世界を変える強い力だと考える崇高な考え方だ。自分は何らかの形でそのパワーを身に付けられ、そのパワーは自分のなかにある（おそらく眠っているのだろう）のだという信念であり、リアルでないということは決してない。

ポジティブな態度は、この種の思考の蓄積によって得られるものであり、時間とともに、あなたを内側から変えていく力を持っている。あなたがプラスの態度を持っているとき、あなたは現実から離れたファンタジーの世界に住んでいるわけでは決してない。あなたが住んでいるのは理想の世界だ。それは可能な限りもっとも良い未来が見え、そのような未来のビジョンを現実のものにしようと努力する世界である。

より実践的なレベルでは、プラス思考とは、悪くではなく、良く考えることを選択することだ。あなたが人生のなかで出合うすべての場面は、あなた自身の解釈に開かれている。それらの場面は、良い悪いを自分で決めて姿を現したりはしない。あなたが状況を解釈して、それが良いものか悪いものかを決めるのである。プラスの態度を持つ人は、状況を悪いものとしてではなく、良いものとして解釈する傾向がある。それは、これらの状況が客観的に良いとか悪いといったことではない。彼らが自分の選択次第で状況の良し悪しを変えられると判断しているからだ。

この点を私よりもうまく説明できる物語を紹介しよう。私は昔からずっと変わらずこの話が大好きだ。起源は道教の古い寓話だということしか知らない[※1]。

> 昔、ひとりの農夫がいた。ある日、農夫が飼っているたった１匹の馬が柵を破って逃げてしまった。農夫の隣人たちは、馬が逃げたという話

※１　人間万事塞翁が馬ということわざのもとになった『淮南子』の記述が起源。

を聞いて、柵を調べるために農夫の家にやってきた。隣人たちはそこに立ち尽くして口々に言った。「ああ、なんて運が悪いんだろう」。農夫は答えた。「なんで悪いとわかるんだ？」

1週間ほど後、逃げた馬が野生の馬の群れを率いて戻ってきた。農夫と息子は急いで柵のなかに囲い込んだ。隣人たちは馬を柵に入れたと聞いて、集まってきた。隣人たちは馬がいっぱい入った柵を見て口々に言った。「ああ、なんて運がいいんだろう」。農夫は答えた。「なんでいいとわかるんだ？」

数週間後、農夫の息子は、新しく来た野生の馬を馴らそうとしていたときに、そのなかの1頭に投げ飛ばされて足をひどく痛めてしまった。そして数日後、足の傷口から感染症にかかり、熱でうわ言を言うようになった。隣人たちはその話を聞いて息子を見舞うためにやってきた。隣人たちはそこに立ち尽くして口々に言った。「ああ、なんて運が悪いんだろう」。農夫は答えた。「なんで悪いとわかるんだ？」

同じ頃、中国ではふたりのライバルの将軍たちの間で戦争が始まった。兵士が必要になって、ひとりの隊長が戦争に使える若い男たちを召集しにやってきた。農夫の息子も連れていこうとしたところ、そこにいたのは足を壊し、熱でうわ言を言っている若者だった。この息子では戦争でまったく役に立たないと思い、隊長は息子を連れて行かなかった。数日後、息子の熱は下がった。息子が戦争に取られず、健康に戻ったという話を聞いた隣人たちは、様子を見に集まってきた。隣人たちはそこに立ち尽くして口々に言った。「ああ、なんて運がいいんだろう」。農夫は答えた。「なんでいいとわかるんだ？」

プラス思考のポジティブな効果

プラス思考は現実的で形のある効果を人生にもたらし、このことには科学的な証明もあると言ったことを思い出していただきたい。これは冗談で言ったわけではない。

次に示すのは、プラス思考の効果が確認された事例のリストである。これらの結果は、実際の科学的研究から抜き出したものである（詳しくは http://www.ncbi.nlm.nih.gov/pmc/articles/PMC3156028/ 参照）。

• 友情の発展
• 結婚生活の満足
• 収入の上昇
• 身体的健康の向上
• 長寿化

私なら、これらの科学的に証明できる結果を知っただけでも、月曜病を治す方法は見つかると強く思うところだが、科学的研究では証明が難しい結果もある。私は、自分の態度が仕事の生産性に直接影響を及ぼすことを感じている。自分の生産性を測ってそれを確かめたことがある。ポジティブな態度で仕事に臨むと、直面する障害に対処できることが多く、その障害をネガティブな状況からの脅威ではなく、乗り越えるべき挑戦と考えるようになるのである。

それに、プラス思考の理由がほかになくても、ポジティブな態度になれば気持ちがいい。それだけでも十分ではないだろうか。ネガティブな感情になるよりもポジティブな感情になる方が、いい気持ちになるものだ。すべての抵当権を抹消したり、偉大になりたいと思ったり、サッカーをプレーしたり、テレビを見たり、深夜にスナック菓子をバリバリ食べたりするときの人生の目標は、気持ちのよさではないのだろうか。ただ幸せになりたいと思っているのではないだろうか。もしそうなら、その気持ちを止める必要はないのではないか。

態度をリブートするための方法

単にポジティブになりたいと思うだけでは不十分だ。望みが絶たれて自分を責めているようなときでも、ポジティブな態度をとりたいと切実に思えるようにならなければならない。

思い込んでいることを簡単に変えることはできないと言ったことを思い出そう。ネガティブに傾いた世界観をポジティブな世界観に変えるのは、そう簡単なことではない。しかし、奇妙なことだが、反対の方に行く方がはるかに簡単らしい。

考え方を変える

態度を変えたいなら、考え方を変えなければならない。考え方を変えたいなら、思考パターンを変えなければならない。思考パターンは習慣によって決まる。だから、人生を大きく変えたいときの王道ともいえる方法に戻る必要がある。ポジティブに考える習慣を育てるのである。

しかし、プラス思考の習慣はどうすれば育てられるのだろうか。それはほかの習慣を作るときと同じである。意識下を支配するものが入れ替わるまで、意味のある形で徹底的に意識的な切り替えの努力を繰り返すのである。

事故を起こしたときにプラス思考をする気力はないかもしれない。留守番メッセージをチェックするためにスマホをいじくっていて前の車に追突したときに、「すべての試練はいいことのためだ」とか「もっと悪いことが起きていたかもしれない」と考えるよう自分に言い聞かせるのは難しいだろう。言い訳をがなりたてたくさえなって、ついネガティブなことを考えてしまうかもしれない。

しかし、選択を求められたときには、プラス思考を生む力がきっとある。今すぐにでも自分がしていることを止めて、プラス思考に切り替えることができるはずだ。サンクスギビングデーのテーブルについているかのようにふるまい、幸せなことを考えよう。簡単なことだ。ポイントは、1日を通じてこれを意識的、積極的にすることである。そして、たとえ状況に対するとっさの反応をうまくコントロールできなくても、経験したことに対する考え方を意識的に選ぶときには自分をコントロールできるということを思い出すことだ。

この種の思考をより実践に移せるようになればなるほど、そしてポジティブなイメージを作って希望の兆しを探すように自分を言い聞かせられるようになればなるほど、それが習慣になっていく。そのうち、事故が起きたり不運な目に遭ったりしても、ポジティブに反応できるようになっていくだろう。ネガティブな視点ではなく、ポジティブな視点から物事を見るように脳を訓練するのである。

瞑想する

私は自分が熱心に瞑想しているわけではないことを認める。しかし、瞑想を習慣化するために本気で時間を割きたいとも思っている。一部の研究によれば、瞑想をする人は、ポジティブな感情を経験しやすいという。だから、プラス思考の魔法の力を強めるための方法のひとつとして瞑想を試してみるとよいだろう。

ちなみに、人気の高い瞑想アプリで Headspace というものがある。ほかにも瞑想アプリはたくさんある。App Store でアプリをサーチしてみよう。

もっと遊ぶ

英語には、「よく学びよく遊べ」と同じような意味で、「働いてばかりで遊ばないと無気力になる」という言葉がある。遊ばなければ、ネガティブに傾いて怒りっぽくなることもわかっている。私自身も、ネガティブな感情を生んだ思考の糸をたどっていくと遊びを忘れていたことに気づく。時間を割いて楽しいことをすると、ずっとポジティブになりやすくなる。おそらく、大きな変化を生むようなことではないが、考慮すべきことだ。

本を読む

プラスの態度を育てるために役立つ本は第 70 章で何冊か紹介するつもりだが、今すぐ何かを読みたいというのなら、ノーマン・ビンセント・ピールの『積極的考え方の力[※2]』を試してみよう。

ポイントは、プラス思考は偶然に任せておけばやってくるというものではないし、ひと晩で身に付けられるものでもないということである。心をポジティブな方向に動かすための様々な努力が必要だ。しかし、それは払うだけの価値のある努力である。健康で成功した人生を長く過ごせる可能性が高くなるだけではなく、人生を間違いなくもっと楽しくすることができ、まわりの人たちの人生もおそらく楽しくすることができるのだ。

※2　Norman Vincent Peale, *The Power of Positive Thinking*, Touchstone; reprint edition, 2003.
邦訳『積極的考え方の力』(ダイヤモンド社、2012 年)

やってみよう

- 自分の思考回路を把握しよう。考えたことを書き出せば、頭のなかで何が起きているのかを理解し、心を集中させたいものに集中させるために役立つ。今週一週間、思ったことを書き出す日記をつけよう。チャンスをつかむたびに、それについて考えたことを書き出し、それがプラス思考かマイナス思考かを書こう。一日のうちに何か大きなことが起きるたびに、記述を追加すること。また、一定の間隔で一日全体の記述も追加すること。
- 前項の日記を解析しよう。主としてプラス思考の表現で埋まっているか、それともマイナス思考の表現が多いのか。マイナス思考はどこから生まれているのか。プラス思考はどうか。
- 積極的に思考をコントロールして、できる限りプラス思考を引き出すように努力しよう。何かが起きたときには、少し時間を使ってでも、世界はあなたに敵対しているわけではなく、あなたに対して両義的な態度をとっているだけなのだと自分を納得させよう。すると、ネガティブなものの捉え方をしなくなっていく。そして、希望の兆しを見つけるように自分をコントロールする。単にマイナス思考を取り除くだけでなく、プラス思考に置き換えていこう。

第 68 章

セルフイメージの変え方

幸せなことを考え、ポジティブな態度をとるだけでは不十分だ。確かに、態度をネガティブからポジティブに変えれば、健康上のメリットは言うに及ばず、成功することが多くなってくる。しかし、人生のなかで達成したいと思っていることで本当に成功を収めるためには、目的達成のために自分自身の脳をプログラミングする方法を身に付ける必要がある。

> どうしてもやる気が出せない人は、ほかの才能がいかにあっても、凡庸に満足してしまっているに違いない。
>
> —アンドリュー・カーネギー

あなたの本当の戦いの相手は凡庸であり、その戦いは脳内で始まる。あなたが自分について思っていることは、力を抑制する方向にも、あなたを大きく前進させる方向にも、恐ろしい力を持っている。

この章では、自分自身の脳をプログラミングしてポジティブなセルフイメージを作る方法を考えていく。そのようなセルフイメージができれば、脳を自動操縦モードに切り替えても、目標を達成できるようになる。

セルフイメージとは何か

セルフイメージとは、自分についてほかの人々に言われたあらゆることを取り除き、さらに自分をよく見せるために使った嘘や偽りを全部取り除いたときに、自分がどのように見えるかである。

セルフイメージは、大部分が意識下の深いところに埋められているので、本当のセルフイメージを正しく知ることさえできないことがよくある。自分にも他人にも、自分について考えていることの半分本当で半分嘘の内容を話しているかもしれないが、意識下の部分には嘘をつけない。意識下の奥底には、脳から見た自分自身の真実を反映した究極のセルフイメージがある。

このセルフイメージは強力だ。脳は、自己評価を破るようなことをあなたにさせない傾向があるため、セルフイメージによって容易に克服できない人工的な制限が加えられてしまうのである。自分自身でそういうものが存在することを意識していないため、この制限は簡単に克服できない。

自分はピッチャーとしてボールを投げるのが不得手だと思っている少年がいたとする。彼は偉大なピッチャーになれるだろうか。おそらく無理だろう。セルフイメージを変えることを学び、自分自身に別の光を当てられるようにならなければ、決してなれない。彼の脳が自分自身に心理的な制限を加えているため、彼はそのセルフイメージから抜け出せないのである。

あなたも、自分では気づいていないが、同じような限界を抱えている。あなたはそれを変更できない現実として、人生はそういうものだとして、当然視しているかもしれない。あなたは不器用か？ 怠け者か？ 数学が苦手か？ 人付き合いが苦手か？ 集中が長続きしないか？ 内気で人と打ち解けられないか？

こういったことは、身長や眼の色と同じようにDNAで決まっている性格特徴だと思うかもしれないが、実際は違う。確かに、自分では変えられない肉体的特徴というものはあるが、自分の性格だと思っているほかの多くのことは、主として不作為に獲得してしまったセルフイメージを反映したものに過ぎない。

おそらく、まだ幼い頃、何かのディナーパーティーに出かけて両親の後ろに隠れてしまったときに、「太郎ちゃんは恥ずかしがり屋さんね」というような言葉を聞いたのだろう。そのときまでは、あなたは決して内気でもなんでもなかったかもしれないが、その一瞬があったために、脳が突然その言葉にくっついてしまい、それがセルフイメージに組み込まれてしまったのである。

セルフイメージを変えるのは難しい

人間には、セルフイメージを変える力があることがわかっている。「うまくやり遂げるまではできたふりをする」という言葉を聞いたことがあるだろうか。この言葉は、自分がなりたい状態にすでになっているかのように行動することを繰り返していれば、最終的になりたい状態になっているという考え方に支えられたものだ。

単純なことのように見える。そして、率直に言えば本当に単純だ。しかし、私たちがこのように考えることはまずなく、自分の本来の姿の一部だと思い込んでいる性格を変えられると思うことさえ難しい場合がある。

まるで、私たちは何か病的で嗜虐的なマイナスの力を抱えていて、自分が自分であるために必要不可欠な要素として弱点や限界を大事に抱え込んでしまうかのようだ。短気な人にその性格を変えたいかと尋ねれば、かなりの確率で「ノー」という答えが返ってくるだろう。彼は、短気な性格のことを自分の本質的な部分だと深く信じ込んでおり、その拘束から自分を解放することは自分自身に対する最悪の裏切りだと思っている。だから、短気な性格を変えたいかと尋ねられるのは、まるで腕か足をもいでしまえと言われているような気分なのだ。これは、心の意識下の部分が、セルフイメージを抱え込むということに関していかに強力かをよく示している。

しかし、社交的な場面で気まずく感じてしまうとか、ちょっとしたことで激怒するといったことは、本当は変えられない性格などではない。あなたがそういった性格でないということは、着ている服があなたではないのと同じだ。実際、どのような服を着るかは、自己認識に劇的な影響を与えることがある。短パンサンダルでいるときと、スーツでドレスアップしているときとでは、感じ方も行動も違っていることに気づくはずだ。

セルフイメージを変えることは、ほんの一時的なことであれば、それほど難しいことではない。難しいのは、変えることが可能だと信じ、実際に変えるまで頑張ろうと思うことだ。自分はこういうものだと固く信じている部分を実際には変えられるということを受け入れれば、あなたはセルフイメージを好きなように変えられるようになる（これは、固定のマインドセットと成長のマインドセットと呼ばれているものである。このテーマについては、キャロル・S・ドゥエックの『マインドセット「やればできる！」の研究』[※1]という優れた本がある）。

なりたい自分になれる力を想像してみよう。内気で人付き合いが苦手な人から、何の憂いもなく魅力的に羽ばたく社交界の蝶のような存在になれることを想像してみよう。なりたいと思っていたリーダーになれたり、スポーツが得意になったりするところを想像してみよう。

※1　Carol S. Dweck, *Mindset: The New Psychology of Success*, Ballantine Books, 2007. 邦訳『マインドセット「やればできる！」の研究』（草思社、2016年）

どれも可能だ、私はそれを事実として知っている。何しろ、私には自分自身のセルフイメージを様々に変えてきた経験があるのだ。若い頃の私は、自分のことをバカだと思っていた。自分は頭が切れる方だとは思っていたが、アカデミズムで学んだこともアカデミズムに積極的に関心を持ったこともなかったので、ナードとは言えないと思っていた。私は人付き合いが苦手でとかくいじめられがちであり、極端に内気だった。知らない人に電話をかけて話すことさえ怖がるほどだった。

高校２年ぐらいのときに何かが起きた。それが正確なところ何なのかは、自分でもよくわからないので言えない。偶然の幸運からか、フラストレーションからか、私はどういう人になりたいのかを自分で決めたいと思うようになり、単純に思ったような人になった。

変化は瞬間的なものではなかったが、急速なものではあった。私はそれまでの服を脱ぎ捨て、自分がなりたい人に似合いそうな新しいワードローブを買った。ウェイトトレーニングを始め、レスリングやトラック競技に参加した（それまでは、自分はスポーツマンではないと思っていたので、あまりスポーツをしていなかった）。内気でいたくないと思ったので、内気ではないふりをした。自分を気まずい状況に追い込むこともした。そして今の自分がどういう人間なのかを絶えず再確認し、自分に言い聞かせた。私の頭のなかには自分についてのイメージがあったが、それは新しい形のものだった。

それはおそろしくうまくいった。もちろん、私はコンピュータープログラマーになったが、高校を卒業したあとはモデルと俳優の仕事もした。内気な性格から内気とは正反対の性格になった。運動をしない人から、ランニングとウェイトトレーニングを毎週欠かさない人になった。そして、今になっても、私は自分がなりたい人のイメージを磨いている。そして、自分の足を引っ張らず、自分のためになるようにセルフイメージをコントロールしているのだ。

脳をプログラムし直す

意図的に自分の脳をプログラムし直すには、そして私がずっと前にしたようにセルフイメージを変えるには、どうすればいいのだろうか。公式は比較的単純だ。正しく実行するためには、時間と忍耐が必要だというだけである。

まず、なりたいイメージをはっきりさせるところから始める。脳は、自分の前に置かれた目標を追求するということでは、驚くべき能力を発揮する。目標を明確にイメージしさえすれば、脳は目的地までの道を案内してくれる。

理想の自分をイメージしよう。自分に制約が加わらなければどのようになりたいのかについてのしっかりとしたイメージを頭に叩き込むのである。自信に満ち、大胆に部屋に入っていく自分をイメージしよう。自分の足につまずくのではなく、優雅に走ったり跳ねたりする自分をイメージしよう。他人にインスピレーションを与えたり、とてもファッショナブルだったりする自分をイメージしよう。明らかに変えることのできない肉体的な特徴を除き（たとえば、背が高くなればもっと自信が出るかもしれないからといって、背が高くなった自分をイメージするのはよくない。イメージによって背が伸びると思ってはならない）、自分に人工的な制限を加えないようにするのだ。

頭のなかにイメージができたら、次は「まるで〜のように」行動することを始める。「まるで自分がなりたい人にすでになったかのように」行動するのである。なりたい人がするように会話し、語りかけ、服を着こなし、歯を磨く。リアリティに注意を払ってはならない。人々があなたの「変化」について言うことに耳を貸してはならない。自分がすでに目標を達成したかのように行動する。新しい個性の自然な延長線上で行動するのである。

また、心の意識下の部分にこの新しい思考方法の種をしっかりと蒔くために、自分自身に対してプラス評価をたくさん与えよう。このポジティブな言葉は、ナルシスティックな人がぶつぶつ言っているわけのわからない言葉とは違う。自分にそれを十分に言い聞かせると、脳は実際にそれを信じ始める。信じ込んでいることを変えるのがいかに難しいかという話を思い出しただろうか。しつこく同じメッセージを送り込めば、信じ込んでいることを変えられるのである。

お勧めしたいのは、なりたいと思っている新しい心理状態を思い出せる言葉やイメージを見つけることだ。そして、新しい信念を確認し、強化するポジティブな言葉で一日を埋め尽くすのである。時間を割いて、自分がなりたい自分を頭のなかでイメージしよう。スポーツ選手の多くが、成績やプレーの質を上げるためにまったく同じことをしている。大きな大会で力を競い合う前に、心のリハーサルをするのである。彼らは、心のなかの大会で実際にプレーし、自分が成功するところを思い描いている。研究によれば、この種のフェイクの練習は、本物の練習と同じぐらい実際に役に立つことがわかっている。あるプロフットボールチーム（シアトル・シーホークス）が瞑想のセッションを実施しており、そこでプレーヤーたちは成功をイメージせよと指示されるという話を読んだことがある。

しかし、何よりも重要なのは、自分が言ったことを見ることである。自分について言ったことを信じることだ。心の意識下の部分は、あなたの声を聞き、あなたが言っていることを信じる感じやすい子どものままなのである。自分は不器用だとか物忘れがひどいと何度も言えば、心の意識下の部分はそれを信じてしまう。

やってみよう

- あなたのいいところ、悪いところをすべてリストアップしよう。自分で自分のことをどう見ているかだけではなく、ほかの人が自分をどう見ているように感じているかも考えるようにする。このリストは正確ではないかもしれない（セルフイメージの多くの部分は、意識下の奥底に埋められている）が、いい出発点になる。
- リストに書かれたことのうち変えられないと思うものはいくつあるか。それはなぜだろうか。それらは永久的なものなのか、それとも自分の思い込みにより自分自身に加えてしまった限界なのかについて考えてみよう。
- セルフイメージのうち、よくないと思うものを少なくともひとつ変える努力をしよう。この章のアドバイスを使うようにする。「うまくやり遂げるまではできたふりをする」アプローチを試し、新しい信念を強めるために肯定的な断言を活用しよう。

第 69 章

恋愛と人間関係

この章を入れるべきかどうかは議論になった。私は人間関係の専門家ではないし、この本は恋を見つけることについての本ではない。しかし、少なくともこのテーマに全く触れないでソフトウェア開発者のライフマニュアルを看板に掲げることはできないだろうと思ったのである。

恋愛と人間関係については言うべきことがあまりにもたくさんあるので、ひとつの章ではとてもすべてをカバーすることはできない。そこで、男であれ女であれ、ソフトウェア開発業界で働く人を悩ませそうな問題のなかでももっとも重要で切実な問題に、内容を絞り込むことにした。

なぜソフトウェア開発者は恋愛で苦労しがちなのか

この問題にアプローチするために、ステレオタイプ的なソフトウェア開発者像という一段下のレベルを見てみよう。もちろん、ステレオタイプの常として、オタクっぽく社交下手なソフトウェア開発者というステレオタイプは、あなたには当てはまらないかもしれない。しかし、ぴったり当てはまる場合、いや少しでも当てはまる場合は、ここで私が言おうとしていることの一部は、たぶんあなたにも無関係ではないだろう。

インターネットには、「Forever Alone」（ずっとぼっち）という有名なミーム（流行りネタ）がある。基本的に、永遠に恋人を見つけられず孤独だという意味である。私の経験では、多くのソフトウェア開発者、それも若い人々がこのミームを自分のことのように感じているようだ。

しかし、このミームと感覚に自分を一体化させてしまうと、問題を悪化させることになる。どのようにして人が人を愛し、人間関係が機能するかは奇妙なものだ。それは、実際には猫とねずみのゲームである。ある一時点を取ると、片方が追いかけ、もう片方が追いかけられている。ときどき攻守ところを変えていれば、問題はない。しかし、片方がいつも追いかけていると、もう片方はどんどん離れていってしまうものだ。

これは深追いというもので、多くの人々がよくぶつかる問題である。実際に深追いし過ぎると、テンパってる感が漂ってくる。そうなると反感を買い、自尊心が傷つくことになりがちで、さらにテンパる。これは多くの人々がはまってしまう悪循環で、彼らはどうすればそこから抜け出せるかわからなくなってしまう。

この状況にはまってしまった多くの人々は、思いを包み隠さず話す傾向がある。彼らは、ほかの人々に向かって自分が感じている苦痛と孤独のオーラを発散させ始める。「彼らが私の苦痛を感じ、自分たちがいかに私を傷つけているかを知れば、彼らも理解してくれるだろう」。自分がいかに悲しく孤独かを世間に知らせて、なりふりかまわず注目と同情を求めるこの種のポストを Facebook で見たことがあるだろう。

しかし、あなたもご存知のように、このような行動は逆効果だ。自分は弱くて傷つきやすいと主張すればするほど、人々はあなたを避けるようになる。遠慮なしに言えば、誰もこのような性格を魅力的だとは思わないのである。

ゲームの性質を理解する

恋愛はゲームだ。これは事実である。このシステムからどんなに抜け出そうとしても、抜け出すことはできない。多くの人々が、「自分はこんなゲームをしたくない。自分らしさを失わず、自分が感じることに正直でいたい」と思う。こういう気持ちになるのはわかるが、あなたがこの章を読んでいる以上、私としては、それがあなたにどういう効果をもたらすのかを尋ねざるを得ない。

悪く取らないでいただきたい。嫌らしくなれとか不誠実になれと言っているわけではないのだ。しかし、異性を惹きつけようと思うなら、裏がなく直接的でありすぎるのもよくない。何が言いたいかというと、あなたは文字通りゲームをしているのだということを認識して、戦略というものを少し考える必要があるということだ。

たとえば、（私は男の視点しか知らないのでその例を使うが）何週間も前から目をつけていた魅力的な女性につかつかと近づいていって、「あなたが好きです。初めて見たときから、ずっと好きです」と言ったとする。ロマンティックなことを言い、新しく見つけた恋愛対象にありったけの気持ちを注ぎ込んでいるように見えるかもしれないが、このようなやり方では、拒絶的な反応を受ける可能性が高いだろう。猫とねずみのゲームでは、これはあまり戦略的だとは言えない。

別に心理学者でなくても、私たちは一般に、自分のものにはならない上に他人もいいなと思うもの（あるいは人）をほしがるということはわかる。逆に、舞い上がっていて簡単に手に入るような相手をほしいとは思わない。小さい頃、学校の運動場で経験したことがあるはずだ。遊び相手になってほしくてほかの子を追いかけ回したときのことである。人生は大きな校庭であり、追いかけ回せば相手は必ず逃げる。

かといって、じっと座って何もせず、好きな相手がこちらにやってきてくれるのを待つのもいい戦略とは言えない。とても長い間、待つことになるだろう。正解は、行動の端々から自信に満ちたオーラを発散し、話しかけやすいけれども威厳があるという感じで人に近づいていくことだ。「私は自分に満足しているし、あなたがどうしても必要というわけではないけど、あなたに興味があるので、もうちょっとあなたのことを知りたい」という感じだ（もちろん、私ならこの通りに言ったりはしないが）。

ポイントは、こういうニュアンスを実際に伝えることだ。自分が幸せになるために他人は必要ないと本気で思えるようになるためには、十分な自信がなければならない。また、あなたが近くにいることによって、その人の人生がよくなると本当に思えるようでなければならない。だからといって、自分は空白を埋めるための神からの贈りものだと思えばいいというわけではない。あなたは自分自身を大切にしているので、自分が望まれているところにしか現れず、自分を求める人としか時間を共有するつもりはないということを伝えなければならない。

こうすれば成功が保証されるわけではない。成功が保証される方法などない。しかし、人間関係の大半を支配しているらしい追えば逃げるという心理学を意識できれば、本当に恋愛の相手になる人を見つけられる可能性はぐっと上がるだろう。

そして、これは恋愛だけの問題ではない。あらゆる種類の人間関係に当てはまる。舞い上がっていて愛情に飢えた人と見なされたら、友だちをなくすだろう。街頭で腹をすかせ、施しを求めている人という感じで採用面接を受ければ、同じような嫌悪感を抱かれるに違いない。

要するに自信を持てばいいってだけのこと？

いやいや、言うは易く行うは難しだ。突然自信を持とうとしてもそう簡単に自身を持てるわけではない。自信を装うことだってかなり難しい。それなら、男は（または女は）どうすべきなのか。

まずは、第67章と第68章に戻り、ポジティブな自信を持つ人という自分がなりたい姿を頭にプログラミングしよう。本当の意味で自信のある人間になれない理由はない。時間と努力が必要なだけだ。

フィットネスを取り上げた第6部も読むといいだろう。健康でスタイルがよくなれば、自信を持つための努力をしなくても自信をつけられる。私は、多くの人がウェイトトレーニングと減量による肉体的な変化の副産物として、精神的にも変わったのを見ている。

また、自信を持つとはどういう意味でどのように見えることかを考えてみよう。勇気という要素は含まれるだろう。魅力的だと思った人に躊躇せずにすぐにアプローチするつもりがあるなら、それは自信を示すことになる。この考え方を「3秒ルール」と呼んでいるグループもある。基本的に、会いたいと思う人を見かけてから、その思いを実行に移すまで3秒の猶予を与えるということだ。3秒以内に行動できなければ、その躊躇が自信のなさを示し、物事はうまくいかない可能性が高くなる。簡単に従えるルールではないことは私も認めるが、実際にそうしてみてあなたが本当に失うものがあるだろうか。ここからこのテーマについてどうしても欠かせない最後のアドバイスが導き出される。

恋愛は数のゲームだ

人というのは奇妙なものである。全体として見れば、人はあらゆるものを気に入る。インターネットを少しサーチしてみれば、今言ったことの正しさを示す奇妙な結果が得られる。何を言いたいのかわかるだろうか。あなたがどんなに変人でも、あなたが自分にどんな欠点を感じていても、完璧な笑顔や割れた腹筋を持っていなくても、世の中にはあなたのことを気に入ってくれる人がおそらくいる。それもたくさんだ。実際、あなたがどれだけ変人でも、この広い世界のなかには、あなたにお似合いの人がきっとたくさんいる。

要するに、これは数のゲームなのだ。あまりにも多くの人が自分を「幸せ」

にしてくれるひとりの完全な少女や少年にこだわる余り、ひとりの人を選び、その人でなければだめだと思い込む誤りを犯している。そのような人がひとりしかいないと思い込むことはバカげているだけでなく、戦略的にもダメだ。探す対象を広げた方がもっといい結果が得られる可能性が高くなる。

第71章で話すつもりだが、失敗を恐れてはならない。たくさんの失敗をしよう。拒否されていい。大切なことだ。起き得る最悪のことは大したことではない。ひとつの売上を上げるために百軒の家で目の前でバタンとドアを閉められてもへこたれない飛び込みの営業マンのようにならなければならないのだ。求められているのは毎日ひとつの売上を上げることに過ぎない。

そのように拒絶されることにより、あなたと一緒にいたいと思う人にいずれ巡り会えるのである。そうでない誰かと一緒にいるよりもずっといいのではないだろうか。そして、求めているのはまさにそれではないだろうか。

やってみよう

- 自分が舞い上がっているオーラを出しているかもしれない状況をいくつか考えてみよう。自分とほかの人のコミュニケーション、ソーシャルメディアでの動き、友人たちとのやり取りを振り返ってみよう。あなたの言葉や表現は、自信を示しているだろうか、それとももものほしそうな感じを示しているだろうか。
- あなたは、人のどのような特徴（肉体的ではないもの）に魅力を感じるか。それに対し、反発を感じるのはどういう特徴か。
- あなたのネットワークはどれぐらい広いか。「本物の恋人」を見つけるために自分に十分なチャンスを与えているか。外に出かけて、何度か衝突、炎上を繰り返し、それがどのような感じなのかを覚えよう。大したことはないと思うなら、結果を恐れないということであり、もっと自信を持って人に接することができる。
- フィットネスプログラムなど、自分に対してポジティブな感情が持てるようなことを始めて、自信を上げるための実際のステップを経験してみよう。

第70章

私の成功のための本のリスト

私の信じていることや私の行動様式に大きな影響を与えた優れた本がたくさんある。私は、何らかの形で生活を向上させるために、毎日少なくともある程度の時間を割いて本を読んだり、そのオーディオ版を聞いたりしている。

キャリアを歩み始めたばかりの頃は、ソフトウェア開発に関連した本を読むためにかなりの時間を使っていた。今はもっと応用範囲が広い本を読むために使う時間が増えている。

私は、有名な人や大成功を収めた人に会うと、「オススメの1冊」を教えてもらうことを習慣にしている。この習慣を通じて、影響力のある多くの本を知ることができ、それらが文字通り私の人生を変えてくれた。

この章では、私が今までに読んだなかでもっとも優れていてもっとも影響を受けた本のリストを公開する。ソフトウェア開発の本もあればそうでないものもある。

自分を成長させるための本

ここでは、今まで読んだなかで自分を変えるためにもっとも役立った本を紹介したい。これらの本の多くは、私の人生の歩み方を根本から変えている。

スティーブン・プレスフィールド『やりとげる力』（筑摩書房、2008年）

今まででもっとも気に入っている数冊から始めよう。この本は、仕事に関して長い間感じていた不満は何か、ただ座って仕事をすることが難しいのはなぜかを解明してくれた。

プレスフィールドは、私たちが座って何か意味のあることをしようとしたときに必ず姿を現す「不思議な力」を明らかにしている。この力、抵抗こそ、私たちが自分を向上させるために試みるあらゆることを破壊する「内なる障害」だと彼は言っている。

私たちのなかにいるこの共通の敵を知るだけで、この敵に打ち勝つ力を獲得するための努力を始められる。仕事が遅れて困っていたり、しなければいけないことを先延ばしにしている動機を自分のなかに見つけたときには、この本がとても役に立つはずだ。

デール・カーネギー『人を動かす』（創元社、1999年）

この本も、今までに読んだなかでもっとも強く影響を受けた1冊だ。この本のおかげで、様々な面でものの見方が変わった。以前ならできると思わなかったような形で人と折り合えるようになったのもこの本のおかげだ。

この本を読む前は、他人の行動を変えさせたければ、マイナスを強調すべきだと固く信じていた。自分自身に向けた厳格な規律を、そのまま他人に押し付けなければならないと思っていたのだ。誰かが間違っていると確信したときには、本人にそう言うことが大切だ、処罰されるという脅威こそが人をやる気にさせる最良の方法だ、と思っていた。

しかし、この本を読んでから、私の考え方は180度変わった。ネガティブ面を強調しても、そのほとんどが不毛に終わることを理解した。自分がしてもらいたいことを人にしてもらうためには、それをやりたいと思わざるを得なくするしかない。

このリストのなかに必ず読まなければならない本があるとすれば、この本だ。私は、あらゆる人がこの本を読むべきだと考えている。私は少なくとも12回読んでいるし、読み返すたびに新しいヒントを手に入れている。

ナポレオン・ヒル『思考は現実化する』（きこ書房、1999年）

初めてこの本を読もうとしたときには、不満に思って途中で止めた。2度目に読んだときには、最初よりも読み進めたものの、それでもやはりちょっと突飛なところがあって好きになれなかった。そして、大成功を収めた複数の人々がこの本を推薦し、そのなかの数人が成功したのはすべてこの本のおかげだと言ったので、もう1度読む決心をした。

この本は少し奇妙だ。基本的に、あることを信じ、その信念を持ち続け、強めていくと、それが現実になるということを主張している。このアプローチは、あまり科学的ではないことは警告しておく。説明のために科学を持ち出そうとする気配さえない。しかし、どういうしかけなのかわからないが、言っている通りになる。私自身、人生のなかでそうなっているのを経験したことがあるし、ほかの多くの人も同じように言うだろう。

マスターマインドグループのアイデアは、この本から生まれている。この本には、自分が信じ込んでいることを変える方法を学ぶために役立つ重要な考え方がほかにもいくつも含まれている。それらはあなたの人生に強い影響を及ぼすだろう。

マックスウェル・マルツ『自分を動かす』（知道出版、2016年）

この本は様々な意味で『思考は現実化する』を思い起こさせるが、その「科学的バージョン」になっている。著者のマルツは整形外科医で、人の顔を変えたら個性まで変わったことに気づいた。そこで、彼は自己イメージの研究を始め、自己イメージというものが私たちの人生を良い方向にも悪い方向にも変える力を持っていることを発見した。

この本は、心の仕組み、心が身体に影響を与える仕組みについて、非常に優れた洞察を示していると思う。この本には、あなたの姿勢、自己イメージを変え、思い込みをポジティブな方向に変えるテクニックのあらゆる活用方法が詰まっている。

ジョー・ディスペンザ『あなたという習慣を断つ』（ナチュラルスピリット、2015年）

この本は、心のなかのパターンを変えるための本である。量子物理学、神経科学、脳化学、生物学、遺伝学を組み合わせて、ものの考え方と生き方を変えるための一冊にしている。

一応言っておくと、この本が大嫌いで的外れだと言っている人もいる。しかし、私は本書のすべての主張に賛成できるわけではないにしても、考え方を変えることとポジティブなマインドセットについての本書の主張とメインのメッセージはよく、読む価値があると思っている。

アイン・ランド『肩をすくめるアトラス』（アトランティス、2014、15年）

この本は大好きになるかもしれないし大嫌いになるかもしれないが、いずれにしても考えさせられる。この本はフィクションであり、原著で約1,200ページもある大作だが、人生、経済、仕事についての真剣な問題を問いかけてくる。

セネカ『セネカ倫理書簡集』[※1]

これは私が出会った本のなかでも特に深遠な意味を持つ一冊だ。セネカのこの本が私の人生を完全に変えた。この「本」は、本当は本ではなく、ストア哲学者として有名なセネカが弟子に送った書簡を集めたものである。

ストア哲学については第73章で詳しく取り上げるが、本書は特に強くお勧めしたい本だ。人生を一変させるような知恵がふんだんに含まれている。ストア派の信奉者になって以来、私の人生がどれだけ変わったかはとても言い尽くせないほどだ。

ソフトウェア開発関連の本

本書はソフトウェア開発の本であり、あなたもソフトウェア開発者であるはずなので、この分野で特に推薦できる本も紹介していいはずだ。

スティーブ・マコネル『CODE COMPLETE』（日経BP、2005年）

私のコードの書き方は、この本のおかげでがらりと変わった。自分がコードを書いていると初めて感じ、優れたコードとは何かが理解できたと思ったのは、この本を読んでからだ。この本のプログラム例は主としてC++で書かれているが、コンセプトは特定の言語を超えるものである。

この本は、優れたコードを書き、非常に低いレベルでコードを構造化するための包括的なガイドブックである。ソフトウェア開発の専門書の多くは高水準の設計に力を注ぐが、この本は、変数にどのような名前を付けるか、アルゴリズムのなかで実際のコードをどのように構造化するかなどの細部に重点を置いている。私が知る限り、そのような本はこれ以外にない。

もし私がソフトウェア開発会社を作るようなことがあれば、この本を社員の開発者全員の必読書とするだろう。この本は、私が読んだことのあるソフトウェア開発書のなかでももっとも影響を受けたものである。

ロバート・マーティン『Clean Code アジャイルソフトウェア達人の技』（アスキードワンゴ、2020年）

※1　和訳としては『セネカ 道徳書簡集』（東海大学出版、1992年）と『セネカ哲学全集〈5〉倫理書簡集1』（岩波書店、2005年）、『セネカ哲学全集〈6〉倫理書簡集Ⅱ』（岩波書店、2006年）がある（いずれも2021年現在品切れ）。

この本を読むのは本当に楽しい経験だった。『CODE COMPLETE』は優れたコードの書き方を教えてくれたが、『Clean Code』はその知識を磨くとともに、その知識をコードベースと設計全体に活かす方法を理解するために役立った。

この本も、あらゆるソフトウェア開発者の必読書だと思う。この本に書かれていることは、より優れた開発者になるために、また単純でわかりやすいコードの方が巧妙なコードよりも優れている理由を理解するために役立つだろう。

エリック・フリーマン、エリザベス・ロブソン、バート・ベイツ、キャシー・シエラ『Head First デザインパターン―頭とからだで覚えるデザインパターンの基本』（オライリー・ジャパン、2005 年）

古典的な『オブジェクト指向における再利用のためのデザインパターン』よりもこの本を勧めるのは少し奇妙な感じがするかもしれないが、デザインパターンを手が届き、理解できるものにしたという点でこの本の功績は大きい。

誤解しないでいただきたいが、『オブジェクト指向における再利用のためのデザインパターン』は、ソフトウェア開発の世界に古典的なデザインパターンの概念を導入した偉大な本である。しかし、デザインパターンの説明ということでは、こちらの本の方がはるかに優れている。デザインパターンの本を 1 冊読むつもりなら、こちらを読んだ方がいい。

ジョン・ソンメズ『CAREER SKILLS ソフトウェア開発者の完全キャリアガイド』（日経 BP、2008 年）

ここで自分の本に触れなければ、怠慢の誹りを免れないだろう。今読んでいるこの本、特にキャリア開発の部分を気に入っていただけるなら、『CAREER SKILLS』も気に入っていただけるはずだ。『SOFT SKILLS』の初版を出したとき、そのキャリアの部分よりもずっと深く内容を掘り下げが本を書いてほしいという要望をたくさんいただいた。

『CAREER SKILLS』では、初心者、中級者、さらには上級者も含め、あらゆるソフトウェア開発者がソフトウェア開発の世界でキャリアを伸ばすために知るべきことをすべて（文字通りすべて）取り上げている。

投資関連の本

私が読んだ本のなかでも、お金を生み出し、本物の豊かさを築く方法を理解するための正しいマインドセットを与えてくれるような投資関連の最良の本を紹介したい。

Gary Keller, *The Millionaire Real Estate Investor*, (McGraw-Hill, 2005)

不動産投資についての本を1冊だけ勧めなければならないとすれば、この本を選ぶことになるだろう。この本は、不動産投資がいかに優れているか、どのようにして利益を生み出すかを説明し、そのためのプランを示してくれる。

この本には、不動産投資が長期的に採算の取れるものであり、失敗例の山ではないことを示すグラフがたくさん含まれている。

ロバート・キヨサキ『金持ち父さん 貧乏父さん』（筑摩書房、2013年）

この本によってお金と金融に対する見方が変わったので、私にとって人生を変えた本のなかの1冊だったと言える。本書でお金がどのように機能するか、職を持つということ、他人のために働くということはどういう意味を持つのかに対する見方が変わった。この本を読んでからは、資産を作り、出費を削減することがいかに大切かをはっきりと理解するようになった。

この本に対する唯一の不満は、やり方を教えてくれないことだ。それでも、この本（そして、『金持ち父さん』シリーズ全体）には価値のあるアドバイスが含まれている。読むことを強くおすすめする。

MJ・デマルコ『ファストレーンのお金持ち』（花泉社、2013年）

この本はパンチがあり、現実を見せつけてあなたを叩きのめすだろう。401k、株式、債券といった「旧来のやり方」は、実際には追越車線（ファストレーン）ではなく登坂車線（スローレーン）であり、そちらのルートをたどると金持ちには永遠になれず、50歳を過ぎなければ豊かにならないし、人生を楽しめないことを示す。

MJは事実を明らかにし、手加減がない。しかし、あなたを打ちのめされたままにはしない。オンラインビジネスの作り方とどのようなタイプのビジネスがよいかについてもしっかりとしたアドバイスをしてくれる。私は自分のYouTubeチャンネルでMJにインタビューしたことがあり、尊敬に値する人物だということを知っている。

その他の本

本書初版を書いてから、私の読書体験は大きく変わった。私はこの間に非常に多くの本を読み、それら全部をこの章で紹介していたらこの章が長くなりすぎるほどになった。そこで、リスト入りできなかったなかでベストの本を紹介したい。リストに入らなかったのはそれだけの価値がなかったからではない。このなかには、リスト入りした本と同じぐらい優れているものも含まれている。

全般的な自己啓発

- ロバート・S・チャルディーニ『影響力の正体』（SBクリエイティブ、2013年）
- ナシーム・ニコラス・タレブ『反脆弱性』（ダイヤモンド社、2017年）
- ダレン・ハーディ『複利効果の生活習慣』（パンローリング、2020年）
- ジェームズ・アレン『原因と結果の法則』（角川文庫、2016年）
- ロバート・グリーン『権力に翻弄されないための48の法則』（パンローリング、2016年）
- キャロル・S・ドゥエック『マインドセット「やればできる！」の研究』（草思社、2016年）
- David Goggins, *Can't Hurt Me*, Lioncrest Publishing, 2018

金融

- マイケル・E・ガーバー『はじめの一歩を踏み出そう』（世界文化社、2003年）
- ジョージ・S・クレイソン『バビロンの大富豪』（グスコー出版、2021年）[※2]
- クリス・ヴォス、タール・ラズ『逆転交渉術』（早川書房、2018年）
- アニー・デューク『確率思考』（日経BP社、2018年）

※2　ほかにも訳書は数種類ある。

生産性

- Grant Cardone, *The 10X Rule*, Wiley, 2011
- ジェームズ・クリアー『複利で伸びる1つの習慣』(パンローリング、2019年)
- Benjamin Hardy, *Willpower Doesn't Work*, Hachette Books, 2018
- スティーブン・R・コヴィー『7つの習慣』(キングベアー出版、2013年)

スピリチュアル/哲学

- ヴィクトール・フランクル『夜と霧』(みすず書房、2002年)
- ナポレオン・ヒル『悪魔を出し抜け!』(きこ書房、2013年)
- 『バガヴァッド・ギーター』(岩波文庫、1992年)
- ダン・ミルマン『癒しの旅 ピースフル・ウォリアー』(徳間書店、1998年)
- ヘンリー・クラウド、ジョン・タウンゼント『境界線(バウンダリーズ)』(地引網出版、2004年)(宗教的だがすばらしい)
- エックハルト・トール『パワーオブナウ』(徳間書店、2019年)(少し超自然に入っているが読む価値はある)
- マイケル・A・シンガー『いま、目覚めゆくあなたへ』(風雲舎、2010年)
- ライアン・ホリデイ『苦境を好機にかえる法則』(パンローリング、2016年)

リストはまだまだいくらでも増やせるが、以上がベストの本の一部だ。楽しい読書の時間を!

やってみよう

- ○ 自分と自分の今のキャリアにとってもっとも役に立つと思う分野のなかから2、3冊を選び、読んでみよう。買ったまま本棚に飾っておくだけでなく、しっかりと読もう。
- ○ くだらないとか絶対読む気にならないといった理由で見ただけでむかつく本をこのリストから1冊選び、読んでみよう。なぜそんなことをしなければならないのか。あなたの考えが変わらないにしても、広がるはずだからだ。

第71章

失敗を恐れるな

七転び八起き

—日本のことわざ

本書もいよいよ終わりが近づいてきたところで、これまでのどのアドバイスよりも役に立つかもしれない、最後のアドバイスを贈りたい。あなたは自分を成功に導く人生のあらゆるスキルを持っているかもしれないが、忍耐という重要なスキルがなければすべてのスキルが台なしになってしまう。人生には一定量のトラブルはつきものだが、忍耐がなければトラブルの最初の兆候が見えたときに諦めてしまうだろう。

それに対し、この仕事のために必要な教育がまったく足りておらず、社交的なスキルや金融の知識もとてつもなく低くても、信じられないほどの粘りがあれば、いずれ切り抜けて自分の居場所を見つけられるはずだ。

ソフトウェア開発者は、人生とキャリアで非常に多くの困難にぶつかるはずなので、忍耐力はとりわけ重要だ。ソフトウェア開発は難しい。この仕事に引き寄せられた理由のひとつは、おそらくそこにあるのだろう。この章では、忍耐力の重要性について話していく。何があってもひるまないという断固たる決意で失敗に立ち向かう能力を養うことがなぜ必要不可欠なのだろうか。

それでもなぜ私たちは失敗を恐れるのか

失敗に対する恐れは、ほとんどの人々に本能として組み込まれているらしい。私たちは得意なことをしたいと思うものであり、自分の無能やスキル不足が露呈するものを避けたがる。私たちは、先天的に失敗を恐れるものらしい。

失敗を恐れる気持ちは、読み方を教わっている小さな子どもにも見られる。私は読み方を教わりすばらしい進歩を遂げている子どもを知っているが、その子でも、自信を持てない単語を読むときはすぐわかる。発音が恐る恐るという感じになるのだ。知っている単語なら、自信を持って大声で発音する。彼女の能力では手に余る難しい単語などを与えると、頑張ってみるのではなく、「お母さんが読んでよ」と言って諦める傾向がある。

ほとんどの大人には、同じ傾向がもっと拡大して現れる。ほとんどの人々は、大きな課題に直面したり、失敗しそうなことが読めたりすると、その状況を避けようとする。ナイトクラブであなたを簡単にぶちのめしそうな140kgの巨漢とケンカになりそうになったときの反応としてはそれで正しいだろうが、壇上でスピーチしなければならないときや新しいプログラミング言語を学ばなければならないときにはそれではいけない。そういう場合で失敗しても実害は起きないのだ。

ほとんどの人々が失敗を過度に恐れるのはなぜだろうと尋ねられれば、私なら、それはおそらく壊れやすい自我を守ることが何よりも大事だからなのだろうと答える。失敗を恐れるのは、たぶん、失敗を個人的な体面の問題として捉え過ぎてしまうからだ。特定の分野での失敗は、自分の個人としての価値を傷つけると思ってしまうのである。

この自我を傷つけることへの恐怖は、失敗の性質についての単純な誤解によっても強められていると思う。私たちは、失敗は悪いものだと教えられ、そう考えている。失敗にポジティブな光を当てて考えることをせず、終わりだと考えてしまう。失敗という言葉自体が、成功に向かう道の一時的なでこぼこではなく、行き止まり、最終的な到達点という意味を含んでいる。私たちの頭のなかには、失敗した人々が送られる島のイメージがある。彼らは助けてもらえるという希望もなく沈んだ様子で浜辺に座り込んでいる。彼らの人生は失敗であり、彼ら自身が失敗なのだ。

失敗が終わりではないことはわかっているはずだが、私たちはそのように感じてしまうらしい。私たちは自分を少し深刻に捉え過ぎ、失敗にかなり重い意味を与えてしまうようだ。失敗を成功への道と考えるように訓練されていないので（本当は成功への唯一の道だという場合も多いのだが）、何がなんでも失敗を避けようとするのである。

失敗は敗北ではない

失敗は敗北と同じではない。敗北は永久に敗北だが、失敗は一時的なものだ。失敗は降りかかってくるものであり、自分では完全にコントロールできない。敗北は選んだ結果であり、失敗を永久に受け入れることである。

失敗に対する恐怖を拭い去るための第一歩は、自分で失敗したまま終わりにしない限り、失敗で終わりにはならないことを理解することだ。人生は難しい。必ず打ちのめされることが起きる。しかし、そこから立ち直るかどうかを決めるのはあなただ。持つ価値のあるものには戦ってでも手に入れる価値があると考えられるかどうか、達成の喜びやうれしさは主として達成するまでの困難と苦闘から生まれるものだと考えられるかどうかであり、すべてあなた次第だ。

簡単に勝てないテレビゲームで遊んだことがあるだろうか。ラスボスを倒したときの達成感を覚えているだろうか。あなたはそれまでに何度も何度も失敗したかもしれないが、最後に成功したときの気分のよさは格別だったはずだ。同じぐらい難しいテレビゲームでも、隠しコマンドを使って無限の生命力を手に入れたり無敵キャラになったりして勝ったときはどうだろうか。どれぐらい面白かっただろうか。達成の喜びはあっただろうか。

テレビゲームの話を続けるが、初めて自分のキャラが死んだときに頭にきてコントローラを放り出したらどうなるだろうか。経験全体が楽しめる理由の一部は、何度も何度も失敗したけれども最後に成功したということを感じているからではないだろうか。もしそうだとすれば、人生の失敗を永遠に続く状態だと思って避けているのはなぜだろうか。テレビゲームのコントローラを握ったら、落とし穴に落ちたり火の玉に飲み込まれたりせずにゲームに完勝できるなどとは思わないだろう。それならなぜ、失敗を経験せずに人生を生き抜けると思うのだろうか。

失敗は成功への道

失敗を恐れるのではなく、喜ぼう。失敗は、敗北でないというだけでなく、成功に到達するために必要不可欠なステップだ。人生で達成する価値のあるもののなかで、少なくとも小さな失敗を何度かしないで達成できるものなどほとんどない。

問題は、教育を通じて失敗にネガティブな光しか当てられなくなることだ。学校で課題に「不可」と書かれてしまうと、とても前進だとは思えない。失敗は、自分を目標に近づけてくれる学習の経験だと考えるようには教わらないのだ。ただただ、ネガティブなことと見るように教え込まれてしまうのである。

しかし、実際の人生はそうではない。試験勉強などせず、学習のための経験と成長のチャンスとして不可をもらってこいと言うつもりはないが、実際の人生で犯す失敗は、たいていの場合、最終的な成功に近づくために必要なマイルストーンだということは間違いない。

現実の世界では、何かの失敗を犯すと、その経験から何かを学び、成長するものである。私たちの脳は、そのように働くように訓練されている。ジャグリング、野球といった協調的な運動が必要とされることを学ぼうとすると、成功するまでに何度も失敗することを覚える。

私は、自分が初めてジャグリングを練習したときのことを覚えている。3個のボールを投げて、3個とも地面に落ちてしまう。たったひとつも取ることができないのだ。そこで「ぼくはジャグリングなんかできない」と言って諦めてしまってもよかったのだが、どうしたものか、私は諦めなかった。ほかの人だってジャグリングできるようになるのだから、自分もできるようになるはずだと思って、練習を続けたのである。何百回、いや何千回もボールを落とした結果、やっと失敗しなくなった。脳が失敗の繰り返しから学習し、時間とともに少しずつ修正していったのだ。このプロセスは、私がコントロールしたわけではなかった。私は、ただ最初に挑戦を始めることを嫌がらず、挑戦し続けるだけでよかったのである。

最近、私は「勝つか学ぶか」と言うようになった。「失敗」を選択肢にも入れなくなったのである。どのような状況でも、諦めたら失敗だが、結果がどうであっても選択肢はふたつしかない。ひとつは成功したときであり、当然ながらそれはすばらしいことだ。しかし、もうひとつはもっとすばらしいことで、学習のチャンスを得たということである。私はチャンスによって向上する。結果はどちらでもいい。そういう意味では、私には負けはないし、失敗はない。

失敗を喜ぶことを覚える

繰り返しになるが、この本のほかのアドバイスは全部無視したとしても、これだけは聞いていただきたい。失敗を喜び、期待し、受け入れ、失敗に正面から向き合うことを学ぼう。

単に失敗に対する恐怖を取り除いただけでは不十分であり、さらに踏み込んで失敗を求めるようにすべきだ。成長したければ、確実に失敗することが保証されているような状況に身を置く必要がある。私たちが停滞しがちなのは、危険で困難なことをするのを止めてしまうからだ。私たちは、人生のなかで安住できる場所を見つけると、ドアを閉め、隙間を埋め、嵐をしのぎ、雨のなかに戻っていこうとはしなくなる。

しかし、ときどき私たちは少し雨に濡れる必要がある。自分を成長させるために、ときどき自ら居心地の悪い状況に身を置く必要がある。船の舵取りに失敗してひどい目に遭えば遭うほど、逆に成功に向かって背中を押してくれる強い風が吹くということを知った上で、ときどきそのような状況を見つけるために積極的に外に出てみる必要がある。

どうすれば失敗を喜べるのだろうか。どうすれば波立ち騒ぐ海に飛び込もうと思えるのだろうか。まずは、失敗を人生の一部として受け入れることだ。人生では無数の失敗を味わうことになり、それはほとんど避けられないということを認識しなければならない。最初からすべてを完璧にすることはできないのだ。あなたは必ず失敗する。

また、失敗してもかまわないということを認識しなければならない。ミスを犯してもいいのだ。ミスを避けようとすることは間違いではないが、失敗によって自我が傷つくことを恐れてチャンスをみすみす見逃すようなことをしてはならない。失敗してもかまわない、自分の価値は、失敗そのものではなく失敗にどう向き合うかによって決まると思うようになれば、失敗をひどく恐れないようになれる。

最後に、過度なぐらいに失敗に身を晒すことを提案したい。外に出かけて居心地が悪いと感じるようなことをしよう。外に出かけて、何らかの失敗を犯すことは避けられないような困難な状況にわざと身を置いてみよう。しかし、大切なのは諦めないことだ。失敗を成功に向かうためのエネルギーにしよう。十分な数の失敗を経験すれば、失敗自体に対する恐怖の支配力は失われていく。

この章の締めくくりとして、ナポレオン・ヒルの『思考は現実化する[※1]』から、失敗に関する次の言葉を贈ろう。

※1　Napoleon Hill, *Think and Grow Rich*, TarcherPerigee; Revised, Expanded Edition, 2005. 邦訳『思考は現実化する』（きこ書房、1999年）

もっとも偉大な人々は、最大の失敗を乗り越えてたった一歩進んだときに最大の成功を獲得している。

やってみよう

- 失敗への恐怖はどのようにしてあなたの行動を止めているだろうか。やってみたいけれども、一時的に気まずい思いをしたり失敗によって自尊心が傷つくためにできないでいるすべてのことについて、考えてみよう。
- 失敗を恐れて避けてきたことのうち、少なくともひとつを本気でしてみよう。腰が引けた形でするのもいけない。多くの人々は、自分が失敗することを知りながらあることに「手を出し」、しかもそのことと自分との間に距離をとって、「本気でやってみたわけではないから」という理由で本当に失敗したと感じないように守りに入る。本気で試し、本気で失敗しよう。

第 72 章

安全地帯の外に出よう

人生のなかで本当に成長したいなら、私たちの大半が持っている大きな恐怖を克服しなければならない。それはバカみたいに見えることに対する恐怖だ。

ステージの上に立って大勢の人々に話すのは容易なことではない。インターネット全体から見えてコメントできるところにブログポストを書くのも容易なことではない。ポッドキャストで自分の声を聞いたり、動画で自分の顔を見たりすると、気恥ずかしくなることがあるだろう。本を書くことでさえ、ある程度の度胸がいる。特に、自分が学んだすべてのことを本に詰め込もうとすればそうだ。

しかし、そういう活動から成功をつかみたいなら、他人がどう思うかを気にするのを止めなければならない。バカみたいに見えるのを恐れなくなる方法を身に付ける必要がある。

あらゆることが最初は気まずい

初めてステージに上がって人前に立ち、プレゼンテーションをしなければならなくなったとき、私は汗をかく「黒い点」だった。私は声を落ち着かせようとしたが、声はずっとかすれたままだった。スライドをクリックすると、手が震えてふたつ先のスライドまで一気に飛んでしまった。しかし、何が起きたかわかるだろうか。私は何とか最後までやり遂げたのである。最高の仕事はできていなかっただろう。自分のカリスマ性で聴衆を魅了することもおそらくなかった。しかし、時間は過ぎ、最終的にプレゼンテーションは終わったのである。

次にステージに立ったときも、私はまだ落ち着かなかったが、前回ほどピリピリはしていなかった。私の手はそれほど震えていなかったし、シャツも汗でびしょびしょにはなっていなかった。その次のときはもっと楽だった。今は、ステージに立つと、マイクを握り、自信を持って大股で歩いている。

室内のエネルギーから力をもらい、私は生き返ったような気持ちになる。今と比べれば、最初の数回は講演をしたとはとても言えないだろう。

要するに、物事は変わるのだ。時間とともに、最初は落ち着かない気持ちにさせられていたものが、第二の天性になる。ただし、十分な時間をかけ、自分から進んでその居心地の悪さを引き受けるようにしなければ、居心地の悪さは消えない。

落ち着かない気分にさせられるものを初めてするときには、そんなことをしてゆったりとした気分になることは想像できないだろう。つい、それは自分には不向きで、ほかの人はそのことに天賦の才を持っているのだと考えたくなるが、そうではない。この種の考え方を克服し、初めて困難なことをするとき、特に多くの人の前に立つときには、ほとんど誰もが同じように落ち着かない気持ちを経験するものだと理解しよう。

あなたには正直に言おう。ほとんどの人はそれができていない。彼らは早い段階で諦める。彼らは、ほかの人たちが自分のことをどう思うかが気になり過ぎ、難しくて気乗りしない部分を乗り越えてもっといいところに進むためにがんばらない。本書のアドバイスに従うと、ほかの人々が失敗するところで成功するのはそのためだ。ほとんどの開発者は、あなたが進んでやろうとすることを進んでやったりしない。ほとんどの開発者は、もっと大きなことを達成するために、バカみたいに見えてしまうことに進んで耐えようとはしない。

バカみたいに見えてもかまわない

おそらくあなたも、物事は時間とともに簡単になっていくと考えるようになっているだろう。その考えからぶれずに前進し続け、ブログポストを書き続け、ステージで話し続け、YouTube動画を作り続ければ、いずれそういったことに居心地の悪さを感じなくなり、自然にさえ感じられるようになってくる。しかし、両手が制御不能な感じで震えが止まらず、マイクを持つことさえできないときに、どうすればそう考えることができるだろうか。

簡単なことだ。気にしなければいい。バカみたいに見えているのではないかと気にしなければいい。誰かがあなたのブログを読んで、こいつは完全に間違っている、バカなんじゃないかと思うかもしれないなどと気にしなければいい。自分でも自分のことを笑おうと思っていれば、彼らが自分のことを笑うことなど気にしなくなる。例によって、言うのは簡単なことだ。しかし、少し分析してみよう。

まず、あなたがバカみたいに見えてしまったときに起き得る最悪のことは何だろうか。あなたが笑いものにしているのはあなた自身なので、あなたに肉体的な危害が及ぶわけではない。ステージ上でのプレゼンテーションをどれだけひどくぶち壊したとしても、実際には誰もそれほど気にしてはいない。確かに、あなたが泣きじゃくって額に汗がどっと噴き出しているときには見世物のようになっているかもしれないが、終わってしまえば、誰も覚えていないだろう。

これについては次のように考えてみよう。最後に誰かが「やっちまった」のを見たのはいつだろうか。覚えているだろうか。あなたは彼に対して嫌な言葉を投げつけたり、ブーイングして彼をステージから追っ払ったりしただろうか。彼がいかにひどかったか、彼がいかにあなたの時間を台無しにしたかを思い知らせるために、メールを送ったり電話をかけたりして追い打ちをかけただろうか。もちろん、そんなことはないだろう。それなら、何を恐れることがあるだろうか。

成功したいなら、プライドを飲み込み、外に出て行って、自分がバカに見えるのを恐れないようにしなければならない。有名な俳優、ミュージシャン、プロスポーツプレーヤー、講演者でも、かつては自分の仕事をうまくできなかったのだ。彼らは、ベストを尽くし、そのような状態からなんとか抜け出すことを意識的に選択したのである。結果はいずれやってくる。何かをずっとやり続けていれば、うまくならないではいられないものである。そうなるまで、長い間生き残らなければならないだけのことだ。そして、生き残るための方法は、気にしないことである。バカのように見えることを恐れてはならない。

> 私はキャリアのなかで9,000本以上のシュートを外してきた。300試合ほども負けてきた。ウィニングショットを放ってくれると信頼されて外したことが26回ある。私は人生のなかで繰り返し繰り返し失敗してきている。私が成功したのはそのためだ。
>
> —マイケル・ジョーダン

小さなステップを踏もう（でなければ飛び込め）

私なら、あなたをプールの端まで連れていって、あなたをどんと叩いて一番深いところに突き落とすだろう。それがもっとも早く学ぶ方法だからだ。しかし、沈むか泳ぐかのような状況に追い込まれるのを嫌がる人がいることはわかっている。それなら、ゆっくりとスタートして小さなステップを踏んでいくようにしよう。

講演、執筆など私がこの本で触れてきた様々な活動をすることに抵抗を感じるなら、そのなかでそれほど抵抗を感じることなく自分でできるもっとも小さなことはどれかを考えて、それから始めよう。

おそらく、他人のブログにコメントを書くことあたりがスタートするきっかけとしていいところだろう。こういった活動でも怖気づいてしまう開発者がいることはわかっているが、コメントなら自分であまりたくさん書かなくて済むし、対話の口火を切るのではなく、盛り上げればいいので、いいきっかけになる。

批判されることは覚悟して、批判を恐れないようにしよう。あなたが言っていることをいいと思わない人、あなたに同意できない人はいるだろう。だから何？ それがインターネットであり、誰にでもそれぞれの意見を言う権利がある。だから批判のために黙らされないようにしよう。また、少し非難されることに慣れるのもいい。あなたのもっとも完璧な仕事でも、批判する人は必ず出てくる。全員を喜ばせることはできない。

少し勇気が出てきたら、自分自身のブログポストを書いてみよう。すでによく知っているテーマ、いや「ハウツー」でもかまわないので書いてみることだ。特異な自説から始めるのは止めた方がいい。その種のポストは、穴倉から出てきたインターネットの妖怪どもに叩かれるきっかけに一番なりやすいものだ。それさえ守れば、ブログポストの投稿もまんざらではなく、あなたが書いたことを気に入ってくれる人も出てくることがわかるだろう（ただ、それでのぼせ上がらないよう注意しよう）。

そこからさらに広げていこう。おそらく、誰か他人のブログのゲストポストを書いたり、ポッドキャストのインタビューを受けたりすることはできるはずだ。トーストマスターズのようなクラブに入って人前で話すことに慣れるところまで進めるかもしれない。人前で話すことができるなどと考えたこともないような多くの人々がトーストマスターズを経験して、すばらしい講演者に育っている。

ポイントは、いつも前進することだ。少しずつ身体を濡らしてゆっくりと水の温度に慣れるのでも、ドボンと飛び込んで大きな飛沫を上げプールの底まで行っても、どちらでもかまわない。落ち着かない居心地の悪い感じがして、ちょっと恐くなる、いや恐くてたまらなくなるかもしれないが、いずれそういうものはなくなる。前進を続けて、そういった挑戦に自分から向かっていけるようになり、ばかのように見えること（ほんのわずかな間のことだ）を進んでできるようになったら、あなたはほとんどの人たちが失敗したところで成功することになる。それにはきっとそれだけの価値があるはずだ。

やってみよう

- 勇気を出そう。今日はあなたがスタートを切る日だ。外に出て、ちょっと怖いと思うことをしてみよう。大きくても小さくてもかまわない。自分を居心地の悪い状況に強制的に送り込んで、それは大したことではないということを身をもって理解しよう。
- 上のことを少なくとも週に 1 度やり続けよう。

第73章

ストア哲学によって人生が変わる理由

ストア派とは、運命に対して「ふざけんな」と言える仏教徒のことである。

—ナシーム・ニコラス・タレブ『反脆弱性』

この章は、この本のすべての章のなかでも、もっとも書くのが楽しみであると同時に不安になる章だ。私はストア哲学のおかげで、人生と人生に対する姿勢が劇的に変わり、以前よりも大きく成功し、ネガティブな感情や運命の悪戯から自由になった。だから書くのがとても楽しみだ。しかし、ストア哲学については言いたいことや取り上げなければならないことがたくさんある。そのため、この短い章ではきちんと説明できないのではないかと不安になってしまうのである。

私が始めてストア派の考え方を知ったのは、本書初版を書いた直後のことである。ハワイに行き、最終校正を仕上げ、海沿いにランニングしながらライアン・ホリデイのオーディオブックを聞いていた。本のタイトルは『苦境を好機にかえる法則[※1]』ですぐに心が惹かれた。結局、旅行中にこのオーディオブックを3回聞き、充実した生き方のための枠組みをつかむことができた。それがなんと2000年以上も前に考え出された思想なのだ。なぜ、今までその存在を知らなかったのだろうか。

自宅に帰ってからはストア哲学に夢中になった。古代のストア哲学者の本を読み始め、彼らが言ったことを実践に移した。以前ほど頻繁に腹を立てなくなり、自分を向上させようと思うようになった。状況を変えたり取引したり愚痴ったりするのではなく、ありのままの姿を受け入れようとするようになった。そして以前よりもずっと平和で静かな気持ちになった。まるで哲学者になったようだ。

※1　Ryan Holiday, *The Obstacle Is The Way*, Profile Books Ltd, 2015. 邦訳『苦境を好機にかえる法則』（パンローリング、2016年）

ストア派とは何か

いやあ、不安な部分に入ってしまった。ストア派とは何か、どのように教えを実践すればよいかを語り出したら本一冊分になってしまう。しかも、自分が言っていることが正しいかどうかは未だに確信が持てないでいる。ストア派には公式の教義はない。キリスト教の交唱歌のようなものやマニフェストもないし、ガイドブックさえない。

しかし、諦めることはない。希望は残っている。ストア哲学とは何か、どういう内容なのかについては、古代に書かれたものを通じてかなりのところまでわかる。ストア哲学の核心は、生きている時間の価値を最大限に引き上げることだ。そのために、自分ではどうしようもないことに関わって人生の時間を無駄にせず、自分でコントロール（支配、介入、決定）できることに自分の力を集中させるのである。

ストア哲学の本質は、できる限り自分を高めるように生きるべきだという考え方に基づいている。この考え方をユーダイモニアと言う。

ユーダイモニアは、一般に「内なる精神を高めること」と訳されている。ストア哲学は、あらゆる瞬間に最高の自分を表現し、自分ができることに力を注ぎ、自分の生き方に責任を取ることを求める。ストア哲学の実践者は、善悪とは中立的な事象に対する解釈に過ぎず、人間は自分のまわりで起きたり、自分の身に直接降りかかってきたりするすべてのことをどう解釈するかを決める力を持っていると考える。ストア哲学は被害者意識（victim mindset）の逆だと考えられるだろう。実際、最近の私は被害者意識を取り除くというストア哲学の考え方に共鳴するあまり、ブルドッグマインドセット（https://bulldogmindset.com）という新しいブランドと会社を作って活動している。

ストア哲学とは、生きているなかで持っているあらゆるものを自分の所有物とは考えず、借りてきたものでいつか返さなければならないものだと考えることにより、運命に振り回されなくなる思想だ。セネカはこれを次のように説明している。

> 私たちが持っているものは、運勢からの「借り物」だということを忘れてはならない。運勢は、私たちの許可なしにそれを取り戻すことがある。実際、予告さえないこともある。だから、私たちは愛するものを大切に

すべきだが、それを永遠に持っていられる保証、いや長く持っていられる保証さえないということを肝に銘じなければならない。

—セネカ

ストア哲学の中心にはデタッチメントという観念がある。仏教を知る方には、無執着と似た考え方だと言えばわかりやすいだろう。ストア哲学は、周囲の世界をはじめとして、自分でどうこうすることができないすべてものに執着せず、それらが失われることを許容せよと教える。また、物事の結果に執着せず、自分次第で変わる過程の方に力を注げと教える。このことを説明する有名な例が弓の射手である。射手は的を狙い、矢を射るが、的に向かって矢が飛んでしまえば、もう結果に介入できない。射手はできる限り完璧に矢を射るために全力を尽くすことができるが、矢が飛んでしまうと、射手はその矢をどうすることもできない。

多くの人々が、ストア派とは無感情になることだと思っている。苦しみや喜びに関心を持たないことだ。しかし、それはまったくの誤解である。ストア哲学が教えるのは、苦しみや喜びが行動に影響を与えることを許してはならない、そういった感情とは無関係に正しい行動をしなければならないということだ。ストア哲学者は、「感情を知れ。しかし、感情に脅かされたり支配されたりしてはならない」と教える。私は、「痛みを感じながら歩み続けよ」という言葉を好んで使っている。

無敵になる方法

ストア哲学の最大の効用は何かを考えるときに頭に浮かんでくるのは、不可侵という言葉だ。自分に被害を与えられるものがまったくなければ、人生はどうなるだろうか。ストア哲学の理想に従って生きていれば、あなたに被害を与えられるものはない。それはなぜか。ストア哲学の教えに従えば、ある事象を良い、悪いと考えるのは、その事象に対する私たちの解釈によるものなので、何かが私たちに被害を与えられるのは、私たちがそう解釈することを選んだときだけだからだ。

被害を受けないことを選べ。そうすれば、被害を受けたと感じることはない。

被害を受けたと感じるな。そうすれば、被害を受けていないことになる。

—マルクス・アウレリウス

無理難題に思えるかもしれないが、私はストア哲学を実践するようになってから、被害に対してほとんど無敵になった感じがする。昔なら悩み苦しんでいたようなことが、今なら気づくほどの影響を残さなくなっている。以前なら、渋滞で動けなくなると運転者特有のイライラでひどく腹を立てていたが、今は渋滞を受け入れてオーディオブックを流し、聞ける時間が長くなったのはすばらしいことだと考えられるようになっている。以前なら、誰かが馬鹿なことをしたり、私に対して無礼な態度を取ったりすると腹を立てていたが、今は彼らの行動を彼らの選択だと考え、自分を強くするための試練だと考える。車に轢かれるなどして肉体的な外傷を受けたときはどうだろうか。こういったものにも無敵でいられるのだろうか。ストア派なら、苦痛と被害は別だと教える。車によって苦痛を与えられることはあるかもしれないが、それは必ずしも被害ではない。たとえ足を失ったり歩けなくなったりするようなことがあっても、それを悪いことだと解釈しなければ被害にはならない。

ストア哲学のこの効用は、運命に左右されなくなると表現するのがもっとも適切だろう。ベストを尽くすことに集中して結果を気にしなくなり、運命が与えたものを受け入れて運命を愛すれば（アモールファティ、運命愛）、くよくよ悩むことはなくなる。あらゆることが起き得るが、それを最高の方向に持っていく方法が考えられるようになる。だからといって怒ったり悲しんだりすることがなくなるわけではないが、ネガティブな感情の直撃を緩和するための一定程度の感情コントロールが身に付くということである。

ストア哲学はあなたを強くする。それも大幅に強くする。ストア派の教えのひとつに、なしで済ませる練習をすべきだというものがある。極端な話、貧しい生活の練習さえしてよい。ストア派は、災難がやってきたときに備え、自分を強くするために、不快なことに身を晒すべきだと考える。「訓練で汗を流せば流すほど、戦闘で流す血は少なくなる」というのは、非常にストア派的な考え方だ。この本の前の方でマラソンを走り毎日断食することについて話したが、これらはどちらもストア哲学から得た精神力と内面の強さのためにできていることだと思う。

ストア哲学は、究極的には静謐、または内面の平静を約束してくれる。結果に執着せず、物事が進む方向に逆らわず、運命に左右されず、現実や人生に逆らわずにあるものを受け入れて肯定することを学べば、比類ないほどの内面の平和が得られる[※2]。まるでパラレルワールドにいるようなものだ。人が何かについて本気で動揺したとか怒ったとか気持ちをかき乱されたといった話をしてきても、私はもうほとんど心を動かされない。自分の時間の50%以上をネガティブな感情を煮詰めるために使っていた時代のことをぼんやり思い出すが、今ではそういうことはほとんど経験しなくなったので、逆にそういうことがあると驚いてしまう。「おや、自分は今怒っているみたいだぞ。妙なことだなあ」

ストア派になるためにはどうすればよいか

あなたもストア派になりたくなってきたのではないだろうか。うーん、そうだねえ。ゼリーをどっさり入れた水遊び用のプールとか秘密の祭儀とかは好きかな？ ストア派になるためには、まずイニシエーションが必要なんだよね。もちろん、これは冗談だ。しかし、実際にはあなたはすでにイニシエーションを受けているのである。あなたと私は同じ運命を共有しているのだ。つまり、いずれ死ぬということである。もちろん、わかっている。私たちは死のことを考えたがらない（もっとも、ストア派は積極的に考える。ストア派には、死に対してしっかりと準備をするという思想がある）。しかし、これは事実である。そして同じ運命を共有している私たちは、同じ問題と同じ解決方法を共有している。

では、私たちが共有している問題とは何なのか？ 質問してくれてありがとう。現実を見れば、私たちは全員ほぼ同じ条件とほぼ同じ制約のもとで生きている。あなたと私は、究極的には自分の考え、自分が経験したことの解釈、自分の行動しかコントロールできない。コントロールできるのはそれだけで、ほかのすべてのものはコントロールできない。こんなことを言うのは、あなたが好むと好まざるとにかかわらず、あなたはすでにストア派だからである。単にストア哲学を実践していないかもしれないだけだ。

しかし、今までの話を聞いてストア哲学を自分の生活に取り入れたいと思うなら、初心者のための手順を説明しよう。まず、古代のストア派の文章を

※2　この本を世に出す責任を負う訳者としては、これは格差社会のなかで底辺に追いやられた人間を黙らせ、麻痺させるための思想としても機能するということを指摘しないわけにはいかない。

読んでみよう。

最初に読むべきは、セネカ『倫理書簡集』（ルキリウスへの手紙、https://en.wikisource.org/wiki/Moral_letters_to_Luciliusに無料で読める英訳がある）である。この本には今すぐ活用できる実践的な知恵が詰まっているので、ストア派の本のなかでも私のお気に入りである。

次は、マルクス・アウレリウスの『自省録』である。この「本」はもともと本として書かれたものではなかった。ローマ帝国の皇帝の私的な記録であり、それがたまたま出版されたのである。マルクス・アウレリウスは熱心なストア派で、ストア哲学に全面的に則って生きた。彼は、プラトンが初めて提唱した哲人王の名で呼ばれることが多い。

私なら、この２冊を読んだあとでさらにストア派について書かれた現代の本を読む。たとえば、ライアン・ホリデイの『苦境を好機にかえる法則[※3]』やジョナス・ザルツゲーバーの『ストア派の小さな本[※4]』などだ。これらの本には、現代的な解釈と歴史上の偉大な実例が示されており、ストア派の原典に書かれていることを消化するためにとても役立つ。

しかし、もっとも大切なことは、学んだことを実践に移すことだ。単にストア派の考え方を消化し、テキストを読むだけでなく、日常生活のなかでストア哲学を積極的に試し、実践していくのである。挫折したり、トラブルに巻き込まれたりしたら、少し立ち止まってそれをどう解釈するかを考える。自分がするすべてのことに全身全霊を傾けるために毎分毎秒を使い、ストア派がアレテー（「徳」と訳される）と呼ぶものに基づいて生きることを追求する。勇気を持って恐怖に正面から立ち向かおう。自分の時間に対して意識的になろう。自分のなかにしっかりとした船を用意して、予測不能な運命の波から自分を守ろう。

書きたいことはまだある。私はいつかストア哲学だけで１冊の本を書くつもりだ。しかし、今はこの章でストア派について簡単に紹介するだけに留めておく。この「すばらしい人生」についての短い章があなたの関心をそそり、古代の人々の知恵を追求してみたいという気持ちになっていただければ何よりである。

※３　Ryan Holiday, *The Obstacle Is The Way,* Profile Books Ltd, 2015. 邦訳『苦境を好機にかえる法則』（パンローリング、2016年）

※４　Jonas Salzgeber, *The Little Book of Stoicism,* Jonas Salzgeber, 2019

やってみよう

- 今週は毎日、何かが起きてからそれに対して反応するまでの間にちょっと時間を空けるようにして、そのときに事象の解釈を選び取り、もっとも適切な反応を選択することを心がけよう。
- 起きたことを受け入れる練習も試してみよう。自分にとって気に入らないことが起きたとき、それが自分ではコントロールできないことであれば、反発するのではなく受け入れるのである。流れに身を委ねよう。この実践だけでも、ストレスは大幅に減る。
- 最後にこの章で取り上げたセネカの『倫理書簡集』のなかの少なくとも数編を読み通してみよう。

第74章

別れの言葉

さあ、これで終わりだ。私たちはついにこの本の最後にやってきた。ここで「私たち」と言ったのは、私にとってこの本を書くことが冒険だったのと同じように、あなたにとってこの本を読むことが冒険であればという願いを込めてである。この本を初めて書き始めたときには、こんなに大きくて長い本を書くことがいかに難しいか、私には何もわかっていなかった。ただ、私のソフトウェア開発者としてのキャリアを通じて学んだ重要な教訓の一部をシェアするような本、いいコードの書き方やキャリアの進め方の教訓だけでなく、私がひとりの人間としてより良い存在になるために学んできた教訓や、人生から最大限の価値を引き出し、同時に他者にとっても利益になるものを与えるためにはどうすればよいかについての教訓も集めた本を書きたかっただけである。

私は天才ではない。数十年の人生経験を振り返って50年分の知恵をあなたに与えられる老人ですらない。だから、この本で私が言っていることを福音のように受け取らないようにしていただきたい。この本は、私の経験と、私がこれまでの人生で成功してきた要因をシェアする、私についての本である。たとえ、私が言っていることにすべて賛成できなくても（それでかまわない)、書いたことの一部があなたのお役に立てればと思っている。

今言ったことは、この本の重要な論点のひとつでもある。他人が言ったことを福音のように思ってはいけない。真理を独占している人はいないのだ。現実の多くの部分は、あなたが作るものである。それは、世界についての当然すぎる真実を無視して自分の好きなようにしていいという意味ではなく、どのような人生を生きたいと望み、どのようにしてその人生を生きていくかを自分で決められるという意味である。成功、お金、健康、自らの精神状態などを支配する基本原則を学ぶことができれば、それらの原則を使って自分の現実を作っていくことができる。

たぶん、あなたは、この本を読んだあと、子どもの頃に通れと言われた狭くてまっすぐな道、すなわちいい成績を取って失敗せず、大学に行き、就職し、引退できることを期待しながら50年間働くという道だけが選べる道ではないという結論に達してくれたのではないだろうか。確かにそれを望むならその道を通ればいいが、もしあなたがこの本を読んでいるなら、おそらく人生は今まで嫌だと思ってきた9時5時の職場で働くという生活よりもはるかにいいものだと考えているのではないだろうか。

たぶん、あなたは、この本を読んで、自分はチャンスを自由に活かせる場所にいることを理解したのではないだろうか。キャリアをうまく管理してより多くのものを引き出すことも、まったく新しい方向に進み、自分の個人ブランドを確立して売り出すこともできる。あなたは、ソフトウェア開発者のキャリアをもとに、自分では可能だとは思っていなかったようなレベルまで駆け上がり、同時にほかの人々の人生にも影響を与えることができるのだ。

たぶん、この本は、あなたに情報を学び、吸収するための新しい方法を教え、あなたは自分よりも大きなものの一部なのだという自信をあなたに与えただろう。成長の過程のどのあたりにいるかにかかわらず、あなたは情報を学ぶために学ぶだけでなく、あなたの知識によって利益が得られるほかの人々に学んだことをシェアするためにも学ぶことができるのである。

たぶん、たとえこれ以上続けるモチベーションが湧かないと思うときがあっても、この本は、もっと生産的になり、もっと時間を綿密に管理して時間を最大限に活用し、ハードワークと行動に価値を見いだそうという気持ちをあなたに与えただろう。

たぶん、あなたはこの本を読んで、もっと健康に気を使おうと思い、実際に身体を鍛えられることを知っただろう。そして、ソフトウェア開発者でも、自分で望めばきわめて健康的なスポーツマンにもなれること、そして少なくとも健康を積極的にコントロールできることを知っただろう。

そして最後に、この本を読んで、心はあなたを前進させることも、学んだことを活用するチャンスさえ与えずにあなたを破壊してしまうこともできる、強力で重要なツールだということを認識しただろう。そして、あなたにはなりたい自分になれるパワーがあり、ポジティブ思考と粘り強さの力で自分を変えていくことができることもわかっていただけただろう。

確かに、これは1冊の本、それもソフトウェア開発に関連したものとして書かれた本の目標としては盛りだくさんだ。しかし、あなたの人生が、これらの分野の少なくともひとつでこの本を通じて少しでもいい方向に進むなら、この本は成功したと考えたい。

あなたがこの本を閉じる前に、ひとつだけ小さなお願いをしたい。もし、あなたがこの本は自分にとって役に立ったと思い、ほかの誰かもこの本を読めば役に立つだろうと思うなら、どうかその思いをシェアしていただきたい。これは、この本の売上を飛躍的に上げたいから言っているのではない（確かに、私にはこの本を売りたいという気持ちはあるが）。私がこの本を書いたのは、利益を上げたいからというよりも（私には500時間をもっと大きな利益を生み出すために使う使い方がほかにたくさんある）、単にソフトウェア開発者としてではなく、ひとりの人間として私たち全員がすべきだと思っていることをするためなのである。それは、ほかの人を助けるということだ。

この本を読むために時間を割いていただき、ありがとうございました。あなたがこの本に長く続く価値を見いだしてくれることを心から願っています。

—ジョン・ソンメズ

訳者あとがき

本書は、2016年に出た『SOFT SKILLS ソフトウェア開発者の人生マニュアル』（原著は2015年刊）の改訂新版です（原著2版は2020年刊）。著者による「第2版のイントロダクション」でも説明されているように、全面的に書き換えられているわけではありませんから、初版を買われた方は、改めて2版を買う意味があるかどうか悩まれるかもしれません。

もちろん、最終的に買うかどうかを決めるのは読者の皆様ですが、訳者としては、5年は短いようで長く、長いようで短いということを感じました。初版では目指していた早期引退を実現した著者の達成感が本全体にあふれている感じがしましたが、第2版では達成した生活が当たり前のものになったあとの著者の自信が本全体を見えないところから支えている感じがします。その分、地味になったかもしれませんが、安定感が増して初版以上に安心して読める本になったように思います。

「第2版のイントロダクション」では、章単位で削除したところと追加したところを詳しく説明していますが、原型のある各章でも、多くはかなり書き換えられており、著者が新しく本を書くのと同じぐらいの力を注いで改訂版を作ったことが感じられました。とは言え、論旨が大きく変化しているわけではないのは冒頭でも書いた通りです。そもそも、生き方についての本の論旨がころころ変わるなら、それこそ信用できないでしょう。論旨の大筋は変えず、時代（そして著者自身）の変化に丁寧に対応したということです。

ついでながら、訳者としても、原著で変わらない部分を含めて全面的に読み直し、訳文に手を入れています。少なくとも新しい読者の皆様には、初版もよかったけれども、第2版はさらによくなったとお勧めできるように思います。初版を読んで著者のファンになっていただいた方にも、新たな興味を持って読んでいただける本になっているはずです。

僭越ながら訳者についてもう少し話を続けさせていただきますが、私にとっても5年は短いようで長く、長いようで短い時間でした。毎日何かしらの本を翻訳しているということは変わりませんが、翻訳に対する考え方は変わりましたし（一応、進化したと言いたいところですが）、当時は学生だった息子が今は社会人になっています。初版の訳者あとがきでは、ソフトウェア開発者にこそ読んでほしい本という紹介のしかたをしましたが、今回は、ソフトウェア開発者とはまったく違う仕事ながら、社会人としての悩みを抱えているらしい息子に、この本を読ませてみたいと思いながら訳していました。第4部までの記述は、もちろんソフトウェア開発者用に最適化されていますが、芯の部分ではあらゆる職業人に通用すると思います。

初版訳書が出た6年前との大きな違いは、言うまでもなく世界がコロナ禍を経験したということです。原著は2020年刊ですが、コロナとかCovid-19といった単語は一切入っていません（たぶん、コロナ禍以前に脱稿しているのでしょう）。しかし、リモートワークについて書かれていることは、コロナ禍以降の社会での働き方に直結していると思います。

コロナ禍では、政治や社会は助けてくれず、自分がしっかりしていなければ生きていけないということも思い知らされました。政治家にまず自助だなどとは言われたくありませんが、逆説的に自助の重要性を考えさせられたわけです。本書には、そのような自助のテクニックが満載されています。そのような意味で、コロナ禍以降の時代の必読書だとも言えるのではないかと思います。

長尾 高弘

解説

まつもと ゆきひろ （Matz）

コップの中に半分水が入っているときに、「半分しか入っていない」とネガティブに感じる人と、「半分も入っている」とポジティブに感じる人がいるそうです。同じ人でも状況やタイミングによって異なる感じ方をすることもありそうですね。

本書を読んだときの感想も、同じように二つに分かれそうです。「すばらしい内容が書いてある」と感じる人と、「自分と状況が違いすぎて参考にならない」と感じる人です。どちらもある程度真実なのだと思います。本書は、プログラマーがめったに直接的に語らない「人生」について語っています。特にキャリアの作り方や、経済的自立戦略、それから健康のことなど、人生を構築するために重要な要素について率直に語っています。プログラマーは技術の話は大好きですが、このような人生に関する話題について率直に語ってくれることは少ないので、本書の内容はその意味で貴重です。

しかし一方で、本書の内容のほとんどは彼自身の経験に基づくもので、本書（日本語訳）の読者の多くとは、周囲を取り巻く環境が違いすぎて、「自分には当てはまらない」と感じる人がそれなりにいることも容易に想像できます。

確かに、筆者が経験してきたドットコムバブル時代を含む過去のアメリカと私たち（の多く）が現在住んでいる日本とでは、企業文化も就職活動も経済的状況も相当異なっているので、筆者の経験をそのまま真似しようと思ってもなかなかそうはいかないでしょう。

でも、それであきらめてしまうにはあまりにもったいないと思います。たとえ状況は異なっていても、本書の内容から学べることは多いからです。

ある調査によると、起業家として成功している人たちが共通してもっていた特質は、IQでも学生時代の成績でも実家が裕福だったかどうかでもなく、「パターン認識能力」の高さだったそうです。つまり、一見関係ないように見えるところから教訓を引き出すことができる力が成功のカギになっているということのようです。本書の内容から教訓を引き出すためにも、このパターン認識能力が必要なのでしょう。

読者の皆さんのために、あらかじめ本書から引き出せるいくつかの教訓をここで紹介しておきましょう。

ひとつは「ソフトウェア開発者のキャリアに重要なものはソフトウェア開発だけではない」ことです。技術以外にもなさねばならないことはたくさんありますし、人間はカスミを食べて生きるわけにはいかないからです。本書では技術以外のことをたくさん教えてくれます。

もうひとつは、「誰もが考える手段にこだわらない」ということです。筆者は19歳でソフトウェア開発者としてキャリアをはじめ、33歳で「引退」しています。アメリカは個性を重視する文化がありますが、そうは言っても33歳でアーリーリタイア（昨今の言葉で言えばFIREでしょうか）する人は少数派です。彼は、自分のキャリアを構築するにあたって、いろいろと試行錯誤し、主体的に行動しています。不動産経営もそのひとつです。

私たちが同じことをする必要はありませんが、著者のように成功に貪欲になれるチャンスに向き合い、「自分にできること」は何かということを深く考えて、たとえ失敗の可能性があってもチャレンジすることが重要です。

いかがでしょうか。本書の「教訓」に興味が出てきたのではないでしょうか。もちろん、本書から引き出せる教訓はこれだけではありません。本書の内容に注意を払い、教訓を引き出すとき、みなさんも人生をより良くするカギを見つけられるのではないかと願っています。

著者・訳者について

●著者

ジョン・ソンメズ(John Sonmez)

ジョン・ソンメズはソフトウェア開発者で、『CAREER SKILLS ソフトウェア開発者の完全キャリアガイド』と『SOFT SKILLS ソフトウェア開発者の人生マニュアル』の著者である。

彼は技術的なスキルだけではキャリア、そして人生を成功するためには不十分だと主張するシンプルプログラマーのブログと YouTube チャンネルの創設者でもあり、毎年140万人のソフトウェア開発者がこれらにアクセスしている。

ソフトウェア開発者は、明確に伝える能力や具体例を使って指導する能力、失敗から立ち直れる精神面の強さ、レベルの高い身体能力といった「ソフトスキル」に力を入れることによって、「ガラスの天井」を突き破り、並外れた成功を手にすることができる。

ジョンは17年以上に及ぶソフトウェア開発者としてのキャリアを通じて苦闘しながらこのことを学んだ。そしてキャリアの初期に経験した失敗についても率直に述べている。

ジョンがソフトウェア開発を始めたのは10歳のときで、C と C++ でお気に入りのマルチユーザーダンジョンのための仮想世界を作っていた。

ジョンは19歳で年収が6桁にもなるシリコンビーチの会社に就職し、自分のキャリアは安泰だと思った。

しかし、実際には、不満とイライラが溜まる年月が続いた。C++ のスキルで上司を唖然とさせてその美味しい会社から「レイオフ」され、マイクロソフト本社での過酷な面接試験で自信はずたずたになった。挙句の果てに、月々の支払いのためにプログラマーではない仕事に就くことになった。

しかし、こうした経験を通じて、ジョンはプログラミングの方法を知っているだけではソフトウェア開発者として成功するためのスキルを持っているとは言えないことを学んだ。そして、自分には足りなかった技術的なスキルと、リーダーシップ、コミュニケーションスキルをつけるための努力を始めた。

ジョンはテストの自動化とアジャイルメソドロジーで高級を稼ぐ独立コンサルタントになり、技術教育の雄、プルーラルサイトでオンラインソフトウェア開発教材をもっとも量産するトレーナーのひとりになった。

ジョンは33歳で実質的に引退し、サンディエゴに引っ越した。

現在の彼は、シンプルプログラマーの動画、書籍、講座を通じて成功をつかみたいほかの開発者たちを支援している。

●訳者

長尾 高弘(ながお・たかひろ)

1960年千葉県生まれ、東京大学教育学部卒、㈱ロングテール社長。最近の訳書は『CAREER SKILLS ソフトウェア開発者の完全キャリアガイド』(日経 BP)、『AI 技術を活かすためのスキル』、『入門 Python 3』(オライリー・ジャパン)、『Scala スケーラブルプログラミング』(インプレス)、『多モデル思考』(森北出版)など。

本書関連のオンラインリソース

本書を読み進める上で役に立つオンラインリソースを紹介しておきたい。役に立つウェブサイトのリンクは各章に含まれているが、ここで示すのはきっと役に立つごく一部の必読サイトである。

シンプルプログラマーのブログ

https://simpleprogrammer.com

ここには、本書の様々なテーマに関連したブログポストがたくさん集められている。私と連絡を取るための最良の手段でもあり、私が毎週無料でポストしている有用な情報も含まれている（ここに行ったら必ず私のメールリストにサインアップしていただきたい。毎週私が作っている無料リソース、その他のいい情報についてのメールが送られてくるようになる）。

シンプルプログラマーのYouTubeチャンネル

https://www.youtube.com/simpleprogrammer

ここには、この本で話題になっている多くのテーマについての動画がポストされており、すべて無料で見られる。チャンネル登録すれば、毎週新しい無料動画が見られるようになる。

ブルドッグマインドセットのブログとYouTubeチャンネル

https://bulldogmindset.com と https://youtube.com/bulldogmindset

自己開発のために立ち上げた私の最新の会社、ブランドである。マインドセット、フィットネス、資産形成、社交スキルを扱っており、すべてストア哲学が基礎になっている。

ソフトウェア開発者のセルフマーケティング講座

https://simpleprogrammer.com/products/how-to-market-yourself/

この本の第２部「セルフマーケティング」をさらに極めたい読者は、この講座を購入するとよい。私が製作した講座のなかでも群を抜いて多くの人々が購入しているものだ。

アントレプログラマーズ

http://entreprogrammers.com

起業家になったり、自分の事業を起こしたりしたいと思う読者は、毎週放送されるこの無料のポッドキャストを聞くといいだろう。私もほかの３人の開発者（デベロッパー）兼アントレプレナー（デベロッパーナー）たちとともに放送に参加している。

SOFT SKILLS《ソフトスキルズ》
ソフトウェア開発者の人生マニュアル　第2版

2016年 5月24日　第1版第1刷発行
2019年 2月15日　第1版第4刷発行
2022年 2月21日　第2版第1刷発行

著　者　ジョン・ソンメズ
訳　者　長尾 高弘
解　説　まつもと ゆきひろ
発行者　村上 広樹
発　行　日経BP
発　売　日経BPマーケティング
〒105-8308
東京都港区虎ノ門4-3-12
装　丁　小口 翔平＋後 藤 司（tobufune）
制　作　相羽 裕太（明昌堂）
編　集　田島 篤
印刷・製本　図書印刷株式会社

本書籍に関する問い合わせ、ご連絡は下記にて承ります。
https://nkbp.jp/booksQA

ISBN978-4-296-00050-0
Printed in Japan